Op sterven na dood

Peter James

Op sterven na dood

De Fontein

Van Peter James verschenen eveneens bij De Fontein:
Doodsimpel
De dood voor ogen
Op dood spoor

Oorspronkelijke uitgever: Macmillan Publishers
Oorspronkelijke titel: *Dead Man's Footsteps*
Vertaald uit het Engels door: Ineke de Groot
Omslag: Wil Immink Design
Omslagfoto's: Dam Devine Tischler / Arcangel / Imagestore
Zetwerk: ZetSpiegel, Best
ISBN 978 90 261 2529 4
NUR 332

Alle personen in dit boek zijn door de auteur bedacht. Enige gelijkenis met bestaande – overleden of nog in leven zijnde – personen berust op puur toeval.

Voor Dave Gaylor

Het verhaal vindt gedeeltelijk plaats rond de verschrikkelijke tragedie op 11 september 2001. Met veel respect voor de slachtoffers en degenen die toen iemand zijn kwijtgeraakt.

I

Als Ronnie Wilson toen hij wakker werd had geweten dat hij nog maar een paar uur te leven had, dan had hij zijn dag wel wat anders ingedeeld.

Hij zou zich misschien niet hebben geschoren. Of niet al die tijd bezig zijn geweest met gel zijn haar te fatsoeneren. Ook zou hij zijn schoenen niet zo goed hebben gepoetst of zijn dure zijden das zo perfect hebben geknoopt. En hij zou zeker niet het absurd hoge bedrag van achttien dollar – wat hij zich eigenlijk helemaal niet kon veroorloven – hebben uitgegeven aan de eenuursstomerij om zijn pak te laten persen.

Je kon niet zeggen dat hij zich gelukkig niet bewust was van zijn lot. Hij was al zo lang niet gelukkig geweest dat hij zelfs geen idee meer had hoe dat was. Zelfs in die snel vervliegende laatste seconden van een orgasme, de zeldzame keren dat hij en Lorraine de liefde bedreven, voelde hij zich niet meer gelukkig. Alsof zijn ballen net zo gevoelloos waren geworden als hijzelf.

De afgelopen tijd als mensen hem vroegen hoe het met hem ging – en Lorraine schaamde zich daar best wel voor – zei hij zelfs, terwijl hij zijn schouders even ophaalde: 'Mijn leven is klote.'

De hotelkamer was ook klote. Hij was zo klein dat je niet eens de grond zou raken als je zou vallen. Het was de goedkoopste kamer van het W, maar op deze manier kon hij tenminste wel zijn imago hooghouden. Als je in het W in Manhattan logeerde, dan was je iemand. Ook al sliep je in de bezemkast.

Ronnie wist dat hij zichzelf wat op moest peppen. Mensen reageerden op hoe je je voelde, en al helemaal als je geld van hen wilde. Niemand zou geld geven aan een loser, zelfs een oude vriend niet; in elk geval niet zoveel geld als hij op dit moment nodig had. En zeker deze oude vriend niet.

Hij keek door het raam om te zien hoe het weer buiten was, en rekte zijn nek uit om langs het steile grijze gebouw tegenover hem aan 39th Street te kijken totdat hij een dun streepje lucht kon zien. De wetenschap dat het een prachtige dag was, maakte hem niet blij. Hij had het gevoel dat de wolken die niet aan de strakblauwe lucht stonden nu zijn hart verduisterden.

Zijn nep-Bulgari-horloge gaf aan dat het dertien minuten over halfacht was. Hij had het voor veertig pond op internet gekocht, maar hé, je kon toch helemaal niet zien dat het niet echt was? Hij had al heel lang geleden geleerd dat dure horloges de mensen op wie je indruk wilde maken lieten weten dat je een detail als tijd belangrijk genoeg vond om het beste horloge in de wereld te kopen, en dat je dus ook wel veel om hun geld zult geven dat ze jou zouden toevertrouwen. Het uiterlijk mocht dan niet het allerbelangrijkste zijn, maar het scheelde niet veel.

Dertien minuten over halfacht dus. Aan de slag.

Hij pakte zijn Louis Vuitton-aktetas op – ook nep –, zette hem boven op zijn gepakte koffer op wieltjes en liep de kamer uit met zijn bagage. Op de begane grond stapte hij uit de lift en glipte langs de balie. Hij zat zo dicht bij de limiet op zijn creditcards dat hij waarschijnlijk niet eens genoeg had om de rekening te betalen, maar daar zou hij zich een andere keer wel druk over maken. Zijn BMW – de chique blauwe cabrio waarin Lorraine graag rondreed om haar vriendinnen te imponeren – zou vandaag of morgen in beslag worden genomen, en de hypotheekbank zou zijn huis inpikken. De afspraak van die dag, dacht hij grimmig, was zijn laatste kans. Een belofte die hij kwam inwisselen. Een belofte die tien jaar oud was.

Nu maar hopen dat die niet was vergeten.

In de metro, met zijn bagage tussen zijn benen, was Ronnie zich ervan bewust dat er iets was misgegaan in zijn leven, maar hij had geen flauw idee wat dat nu eigenlijk was. Terwijl hij maar wat aanmodderde en steeds wanhopiger werd, hadden veel van zijn vroegere klasgenootjes het gemaakt als financieel adviseur, projectontwikkelaar, accountant, advocaat. Ze hadden allemaal mooie grote huizen, een jonge mooie vrouw, en fantastische kinderen. En wat had hij?

De neurotische Lorraine die het geld dat hij niet had aan schoonheidsbehandelingen uitgaf die ze beslist niet nodig had, aan designer kleding die ze zich beslist niet konden veroorloven, en aan rekeningen in het meest trendy restaurant van die week voor belachelijk dure lunches bestaande uit een paar blaadjes sla en mineraalwater, die zij betaalde voor haar anorexiavriendinnen die veel rijker waren dan zij. En hoewel ze een vermogen hadden uitgegeven aan vruchtbaarheidsbehandelingen, was ze nog steeds niet in staat om het kind op de wereld te zetten waar hij zo wanhopig naar verlangde. De enige uitgave waar hij echt achter had gestaan, was haar borstvergroting.

Maar natuurlijk was Ronnie veel te trots om toe te geven dat hij in de problemen zat. En omdat hij de eeuwige optimist was, dacht hij dat er wel weer iets op zou duiken. Hij was net een kameleon en paste zich perfect aan aan zijn omgeving. Eerst als tweedehandsautoverkoper, toen als antiekhandelaar en vervolgens als makelaar, had hij er altijd keurig uitgezien, met een vlotte babbel, maar helaas financieel gezien een stuk minder goed onderlegd. Toen de makelaardij flopte, was hij binnen de kortste keren als projectontwikkelaar gaan werken. In zijn spijkerbroek en blazer zag hij er overtuigend uit. Toen de bank het project voor twintig woonhuizen een halt toeriep omdat de plannen niet goedgekeurd werden, was hij al snel daarna financieel adviseur voor rijke mensen geworden. Dat ging ook mis.

Nu was hij hier in de hoop zijn oude vriend Donald Hatcook ervan te overtuigen dat hij munt kon slaan uit de volgende gouden kans: biodiesel. Donald had volgens zeggen meer dan een miljard verdiend aan bijproducten – wat dat ook waren – en was tien jaar geleden een miezerige twee ton kwijtgeraakt in Ronnies makelaardij toen dat niet meer liep. Hij had er verder niet moeilijk over gedaan en Ronnie ervan verzekerd dat hij ooit wel weer zaken met hem zou doen.

Tuurlijk, Bill Gates en alle andere ondernemers zochten naar een manier om de nieuwe milieuvriendelijke biobrandstofmarkt tot bloei te brengen – en die hadden ook het geld om dat voor elkaar te krijgen – maar Ronnie dacht dat hij daar iets op had gevonden. Hij moest alleen Donald er nog van zien te overtuigen. Donald was slim, die zou het wel snappen. Het zou hem lukken. Het zou appeltje-eitje zijn.

Ronnie hield in gedachten zijn verkooppraatje tegen Donald, en hoe dichter de trein bij het centrum kwam, hoe meer zelfvertrouwen hij kreeg. Hij zag zichzelf al als Gordon Gekko, de figuur die Michael Douglas in *Wall Street* speelde. En hij zag er inderdaad ook zo uit. Net als de stuk of tien andere goedgeklede Wall Street-spelers die in de schuddende wagon zaten. Als ze net zoals hij problemen hadden, lieten ze dat niet blijken. Ze zagen er allemaal zo verdomde zeker van zichzelf uit. En als ze al de moeite namen om een blik op hem te werpen, zouden ze een lange, net zoals zij zelfverzekerde vent zien, die er goed uitzag en zijn haar naar achteren had gekamd.

Ze zeggen dat als je het op je veertigste nog niet hebt gemaakt, dat ook nooit meer zal lukken. Over drie weken zou hij drieënveertig worden.

En daar was zijn halte: Chambers Street. Hij wilde nog een paar straten lopen.

Hij stapte die prachtige ochtend in Manhattan uit en keek op de plattegrond, die de hotelreceptionist hem de vorige avond had gegeven, waar hij was. Toen keek hij op zijn horloge: tien over acht. Hij was wel vaker in kantoorgebouwen in New York geweest en wist uit ervaring dat hij zeker een kwartier nodig zou hebben om in Donalds kantoor te komen nadat hij het gebouw binnen was gegaan. En hij moest nog ruim vijf minuten lopen, had de receptionist hem gezegd, ervan uitgaande dat hij niet zou verdwalen.

Hij zag een bordje met WALL STREET erop, en liep langs een Jamha Juice-winkel en een zaakje waar kleding werd vermaakt en ingenomen aan zijn rechterkant, en liep toen de afgeladen Downtown Deli in.

Het rook er naar koffie en gebakken eieren. Hij ging op een rode leren barkruk zitten en bestelde vers geperst sinaasappelsap, een *latte*, roereieren met bacon en bruin brood. Terwijl hij zat te wachten, ging hij zijn plan van aanpak nog een keertje na. Toen keek hij nogmaals op zijn horloge, en berekende het tijdverschil tussen New York en Brighton.

Het was in Engeland vijf uur later. Lorraine zou nu zitten te lunchen. Hij belde haar snel even op haar mobieltje en zei dat hij van haar hield. Ze wenste hem succes voor de afspraak. Vrouwen waren zo makkelijk te lijmen: wat poëzie, een paar duur uitziende sieraden en af en toe een beetje slijmen waren al genoeg; maar niet te vaak allemaal.

Twintig minuten later, toen hij afrekende, hoorde hij een enorme knal in de verte. De man op de kruk naast hem zei: 'Jezus, wat was dat nou?'

Ronnie pakte zijn wisselgeld en liet een fatsoenlijke fooi achter. Hij liep naar buiten om zijn reis naar Donald Hatcooks kantoor voort te zetten, die volgens de informatie die hij via de e-mail had gekregen, op de 87e verdieping van de South Tower van het World Trade Center gevestigd was.

Het was 8.47 uur, dinsdagochtend 11 september 2001.

2

Oktober 2007

Abby Dawson had de flat genomen omdat ze dacht dat ze daar veilig zou zijn. Als het al mogelijk voor haar was om zich érgens veilig te voelen.

Afgezien van de nooduitgang aan de achterkant, die alleen maar van binnenaf openging, en een vluchtroute via de kelder, was er maar één ingang. Die bevond zich acht verdiepingen recht onder haar, en door haar raam had ze goed uitzicht op de straat.

Ze had haar flat vanbinnen in een fort veranderd: versterkte scharnieren, stalen beplating, drie veiligheidssloten op de voordeur en op de nooduitgang in de kleine bijkeuken, en een ketting op de deur. Als een dief hier wilde inbreken, dan kwam hij met lege handjes thuis. Alleen in een tank kon hier iemand binnenkomen, of als zij iemand binnenliet, maar anders niet.

Maar voor het geval dat, voor alle zekerheid, had ze een bus pepperspray, een jachtmes en een honkbalknuppel binnen handbereik.

Ironisch toch, dacht ze, had ze eindelijk het geld om een mooi groot huis te betalen waarin ze gasten kon ontvangen, moest ze hier in haar eentje, in het geheim wonen.

En er was hier zoveel moois: de eiken vloer, de enorme crèmekleurige banken met witte en chocoladebruine kussens, de moderne kunst aan de muur, de thuisbioscoop, de hypermoderne keuken, de waanzinnig grote, zeer luxe bedden, de vloerverwarming in de badkamer en de prachtige douche in de gastenbadkamer die ze nog niet had gebruikt, tenminste niet waar die voor bedoeld was.

Het was alsof ze woonde in een van die design appartementen op de omslag van een glossy waar ze vroeger likkebaardend naar had gekeken. Met mooi weer scheen de zon naar binnen en als het bewolkt was, zoals op deze dag, dan zette ze een raam open zodat ze het zout in de lucht kon proeven en de zeemeeuwen kon horen krijsen. Als je de straat uit liep, naar het kruispunt waar de drukke Marine Parade van Kemp Town op uitkwam, en nog een paar honderd meter verder, kwam je bij het strand. Ze kon er kilometers lang lopen, naar het oosten of naar het westen.

Ze vond de buurt ook erg fijn. Er waren kleine winkeltjes vlakbij, die waren veiliger dan een grote supermarkt, omdat ze altijd kon kijken wie er binnen was. Er hoefde maar één persoon te zijn die haar herkende.

Eentje maar.

Het enige nadeel was de lift. Ze was normaal gesproken al zeer claustrofobisch, en nu had ze al helemaal snel last van paniekaanvallen. Abby had het nooit prettig gevonden om de lift te nemen, tenzij het beslist niet anders kon. En de hortende en stotende cabine in haar flat die zo groot was als een verticale tweepersoons doodskist, was in de afgelopen maand al een paar keer blijven steken – gelukkig met iemand anders erin – en was een van de ergste die ze ooit had meegemaakt.

Tot een paar weken geleden, toen de trap door de verbouwing van de flat onder haar een hindernisbaan was geworden, had ze naar boven en beneden gelopen. Zo kreeg ze tenminste beweging, en als ze zware boodschappen bij zich had, nou, ook geen punt, dan zette ze die in de lift en nam ze zelf de trap. Heel zelden kwam ze een van de andere bewoners tegen en dan ging ze samen met hen met de lift mee. Maar over het algemeen waren die zo oud dat ze bijna nooit naar buiten gingen. Sommigen leken wel zo oud als het gebouw zelf.

De paar jongere bewoners, zoals de glimlachende Hassan, de Iraanse bankier die twee etages onder haar woonde, en soms feestjes gaf – waarvoor ze altijd werd uitgenodigd, maar die ze altijd afsloeg – waren vaak weg. En in het weekend, tenzij Hassan thuis was, was het zo stil in haar gedeelte van het gebouw dat het wel leek alsof er alleen maar geesten woonden.

Ze besefte dat ze op een bepaalde manier ook een geest was. Ze verliet haar veilige hol alleen maar als het donker was, haar ooit lange blonde haar kortgeknipt en zwart geverfd, zonnebril op, de kraag van haar jasje opgeslagen; een vreemde in een stad waar ze geboren en getogen was, waar ze economie had gestudeerd en in bars had gewerkt, door uitzendbureaus als secretaresse was uitgezonden, vriendjes had gehad, en, voordat de reiskoorts haar had gegrepen, zelfs had gefantaseerd over een gezinnetje.

Nu was ze weer terug. In het geheim. Een vreemde in haar eigen leven. Die per se door niemand herkende wilde worden. Ze wendde haar hoofd af de weinige keren dat ze iemand passeerde die ze kende. Of ze zag een oude vriendin in een bar en moest er meteen vandoor gaan. Godverdorie, wat was ze eenzaam!

En bang.

Zelfs haar eigen moeder wist niet dat ze terug was in Engeland.

Ze was drie dagen geleden zevenentwintig geworden, en wat een feest was dat geweest, dacht ze wrang. Ze was in haar eentje dronken geworden, met een fles Moët et Chandon, had een erotische film op Sky bekeken met een vibrator waarvan de batterij op was.

Ze was altijd trots geweest op haar knappe uiterlijk. Had overgelopen van zelfvertrouwen, en had het in elke bar, disco en op elk feestje voor het uitkiezen gehad. Ze kon lekker praten, zeer charmant zijn, en kon heel goed doen alsof ze kwetsbaar was, omdat ze al heel jong had geleerd dat mannen daarvan hielden. Maar nu was ze écht kwetsbaar, en dat vond ze helemaal niet leuk.

Het was niet leuk om op de vlucht te zijn.

Ook al zou dat niet eeuwig duren.

Overal in de flat, op planken, tafels en op de grond, lagen stapels boeken, cd's, dvd's, allemaal besteld bij Amazon en Play.com. In de twee maanden dat ze nu op de vlucht was, had ze meer boeken gelezen, meer films gezien en meer tv gekeken dan ooit eerder in haar leven. Verder vulde ze haar tijd met een cursus Spaans op internet.

Ze was teruggekomen omdat ze dacht dat het veilig was. Dave was het ermee eens geweest. Dat dit de enige plek was waar *hij* nooit zou komen opdagen. De enige plek op aarde. Maar ze kon het natuurlijk nooit zeker weten.

Ze had nog een reden gehad om naar Brighton te gaan, een heel belangrijke reden. Haar moeders gezondheid ging langzamerhand achteruit en ze moest een goed verzorgingshuis voor haar regelen waar ze de rest van haar leven nog enigszins aangenaam kon doorbrengen. Abby wilde niet dat ze in zo'n verschrikkelijk bejaardenhuis van de National Health Service werd gestopt. Ze had al een mooi tehuis ontdekt op het platteland in de buurt. Het was duur, maar ze kon het zich nu veroorloven om haar moeder daar jarenlang te laten verzorgen. Ze moest zich alleen nog een tijdje gedeisd houden.

Haar mobieltje gaf aan dat er een sms binnenkwam. Ze keek naar het schermpje en glimlachte toen ze de naam van de afzender zag. Dankzij deze sms'jes, die ze om de paar dagen kreeg, kon ze het volhouden.

Afstand doet kleine liefdes verwelken en grote opbloeien, net als de wind de kaars uitblaast maar het haardvuur aanwakkert.

Ze dacht even na. Het voordeel van zoveel vrije tijd was dat ze urenlang kon surfen op internet zonder zich schuldig te voelen. Ze verzamelde graag citaten en ze sms'te er een terug die ze had bewaard.

Liefde is niet naar elkaar staren. Liefde is samen naar iets staren.

Voor het eerst in haar leven had ze een man leren kennen die samen met haar naar iets staarde. Voorlopig was het alleen nog maar een plaatsnaam op een plattegrond. Gedownloade beelden. Iets waar ze over droomde. Maar binnenkort zouden ze daar samen zijn. Ze moest alleen nog eventjes geduld hebben. Ze moesten allebei nog even geduld hebben.

Ze sloeg *The Latest* dicht, het tijdschrift waarin ze droomhuizen had bewonderd, drukte haar sigaret uit, dronk haar glas sauvignon leeg en begon aan haar controleronde.

Eerst liep ze naar het raam en ze gluurde door de jaloezieën naar de rij huizen aan de overkant. Het licht van de straatlantaarns gloeide in elke schaduw oranje op. Het was donker genoeg, met een huilende herfstwind die regendruppels als hagel tegen de ruiten blies. Toen ze nog jong was, was ze bang geweest in het donker. Nu, ironisch genoeg, voelde ze zich juist veilig.

Ze kende alle auto's die met hun parkeerstickers voor bewoners erop aan beide kanten van de straat stonden geparkeerd. Ze bekeek ze allemaal. Vroeger kende ze geen merken, maar nu wist ze ze allemaal. De smerige zwarte Golf GTi, die helemaal onder de vogelpoep zat. De Ford Galaxy gezinsauto, die van een stel in een appartement aan de overkant van de straat was. Ze hadden een jengelende tweeling en leken de hele tijd bezig te zijn met de trap op en af sjouwen van boodschappen en opklapbare buggy's. De vreemd uitziende kleine Toyota Yaris. Een oude Porsche Boxster die van een jonge man was, van wie zij vermoedde dat hij een dokter was, en die waarschijnlijk in het nabijgelegen Royal Sussex County Hospital werkte. Het roestige witte Renault-busje met de slappe banden en een stuk bruin karton waarop in rode inkt met de hand TE KOOP stond geschreven. En nog een stuk of tien auto's van wie ze de eigenaren kende. Alles was nog hetzelfde, ze hoefde zich nergens zorgen om te maken. En er hing niemand rond in de schaduwen.

Er kwam een stelletje arm in arm gehaast langs lopen, met een paraplu op die zo te zien elk moment binnenstebuiten kon klappen.

Raamsloten in de slaapkamer, logeerkamer, badkamer, woon/eetkamer. Timers op lampen, televisie en radio in elke kamer instellen. Katoenen draad, op kniehoogte, net voor de buitendeur in de gang.

Ik paranoïde? Nou en of!

Ze trok haar lange regenjas en paraplu van hun haak in de smalle gang, stapte over de draad heen en gluurde door het spionnetje. Erdoorheen zag ze de zachtgele glans van de verlaten gang.

Ze maakte de veiligheidskettingen los, deed voorzichtig de deur open en stapte naar buiten, waarbij ze meteen de geur van houtzaagsel in haar neus kreeg. Daarna trok ze de deur dicht en draaide elk veiligheidsslot om.

Toen bleef ze staan luisteren. In een van de flats beneden hoorde ze een telefoon rinkelen; er werd niet opgenomen. Ze rilde en trok haar gevoerde regenjas dichter om zich heen. Na al die jaren zonneschijn was ze nog niet gewend aan de nattigheid en de kou. Nog steeds niet gewend aan een vrijdagavond in haar eentje.

Vanavond zou ze naar de film gaan: *Atonement*, in het bioscopencomplex aan de haven, dan zou ze wat gaan eten – pasta misschien – en, als ze de moed op kon brengen, zou ze daarna een paar glazen wijn gaan drinken in een barretje. Op die manier kon ze toch even onder de mensen zijn.

Ze droeg een designer spijkerbroek, enkellaarsjes en een zwarte gebreide trui onder haar regenjas; ze wilde er leuk uitzien als ze naar een bar ging, maar ze mocht niet opvallen. Ze trok de deur naar de trap open en zag tot haar ergernis dat de werkmannen die met stukken gipsplaat en een hele lading hout geblokkeerd hadden.

Terwijl ze hen vervloekte, vroeg ze zich af of ze zich er een weg doorheen moest banen, maar toen bedacht ze zich, drukte op het liftknopje en staarde naar de bekraste metalen deur. Een paar seconden later hoorde ze de lift met veel kabaal naar boven komen. Hij kwam met een luide knal op haar etage tot stilstand voordat de buitendeur van de lift openging met een herrie alsof er grind werd aangeharkt.

Ze stapte het hokje in en de buitenste deur ging met hetzelfde lawaai dicht, en vervolgens sloot de dubbele deur van de liftcabine, waardoor ze was opgesloten. Ze rook parfum en schoonmaakmiddel met citroenlucht. De lift ging hortend een paar centimeter omhoog, zo plotseling, dat ze bijna viel.

En toen het al te laat was om zich te bedenken en uit te stappen, en terwijl de metalen wanden op haar af kwamen en de kleine, bijna ondoorzichtige spiegel de blik van paniek op haar bijna geheel onzichtbare gezicht toonde, viel ze plotseling naar beneden.

Abby wist dat ze zonet een heel slechte beslissing had genomen.

3

Oktober 2007

Inspecteur Roy Grace, die aan zijn bureau in het hoofdkantoor zat, legde de hoorn neer. Hij sloeg zijn armen over elkaar en wipte zijn stoel naar achteren totdat hij tegen de muur aan stond. Godsamme. Op vrijdagmiddag om kwart voor vijf was zijn hele weekend in het water gevallen, bijna letterlijk ook nog: in een riool.

Bovendien had hij de avond ervoor alleen maar slechte kaarten gekregen tijdens zijn wekelijkse pokeravondje met de jongens en bijna driehonderd pond verloren. Er gaat niets boven een uitstapje in de stromende regen op een vrijdagmiddag, dacht hij, om je in een echt ontzettend slechte bui te krijgen. Hij voelde de ijskoude wind door de kieren van de slecht sluitende ramen in zijn kleine kantoor waaien en luisterde naar het getik van de regen. Niet echt een dag om buiten te zijn.

Hij vervloekte het hoofd van de meldkamer die hem net had gebeld. Natuurlijk kon die er niets aan doen, dat wist hij wel, maar hij had de volgende dag Cleo willen trakteren op een avondje Londen. Nu moest dat worden afgezegd voor een zaak waarvan hij nu al wist dat die niet leuk zou zijn, en dat allemaal omdat hij moest invallen als leidinggevende van het onderzoeksteam nadat een collega ziek was geworden.

Zijn werk draaide om moorden. In Sussex vonden er zo'n vijftien tot twintig per jaar plaats, waarvan de meeste in Brighton and Hove en omgeving, zodat iedere teamleider de kans kreeg om zich te bewijzen. Het was wat harteloos om het zo te zien, dat wist hij ook wel, maar het was nu eenmaal zo dat een wrede, in de belangstelling staande moord heel goed voor je carrière was. Je viel opeens op bij de pers, het publiek, je collega's en, wat nog belangrijker was, je meerderen. Het was zeer bevredigend om de schuldige op te pakken en veroordeeld te krijgen. Niet alleen voor hem, maar de familie van het slachtoffer kreeg daardoor de kans om het af te sluiten, om door te gaan met hun leven. Dat schonk Grace de meeste voldoening.

Hij werkte het liefst aan een moord als er nog een vers spoor was en hij meteen in actie kon komen. De adrenaline joeg dan door hem heen, hij kon razendsnel nadenken, en kon zijn team zover krijgen dat ze dag en nacht bezig waren. Zo hadden ze een goede kans om de dader op te pakken.

Maar afgaande op wat hij van het hoofd van de meldkamer had gehoord, was er in het riool iets aangetroffen wat bepaald geen vers lijk was: een geraamte. Misschien was het zelfs niet eens een moord, het zou ook een zelfmoord kunnen zijn, of een natuurlijke dood. De kans bestond zelfs dat het om een etalagepop ging, dat zou niet de eerste keer zijn. Dat geraamte kon er al jaren liggen, dus een paar dagen langer zou geen moer uitmaken.

Met een schuldig gevoel omdat hij zo kwaad was geworden, keek hij naar de stuk of twintig blauwe dozen die op de grond met twee en drie tegelijk opgestapeld lagen, en bijna het hele tapijt in zijn kantoortje in beslag namen. En het was er al niet ruim met de kleine ronde vergadertafel en vier stoelen.

In elke doos zaten de belangrijkste dossiers over een onopgeloste moord, een 'cold case'. De rest van de dossiers zaten in de overvolle archiefkasten in het hoofdkwartier van politie, of muf te worden achter slot en grendel in een vochtige politiegarage in de buurt waar de moord had plaatsgevonden, of waren weggestopt in een vergeten kelderruimte, samen met het van een label voorziene en in plastic zakjes gestopte bewijsmateriaal.

En hij had het vermoeden, dankzij bijna twintig jaar moordonderzoeken, dat wat op hem lag te wachten in het riool waarschijnlijk ook zou belanden in een blauwe doos op de grond.

Hij zat momenteel tot aan zijn nek in het papierwerk en zijn bureau lag bezaaid met vellen papier. Hij moest zich een weg worstelen door alle tijdlijnen, bewijzen, verklaringen en wat er ook nodig was voor het OM volgend jaar voor twee aparte moordzaken. De ene was een klootzak van een louche internethandelaar genaamd Carl Venner en de andere een psychopaat genaamd Norman Jecks.

Hij keek even een document in dat door Emily Gaylor, een jonge medewerkster van het Brighton Trials Unit, was opgesteld, pakte de telefoon en draaide een intern nummer, stiekem genietend van het feit dat hij iemand anders weekend ook ging verknallen.

Er werd bijna meteen opgenomen. 'Rechercheur Branson.'

'Wat ben je aan het doen?'

'Ik sta op het punt om naar huis te gaan, ouwe, leuk dat je het vraagt,' antwoordde Glenn Branson.

'Dat is het verkeerde antwoord.'

'Nee, dat is het juiste antwoord,' zei de rechercheur stellig. 'Ari moet naar dressuur en ik moet op de kinderen passen.'

'Dressuur? Wat is dat nu weer?'

'Het heeft iets te maken met haar paard en het kost dertig pond per uur.'

'Ze zal de kinderen mee moeten nemen. Ik zie je over vijf minuten op het parkeerterrein. We gaan naar een lijk toe.'

'Ik ga eigenlijk liever naar huis.'

'Ik ook. En ik denk dat het lijk ook liever thuis was geweest,' zei Grace. 'Lekker thuis, voor de tv met een kopje thee, in plaats van liggen rotten in een riool.'

4

Oktober 2007

Na een paar seconden bleef de lift met een schok steken, zwaaide heen en weer en knalde met een daverende klap, alsof twee olievaten tegen elkaar aan botsten, tegen de wanden van de liftschacht. Toen helde hij naar voren waardoor Abby tegen de deuren werd geworpen.

Meteen daarna viel hij weer hard naar beneden. Ze jammerde. Heel even viel de grond onder haar vandaan, alsof ze gewichtloos was geworden. Toen hoorde ze een krakend geluid en de vloer leek omhoog te komen, en kwam met zoveel kracht tegen haar voeten aan dat de lucht uit haar werd geslagen. Ze had het gevoel alsof haar benen door haar romp werden geduwd.

De lift draaide, gooide haar als een kapotte marionet tegen de spiegel in de achterwand, en zakte weer een paar meter totdat hij licht wiegend, met de vloer schuin naar voren, bijna bleef stilhangen.

'O, lieve god,' fluisterde Abby.

Het licht in het plafond knipperde, ging uit, en floepte weer aan. Ze rook de zure lucht van verbrande elektriciteitskabels en zag een dun rookpluimpje heel langzaam langs haar heen drijven.

Ze hield haar adem in en onderdrukte een schreeuw. Het leek wel alsof het kreng aan één enkele, heel dunne gerafelde draad hing.

Opeens hoorde ze een scheurend geluid boven haar. Scheurend metaal. Haar blik vloog in wilde paniek naar boven. Ze wist niet veel van liften af, maar het leek wel alsof iemand met een metaalschaar bezig was. Ze zag in haar verbeelding al de lier waaraan de kabel op het dak vastzat afbreken.

De lift zakte weer een paar centimeter.

Ze gilde.

Toen helde de vloer nog een paar centimeter naar voren.

De lift draaide naar links met een enorme metalige klap, en zakte weer een stukje. Ze hoorde een hard geluid boven haar, alsof er iets brak.

Hij zakte nog een paar centimeter.

Toen ze haar evenwicht wilde bewaren, viel ze met haar schouder tegen de muur en vervolgens met haar hoofd tegen de deuren. Ze bleef, met het stof van het tapijt in haar neus, even stil liggen. Ze durfde zich niet te bewegen en keek op naar het plafond. Daar zat in het midden een ondoorzichtig stuk glas, met ernaast tl-buizen. Ze moest uit dat ding zien te komen, wist ze, en snel ook. In de film hadden liften altijd een luik. Waarom deze niet?

Ze kon net niet bij de knoppen. Ze ging op haar knieën zitten om erbij te komen, maar de lift zwaaide zo wild, knalde weer tegen de liftschacht aan, alsof hij inderdaad alleen maar aan één kabel vastzat, dat ze het opgaf, in de angst dat als ze te veel bewoog, ook díé kabel zou breken.

Ze lag een paar seconden in blinde paniek te hyperventileren, en luisterde of ze hulp aan hoorde komen. Maar nee. Als Hassan, de buurman die twee etages onder haar woonde, er niet was, en als de rest van de bewoners ook weg was, of in hun flat zat met de tv hard aan, dan zou niemand weten wat er aan de hand was.

Het alarm. Ik moet het alarm inschakelen.

Ze haalde een paar keer diep adem. Haar hoofd voelde strak aan, alsof haar hoofdhuid een maatje te klein was. De wanden kwamen opeens op haar af, en gingen toen weer bij haar vandaan voordat ze weer op haar af kwamen, alsof het longen waren. Naar haar toe, en weer bij haar vandaan, ademende, kloppende longen. Ze had een paniekaanval.

'Hoi,' fluisterde ze zachtjes, terwijl haar stem het bijna begaf. Dit had ze van haar therapeut geleerd als ze een paniekaanval voelde opkomen. 'Ik ben Abby Dawson. Het gaat prima met me. Dit is gewoon een rare chemische reactie. Het gaat prima met me, ik zit nog in mijn lijf, ik ben niet dood, dit gaat weer over.'

Ze kroop een paar centimeter naar de alarmknop toe. De vloer wiebelde, draaide, alsof ze op een bord lag dat op de scherpe punt van een stok balanceerde en er elk moment vanaf kon vallen. Ze wachtte even tot het afgelopen was, en kroop toen weer een eindje verder. En opnieuw. Er dreef weer een zuur ruikend pluimpje rook als een spook langs haar heen. Ze stak haar arm zo ver mogelijk naar voren, en drukte met haar trillende vinger hard op het grijze metalen knopje waarop in rood het woord ALARM stond gedrukt.

Er gebeurde niets.

5

Oktober 2007

Het schemerde al toen Roy Grace, diep in gedachten verzonken, de grijze Hyundai Trafalgar Street in reed. De straat mocht dan naar een grote overwinning op zee zijn vernoemd, maar in het ongure achterste gedeelte van de straat stonden aan beide kanten smerige, verwaarloosde woonhuizen en winkels en er hingen overdag en 's avonds drugsdealers rond. Gelukkig waren door het slechte weer alleen degenen die zeer wanhopig waren nog buiten. Glenn Branson, goed gekleed in een bruin streepjespak en perfect gestrikte zijden das, zat naast hem gemelijk voor zich uit te staren.

Ongebruikelijk genoeg voor een gezamenlijk gebruikte auto, rook de bijna nieuwe Hyundai nog niet naar een weggegooide McDonald's verpakking vol met oude haargel, maar hing er nog steeds die frisse nieuwe-autolucht. Grace nam een bocht naar rechts, langs de hoge schutting van een bouwbedrijf. Daarachter werd een groot en verlopen gedeelte van het centrum van Brighton gerenoveerd, waardoor twee oude en grotendeels ongebruikte spoorwegopslagplaatsen in de zoveelste chique flat werden omgetoverd.

Een grote afbeelding van hoe een artiest het ontwerp van de architect had geïnterpreteerd, hing breeduit op de schutting. HET NEW ENGLAND KWARTIER. WOONHUIZEN EN KANTOREN VOOR EEN NIEUWE MANIER VAN LEVEN. Volgens Grace leek het exact op elk willekeurig modern renovatieproject in elke willekeurige stad. Veel glas en zichtbare metalen balken, binnenplaatsen met hier en daar keurige kleine struiken en bomen; en geen overvaller te bekennen. Ooit zal heel Engeland er volledig hetzelfde uitzien en dan had je geen idee in welke stad je was.

Maar wat maakt het ook uit, vroeg hij zich opeens af. Ben ik op mijn negenendertigste al een ouwe lul? Wil ik echt dat mijn geliefde stad, met alles erop en eraan, altijd en eeuwig hetzelfde zal blijven?

Op dat moment had hij echter wel wat anders aan zijn hoofd dan de bestemmingsplannen voor Brighton and Hove. En ook nog wat anders dan de menselijke resten waar ze naar op weg waren. Iets waar hij zeer depressief door was.

Cassian Pewe.

Op maandag, na een lange revalidatie na een auto-ongeluk en na een paar eerdere pogingen, zou Cassian Pewe, in dezelfde rang als Grace, eindelijk weer op het hoofdkwartier komen werken. En met één groot voordeel: inspecteur Cassian Pewe was het lievelingetje van adjunct-hoofdcommissaris Alison Vosper, terwijl Roy meer haar zwarte schaap was.

Hoewel hij de afgelopen maanden een paar grote successen had geboekt, wist Roy Grace dat hij maar íéts verkeerd hoefde te doen om naar een of ander afgelegen gehucht te worden overgeplaatst. Hij wilde helemaal niet weg uit Brighton and Hove. En al helemaal niet weg bij zijn allerliefste Cleo.

Wat hem betrof was Cassian Pewe een van die arrogante mannen die waanzinnig knap waren en dat ook wisten. Hij had goudblond haar, engelachtig blauwe ogen, een zongebruinde huid en zijn stem was zo doordringend als een tandartsboor. De man liep trots als een haan rond, straalde een natuurlijke autoriteit uit, en deed altijd alsof hij de baas was, ook al was dat niet zo.

Roy had daarover al een keer woorden met hem gehad, toen de Londense politie die van Brighton had geassisteerd tijdens de Labour Party Conference een paar jaar eerder. Door zijn blunderende arrogantie had Pewe, toen nog rechercheur, twee informanten gearresteerd die Roy jarenlang zorgvuldig had gekoesterd, en hij had het toen ook nog vertikt om de aanklacht te laten vallen. En tot Roys woede had Alison Vosper, toen hij het hogerop had gezocht, de kant van Pewe gekozen.

Wat ze precies in die man zag was hem een raadsel, tenzij – zoals hij soms een donkerbruin vermoeden had – ze een verhouding hadden, hoe ongeloofwaardig dat ook mocht lijken. De haast waarmee de adjunct-hoofdcommissaris Pewe bij de Londense politie had weggehaald en gepromoveerd, waardoor Grace' baan zowat doormidden werd gehakt – terwijl hij prima in staat was het allemaal zelf te doen – rook gewoon naar een verborgen agenda.

Hoewel hij normaal gesproken aan één stuk door ratelde, had Glenn Branson nog geen woord gezegd sinds ze Sussex House hadden verlaten. Misschien was hij echt boos omdat hij op vrijdag bij zijn gezin was weggehaald. Misschien was het wel omdat Roy hem niet had gevraagd te rijden. Toen verbrak de rechercheur opeens de stilte.

'Heb je die film *In the Heat of the Night* wel eens gezien?' vroeg hij.

'Volgens mij niet,' zei Grace. 'Nee. Hoezo?'

'Het ging over een racistische agent in het zuiden van Amerika.'

'En?'

Branson haalde zijn schouders op.

'Vind je mij soms racistisch?'

'Je had een heleboel mensen uit wie je kon kiezen om hun weekend te verzieken. Waarom ben ik de pineut?'

'Omdat je zwart bent.'

'Dat zei Ari ook al.'

'Dat meen je toch zeker niet?'

Een paar maanden geleden had Roy Glenn in huis genomen toen diens vrouw hem de deur uit had gezet. Nadat ze een paar dagen op elkaars lip hadden gezeten, was er van hun vriendschap weinig over geweest. Nu was Glenn weer terug bij zijn vrouw.

'Ja, dat meen ik wel.'

'Ari heeft volgens mij een probleem.'

'De beginscène op de brug is beroemd. Het is een van de langste *tracking shots* in de geschiedenis van de film,' zei Glenn.

'Heel fijn. Ik ga hem zeker een keer zien. Hoor eens, vriend, Ari moet maar eens normaal gaan doen.'

Glenn bood hem een stukje kauwgom aan. Grace nam het aan en stak het in zijn mond, onmiddellijk opgepept door de pepermuntsmaak.

Toen zei Glenn: 'Moest je me nou echt meenemen? Er zal toch nog wel iemand anders zijn geweest?'

Ze reden langs een zijstraat en Grace zag een groezelige man in een trainingspak praten met een jonge man met capuchon op. In zijn ervaren ogen zagen ze er schichtig uit. Een plaatselijke drugsdealer aan het werk.

'Ik dacht dat het goed ging tussen jou en Ari?'

'Dat dacht ik ook. Ik heb verdomme een paard voor haar gekocht omdat ze dat zo graag wilde. En nu blijkt het de verkeerde soort paard te zijn.'

Eindelijk, tussen de ruitenwissers door, kon Grace een groepje graafmachines, een politiewagen, blauw-wit politietape over de entree van de bouwput, en een zeer natte, ongelukkig uitziende agent in een felgeel jasje, met een klembord in een plastic hoesje onderscheiden. Grace vond dat een bemoedigend gezicht: de geüniformeerde politie wist tegenwoordig tenminste wat ze moesten doen om een plaats delict veilig te stellen.

Hij reed naar de kant, zette de auto net voor de politiewagen neer, en draaide zich naar Glenn toe. 'Je moet toch binnenkort examen doen voor je promotie?'

'Ja.' De rechercheur haalde zijn schouders op.

'Dit soort onderzoek is daar perfect voor, je kunt daar uitgebreid over praten tijdens het gesprek. Geeft je een goede invalshoek.'

'Zeg dat maar tegen Ari.'

Grace sloeg zijn arm om de schouders van zijn vriend. Hij hield van deze man, hij was een van de slimste rechercheurs die hij ooit had gekend. Glenn had alle kwaliteiten om het ver te schoppen bij de politie, maar wel tegen een prijs. En die prijs was iets wat niet iedereen kon accepteren. De belachelijk lange uren veroorzaakten veel scheidingen. Dat een enkel huwelijk het overleefde, kwam doordat beide partners bij de politie zaten. Of dat eentje in de verpleging zat, of een andere baan had waar vreemde werktijden orde aan de dag waren.

'Ik wilde dat jij meeging omdat jij nu eenmaal het best bent. Maar het hoeft niet. Je mag meegaan of je mag naar huis gaan. Jij mag het zeggen.'

'Ja hoor, ouwe, ik ga naar huis en dan? Morgen heb ik weer een uniform aan, moet ik homo's oppakken omdat ze lopen te potloodventen in Duke's Mound. Ja, toch?'

'Daar komt het wel zo'n beetje op neer.'

Grace stapte uit de auto. Branson ook.

Ze doken in elkaar tegen de regen en de huilende wind, trokken een witte overall en laarzen aan, waarna ze als een stel uit de kluiten gewassen spermatozoïden naar de agent toe liepen om zich te melden.

'U hebt een zaklantaarn nodig,' zei de agent.

Grace deed zijn zaklamp aan en uit. Branson ook. Een andere agent, die ook een felgeel jasje aanhad, ging hen voor door de schemer. Ze plasten door de plakkerige modder die getekend was door bandenpatronen van vele auto's naar de grote bouwplaats.

Ze kwamen langs een hoge kraan, een stilgevallen JCB-graafmachine en stapels bouwmateriaal afgedekt door fladderende stukken plastic. De afbrokkelende victoriaanse muur van rode baksteen, die om het parkeerterrein van het station van Brighton stond, rees voor hen op. In het donker konden ze voor hen de oranje gloed van de stadslichten onderscheiden. Een los stuk schutting klapperde in de wind en twee stukken metaal knalden voortdurend tegen elkaar aan.

Grace keek om zich heen. Er was al geheid. Grote graafmachines stonden al maanden her en der over het terrein verspreid. Als er al bewijsmateriaal aanwezig was, dan moest dat in het riool zelf zijn, want alles daarbuiten was al lang weg.

De agent bleef staan en wees in een uitgegraven punt, zo'n zes meter onder hen. Grace zag iets wat op een prehistorische slang leek met een kartelig gat uit zijn rug gegraven. Het mozaïek van stenen, die zo oud waren dat ze bijna geen kleur meer hadden, hoorde bij de halfondergrondse tunnel die hier en daar boven de modder uitstak.

Het riool van de oude spoorlijn van Brighton naar Kemp Town.

'Niemand wist dat dit hier was,' zei de agent. 'De graafmachine heeft het vandaag kapotgemaakt.'

Roy Grace bleef op een afstandje even staan om zijn hoogtevrees te overwinnen. Toen haalde hij diep adem en klauterde de steile, gladde helling af. Tot zijn opluchting bereikte hij veilig en wel de bodem. En opeens zag het lijf van de slang er veel groter uit, en was het duidelijker te zien dan van bovenaf. De ronde vorm boven hem was zo'n twee meter hoog, schatte hij. Het gat in het midden leek op een donkere grot.

Hij liep ernaartoe, zich bewust van Branson en de agent die achter hem liepen, en hij wist dat hij een voorbeeld moest stellen.

Hij knipte zijn zaklantaarn aan terwijl hij het riool in liep, waardoor de schaduwen wild voor hem bewogen. Hij bukte zijn hoofd, en trok zijn neus op toen hij de sterke, zure, vochtige lucht rook. Het was hier hoger dan het er van buitenaf uit had gezien; het leek wel een oude metrotunnel maar dan zonder perron.

'*The Third Man*,' zei Glenn Branson opeens. 'Die film heb je wel gezien. Je hebt hem zelf.'

'Die met Orson Welles en Joseph Cotton?' vroeg Grace.

'Ja, wat goed dat je dat nog weet! Riolen doen me er altijd aan denken.'

Grace liet de felle lichtstraal naar rechts schijnen. Duister. Glimmende plasjes water. Oud metselwerk. Toen naar links. En hij schrok.

'Shit!' riep Glenn Branson. Zijn uitroep werd weerkaatst in de ruimte.

Hoewel Grace het had verwacht, kreeg hij toch de zenuwen van wat hij een paar meter verderop in de tunnel zag. Een skelet dat tegen de muur aan zat, gedeeltelijk begraven door slib. Het leek wel alsof het daar rustig op hem zat te wachten. Lange strengen haar zaten hier en daar nog op de schedel, maar verder waren het gewoon een paar botten, schoon gegeten of weggerot, met een paar kleine stukjes vergane huid.

Hij liep er voorzichtig, om niet uit te glijden in de nattigheid, naartoe. Twee kleine rode puntjes lichtten heel even op en waren toen weer weg. Een rat. Hij richtte de lichtstraal weer op de schedel en werd koud van de idiote starre glimlach.

Er was nog iets waardoor hij de rillingen kreeg.

Het haar. Hoewel het niet meer glansde, was het net zo lang en had het dezelfde blonde tint als het haar van zijn vrouw Sandy, die lang geleden was verdwenen.

Hij probeerde dat van zich af te zetten, en zei tegen de agent: 'Hebben jullie de hele tunnel al doorzocht?'

'Nee, meneer, we wilden wachten op de Technische Recherche.'

'Mooi.'

Grace was opgelucht, blij dat de jonge man zo slim was geweest het bewijs dat er mogelijk nog zou zijn, niet aan te raken of te vernietigen. Toen besefte hij dat zijn hand trilde. Hij richtte de lichtstraal weer op de schedel.

Op de strengen haar.

Op zijn dertigste verjaardag, inmiddels negen jaar geleden, was Sandy, de vrouw van wie hij zielsveel had gehouden, spoorloos verdwenen. Sindsdien was hij naar haar op zoek geweest. Elke dag en elke nacht vroeg hij zich af wat er met haar was gebeurd. Was ze gekidnapt en werd ze ergens vastgehouden? Was ze ervandoor gegaan met een geheime minnaar? Was ze vermoord? Had ze zelfmoord gepleegd? Leefde ze nog of was ze overleden? Hij was zelfs naar mediums, helderzienden en allerlei soorten paragnosten toe gegaan.

Nog niet zo lang geleden was hij naar München geweest omdat ze daar mogelijk was gezien. Dat had gekund, want ze had daar van haar moeders kant familie. Maar niemand van hen had iets van haar gehoord, en zijn speurtocht was, zoals gewoonlijk, op niets uitgelopen. Elke keer dat hij bij een ongeïdentificeerde vrouw werd geroepen die ook maar enigszins van Sandy's leeftijd was, vroeg hij zich af of ze het dit keer wel zou zijn.

En het skelet, in het begraven riool, in de stad waarin hij was geboren en getogen en verliefd was geraakt, leek hem uit te dagen, alsof het wilde zeggen: waar bleef je nou?

6

Oktober 2007

Abby lag op het harde tapijt en keek naar het kleine witte bordje naast het knoppenpaneel op de grijze wand. Er stond in grote rode letters op:

BIJ STORRING
BEL 013 288 7828
OF 999

Door de spelfout werd ze niet bepaald overspoeld met vertrouwen. Onder het knoppenpaneel zat een smal, gebarsten glazen deurtje. Langzaam, centimeter voor centimeter, kroop ze over de grond ernaartoe. Het was maar een paar decimeter verder, maar de lift ging bij elke beweging wild heen en weer, dus het leek wel de andere kant van de wereld.

Eindelijk was ze er, ze wrikte het deurtje open en haalde de telefoon eruit, die vastzat aan een gedraaid snoer.

Hij deed het niet.

Ze tikte op de haak en de lift schommelde weer wild heen en weer, maar uit de hoorn kwam geen kiestoon. Ze draaide het nummer, voor het geval dat, maar er gebeurde niets.

Heel fijn, dacht ze. Fantastisch. Toen pakte ze voorzichtig haar gsm uit haar handtas en toetste het alarmnummer in.

De telefoon gaf een fel piepje. Op het schermpje stond te lezen:

Geen bereik

'O god, nee hè?'

Ze ademde snel, deed de telefoon uit, en zette hem een paar seconden later weer aan. Ze keek op het schermpje in de hoop dat hij het nu wel deed. Niet dus.

Ze belde opnieuw het alarmnummer en kreeg dezelfde felle piep te horen met dezelfde melding. Ze belde steeds weer opnieuw en elke keer drukte ze de toetsen harder in.

'Toe nou, toe nou. Alsjeblieft, alsjeblieft.'

Ze staarde weer naar het schermpje. Soms was er wel verbinding en soms niet, misschien als ze even wachtte.

Toen riep ze, eerst nog timide: 'Hallo! Help!'

Haar stem was iel, gedempt.

Ze nam een flinke hap lucht, en schreeuwde toen keihard: 'Hallo? Help me alsjeblieft! Help! Ik zit vast in de lift!'

Ze wachtte even maar hoorde niets.

De stilte was oorverdovend: het gezoem van de tl-buis boven haar, het bonken van haar hart, het bloed dat door haar aderen stroomde, het snelle gehijg van haar eigen ademhaling.

Ze zag de wanden op haar af komen.

Ze ademde langzaam in en uit. Ze keek weer op het schermpje van haar gsm. Haar hand beefde zo erg dat ze het bijna niet kon zien. De cijfers waren wazig. Ze ademde weer diep in en uit, belde voor de zoveelste keer het alarmnummer. Niets. Nadat ze de telefoon op de grond had gelegd, bonkte ze hard op de wand.

Ze hoorde een vibrerende *boem* en de lift zwaaide alarmerend heen en weer, knalde tegen de liftschaft en zakte nog een paar centimeter.

'Help!' krijste ze.

Alleen daardoor al schommelde de lift weer. Ze bleef stil liggen. De lift kwam tot stilstand.

Toen, ondanks de paniek, voelde ze opeens een hysterische woede opborrelen over het lastige parket waarin ze zich bevond. Ze trok zichzelf een paar centimeter naar voren, en bonkte op de metalen deuren terwijl ze tegelijkertijd schreeuwde, en schreeuwde, totdat haar oren pijn deden van de herrie en haar keel te schor was om door te gaan en ze moest hoesten alsof ze een handvol stof naar binnen had gekregen.

'Laat me eruit!'

Toen voelde ze de lift in beweging komen, alsof iemand er vanaf het dak tegenaan had geduwd. Ze keek naar boven. Ze hield haar adem in en luisterde.

Maar ze hoorde alleen maar stilte.

7

11 september 2001

Lorraine Wilson zat topless in haar tuin op een ligstoel te zonnebaden, om zo lang mogelijk haar bruine tint te behouden. Door de grote ovale glazen van haar zonnebril keek ze op haar horloge, de gouden Rolex die Ronnie haar voor haar verjaardag in juni had gegeven, en die volgens hem echt was. Maar dat geloofde ze niet. Daar kende ze Ronnie te goed voor. Hij zou nooit tienduizend pond uitgeven als hij iets wat er naar zijn mening hetzelfde uitzag voor vijftig pond kon kopen. En al helemaal niet nu, nu hij financiële problemen had.

Niet dat hij haar daar ooit iets over vertelde, maar dat wist ze omdat hij sinds kort overal op bezuinigde en elke supermarktbon controleerde, zeurde over het geld dat ze uitgaf aan kleding, aan de kapper en zelfs aan haar etentjes met vriendinnen. Het huis was gedeeltelijk nog een puinhoop, maar ze mocht er van Ronnie niemand voor aannemen omdat ze het zuinig aan moesten doen.

Ze hield zielsveel van hem, maar er was een gedeelte van hem dat ze nooit kon bereiken, alsof hij een geheime kamer vanbinnen had waar zijn eigen demon in zat die alleen hij kon bevechten. Ze wist wel iets van die demon af: zijn vastberadenheid om iedereen, en met name iedereen die hem kende, wel eens te laten zien wat hij allemaal kon.

Daarom had hij ook dit huis, dat ze zich eigenlijk niet konden veroorloven, vlak bij Shirly Drive gekocht. Het was niet zo groot, maar stond wel in een van de duurste woonwijken van Brighton and Hove: een rustig, heuvelachtig gebied met vrijstaande huizen en grote tuinen aan met bomen omzoomde straten. En omdat het huis modern was, splitlevel, zag het er anders uit dan de meer conventionele edwardiaanse nep-tudorwoningen die er over het algemeen stonden, en viel het niemand op dat het eigenlijk knap klein was. Door de houten betimmering en het kleine buitenzwembad zag het er Beverly Hills-achtig uit.

Het was tien voor twee. Fijn dat hij net had gebeld. Het tijdverschil bracht haar altijd in de war; zo vreemd dat hij net aan het ontbijt zat en zij cottagecheese met besjes zat te eten voor de lunch. Ze was blij dat hij die avond weer in het vliegtuig stapte. Ze miste hem als hij er niet was, en omdat hij een vrouwengek was vroeg ze zich altijd af wat hij uitspookte als zij er niet bij was. Maar dit was maar een kort reisje, drie dagen, dat viel wel mee.

Dit gedeelte van de tuin was helemaal privé, afgeschermd van de buren door een hoog hek, waar klimop en een grote rododendronstruik, die dacht dat hij een boom was, tegenaan groeiden. Ze keek naar de automatische zwembadreiniger die door het blauwe water gleed en golfjes veroorzaakte. Alfie, hun cyperse kat, had zo te zien iets interessants ontdekt achter de rododendron en kwam langzaam langslopen. Hij tuurde, draaide zich om, en kwam toen weer langzaam langslopen terwijl hij bleef turen.

Je wist nooit wat katten dachten, viel haar opeens in. Alfie leek eigenlijk wel een beetje op Ronnie.

Ze zette haar bord op de grond en pakte de *Daily Mail*. Ze had nog anderhalf uur voordat ze weg moest voor haar afspraak bij de kapper. Ze wilde highlights dit keer en daarna zou ze naar de nagelstudio gaan, want ze wilde er altijd heel goed uitzien voor hem.

Terwijl ze lag te genieten van de warme stralen van de zon, draaide ze de bladzijden om. Over een paar minuten zou ze naar binnen gaan om zijn overhemden te strijken. Hij mocht dan nephorloges kopen, maar hij kocht wel altijd dure overhemden en altijd in Jermyn Street in Londen. Hij was heel precies over hoe ze gestreken moesten worden. Omdat ze geen hulp meer hadden vanwege de bezuinigingsmaatregelen, moest ze het huishouden helemaal zelf doen.

Ze dacht met een glimlach terug aan de beginjaren met Ronnie, toen ze het echt leuk had gevonden om voor hem te wassen en te strijken. Toen ze elkaar tien jaar geleden hadden leren kennen – zij werkte destijds op Gatwick Airport als verkoopster in de dutyfreewinkel – was Ronnie net bezig de scherven van zijn leven op te pakken nadat zijn mooie maar domme vrouw was weggelopen naar Los Angeles om daar met een regisseur, die ze tijdens een vriendinnenavond in Londen had ontmoet en die haar een ster zou maken, te gaan hokken.

Ze kon zich hun eerste vakantie nog herinneren, in een klein gehuurd appartement in Marbella, met uitzicht op de jachthaven van Puerto Banus. Ronnie had bier gedronken op het balkon en jaloers naar de jachten gekeken, en hij had haar beloofd dat ze ooit het grootste jacht zouden bezitten in de haven. Hij wist wel hoe hij werk van een vrouw moest maken. Hij was er een expert in.

Ze had het toen heerlijk gevonden om zijn kleren te wassen. Om zijn T-shirts, zwembroeken, ondergoed, sokken en zakdoeken in haar handen te houden. Om zijn geur eraan te ruiken. Het was intens bevredigend om die prachtige overhemden te strijken en ze hem dan zien dragen, alsof hij een deel van haar droeg.

Nu zag ze ertegenop en stond zijn gierigheid haar tegen.

Ze ging verder met het artikel over hormoontherapie dat ze aan het lezen was. Het ging over de steeds terugkerende vraag of vermindering van overgangssymptomen – en het behoud van een jeugdig uiterlijk – afwoog tegen de vergrote kans op borstkanker en andere nare dingen. Een wesp vloog om haar hoofd en ze wapperde hem weg, en keek toen even naar haar eigen borsten. Over twee jaar zou ze veertig worden, en alles was al aan het zakken, uitgezonderd haar dure borsten.

Lorraine was geen perfecte stralende schoonheid, maar wat Ronnie betrof was ze altijd een stuk geweest. Ze had haar blonde haar aan haar Noorse grootmoeder te danken. Nog maar een paar jaar geleden, net als tig andere blondjes in de wereld, had ze de inmiddels klassieke coupe van prinses Diana gedragen, en een paar keer was ze zelfs gevraagd of ze de prinses werkelijk was.

Nu, dacht ze somber, zal ik iets moeten gaan doen aan de rest van mijn lijf.

Terwijl ze op de stoel lag, leek haar buik wel de buidel van een kangoeroe. Het was de buik van een vrouw die een paar kinderen had gebaard, de spieren waren of weg of de huid was onomkeerbaar uitgerekt. En ze had ook cellulitis op haar bovenbenen.

Al die ellende die met haar lijf gebeurde, ondanks (en tot Ronnies verdriet omdat het zoveel kostte) het feit dat ze drie keer per week door haar personal trainer werd gecoacht.

De wesp was weer terug en zoemde om haar hoofd. 'Rot op,' zei ze terwijl ze weer met haar hand wapperde. 'Opzouten.'

Toen ging de telefoon. Ze boog zich naar voren en pakte de draadloze telefoon van de grond. Het was haar zus Mo, en haar anders zo rustige vrolijke stem, was vreemd gestrest. 'Heb jij je televisie aan?'
'Nee, ik zit in de tuin,' antwoordde Lorraine.
'Ronnie zit toch in New York?'
'Ja, ik heb hem net nog gesproken. Hoezo?'
'Er is iets verschrikkelijks gebeurd. Het is op het nieuws. Er is net een vliegtuig het World Trade Center in gevlogen.'

8

Oktober 2007

Het ging harder regenen, de druppels kletterden als hagelstenen op het stalen dak van het busje van de Technische Recherche. De ruiten waren ondoorzichtig, zodat er wel licht van buitenaf doorheen scheen, maar niemand naar binnen kon gluren. Het was somber buiten, de vage schemer van een natte namiddag, roestbruin gekleurd door tienduizend straatlantaarns.

Ondanks het feit dat de Transit groot was, was er binnen maar beperkt zitruimte. Roy Grace, die net een gesprek op zijn gsm verbrak, zat de vergadering voor. Het logboek dat hij uit zijn tas met plaatsdelictuitrusting had gehaald, lag opengeslagen voor hem.

Behalve Glenn Branson zaten op elkaar geperst aan de tafel de leider plaats delict, een onderzoekadviseur, een ervaren medewerker van de Technische Recherche, een van de geüniformeerde agenten die de plaats delict bewaakten en Joan Major, de forensisch archeologe die regelmatig de politie van Sussex assisteerde bij het identificeren van skeletten. Zij vertelde hen ook of de beenderen die wel eens op bouwterreinen, door kinderen in het bos, of door mensen in hun tuin werden opgegraven, menselijk of dierlijk waren.

Het was koud en vochtig in de bus en er hing een sterke synthetische lucht. Rollen politielint lagen op een plank van de metalen stellage gestapeld, en de andere planken waren gereserveerd voor lijkenzakken, tenten en grondzeilen, touw, snoeren, hamers, zagen, bijlen en plastic flessen met chemicaliën. Er hing altijd een sinistere sfeer in dit soort vervoermiddelen, vond Grace. Het waren net caravans, maar ze gingen nooit naar een camping, alleen maar naar plekken waar mensen waren vermoord.

Het was 18.30 uur.

'Nadiuska is er niet,' zei hij tegen de mensen die pas waren aangekomen, en hij legde zijn mobieltje neer.

'Dus zitten we met Frazer opgescheept?' vroeg Glenn chagrijnig.

'Ja.'

Grace zag ieders gezicht betrekken. Iedereen bij de politie van Sussex wilde het liefst met patholoog-anatoom Nadiuska De Sancha werken. Ze was snel, interessant, leuk én knap, wat mooi meegenomen was. Frazer Theobald daarentegen was gemelijk en langzaam, hoewel hij zeer nauwkeurig werkte.

'Wat echt vervelend is, is dat Frazer momenteel een lijkschouwing in Esher aan het doen is. Hij kan hier op zijn vroegst pas om negen uur zijn.'

Hij ving Glenns blik. Ze wisten allebei wat dat betekende: dat ze de hele avond door moesten werken.

Grace schreef op de eerste bladzijde van zijn logboek: 'Eerste vergadering. Vrijdag 19 oktober. 18.30 uur. Ter plekke. Bouwput New England Quarter.'

'Mag ik een suggestie doen?' vroeg Joan Major.

De forensisch archeologe was een knappe vrouw van begin veertig, met lang bruin haar en een bril met moderne vierkante glazen. Ze was gekleed in een coltrui, bruine broek en stevige laarzen.

Grace gebaarde dat ze haar gang kon gaan.

'Ik stel voor dat we nu een kort overleg houden, maar omdat het al donker is, lijkt het me niet nodig om al aan het werk te gaan. Het gaat allemaal een stuk makkelijker als het licht is. Zo te horen ligt dat skelet er al een tijdje, dus een dagje extra zal niet veel verschil uitmaken.'

'Dat is een prima voorstel,' zei Grace. 'Maar we moeten wel beseffen dat ze hier aan het werk zijn.' Hij keek de onderzoeksadviseur recht aan. Dat was een lange man met een baard en een verweerd gezicht die Ned Morgan heette. 'Je zult het met de voorman moeten opnemen, Ned. Ze kunnen voorlopig in de buurt van het riool niets doen.'

'Ik heb daarstraks al met hem gesproken. Hij maakt zich zorgen omdat ze een boete krijgen als ze te laat opleveren,' zei Morgan. 'Hij kreeg zowat een rolberoerte toen ik hem vertelde dat we een week nodig zouden hebben.'

'Het is een grote bouwput,' zei Grace. 'We hoeven hem niet helemaal te sluiten. Zeg jij maar waar ze niet mogen werken omdat jij daar moet zoeken.'

Toen keek hij weer naar de forensisch archeologe. 'Maar je hebt gelijk, Joan, morgen bij daglicht gaat het een stuk prettiger.'

Hij belde Steve Curry, de adjudant die de leiding had over de geüniformeerde politie in dat deel van de stad en vertelde hem dat er voorlopig een bewaker nodig zou zijn. Steve was daar niet erg blij mee: bewakers drukten zwaar op de begroting.

Grace keek vervolgens Joe Tindall aan, de leider plaats delict, die eerder dat jaar die functie had gekregen. Tindall glimlachte zelfvoldaan. 'Maakt mij niet uit, Roy,' zei hij met zijn accent uit de Midlands. 'Nu ik de leider ben, kom ik op een fatsoenlijk tijdstip thuis. Jij en de andere onderzoeksleiders konden vroeger mijn weekends vergallen, maar dat is mooi verleden tijd. Ik vergal nu voor jou het weekend van andere mensen.'

Grace was heimelijk jaloers op hem. Bovendien, het skelet had natuurlijk gemakkelijk tot maandag kunnen wachten, maar nu het was ontdekt en aangemeld, was dat niet meer mogelijk.

Tien minuten later hadden ze allemaal een papieren overall aangetrokken en liepen ze het riool in. Grace voorop, met achter hem aan Joan Major en Ned Morgan. De onderzoeksadviseur had de andere teamgenoten de raad gegeven in de bus te blijven zitten, zodat er zo min mogelijk kans was op besmetting van de plaats delict.

Ze bleven alle drie voor het skelet staan en richtten hun zaklantaarn erop. Joan Major liet de lichtstraal eroverheen gaan, en liep toen naar voren totdat ze er zo dichtbij was dat ze het aan kon raken.

Roy Grace keek met een knoop in zijn maag weer naar het hoofd. Hij wist dat de kans erg klein was dat het Sandy zou zijn. Maar toch. De tanden leken nog allemaal intact te zijn; goed gebit. Sandy had een goed gebit, dat was een van de dingen die hem tot haar hadden aangetrokken. Mooie, witte, regelmatige tanden, en een glimlach die hem elke keer weer deed smelten.

Toen hij zei: 'Is het een man of een vrouw, Joan?' kwam zijn stem hem vreemd voor, alsof hij niet van zichzelf was.

Ze keek naar de schedel. 'Het voorhoofd is redelijk recht, mannen hebben over het algemeen een schuiner voorhoofd,' zei ze, terwijl haar stem griezelig werd weerkaatst. Ze hield de zaklantaarn in haar linkerhand, wees naar de schedel met haar behandschoende rechter wijsvinger en zei: 'De onderkant van de schedel is bol.' Ze tikte ertegen. 'Als je aan je achterhoofd voelt, Roy, dan zul je merken dat die van jou nog boller is, wat normaal is bij mannen.' Ze keek naar de holte van het linkeroor. 'En de processus mastoïdeus wijst ook op een vrouw, bij mannen is die veel duidelijker.' Vervolgens keek ze naar de ogen. 'Moet je de wenkbrauwrichel eens zien, die zouden ook veel meer uitsteken als het een man was geweest.'

'Dus je bent er redelijk zeker van dat het een vrouw is?' vroeg Grace.

'Ja, eigenlijk wel. Als we het bekken onderzoeken, dan zal ik het honderd procent zeker weten, maar nu ben ik er redelijk van overtuigd. Ik zal ook het een en ander meten; het mannelijke skelet is over het algemeen wat groter, de proporties zijn anders.' Ze aarzelde even. 'Er is iets wat wel belangrijk is, en ik wil graag Frazers mening erover horen.'

'Wat dan?'

Ze wees naar de onderkant van de schedel. 'Het os hyoides is gebroken.'

'Het wat?'

Ze wees weer, naar een botje dat aan een klein stukje vergane huid hing. 'Zie je dat U-vormige botje? Dat is het tongbeen, dat houdt de tong op zijn plaats. Het kan de mogelijke doodsoorzaak aangeven: het tongbeen breekt over het algemeen bij wurging.'

Grace dacht hierover na. Hij keek even naar het tongbeen, toen weer naar de perfecte tanden, en probeerde zich details te herinneren van de laatste keer, een paar jaar geleden, dat hij bij een onderzoek van een skelet aanwezig was geweest.

'En haar leeftijd?'

'Dat kan ik je beter morgen pas vertellen,' zei ze. 'Op het eerste gezicht zou ik zeggen dat ze tussen de vijfentwintig en de veertig was.'

Sandy was achtentwintig geweest toen ze spoorloos verdween, bedacht hij, toen hij naar de schedel staarde. En de tanden. In zijn ooghoek zag hij dat Ned Morgan met zijn zaklantaarn eerst de ene kant van het riool bescheen en toen de andere.

'We zouden er een ingenieur van de gemeente bij moeten halen, Roy,' zei de onderzoeksadviseur. 'Iemand die verstand heeft van het afwateringssysteem hier in de stad. Kijken welke andere buizen hiermee verbonden zijn. Misschien zijn haar kleren of bezittingen meegevoerd door het water.'

'Denk je dat dit riool soms onder water staat?' vroeg Grace.

Morgan scheen bedachtzaam met de zaklantaarn om zich heen. 'Nou, het heeft de hele dag al flink geregend, en er staat hier nog niet veel water, maar het zou heel goed kunnen. Dit riool is waarschijnlijk aangelegd zodat de spoorlijn niet onder water zou komen te staan, dus ja. Maar...' Hij twijfelde.

Joan mengde zich in het gesprek. 'Zo te zien ligt ze hier al heel wat jaren. Als het riool inderdaad af en toe onder water staat, dan was ze door het water verplaatst en allang niet meer intact zijn. Dat is ze nu wel. Bovendien, de aanwezigheid van uitgedroogde huid wijst erop dat het hier al een hele tijd droog is. Maar we kunnen natuurlijk niet uitsluiten dat het soms onder water heeft gestaan.'

Grace keek naar de schedel, de ene na de andere emotie schoot door hem heen. Plotseling wilde hij niet meer wachten tot de volgende dag, hij wilde dat zijn team nu op dit moment meteen aan de slag zou gaan.

Met grote tegenzin zei hij tegen de bewaker dat hij de ingang kon verzegelen en de hele plek af kon zetten.

9

Oktober 2007

Abby kon het niet geloven: ze moest plassen. Ze keek op haar horloge. Eén uur en tien minuten geleden was ze in deze rotlift gestapt. Waarom? Waarom? Waarom was ze zo stom geweest?

Vanwege die kutbouwvakkers beneden, daarom.

Godver. Ze deed er dertig seconden over via de trap, en het was nog gezond ook. Waarom? Waarom? Waarom?

En nu weer deze scherpe aandrang in haar blaas. Een paar minuten voordat ze wegging was ze nog geweest, maar ze had het gevoel alsof ze sindsdien tien liter koffie en een emmer water had gedronken.

Ik ga toch echt niet plassen. Ik moet er niet aan denken dat de brandweer me hier straks liggend in een plasje urine aantreft. Voor die vernedering bedank ik hartelijk.

Ze kneep, drukte haar knieën tegen elkaar aan, en wachtte bevend tot het weer over ging. Toen keek ze weer naar het plafond van de lift, naar het rooster met daarachter het gedimde licht. Ze luisterde. Ze luisterde naar de voetstappen waarvan ze overtuigd was dat ze die had gehoord.

Of dacht dat ze die had gehoord...

In de film trokken mensen altijd de liftdeuren open, of ze klommen eruit via een luik in het plafond. Maar in de film schommelden de liften dan ook niet zo heen en weer als deze.

De aandrang om te plassen ging weg, die zou weer terugkomen, maar voorlopig ging het wel. Ze wilde overeind komen, maar de lift ging meteen wild tekeer, knalde met een daverende galmende klap tegen de ene schachtwand en vervolgens tegen de andere. Ze hield haar adem in en wachtte tot hij weer stil hing. Toen ze op haar knieën zat, pakte ze haar gsm en toetste een nummer in. Opnieuw dat felle piepje, opnieuw de melding dat er geen bereik was.

Ze zette haar handen tegen de deuren en probeerde haar vingers ertussen te wurmen, maar de deuren gaven geen millimeter mee. Ze maakte haar tas open en zocht naar iets erin waarmee ze de kleine opening groter kon maken. Behalve een nagelvijl zat er niets bruikbaars in. Ze stak die ertussen, maar al na een paar centimeter kwam hij tegen iets aan en ging hij niet verder. Ze bewoog hem naar rechts en toen snel naar links. De vijl knakte.

Ze drukte uit pure frustratie op elke knop van het paneel en sloeg vervolgens op de liftwand.

Dit was heel erg fijn allemaal.

Hoe lang had ze nog?

Een beangstigend gekraak kwam van boven haar. Ze zag al voor zich hoe de gedraaide kabels langzaamaan uit elkaar gingen en steeds dunner werden. Dat de moeren in het dak steeds meer losraakten. Ze kon zich een gesprek herinneren op een feestje een paar jaar geleden over wat je moest doen als de liftkabel het begaf en de lift naar beneden stortte. Een paar mensen zeiden dat je moest springen net voordat de lift op de grond terechtkwam. Maar hoe wist je nu wanneer hij op de grond terecht zou komen? En als de lift met een paar honderd kilometer per uur naar beneden stortte, dan zou jij dat ook doen. Een paar mensen zeiden dat je plat op de grond moest gaan liggen; en een bijdehand zei dat de beste manier om het te overleven was gewoon niet in die lift stappen.

Die bijdehand had helemaal gelijk.

O, verdomme, dit was zo wrang. Ze dacht aan wat ze allemaal had moeten doen om hier in Brighton te zijn. De risico's die ze had genomen, alle moeite om geen spoor achter te laten.

En nu gebeurde dit.

Ze dacht opeens aan de manier waarop het in de krant zou staan: 'Onbekende vrouw gedood bij bizar liftongeluk.'

Nee. Nee, dat kon niet.

Ze keek weer naar de plafondlamp, rekte zich uit, duwde ertegen aan met haar vinger. Hij gaf niet mee.

Ze duwde harder.

Nog niets.

Hij móést gewoon meegeven. Ze rekte zich zoveel mogelijk uit, zodat ze al haar vingertoppen ertegenaan kon zetten, en duwde toen uit alle macht.

Maar hierdoor ging de lift alleen maar weer heen en weer. Hij sloeg opnieuw tegen de ene schachtwand met dezelfde doffe *boemmmm*.

En toen hoorde ze iets schrapen boven zich. Een heel duidelijk, lang, schrapend geluid, alsof iemand haar kwam redden.

Ze luisterde. Deed haar best om het hese geruis van haar ademhaling en het gebonk van haar hart buiten te sluiten. Ze luisterde zeker twee minuten; haar oren knapten alsof ze in een vliegtuig zat, hoewel het daar door de hoogte kwam, en hier door angst.

Ze kon alleen maar de kabel horen kraken en af en toe het krijsende geluid van scheurend metaal.

10

11 september 2001

Terwijl ze de telefoon tegen zich aan hield sprong Lorraine uit de strandstoel. Een afschuwelijke donkere draaikolk woedde binnen in haar. Ze rende over het terras, struikelde bijna over Alfie, en vloog de terrasdeuren door, het zachte witte hoogpolige tapijt op, haar borsten en gouden enkelketting heen en weer zwiepend.

'Daar is hij,' zei ze in de hoorn tegen haar zus, haar stem alleen nog maar een trillend gefluister. 'Daar zit Ronnie nu.'

Ze pakte de afstandsbediening en zette de tv aan op BBC One. Ze zag, gefilmd door een amateur, het herkenbare beeld van de hoge zilverwitte torens van het World Trade Center. Uit het bovenste gedeelte van een van de torens walmde dikke zwarte rook, waardoor hij bijna niet meer te zien was; de zwartwitte mast stak daar bovenuit, en wees naar de wolkeloze kobaltblauwe lucht.

O, jezus. O, jezus. Ronnie zat daar. In welke toren had hij die vergadering? Op welke verdieping?

Ze kon maar amper de aangedane stem van de Amerikaanse nieuwslezer verstaan, die zei: 'Dit was geen klein vliegtuigje, dit was een groot vliegtuig. O, lieve god! O, lieve god!'

'Ik bel je wel terug, Mo,' zei ze. 'Ik bel je zo terug.' Ze toetste Ronnies mobiele nummer in. Even later kreeg ze de ingesprektoon. Ze belde weer. Toen weer. En weer.

O, god, Ronnie, wees alsjeblieft in orde. Alsjeblieft, mijn liefste, alsjeblieft wees in orde.

Ze hoorde loeiende sirenes op tv. Zag mensen naar boven kijken. Overal stonden horden mensen: mannen en vrouwen in nette outfits en in werkkleding, allemaal bevroren als in een bizar tableau, sommigen met hun hand voor hun gezicht, anderen met een camera. Toen weer de Twin Towers. Een ervan braakte zwarte rook uit die de schitterende blauwe lucht besmeurde.

Er ging een rilling door haar heen. Ze bleef staan.

De sirenes kwamen dichterbij.

Bijna niemand bewoog. Een paar mensen renden naar het gebouw toe. Ze zag een brandweerwagen met een lange ladder, hoorde loeiende, snerpende sirenes.

Ze belde Ronnies gsm weer. De ingesprektoon. Alweer. De ingesprektoon. Steeds weer die ingesprektoon.

Ze belde haar zus. 'Ik krijg hem niet te pakken,' zei ze huilend.

'Hij is vast in orde, Lori. Ronnie is een overlever, hij redt het wel.'

'Hoe... hoe kan dit nou?' vroeg Lorraine. 'Hoe kan een vliegtuig daartegenaan vliegen? Ik bedoel...'

'Hij is vast in orde. Dit is verschrikkelijk, ongelooflijk. Het lijkt wel een van die – je weet wel – die rampen, zoals in een rampenfilm.'

'Ik hang nu op. Misschien belt hij mij wel. Ik wil hem ook weer bellen.'

'Bel je als je hem te pakken hebt gekregen?'

'Ja.'

'Echt?'

'Ja, echt.'

'Hij is in orde, lieverd. Geloof me.'

Lorraine hing weer op, keek in trance naar de beelden op televisie. Ze toetste Ronnies nummer weer in. Maar kwam niet verder dan tot op de helft.

II

Oktober 2007

'Ben ik je grote liefde?' vroeg ze hem. 'Ja, Grace? Ben ik dat?'

'Ja, dat ben je.'

Ze grijnsde. 'Je zit toch niet tegen me te liegen, hè, Grace?'

Ze hadden op die stralende dag in juni in La Coupole in St. Germain geluncht, met veel drank erbij, en slenterden een stukje langs de Seine voordat ze weer naar hun hotel teruggingen.

Het leek wel of het altijd lekker weer was als ze samen waren. Net als nu. Sandy stond over hem heen, in hun mooie slaapkamer, en hield het zonlicht tegen dat door de luiken naar binnen stroomde. Haar blonde lokken hingen aan weerskanten van haar sproeterige gezicht en kietelden zijn wangen. Toen gooide ze haar haar over zijn gezicht, alsof ze het wilde afstoffen.

'Hé! Ik ben aan het lezen hoor, dit verslag gaat over kindermishandeling, ik –'

'Wat ben je toch saai, Grace. Je bent altijd aan het lezen! We zijn in Parijs! Een romantisch weekendje! Vind je me niet meer aantrekkelijk?' Ze kuste hem op zijn voorhoofd. 'Lezen, lezen, lezen! Werken, werken, werken!' Ze kuste hem weer op zijn voorhoofd. 'Het is zo saai, saai, saai!'

Ze danste bij zijn uitgestoken armen vandaan, daagde hem uit. Ze had een kort zomerjurkje aan, waar haar borsten bijna uit puilden. Hij ving een glimp op van haar lange, bruine benen toen het jurkje opwaaide en was opeens enorm geil.

Ze kwam weer dichterbij, boog over hem heen, pakte hem beet. 'Is dat allemaal voor mij, Grace? Wat mooi! Dat is tenminste nog eens een stijve!'

Door het felle zonlicht kon hij opeens haar gezicht niet meer goed zien. Toen helemaal niet meer, en hij zag alleen nog maar een lege zwarte ovaalvorm, net als een maansverduistering, met goudblonde lokken erlangs. Hij voelde paniek opkomen, kon zich heel even niet meer herinneren hoe ze eruit had gezien.

Toen kon hij haar weer duidelijk zien.

Hij grinnikte. 'Ik hou meer van je dan wie dan ook op...'

Toen was het net alsof er een wolk voor de zon was gedreven. Het werd kouder. De kleur trok uit haar gezicht weg alsof ze ziek was, stervende.

Ze sloeg haar armen om zijn nek, hield hem stevig tegen zich aan. 'Sandy!' zei hij dringend. 'Sandy, liefste!'

Ze rook vreemd. Haar huid was opeens hard, heel anders dan Sandy's zachte velletje. Ze rook bedorven. Naar schimmel en aarde en bittere sinaasappels. Toen ging het licht helemaal uit, alsof iemand de stekker eruit had getrokken.

Roy hoorde zijn stem in de koude, lege lucht weergalmen.

'Sandy!' riep hij, maar de naam bleef in zijn keel steken.

Toen ging het licht weer aan. Het felle licht van een lijkschouwingkamer. Hij keek weer in haar ogen. En schreeuwde.

Hij keek in de oogkassen van een schedel. Hij had een skelet in zijn armen. Een schedel met perfecte tanden grijnsde naar hem.

'Sandy!' schreeuwde hij. 'Sandy!'

Toen veranderde het licht weer. Zachtgeel. De matras kraakte. Hij hoorde een stem.

'Roy?'

Cleo.

'Roy? Ben je wakker?'

Hij keek naar het plafond, was in de war, en knipperde met zijn ogen, badend in het zweet.

'Roy?'

Hij beefde. 'Ik... ik...'

'Je gilde heel hard.'

'Sorry. Het spijt me.'

Cleo ging zitten, haar lange blonde haar viel om haar gezicht, dat bleek was van de slaap en de schrik. Ze steunde op een arm en keek hem aan met een eigenaardige uitdrukking op haar gezicht, alsof hij haar pijn had gedaan. Hij wist al wat ze ging zeggen voordat ze het zei.

'Sandy,' zei ze verwijtend. 'Alweer.'

Hij keek naar haar. Dezelfde kleur haar als Sandy, dezelfde kleur ogen, het blauw alleen een tikje grijzer dan bij Sandy. Een tikje meer staal. Hij had gelezen dat mannen die hun partner hadden verloren of waren gescheiden vaak verliefd werden op iemand die heel veel leek op hun vrouw. Daar had hij nog nooit bij stilgestaan. Maar ze leken niet op elkaar, helemaal niet. Sandy was knap, maar liever, geen klassieke schoonheid zoals Cleo.

Hij keek naar het witte plafond en de witte muren van Cleo's slaapkamer. Keek naar de kapotte zwartgelakte kaptafel. Ze vond het niet prettig om naar zijn huis te gaan, omdat ze Sandy daar overal voelde, en ze vond het dus fijner als hij naar haar toe kwam.

'Het spijt me,' zei hij. 'Het was een nare droom. Een nachtmerrie.'

Ze streelde zachtjes over zijn wang. 'Misschien moest je maar weer naar die psychiater gaan.'

Hij knikte alleen maar, en viel uiteindelijk in een onrustige slaap, bang dat hij weer zou gaan dromen.

12

Oktober 2007

De krampen werden erger – en pijnlijker – en kwamen ook steeds vaker. Om de paar minuten inmiddels. Misschien voelde het zo aan als je weeën had.

Op haar horloge was het 3.08 uur. Abby zat al bijna negen uur in de lift. Misschien zat ze hier wel vast tot maandag, als hij niet losschoot en naar beneden stortte.

O, echt fantastisch. Wat heb jij in het weekend gedaan? Ik heb negen uur in een lift vastgezeten. Echt cool. Er zaten een spiegel in en een knoppenpaneel en een vies glazen plafond met lampjes en een kras op de muur die zo te zien gemaakt was door iemand die een hakenkruis erin wilde kerven maar dat toch maar niet heeft gedaan, en een bordje dat een of andere stomme idioot die niet kan spellen er had opgehangen, en dat niet eens klopte.

BIJ STORRING
BEL 013 228 7828
OF 999

Ze trilde van kwaadheid en haar keel was uitgedroogd, rauw van het schreeuwen, ze had bijna geen stem meer. Nadat ze even had gerust, ging ze weer moeizaam staan. Ze maakte zich geen zorgen meer of daardoor de lift zou gaan schudden en los zou komen, ze móést er gewoon uit; niet maar blijven wachten tot de kabel of de beugels het begaven, of wat er verder nog kon gebeuren waardoor ze haar dood tegemoet zou vallen.

'Ik bel toch, stomme klootzakken,' bracht ze met krakende stem uit, terwijl ze naar het bordje keek en de wanden weer op zich af voelde komen, gevolgd door een paniekaanval.

De telefoon in de lift deed het nog steeds niet. Ze hield haar mobieltje stevig tegen haar oor, ademde diep in om rustig te worden, en dwong het signaal om door te dringen; ze vervloekte haar provider, vervloekte iedereen.

Haar hoofdhuid zat zo strak om haar schedel gespannen dat ze amper kon kijken, en de aandrang om te plassen kwam ook weer opzetten. Als een trein kwam die door haar ingewanden aangezoefd.

Ze drukte haar knieën samen en haalde diep adem. Haar dijen, dicht tegen elkaar aan, trilden. Er schoot een felle pijn door haar buik heen, alsof er een heet mes in was gestoken en nu werd rondgedraaid. Ze jammerde, snakte naar adem, beefde helemaal, en stond dubbelgeklapt tegen de muur aan. Ze zou het niet lang meer vol kunnen houden, wist ze.

Maar ze hield vol, kneep – de geest is sterker dan het vlees – en vocht tegen haar eigen lijf, vast van plan aan niets toe te geven wat haar hersens niet wilden. Ze dacht aan haar moeder, die vanwege multiple sclerose incontinent was geworden toen ze achter in de vijftig was.

'Ik ben verdomme niet incontinent. Laat me nou maar hieruit, laat me eruit, laat me eruit,' fluisterde ze als een mantra, tot de aandrang op haar ergst was, en toen langzaam, verdomde langzaam, weer afnam.

Eindelijk was het voorbij en ze ging uitgeput op de grond zitten, en vroeg zich af hoe lang je je plas op kon houden voordat je blaas het begaf.

Mensen konden een verblijf in de woestijn soms overleven door hun eigen urine te drinken. Ze zou in een van haar laarsjes kunnen plassen, dacht ze opeens, en het daarin bewaren. Een noodvoorraad drinken? Hoe lang kon je het overleven zonder water? Ze had ooit gelezen dat een mens weken zonder eten kon, en maar een paar dagen zonder water.

Ze stak haar hand uit om haar evenwicht te bewaren, en deed haar rechterlaarsje uit. Toen sprong ze zo hoog ze kon, terwijl ze met de hak tegen het plafond sloeg. Maar dat maakte niets uit. De lift ging alleen als een gek tekeer, knalde een paar maal tegen de schacht aan, zodat ze tegen de wand werd geworpen. Ze hield haar adem in. De paar laatste draadjes die nog tussen haar en een wisse dood stonden...

Soms wilde ze zelfs dat ze maar zouden breken. Dat ze die paar etages naar beneden zou storten. Dat zou tenminste alles oplossen. Geen erg elegante oplossing, dat was waar, maar evengoed toch een oplossing. Alleen zou het wel heel erg wrang zijn.

Als een reactie op haar gedachten ging opeens het licht uit.

13

11 september 2001

In Coldean, de straat in Brighton waar Ronnie Wilson als kind woonde, brandde een keer een huis af. Hij kon zich nog de stank, het lawaai, de verwarring, de brandweerwagens herinneren, en dat hij daar buiten in het donker stond in zijn ochtendjas en pantoffels en toekeek. Hij kon zich herinneren hoe fascinerend hij het had gevonden, maar ook dat hij erg bang was geweest. Maar bovenal kon hij zich de stank herinneren.

De vreselijke stank van verwoesting en wanhoop.

Nu rook het net zo. Niet het aangename zoete aroma van een houtvuurtje of de gezellige geur van kolen, maar de scherpe, sterke lucht van brandende verf, smeulend papier en rubber, en de zurige stank van smeltend vinyl en plastic. Een verstikkende rook die in zijn ogen brandde, zodat hij zijn neus wilde bedekken, achteruit wilde deinzen en weg wilde, terug naar het restaurantje waar hij net was geweest.

Maar in plaats daarvan bleef hij staan.

Net als ieder ander.

Een surreëel moment van stilte 's ochtends in Manhattan, alsof iemand voor iedereen op straat op de pauzeknop had gedrukt. Alleen de auto's reden door, totdat een rood licht ook hen tot stoppen dwong.

Mensen keken. Het duurde even voordat ze beseften waar ze naar keken. Aanvankelijk keek hij op ooghoogte door de straat, langs een brandspuit en wat houten tafels voor een zaak bomvol met tijdschriften en plattegronden, langs de gevel van een winkel waar een bordje aangaf dat daar BOTER EN EIEREN werden verkocht. Vervolgens keek hij langs een verlichte rode hand die aangaf dat er niet mocht worden overgestoken, en nog verder, langs het verkeerslicht dat boven de kruising van Warren Street hing, en de rij auto's met rode achterlichten.

Tot hij besefte dat ze allemaal naar boven keken.

Toen hij dat ook deed, zag hij een paar straten voor hem een dikke zwarte rookpluim, als uit een chemische fabriek, boven de wolkenkrabbers hangen.

Er stond een gebouw in brand, realiseerde hij zich. Toen, tot zijn schrik en ontzetting, zag hij welk gebouw dat was: het World Trade Center.

Shit, shit, shit.

Geschokt en verward, net als iedereen, stond hij aan de grond genageld, hij kon zijn ogen gewoon niet geloven.

Het verkeerslicht sprong op groen en toen de auto's, busjes en een vrachtwagen weer gingen rijden, vroeg hij zich af of de chauffeurs het niet hadden gezien, of ze misschien niet zo ver naar boven konden kijken.

De rookpluim werd wat dunner en de rook verspreidde zich. Erdoorheen was, hoog en trots afstekend tegen de stralend blauwe hemel, heel even de zwart-witte radiomast te zien. De North Tower, zag hij, waar hij een keer naartoe was geweest. Hij was opgelucht. Het kantoor van Donald Hatcook zat in de South Tower. Mooi. Oké. Het gesprek kon nog steeds doorgaan.

Hij hoorde een muur van sirenes op zich af komen. Vervolgens een *woep-woepwoep* dat steeds harder werd, oorverdovend zelfs, en weerkaatste in de stilte. Hij draaide zich om en zag een blauw-witte politiewagen van de NYPD met drie inzittenden; de man op de achterbank kwam naar voren en rekte zijn hals uit om beter te zien. De auto kwam aan de verkeerde kant van de rijbaan snel aanrijden, en het zwaailicht op het dak wierp rode vonkjes op de portieren van de drie gele taxi's die daar geparkeerd stonden. Toen, terwijl de chauffeur boven op zijn rem stond, wrong de wagen zich met piepende banden en met de neus naar beneden, door het verkeer op het kruispunt heen, tussen een bakkerswagen, een stilstaande Porsche en nog een gele taxi door.

'O, lieve god! O, jezus! O, lieve god!' zei een vrouw vlak bij hem. 'O, lieve hemel, hij heeft de toren geraakt! O, lieve god!'

De sirene stierf langzaam weg, in de stilte nog net hoorbaar. Het was weer rustig in Chambers Street. Plotseling was de straat verlaten. Ronnie zag een man oversteken. Hij had een honkbalpetje op, een dunne anorak en werkschoenen aan, en droeg een plastic tasje waarin misschien wel zijn lunch zat. Hij kon het geluid van zijn voetstappen horen. De man keek behoedzaam om zich heen, alsof hij verwachtte elk moment door een andere politiewagen aangereden te worden.

Maar er was geen andere politiewagen. Alleen maar stilte. Alsof de ene die langs was gereden genoeg was om alles af te handelen, alsof het niets voorstelde.

'Zag u dat?' vroeg de vrouw achter hem.

Ronnie draaide zich om. 'Wat is er aan de hand?'

Ze had lang bruin haar en uitpuilende ogen. Naast haar lagen een paar boodschappentassen op straat, waaruit kartonnen dozen en blikjes waren gevallen.

Haar stem trilde. 'Een vliegtuig! O, jezus, het was een vliegtuig, verdomme! Hij vloog verdomme tegen de toren aan. Ik geloof het gewoon niet. Het was een vliegtuig. Hij vloog verdomme tegen de toren aan!'

'Een vliegtuig?'

'Hij vloog tegen de toren aan. Hij vloog verdomme tegen de toren aan.'

Ze was duidelijk in shock.

Er kwam weer een sirene aan. Een andere dan die van de politiewagen, een zwaarder geluid. Een brandweerwagen.

Fantastisch! dacht hij. Echt helemaal te gek! Heb ik verdomme een afspraak met Donald, vliegt er een of andere stomme debiel met zijn vliegtuig tegen het World Trade Center aan!

Hij keek op zijn horloge. Shit! Het was al bijna vijf voor negen! Hij was om kwart voor het restaurantje uit gekomen, dus ruim op tijd. Had hij hier echt tien minuten gestaan? Die arrogante secretaresse van Donald Hatcook had hem gezegd dat hij stipt op tijd moest zijn, dat Donald maar een uur de tijd had voordat hij op het vliegveld moest zijn op weg naar... Wichita, had ze volgens hem gezegd. Of was het nou Washington? Maar een uur. Een uur om zichzelf te verkopen en zijn zaak te redden.

Hij hoorde nog een sirene. Verdomme. Het zou vast één grote chaos worden. De politie en de brandweer zouden misschien wel het hele gebied afzetten. Hij moest er zien te komen voordat zij er waren. Dat gesprek móést doorgaan.

Dat moest gewoon.

Die stomme klootzak in dat vliegtuig zou mooi zijn afspraak niet verzieken!

Met zijn bagage achter hem aan zette Ronnie het op een drafje.

14

Oktober 2007

In het riool hing een onaangename lucht die er de vorige dag nog niet was geweest. Er lag vast ergens een beest te rotten, waarschijnlijk een knaagdier. Roy had het opgemerkt toen hij even voor negen uur aankwam, en nu, een uur later, trok hij zijn neus op toen hij het riool weer in liep met twee volle tassen met bekers koffie en thee die door een jonge, ijverige vrijwilliger was gehaald.

De regen viel gestaag neer, zodat het buiten een grote modderpoel werd, maar Grace wist dat het water binnen op hetzelfde peil bleef. Hij vroeg zich af hoeveel regen het riool kon hebben. Een paar jaar geleden was het lijk van een jongeman in de riolering van Brighton ontdekt en hij kon zich herinneren dat alle rioolbuizen uitkwamen in een groot riool dat weer uitkwam in de zee bij Portebello, naast Peacehaven. Als dit riool overliep, dan was de kans groot dat het meeste bewijsmateriaal, en met name de kleren van het slachtoffer, al lang geleden was weggespoeld.

Hij lette niet op een paar sarcastische opmerkingen dat hij zeker gepromoveerd was en nu thee mocht rondbrengen, hij was te zeer in beslag genomen door het skelet en uit zijn doen door een onrustige nacht. Roy deelde de thee en koffie uit aan het team alsof het een soort excuus was – of boetedoening – omdat hij hun weekend had verknald.

Het riool was vol met mensen: onderzoeksadviseur Ned Morgan, enkele speciaal opgeleide onderzoeksagenten en mensen van de Technische Recherche, allemaal in witte overall. Ze zochten elke centimeter modder af naar schoenen, kleren, sieraden en elk snippertje bewijs hoe klein ook, dat van het slachtoffer was geweest toen ze daar gedumpt werd. Leer en synthetische stoffen hadden de meeste kans om het in deze vochtige omgeving te overleven.

Het team, rondkruipend in het sombere bakstenen riool, afwisselend in de schaduw en dan weer in het felle licht van de lampen die op regelmatige afstand van elkaar stonden opgesteld, toonde een griezelig aanblik.

Joan Major, de forensisch archeologe, die ook gekleed was in een witte overall, was stil en geconcentreerd bezig. Als er ooit een rechtszaak kwam, dan zou zij een 3D-model moeten aanleveren van waar het skelet precies was aangetroffen. Ze was net een paar keer heen en weer gelopen, omdat ze problemen had met het bereik van haar gps, die ze gebruikte om de locatie en de coördinaten vast te stellen van het skelet, in relatie tot het riool en het slib. Om de paar minuten flitste de camera van de fotograaf van de TR.

'Bedankt, Roy,' zei ze bijna gedachteloos, terwijl ze de grote beker *café latte* van hem aannam en die op een houten doos vol apparaten neerzette. Ze had de doos op een driepoot gezet om de boel droog te houden.

Grace had zich erbij neergelegd dat hij het dit weekend met een ingekrompen team moest doen en er pas op maandag meer mensen bij kon halen. Hij had Glenn Branson, tot diens grote opluchting, het weekend vrij gegeven. Ze deden het 'langzaamaan', de moord had niet dagen, weken, maanden of zelfs een paar jaar eerder plaatsgevonden, dus er was geen haast bij. Maandagochtend zou vroeg genoeg zijn voor een persconferentie.

Cleo en hij zouden misschien die avond nog wel hun etentje in Londen kunnen halen en zo nog een beetje van het romantische weekendje dat hij had georganiseerd kunnen redden als – en dat was nog zeer de vraag – Joan de plattegrond af kon krijgen en het skelet kon verwijderen én als de patholoog snel een lijkschouwing kon verrichten. Dat kon hij wel vergeten, besefte hij, met Frazer Theobald. Trouwens, waar was die eigenlijk? Hij had er al een uur geleden moeten zijn.

Precies op dat moment, in het wit gekleed, net als iedereen in het riool, kwam dr. Frazer Theobald aanlopen: voorzichtig, schichtig, als een muis die kaas ruikt. Een gezette, kleine man van nog geen één meter zestig, met een wilde bos haar en een dik Hitler-snorretje onder zijn gigantische haakneus. Glenn Branson had eens gezegd dat hij alleen nog een dikke sigaar nodig had om voor Groucho Marx door te gaan.

Terwijl hij zich mompelend verontschuldigde dat de auto van zijn vrouw niet wilde starten en hij zijn dochter naar klarinetles had moeten brengen, liep de patholoog met een wijde boog haastig om het skelet heen; hij keek er wantrouwig naar, alsof hij nog niet wist of het wel veilig was.

'Ja,' zei hij tegen niemand in het bijzonder. 'O, mooi.' Toen draaide hij zich om naar Roy en hij wees naar het skelet. 'Is dat het lijk?'

Grace had Theobald altijd al een beetje eigenaardig gevonden, maar nu helemaal. 'Ja,' zei hij, ietwat verrast door de vraag.

'Wat ben je bruin, Roy,' zei de patholoog. Hij zette een stap dichter naar het skelet toe, en stond er zo vlakbij, dat het leek alsof hij de vraag aan het skelet stelde. 'Op vakantie geweest?'

'Naar New Orleans,' antwoordde Grace, die een slok van zijn *latte* nam en in stilte wenste dat hij daar nog steeds zat. 'Ik was daar voor het International Homicide Investigators' Association Symposium.'

'Hoe staat het met de wederopbouw daar?' vroeg Theobald.

'Z'n gangetje.'

'Nog steeds veel schade na de overstroming?'

'Behoorlijk, ja.'

'Spelen er nog veel mensen klarinet?'

'Klarinet? Ja. Ik heb een paar concerten bijgewoond. Heb Ellis Marsalis gezien.'

Theobald gaf hem een van zijn zeldzame glimlachjes. 'De vader!' zei hij goedkeurend. 'Ja, ja. Je boft maar dat je hem hebt horen spelen!' Toen draaide hij zich weer om naar het skelet. 'En wat hebben we hier?'

Grace bracht hem op de hoogte. Vervolgens belandden Theobald en Joan Major in een discussie of het skelet in zijn geheel moest worden verwijderd – een tijdrovend en uiterst nauwkeurig proces – of in gedeelten. Omdat het intact was aangetroffen, vonden ze het uiteindelijk beter om het zo te houden.

Heel even keek Grace naar de regen die een eindje verderop gestaag een kapot gedeelte van het riool binnen kwam. De druppels zagen eruit als verlengde stofdeeltjes in een lichtstraal. New Orleans, dacht hij, terwijl hij in zijn koffie blies en er voorzichtig een slokje van nam, zodat hij zijn tong niet zou branden aan de gloeiend hete vloeistof. Cleo was met hem mee geweest en ze hadden na het symposium een week vakantie gehad. Ze waren daar gebleven en hadden van de stad en elkaar genoten.

Het leek wel of alles een stuk beter tussen hen ging, zo ver weg van Brighton. Van Sandy. Ze hingen wat rond, genoten van de aangename temperatuur, gingen langs de gebieden die door de overstromingen waren verwoest en nog niet waren opgebouwd. Ze aten gumbo, jambalaya, kreeftkoekjes en oesters Rockefeller, dronken margarita's, mojito's en wijn uit Californië en uit Oregon, en luisterden elke avond in Snug Harbor en in andere clubs naar jazz. En Grace werd zelfs nog verliefder op haar.

Hij was trots op Cleo geweest tijdens het symposium. Ze was een mooie vrouw met een buitengewoon onromantisch beroep, en ze kreeg nogal wat te verduren van de vijfhonderd toprechercheurs ter wereld, die over het algemeen van het mannelijk geslacht waren en zin in een feestje hadden. Als ze haar pestten, of wilden versieren, dan stond ze haar mannetje, en ze bracht heel wat hoofden op hol door haar één meter tachtig lange lijf in haar gebruikelijke excentrieke sexy jurkjes te persen.

'Je wilde weten hoe oud ze was, Roy?' onderbrak de forensisch archeologe zijn gedachten.

'Ja.' Hij was er meteen weer helemaal bij en keek naar de schedel.

Ze wees naar de kaak en zei: 'Door de aanwezigheid van de verstandskiezen weten we dat ze ouder is dan achttien. Zo te zien is er het een en ander aan haar gebit gedaan, witte vullingen, die redelijk duur zijn en die pas de afgelopen twintig jaar in zwang zijn. Kan zijn dat ze naar een particuliere tandarts ging, dat zou de zoektocht een stuk vergemakkelijken. En op een van haar snijtanden zit een kroon.' Ze wees naar de linker snijtand in de bovenkaak.

Grace kreeg buikpijn. Sandy had op een van hun eerste afspraakjes haar linkertand gebroken toen ze op een stukje bot in een broodje tartaar beet, en had er een kroon op laten zetten.

'Wat nog meer?' vroeg hij.

'Aan de algehele conditie en de kleur van de tanden te zien, zou ik haar leeftijd inderdaad, zoals ik gisteren al zei, schatten tussen de vijfentwintig en de veertig.' Ze keek naar Frazer Theobald, die met een uitgestreken gezicht knikte, alsof hij haar schatting wel kon begrijpen maar het er niet helemaal mee eens was.

Toen wees ze naar de arm. 'Het langste bot groeit in drie delen: twee knobbels en de schacht. Als een vrouw ongeveer halverwege de dertig is groeien ze samen. Dat is hier nog niet helemaal gebeurd.' Ze wees naar het sleutelbeen. 'Hetzelfde geldt voor de clavicula, je kunt zien waar ze zijn samengegroeid. Dat gebeurt zo rond het dertigste levensjaar. Ik kan je een betere schatting geven als we in de sectieruimte zijn.'

'Dus je denkt dat ze zo rond de dertig was?' vroeg Grace.

'Ja. En het is maar een schatting natuurlijk. Ze kan best nog jonger zijn.'

Roy zei niets. Sandy was twee jaar jonger dan hij. Ze was op zijn dertigste verjaardag spoorloos verdwenen, toen zij net achtentwintig was. Hetzelfde haar. Een kroon op haar snijtand.

'Gaat het wel, Roy?' vroeg Joan Major opeens.

Hij was helemaal in gedachten verzonken, en haar stem leek van een grote afstand te komen.

'Roy? Gaat het wel goed met je?'

Hij kwam weer bij de mensen. 'Ja, ja hoor. Het gaat prima, dank je.'

'Je ziet eruit alsof je een spook hebt gezien.'

15

11 september 2001

Ronnie liep snel door West-Broadway, stak Murray Street over, vervolgde zijn weg door Park Place en kwam in Barclay Street. Het World Trade Center, aan de overkant van Versey Street, stond recht voor hem: de twee zilveren monolieten staken hoog de lucht in. De brandlucht werd sterker en vellen papier, omgekruld en brandend, dwarrelden op de wind, terwijl er puin afbrokkelde en naar beneden stortte.

Door de dikke zwarte rook heen kon hij iets roods zien, alsof de toren bloedde. Toen feloranje flitsen. Jezus, dacht hij, met een vreselijk onheilspellend gevoel in zijn buik. Dit kan toch niet waar zijn?

Mensen kwamen met een verdwaasde uitdrukking op hun gezicht en hun blik omhoog de ingang uit gewankeld; mannen in een modern overhemd met das zonder colbert, sommigen in gesprek op hun gsm. Hij zag een knappe jonge brunette in een chic mantelpakje op één schoen aan komen strompelen. Plotseling sloeg ze met een van pijn vertrokken gezicht haar handen over haar hoofd, alsof ze net door iets was geraakt, en hij zag een straaltje bloed over haar wang lopen.

Hij aarzelde. Het was niet erg veilig om nog verder te gaan. Maar hij moest dat gesprek hebben, dat moest gewoon. Hij moest het er maar gewoon op wagen, dacht hij, en rennen als een gek. Hij hoestte, de rook kriebelde in zijn keel, en hij stapte van de stoep af. De stoep was hoger dan hij had verwacht, en toen de wieltjes van zijn koffer neerkwamen, draaide het handvat in zijn hand en viel zijn aktetas eraf.

Verdomme! Niet nu alsjeblieft.

Toen hij zich bukte om de aktetas op te pakken, hoorde hij de brullende motoren van een groot vliegtuig.

Hij keek weer naar boven. En kon zijn ogen niet geloven. Een fractie van een seconde later, voordat hij zelfs de tijd had gehad om goed tot zich door te laten dringen wat hij had gezien, was er een explosie. Een metaalachtige donderslag, alsof er twee gigantisch grote vuilnisbakdeksels tegen elkaar aan werden geslagen. Het geluid kaatste rond in zijn hersens en bleef nagalmen in zijn hoofd totdat hij zijn vingers in zijn oren wilde stoppen om het te laten ophouden, om het te verstikken. Toen voelde hij de schokgolf. Hij voelde elke atoom in zijn lijf zich verplaatsen.

Een enorme grote bal oranje vlammen, met glinsterende vonken en zwarte rook erin, werd vlak bij de top van de South Tower uitgebraakt. Heel even was hij onder de indruk door de schoonheid van die aanblik: de tegenstellende kleuren – oranje, zwart – scherp afstekend tegen de prachtig blauwe lucht.

Het leek wel alsof een miljoen, miljard veren om de vlammen zweefden, en traag naar beneden kwamen dwarrelen. Alles in slow motion.

Toen werd hem duidelijk wat er was gebeurd.

Stukken hout, glas, stoelen, bureaus, telefoons, archiefkasten, kwamen naar beneden en vielen voor hem op de grond in stukken. Een politiewagen kwam vlak bij hem tot stilstand; de portiers werden al opengeworpen voordat hij helemaal stilstond. Een paar meter rechts van hem, aan Versey Street, zag hij iets wat op een brandende ufo leek naar beneden komen. Het sloeg met een luide klap een krater, stuiterde vlammen uitbrakend omhoog, waarbij er van alles uit zijn binnenste en vanaf de buitenkant naar beneden viel. Toen bleef het fel brandend liggen.

Tot zijn afgrijzen besefte Ronnie dat het een vliegtuigmotor was.

Dat dit de South Tower was.

Donald Hatchooks kantoor was daar. Op de 87e verdieping. Hij keek naar boven en telde de etages.

Twee vliegtuigen. Volgens zijn berekening was Donalds kantoor precies daar waar het vliegtuig naar binnen was gevlogen.

Wat was er verdomme aan de hand? O, jezus christus, wat was er verdomme aan de hand?

Hij keek naar de brandende motor. Voelde de hitte die er vanaf sloeg. Zag de agenten uit hun auto komen rennen.

Ronnies hersens vertelden hem dat er helemaal geen gesprek zou zijn. Maar daar wilde hij niets van weten. Zijn hersens hadden het mis. Zijn ogen hadden het mis. Hij zou op de een of andere manier dat gesprek hebben. Hij moest gewoon door blijven lopen. Loop nou maar door. Je kunt die afspraak halen. Je kunt die afspraak nog steeds halen. Dat gesprek moet verdomme doorgaan!

En een ander deel van zijn hersens vertelde hem dat als er één vliegtuig tegen de Twin Towers aanvloog, het een ongeluk was, maar twee was een heel ander verhaal. Twee was beslist niet goed.

Gedreven door wanhoop pakte hij het handvat van zijn koffer weer beet en liep vastberaden door.

Een paar seconden later hoorde hij een doffe klap, alsof er een zak aardappels op de grond was gesmakt. Hij voelde iets nats op zijn gezicht. Toen zag hij een wit en haveloos ding zijn richting op rollen dat een paar centimeter voor hem tot stilstand kwam. Het was een arm. Er liep iets nats over zijn wang naar beneden. Hij raakte het aan met zijn hand. Hij keek ernaar en zag dat het bloed was.

Zijn maag kwam omhoog, hij draaide zich om en gaf ter plekke over, zich nauwelijks bewust van een andere doffe klap een halve meter verderop. Sirenes loeiden, sirenes uit de hel. Sirenes om hem heen. Overal. Toen weer een doffe klap, weer iets nats in zijn gezicht en op zijn handen.

Hij keek naar boven. Vlammen en figuurtjes ter grootte van mieren en stukken glas en een man, in overhemd en broek, die uit de lucht kwam vallen. De man raakte een schoen kwijt, die rondtolde. Ronnie bleef er naar kijken, de schoen bleef omwentelen. Mensen zo groot als tinnen soldaatjes en puin, eerst onherkenbaar wat nu wat was, kwamen uit de lucht regenen.

Hij bleef gewoon staan staren. Hij had ooit een stel postzegels gehad ter herinnering aan de Nederlandse schilder Bosch, waarop diens visie van de hel stond. Daar moest hij nu aan denken. Daar was hij nu, in de hel.

De vieze verstikkende lucht werd gevolgd door lawaai: kreten, sirenes, gehuil, helikopterwieken. Agenten en brandweermannen renden naar de gebouwen toe. Een brandweerauto waarop LADDER 12 stond, kwam vlak voor hem tot stilstand, zodat hij niets meer kon zien. Hij liep eromheen op het moment dat de brandweermannen met hun helm op eruit sprongen en naar het gebouw renden.

Weer een doffe klap. Ronnie zag een dikke man in pak op zijn rug terechtkomen en ontploffen.

Hij gaf weer over, stond op zijn benen te wankelen, en viel toen op zijn knieën. Hij begroef zijn gezicht in zijn handen en bleef even trillend zitten. Hij deed zijn ogen dicht, alsof alles dan weg zou gaan. Toen draaide hij zich om, opeens bang dat iemand zijn koffer en aktetas had gestolen. Maar ze waren er nog, pal naast hem. Zijn mooie imitatie Louis Vuitton-aktetas. Niet dat iemand het zich op dit moment ook maar iets kon schelen wie het had gemaakt. En of het echt was of namaak.

Na een paar minuten had Ronnie zich weer in de hand en ging hij staan. Hij spuugde een paar keer, om de smaak van braaksel uit zijn mond te krijgen. Opeens sloeg de kwaadheid die in hem had gesmeuld om in blinde woede. *Waarom moest dat vandaag gebeuren? Waarom verdomme niet op een andere dag? Waarom moest dit vandaag nou gebeuren?*

Hij zag een stroom mensen, sommigen onder het stof, sommigen bloedend, langzaam alsof ze in trance waren, de ingang van de North Tower uit komen lopen. Toen hoorde hij nog een brandweerwagen aan komen rijden. En nog een. En nog een. Iemand voor hem stond met een videocamera alles te filmen.

Het journaal, dacht hij. Televisie. Die stomme trut van een Lorraine zou helemaal over de rooie zijn als ze dit zag. Ze raakte overal van over de rooie. Als er een kettingbotsing was op de snelweg, dan belde ze hem meteen of hij wel in orde was, ook al had ze kunnen weten, als ze even had nagedacht, dat hij er zelfs niet bij in de buurt was.

Hij haalde zijn gsm uit zijn zak en toetste haar nummer in. Hij hoorde een piepje en toen verscheen er een bericht op het schermpje.

Netwerk overbelast.

Hij belde weer, en nog een keer, en stak toen de gsm weer in zijn zak.

Toen hij er een tijdje later over nadacht, besefte hij dat hij ongelooflijke mazzel had gehad dat hij geen verbinding had kunnen krijgen.

16

Oktober 2007

Je zou verdomme licht moeten geven! In het pikkedonker hield Abby haar horloge pal voor haar neus, totdat ze het koude staal en het glas voelde, maar nog steeds kon ze geen bal zien.

Ik heb verdomme expres een horloge met lichtgevende cijfers gekocht!

Ze lag op de harde vloer en had het gevoel dat ze had geslapen, maar ze had geen idee hoe lang. Was het dag of nacht?

Haar spieren waren verkrampt en haar arm sliep. Ze zwaaide ermee rond, om het bloed weer te laten stromen. Het leek wel een dood ding. Ze kroop een paar centimeter naar voren en zwaaide er weer mee rond, en kromp in elkaar van pijn toen de arm met een doffe *boem* tegen de wand van de lift aan kwam.

'Hallo!' bracht ze schor uit.

Ze sloeg nog eens tegen de wand en nog eens en nog eens.

Ze voelde dat de lift erdoor heen en weer ging.

Sloeg weer. En weer. En weer.

Ze moest ook weer plassen. Een laarsje was al vol. De stank van verschaalde urine werd steeds sterker. Haar mond was droog. Ze deed haar ogen dicht en toen weer open, hield opnieuw het horloge omhoog totdat ze hem tegen haar neus aan voelde. Maar ze kon nog steeds niets zien.

Ze kromp ineens in paniek in elkaar. Stel dat ze blind was geworden?

Hoe laat was het, verdomme? De laatste keer dat ze had gekeken, net voor het licht uit was gegaan, was het 3.08 uur geweest. Een tijdje later had ze in haar laars geplast. Nou ja, voor zover ze het had kunnen zien in het donker.

Daar was ze een stuk van opgeknapt en ze kon weer goed nadenken. Nu ging dat moeizamer omdat ze opnieuw moest plassen. Ze probeerde de aandrang te negeren. Een paar jaar geleden had ze een documentaire over rampen gezien op tv. Een jonge vrouw van haar leeftijd had samen met een paar anderen een vliegtuigongeluk overleefd. De vrouw geloofde dat ze nog leefde omdat ze rustig was gebleven terwijl de anderen in paniek raakten. Ze had logisch nagedacht, en ondanks de rook en het feit dat het donker was, had ze uitgevogeld waar de nooduitgang was.

Bij alle andere overlevenden kwam hetzelfde naar voren: rustig blijven, goed na blijven denken. Dat was het enige wat je hoefde te doen.

Makkelijker gezegd dan gedaan.

In een vliegtuig waren nooduitgangen. En stewardessen met robotachtige uitdrukkingen op hun gezicht die de uitgangen aanwezen en oranje reddingsvesten in de lucht hielden en aan zuurstofmaskers trokken, alsof ze elke vlucht een menigte geestelijk gestoorde doofstommen moesten toespreken. Engeland had tegenwoordig overal regeltjes voor, dus waarom was er dan geen stewardess aanwezig in de lift? Waarom stond er geen dom blondje in elke lift, dat je een geplastificeerd kaartje gaf waarop de uitgangen stonden aangegeven? Dat je een oranje reddingsvest gaf voor het geval de lift overstroomde? Met zuurstofmaskertjes stond te zwaaien?

Ze hoorde opeens een harde piep.

Haar mobieltje!

Ze zocht naar haar handtas. Er stroomde licht uit. Haar gsm deed het! Er was bereik! En het mobieltje gaf natuurlijk de tijd aan, dat was ze helemaal vergeten in haar paniek!

Ze haalde hem uit haar tas en keek ernaar. Op het schermpje stond:

Nieuw bericht.

Ze was helemaal opgewonden en opende snel het bericht. De beller was niet bekend, maar de tekst was duidelijk genoeg.

Ik weet waar je zit.

17

Oktober 2007

Roy Grace rilde. Hoewel hij onder de papieren overall een dikke spijkerbroek en een wollen trui aanhad en gevoerde laarzen droeg, kroop toch de kou in het riool en de regen buiten in zijn botten.

De TR en de onderzoeksagenten die de onaangename taak hadden om elke centimeter van het riool te doorzoeken – over het algemeen op hun knieën – hadden tot dusver een paar skeletjes van knaagdieren gevonden, maar verder niets bijzonders. De kleding van de vrouw was of verwijderd voordat ze daar was achtergelaten, of weggespoeld, vergaan of zelfs meegenomen als voering voor een nest. Uiterst zorgvuldig en langzaam waren Joan Major en Frazer Theobald het slib rondom het bekken met troffels aan het wegschrapen, waarna ze elk laagje vuil in een keurig plastic zakje deden en dat van een label voorzagen. Ze zouden zo nog wel een uur of twee, drie bezig zijn, dacht Grace.

Hij werd de hele tijd door de grijnzende schedel aangetrokken. Hij had het gevoel dat de geest van Sandy hier bij hem was. Ben jij het echt, vroeg hij zich af terwijl hij goed keek. Hij was in de afgelopen negen jaar naar menig medium geweest, en ze hadden hem allemaal verteld dat zijn vrouw nog geen geest was. Wat betekende dat ze nog zou leven, als hij hen geloofde. Maar geen van hen had kunnen zeggen waar ze was.

Er ging een rilling door hem heen. Dit keer kwam het niet door de kou, maar door iets anders. Hij had al een tijd geleden het plan opgevat om alles af te sluiten en door te gaan met zijn leven. Maar elke keer dat hij het probeerde, gebeurde er iets waardoor hij weer ging twijfelen, en dat was nu ook weer het geval.

De portofoon kraakte en onderbrak zijn gedachten. Hij hield hem tegen zijn oor en zei kortaf: 'Roy Grace.'

'Morgen, Roy. Je bent toch niet met modder aan het gooien, hè?' Toen herkende hij Norman Pottings keelachtige gegrinnik.

'Heel grappig, Norman. Waar ben je?'

'Bij de bewaker van de plaats delict. Wil je dat ik een overall aandoe en naar je toe kom?'

'Nee, ik kom wel naar jou toe. Ik zie je in de bus van de TR.'

Grace was blij dat hij er even uit kon. Hij was niet echt nodig beneden en hij had zo weer naar kantoor kunnen gaan, maar hij vond het prettig dat zijn team zag dat hij ter plekke was. Als zij de zaterdag in een vochtig, smerig riool moesten doorbrengen, dan zouden ze in elk geval zien dat het voor hem geen haar beter was.

Het was een opluchting om de deur te sluiten tegen de regen en de wind, en op een stoel aan de werktafel in de bus te zitten. Ook al hield dat in dat hij in een kleine ruimte samen met Norman Potting moest zijn, iets wat hij niet echt prettig vond. Hij kon de verschaalde pijprook ruiken aan diens kleren, samen met een sterke vleug knoflook van de avond ervoor.

Rechercheur Norman Potting had een smal, nogal beweeglijk gezicht met gesprongen adertjes erop, grote lippen, en hij had de weinige haren die hij nog had over zijn hoofd heen gekamd, al waren die door de wind recht omhoog komen te staan. Hij was drieënvijftig, hoewel mensen die een hekel aan hem hadden het gerucht verspreidden dat hij ouder was en dat alleen maar zei om langer te blijven werken, omdat hij als de dood was om met pensioen te gaan.

Grace had Potting nog nooit zonder das gezien, en dit keer was geen uitzondering. De man had een lange, natte anorak aan over een tweed colbertje, een Viyella-overhemd en een gerafelde groene gebreide das, een grijze flanellen broek en een paar stevige brogues. Hij wurmde zich hijgend op de bank aan de tafel tegenover Grace, en gooide toen met een triomfantelijke uitdrukking op zijn gezicht een grote, kletsnatte, geplastificeerde folder op de tafel.

'Waarom zoeken mensen altijd zulke vreselijke plaatsen uit om in vermoord of gedumpt te worden?' vroeg hij terwijl hij naar voren leunde en recht in Roys gezicht uitademde.

Roy deed zijn best niets te laten merken, maar dacht bij zichzelf dat de hete en zure adem waarschijnlijk een draak nog jaloers zou maken. 'Je zou misschien wat regels kunnen opstellen,' zei hij geërgerd. 'Vijftig punten waaraan moordslachtoffers zich zouden moeten houden.'

Norman Potting was niet erg sterk in subtiliteiten en het duurde even voordat hij doorhad dat de opmerking sarcastisch bedoeld was. Toen grijnsde hij breed, waarbij zijn bruine en kapotte tanden, als grafstenen op verzakkend land, zichtbaar werden.

Hij stak een vinger op. 'Ik ben een beetje langzaam vandaag, Roy. Nogal een wilde nacht gehad. Li leek verdomme wel een tijger!'

Potting had sinds kort een Thaise bruid en vertelde iedereen uitgebreid over zijn prestaties met haar in bed.

Snel van onderwerp veranderend, wees Grace naar de folder. 'Is dat de plattegrond?'

'Vier keer vannacht, Roy! En ze is echt een del, ze doet alles! Godsamme! Ze heeft me heel erg gelukkig gemaakt!'

'Mooi.'

Grace was zelfs heel even echt blij voor hem. Potting had nooit veel geluk gehad in zijn liefdesleven. Hij had drie huwelijken achter de rug, had verscheidene kinderen die hij, zoals hij ooit schoorvoetend had bekend, nauwelijks zag. De jongste was een meisje met het syndroom van Down voor wie hij het voogdijschap had gewild, maar dat was niet gelukt. Hij was niet slecht of dom, wist Roy – hij was een zeer bekwame rechercheur – maar het ontbrak hem aan de sociale vaardigheden waarmee je promotie maakt bij de politie, als hij dat al zou willen. Evengoed was Norman Potting een gedegen en betrouwbaar werkpaard, die soms verrassend genoeg het initiatief nam, waardoor hij, volgens Roy, in elk groot onderzoek een belangrijke plaats innam.

'Je zou het zelf ook moeten doen, Roy.'

'Wat?'

'Een Thais bruidje nemen. Er zijn er honderden die snakken naar een Engelse echtgenoot. Ik geef je de naam van de website wel door, ik kan je vertellen dat ze echt fantastisch zijn. Ze koken, maken schoon, doen al je strijkwerk, en je krijgt de beste seks van je leven, met die prachtige kleine lijfjes –'

'De plattegrond?' vroeg Grace, die net deed of hij hem niet gehoord had.

'O, ja.'

Potting haalde een paar vergrote fotokopieën van plattegronden uit de folder en spreidde ze uit op de tafel. Een paar dateerden uit de negentiende eeuw.

Door de wind schudde de bus heen en weer. Een eind verderop hoorden ze een sirene loeien, totdat het geluid wegstierf. De regen tikte onophoudelijk op het dak.

Roy had nooit veel gesnapt van plattegronden, en aangezien Potting die ochtend uitleg had gekregen van een ingenieur, liet hij hem het afwateringssysteem van Brighton and Hove uitleggen. De rechercheur wees met een nagel met rouwrandje op de plattegronden aan hoe het water stroomde: altijd heuvel af en uiteindelijk de zee in.

Roy deed zijn best het te volgen, maar na een halfuur wist hij net zoveel als voordat ze ermee waren begonnen. Volgens hem kwam het erop neer dat de vrouw door haar gewicht in het slib vast was komen te zitten en de rest allemaal naar zee was gespoeld.

Potting was het ermee eens.

Grace' gsm ging. Hij verontschuldigde zich en nam op, en zijn hart zonk hem meteen in de schoenen toen hij de doordringende stem hoorde van de net aangestelde inspecteur Cassian Pewe. Die slijmbal van de Londense politie die zijn baas erbij had gehaald ten koste van zijn baantje.

'Dag, Roy,' zei Pewe. Zelfs over de telefoon kreeg Grace de indruk dat Pewes zelfgenoegzame knappe tronie pal tegen zijn gezicht aan was gedrukt. 'Alison Vosper stelde voor dat ik je even moest bellen, of ik je misschien een handje kon helpen.'

'Nou, dat is erg aardig van je, Cassian,' antwoordde hij. 'Maar nee, het skelet is intact, en heeft allebei de handjes nog.'

Stilte. Pewe bracht een geluid voort dat leek op dat van een man die tegen een elektrisch hek stond te plassen. Een kort lachje. 'Goh, heel grappig, Roy,' zei hij neerbuigend. Toen na, een ongemakkelijke stilte, zei hij: 'Heb je genoeg mensen van de TR en onderzoeksagenten?'

Grace voelde iets in zichzelf verstrakken. Hij had de man graag verteld wat hij wat hem betrof kon gaan doen, maar hij kon zich nog net inhouden.

'Mooi. Daar zal Alison blij mee zijn. Ik zal het aan haar doorgeven.'

'Weet je wat, ik vertel het haar zelf wel,' zei Grace. 'Als ik je hulp nodig heb, dan vraag ik dat wel aan haar, maar voorlopig gaat het allemaal prima. En bovendien, ik dacht dat je maandag pas zou gaan beginnen?'

'O, dat klopt, Roy, dat is zo. Maar Alison dacht dat als ik je in het weekend hielp, dat het een goed beginnetje voor me zou zijn.'

'Erg aardig van haar,' kon Grace nog net uitbrengen voordat hij de verbinding verbrak. Hij kookte van woede.

'Rechercheur Pewe?' vroeg Potting hem.

'Ken je hem?'

'*Aye*, ik ken hem. Ik ken zijn type. Een arrogante kwal zoals hij graaft altijd zijn eigen graf. Let maar op.'

'Heb jij toevallig een schop bij je?' vroeg Grace.

18

11 september 2001

Ronnie Wilson had geen idee meer hoe laat het was. Hij stond als aan de grond genageld en hield zich vast aan het handvat van zijn koffer bij wijze van steun, terwijl hij naar iets keek wat hij gewoon niet kon bevatten.

Er vielen nog steeds dingen naar beneden op het plein en in de omringende straten. Ze kwamen uit de lucht vallen. Een eindeloze stroom puin, scheidingsmuurtjes, bureaus, stoelen, glas, schilderijen, ingelijste foto's, banken, monitors, keyboards, archiefkasten, prullenmanden, wc-brillen, wastafels, vellen papier als reusachtige witte confetti. En mensen. Mensen die vielen. Mannen en vrouwen die in de lucht nog leefden, en zodra ze neerkwamen explodeerden en uiteenvielen. Hij wilde zich omdraaien, schreeuwen, rennen, maar het was alsof er een immens grote loden vinger op zijn hoofd drukte zodat hij wel stil moest blijven staan en alles verbijsterd moest aanschouwen.

Hij had het gevoel dat hij het einde van de wereld meemaakte.

Het leek wel alsof iedere brandweerman en politieagent in New York de Twin Towers in gingen. Een eindeloze stroom rende naar binnen, langs de eindeloze stroom verbijsterde mannen en vrouwen die langzaam en wankelend naar buiten kwamen, alsof ze van een andere wereld afkomstig waren: onder het stof, verfomfaaid, sommigen met bebloede armen of een bebloed gezicht, dat vertrokken was door de schok. Velen van hen hielden hun gsm tegen hun oor gedrukt.

Toen kwam de aardbeving. Eerst een kleine trilling onder zijn voeten, vervolgens wat heviger, zodat hij het handvat stevig beet moest houden om overeind te blijven. En plotseling werden de zombies die de South Tower uit kwamen lopen wakker, en gingen ze sneller lopen.

En toen rennen.

Ronnie keek omhoog en zag waarom ze dat deden. Heel even dacht hij dat hij zich vergiste. Dit kon toch niet! Het was een optische illusie. Dat moest gewoon wel.

Het hele gebouw stortte als een kaartenhuis in, alleen...

De politiewagen die een eindje voor hem uit stond, was opeens plat.

En toen een brandweerwagen.

Er kwam een stofwolk zo groot als een woestijnstorm op hem af. Hij hoorde donderslagen. Paukslagen overal om hem heen.

Een heel stel mensen werd onder het puin begraven.

De donkere grijze wolk klom de lucht in als een storm woedende insecten.

Door de donder hoorde hij niets meer.

Dit kon toch niet.

De hele toren viel verdomme om.

Mensen renden voor hun leven. Een vrouw raakte een schoen kwijt, en hinkte door op een been, toen raakte ze ook de andere kwijt. Een afschuwelijk scheurend geluid doorsneed de lucht, zodat de sirenes niet meer te horen waren, alsof een gigantisch monster de wereld met zijn klauwen doormidden spleet.

Ze renden langs hem heen. Eerst eentje, toen nog een, en nog een, hun gezicht vertrokken in paniek. Sommigen waren lijkbleek, anderen doorweekt door de sprinklers, sommigen bloedden of waren bedekt met glassplinters. Figuranten in een buitenissige carnavalstoet.

Een BMW sprong opeens de lucht in, een paar meter vanwaar hij stond, en viel zonder voorkant ondersteboven weer op de grond. Toen zag hij de zwarte wolk als een vloedgolf rechtstreeks op hem af komen.

Hij greep het handvat van zijn koffer stevig beet, draaide zich om en rende de andere mensen achterna. Hij had geen idee waar hij naartoe ging, maar bleef rennen, de ene voet voor de andere, met zijn koffer achter zich aan, zonder te weten, of zich er zorgen over te maken, of zijn aktetas er nog bovenop stond. Hij bleef rennen om de donkere wolk van de instortende toren, die hij kon horen donderen in zijn oren, voor te blijven.

Hij rende voor zijn leven.

19

Oktober 2007

De lift leek inmiddels te leven, als een soort buitenaards wezen. Als Abby ademhaalde, zuchtte, kraakte en kreunde hij. Als ze bewoog, ging hij heen en weer, draaide, schommelde. Haar mond en keel waren uitgedroogd, haar tong en haar mond voelden aan als vloeipapier en namen ogenblikkelijk elk druppeltje speeksel op dat ze produceerde.

Er waaide een niet-aflatende koude wind in haar gezicht. Ze zocht in het donker naar de cursorknop op haar gsm, en drukte erop zodat het schermpje licht gaf. Dat deed ze om de paar minuten, om te zien of er al bereik was en vanwege het kleine maar wanhopig welkome lichtstraaltje in haar onzekere, wiebelende gevangeniscel.

Geen bereik.

Het klokje gaf aan dat het 13.32 uur was.

Ze toetste voor de zoveelste keer het alarmnummer in. Maar ze kreeg geen verbinding.

Trillend las ze de tekst weer die ze had gekregen:

Ik weet waar je zit.

Hoewel de afzender zijn nummer had afgeschermd, wist ze wie het was; er was maar één persoon die het had kunnen sturen. Maar hoe kwam hij aan haar nummer? Daar maakte ze zich nog het meeste zorgen over. Hoe was hij verdomme aan haar nummer gekomen?

Het was een prepaid telefoontje, dat ze ergens had gekocht. Ze had genoeg politieseries op tv gezien om te weten dat ze door misdadigers werden gebruikt omdat ze daarmee niet opgespoord konden worden. Dit soort mobieltjes werd door drugdealers gebruikt. Ze had hem gekocht om haar moeder, die vlakbij in Eastbourne woonde, te kunnen bellen, om te zien of het goed met haar ging, terwijl ze net deed of ze nog steeds in het buitenland zat en alles in orde was. Bovendien kon ze met het mobieltje contact houden met Dave en foto's doorsturen. Het viel niet mee om zo lang van iemand van wie je hield gescheiden te zijn.

Er viel haar opeens iets in: was hij naar haar moeder gegaan? Maar zelfs als dat zo was, dan nog had hij haar nummer niet gehad. Ze schermde het altijd af. En toen ze haar moeder de vorige dag had gebeld, had die niets gezegd en leek ze in orde.

Was hij haar misschien gevolgd, had hij gezien waar ze de gsm had gekocht en het nummer op die manier achterhaald? Nee. Dat kon niet. Ze had het mobieltje in een zijstraat van Preston Circus in een klein telefoonwinkeltje gekocht waar ze goed kon zien of iemand haar in de gaten hield. Nou ja, voor zover ze dat kon bekijken dan.

Was hij hier in het gebouw? Stel dat hij haar had opgesloten? En in de tussentijd in haar flat inbrak? Stel dat hij nu in haar flat was, die doorzocht?

Stel dat hij ontdekte...

Nee, dat kon niet.

Ze keek weer naar het schermpje.

De woorden beangstigden haar steeds meer. Angst greep haar bij de keel. Ze stond in paniek op, drukte op de cursor toen het lichtje uitging, stak voor de zoveelste keer haar vingers tussen de kier van de liftdeuren om ze open te wrikken en huilde van frustratie.

Ze bewogen voor geen meter.

O, ga toch open. O, ga toch alsjeblieft open.

De lift schommelde weer heftig heen en weer. Ze zag opeens een stel duikers voor zich in een haaienkooi, terwijl een grote witte haai zich tegen de tralies aan drukte. Dat was hij. Een grote witte mensenhaai. Een gevoelloos, harteloos roofdier. Ze moest wel gek zijn geweest, vond ze, om ermee in te stemmen.

Haar wil om te slagen verliet haar opeens, en ze had er alles voor over gehad om terug in de tijd te kunnen gaan.

20

Oktober 2007

Aasvliegen kunnen een lijk van wel twintig kilometer afstand ruiken. Daardoor hadden ze veel gemeen met misdaadverslaggevers, vertelde Roy Grace zijn teamleden altijd. De vliegen leefden van de vloeibare uitscheidingen die uit een rottend kadaver sijpelen. Ook weer net als misdaadverslaggevers, voegde hij er graag aan toe.

En ja hoor, op dit moment stond er een bij het busje van de TR, de meest hardnekkige – en, toegegeven, bovendien best geïnformeerde – misdaadverslaggever die er was: Kevin Spinella. Die soms wel iets té goed geïnformeerd was.

Grace zei tegen de bewaker, die hem via de portofoon had gewaarschuwd dat de journalist er was, dat hij wel even met Spinella zou praten. Hij stapte naar buiten, de regen in, blij dat hij even verlost was van de ranzige geur van Norman Potting. Terwijl hij naar de journalist toe liep, zag hij twee fotografen rondhangen.

Spinella had geen paraplu bij zich en had zijn handen in zijn zakken gestoken. Hij droeg een kletsnatte regenjas met epauletten en een riem, waarvan de kraag was opgeslagen. Hij was een slanke man, met een mager gezicht, begin twintig, scherpe ogen en hij had een stuk kauwgom in zijn mond. Zijn dunne zwarte haar was naar voren geborsteld, en zat door de regen en de gel inmiddels op zijn hoofd geplakt.

Grace kon zien dat hij onder zijn regenjas een donker pak aanhad, en een overhemd dat minstens een maat te groot was, alsof het op de groei was gekocht. De kraag hing slap om zijn nek, ondanks de grote, strak getrokken, onhandige knoop in zijn rode polyester das. Zijn glimmende zwarte schoenen zaten onder de modder.

'Wat ben je laat, knul,' groette Grace hem.

'Laat?' De journalist fronste zijn wenkbrauwen.

'De aasvliegen waren er al jaren eerder.'

Spinella glimlachte er nauwelijks merkbaar om, alsof hij niet zeker was of Grace hem in de maling nam. 'Ik vroeg me af of u wat vragen wilde beantwoorden, inspecteur.'

'Maandag is de persconferentie.'

'Kunt u me in de tussentijd nog iets vertellen?'

'Ik hoopte eigenlijk dat jij *míj* iets kon vertellen, jij bent over het algemeen beter op de hoogte dan ik.'

De journalist leek weer niet goed te weten wat hij moest doen. Met een klein glimlachje gaf hij toe: 'Ik heb gehoord dat u in dat riool het skelet van een vrouw hebt ontdekt. Klopt dat?'

Hij vroeg het heel nonchalant, alsof de stoffelijke resten er helemaal niet toe deden. Grace werd er kwaad om, maar moest rustig blijven. Hij had er niets aan als hij Spinella tegen zich in het harnas joeg. Het was altijd beter, had hij in de loop der jaren geleerd, om de pers enigszins tegemoet te komen.

'Het zijn menselijke resten,' zei hij. 'Maar het geslacht is nog niet vastgesteld.'

'Ik heb gehoord dat het zeker weten een vrouw is.'

Grace glimlachte. 'Zie je, ik zei toch dat je beter op de hoogte bent dan ik?'

'En, klopt het?'

'Wie vertrouw je nou, je bron of mij?'

De journalist keek even naar Grace, alsof hij hem wilde inschatten. Er hing een druppel aan zijn neus, maar hij veegde hem er niet af. 'Mag ik u nog iets vragen?'

'Een beetje snel dan.'

'Ik heb gehoord dat u een nieuwe collega hebt die aanstaande maandag in Sussex House begint, iemand van de Metropolitan Police uit Londen, inspecteur Pewe?'

Grace werd laaiend. Nog één zo'n opmerking en hij zou die druppel van Spinella's neus er met zijn blote vuist af slaan. 'Dat is juist.'

'Zover ik weet is de Londense politie de eerste in Groot-Brittannië die fors bezuinigt op bureaucratie.'

'O ja, is dat zo?'

De grijns op het gezicht van de journalist was te irritant voor woorden, alsof hij nog veel meer dingen wist die hij mooi niet ging vertellen. Heel even dacht Grace zelfs dat hij het allemaal van Alison Vosper had gehoord.

'Ze nemen burgerpersoneel aan voor de papieren rompslomp, zodat de politiemensen weer de straat op kunnen en niet uren kwijt zijn aan het invullen van formulieren,' zei Spinella. 'Denkt u dat de politie van Sussex het een en ander kan leren van inspecteur Pewe?'

Terwijl hij zijn woede in bedwang hield, zei Grace voorzichtig: 'Ik weet zeker dat inspecteur Pewe een waardevolle aanvulling zal zijn voor het team van Sussex.'

'Kan ik u citeren?' De grijns werd zelfs nog breder.

Wat weet je nog meer, eikel dat je d'r bent?

Roys portofoon kraakte. Hij hield hem tegen zijn oor. 'Roy Grace.'

Het was Tony Monnington van de TR, die in de tunnel bezig was. 'Roy, je wilt misschien wel weten dat we wellicht ons eerste stukje bewijsmateriaal hebben gevonden.'

Grace verontschuldigde zich beleefd bij de verslaggever en ging het riool weer in. Hij belde Norman Potting en vertelde hem dat hij er over een paar minuten zou zijn. Het was vreemd hoe dingen steeds weer veranderden, dacht hij. Nog niet zo lang geleden wilde hij zo snel mogelijk dat riool uit zijn. Nu, als hij de keuze had tussen buiten in de regen met Spinella staan praten of samen met Norman Potting in het busje van de TR zitten, leek het riool opeens een stuk aantrekkelijker.

21

Oktober 2007

Sue had zonder het te willen het leven van haar huisgenootje Abby totaal veranderd. De twee hadden elkaar ontmoet toen ze in Melbourne in een bar aan de Yarra werkten en meteen vriendinnen waren geworden. Ze waren van dezelfde leeftijd, en Sue was net als Abby voor het grote avontuur naar Australië gegaan.

Bijna een jaar geleden had Sue Abby op een avond verteld dat er een paar knappe gozers in de bar waren, een tikje ouder dan zij, maar erg charmant, die met haar aan de praat waren geraakt. Zij hadden gezegd dat ze die zondag een barbecue zouden houden met een heleboel leuke mensen en of ze ook wilde komen en als ze geen vriendje had, dat ze dan een vriendin mee mocht nemen, als ze dat leuk vond.

Omdat ze niets beters te doen hadden, waren ze gegaan. De barbecue werd gehouden in een super vrijgezellenflat, een penthouse in een van de meest gewilde wijken van Melbourne, met prachtig uitzicht op de baai. Maar tijdens die opwindende eerste uren had Abby nauwelijks iets van haar omgeving gemerkt, want ze was ogenblikkelijk smoorverliefd geworden op hun gastheer Dave Nelson.

Er waren nog zo'n tien andere mensen op het feestje. De mannen, die in de leeftijd varieerden van tien jaar ouder dan zij tot in de zestig, zagen eruit als figuranten in een gangsterfilm, en de vrouwen waren behangen met sieraden en kwamen zo te zien net uit een schoonheidssalon. Maar ze zag hen amper. Ze had zelfs vanaf het moment dat ze daar aan was gekomen met bijna niemand gesproken.

Dave was een lange, slanke, ruwe diamant van halverwege de veertig met een bruinverbrand kleurtje, kort haar en een verlopen gezicht dat waarschijnlijk buitengewoon knap was geweest toen hij nog jong was, maar er nu prettig geleefd uitzag. En zo voelde ze zich ook, meteen al, bij hem: prettig.

Hij liep die hele middag op een soepele, katachtige manier rond in zijn flat, iedereen Krug bijschenkend uit magnums. Hij was moe, had hij gezegd, omdat hij drie dagen achter elkaar in de Aussie Millions, een internationale pokerwedstrijd, in het Crown Plaza Casino had gespeeld. Hij had duizend dollar entree moeten betalen en vier ronden overleefd, waarbij hij meer dan honderdduizend dollar bij elkaar had weten te sprokkelen, voordat hij had verloren. Hij had twee azen gehad, had hij Abby teleurgesteld verteld. Hoe had hij nou kunnen weten dat de twee dichte kaarten van die vent twee azen waren? Terwijl hijzelf nota bene drie heren had gehad, waarvan twee in de hand!

Abby had nog nooit poker gespeeld. Maar die avond, nadat alle gasten weg waren, had hij het haar geleerd. Ze had het leuk gevonden dat hij zo veel aandacht aan haar besteedde, steeds naar haar keek, haar vertelde hoe knap ze was, en toen hoe mooi, en hoe fijn hij het vond samen met haar te zijn. Hij bleef haar al die tijd dat ze samen waren voortdurend aankijken, alsof de rest er allemaal niet toe deed. Hij had vriendelijke ogen, bruin met een vleugje groen, opmerkzaam maar wel gelardeerd met verdriet, alsof hij ergens over treurde. Ze wilde hem daarom beschermen, hem bemoederen.

Ze genoot van de verhalen die hij over zijn reizen vertelde, en hoe hij, over het algemeen via internet, een vermogen had verdiend aan de handel in zeldzame postzegels en met poker spelen. Hij had een goksysteem, dat heel logisch leek toen hij het uitlegde, en erg slim.

Je kon via internet de hele dag pokeren. Hij ging de verschillende tijdzones na, en logde in op spelletjes die 's ochtends vroeg door mensen die moe en vaak ook een beetje dronken waren, werden gespeeld. Hij keek dan een tijdje toe en ging vervolgens meedoen. Dat was snel geld verdienen voor iemand die klaarwakker, nuchter en alert was.

Abby had oudere mannen altijd al aantrekkelijk gevonden en al helemaal deze man, die zo hard overkwam, maar toch zo geanimeerd kon spreken over kleine, delicate, prachtige postzegels, en haar aanstak met zijn enthousiasme over hun band met het verleden. Voor een Engels meisje was hij anders dan ieder ander die ze ooit had leren kennen. En hoewel er iets melancholieks aan hem was, kwam hij toch wel weer zo sterk en mannelijk over dat ze zich veilig bij hem voelde.

Voor het eerst van het leven verbrak ze haar eigen regel volledig en ging ze diezelfde avond al met hem naar bed. En een paar weken later trok ze bij hem in. Hij ging met haar winkelen, moedigde haar aan dure kleren te kopen, en als hij had gewonnen met poker kwam hij vaak thuis met sieraden, een nieuw horloge of een waanzinnig dure bos bloemen.

Sue had haar best gedaan Abby over te halen niet met hem te gaan samenwonen, had gezegd dat hij zoveel ouder was dan zij, dat hij een dubieus verleden had en een reputatie als vrouwenversierder; met andere woorden dat hij alles neukte wat los en vast zat.

Maar Abby wilde daar niet naar luisteren, ze had eerst Sue laten vallen en vervolgens alle andere vrienden die ze had gemaakt sinds ze in Melbourne woonde. In plaats daarvan vond ze het veel leuker om Daves oudere en – in haar ogen – veel interessantere vrienden te ontmoeten. Het grote geld had haar altijd al getrokken en deze mensen wisten hoe ze dat moesten uitgeven. In de schoolvakanties was ze als kind soms wel eens meegegaan met haar vader naar zijn werk. Hij had zijn eigen tegelbedrijfje. Ze had het heerlijk gevonden om hem te helpen, maar het leukste vond ze toch de huizen – sommige waren echt waanzinnig – waarin de rijke mensen woonden. Haar moeder werkte in de bibliotheek in Hove en ze woonden in een kleine halfvrijstaande woning in Hollingbury, met een goed bijgehouden tuin, waar allebei haar ouders graag in werkten; en verder kwamen ze niet.
Toen ze ouder werd, voelde Abby zich steeds meer ingekapseld, en gevangen, door haar bescheiden afkomst. Als tiener las ze gretig boeken van Danielle Steel, Jackie Collins en Barbara Taylor Bradford, en romans van andere schrijvers over rijke mensen. Ook verslond ze elke week tijdschriften als *OK!* en *Hello!* Ze droomde er stiekem van om ooit rijk te zijn en schitterende huizen en jachten in warme landen te hebben. Ze wilde graag reizen en wist gewoon zeker dat ze ooit de kans zou krijgen. Tegen de tijd dat ze dertig was, had ze zichzelf beloofd, zou ze rijk zijn.
Toen een vriend van Dave gearresteerd werd wegens drievoudige moord, was ze ontzet, maar toch ook een beetje opgewonden. Toen werd er iemand in zijn vriendenkring door het hoofd geschoten in zijn auto, pal voor het oog van zijn tweeling, terwijl ze voetbaltraining hadden. Ze besefte dat ze nu deel uitmaakte van een heel andere cultuur dan die waarin ze was opgegroeid. Maar hoewel ze het heel erg vond dat de man dood was, vond ze de begrafenis wel weer erg opwindend. Om deel uit te maken van deze groep mensen, dat ze door hen werd geaccepteerd, was het opwindendste wat ze ooit had meegemaakt.
Tegelijkertijd vroeg ze zich af wat Dave eigenlijk echt deed. Ze zag hem soms slijmen bij mannen van wie hij haar ooit had verteld dat ze de topspelers waren, omdat hij met hen wilde zakendoen. Ze hoorde hem eens op een ochtend aan de telefoon iemand vertellen dat de handel in postzegels een fantastische manier was om geld wit te wassen, om het te verplaatsen over de wereld alsof hij hen het concept aan de man wilde brengen.
Dat vond ze toch wel wat minder. Ze had het niet erg gevonden dat ze met die mensen omgingen, in bars rondhingen en feestten. Maar om nu echt zaken met hen te doen – dat hij hen zowat smeekte om met hem in zee te

gaan – daardoor daalde Dave behoorlijk in haar achting. En toch, diep vanbinnen, wist ze dat ze iets voor hem kon doen, als ze maar door de muur heen kon komen die hij om zichzelf had opgebouwd. Want, nadat ze een paar maanden hadden samengewoond, wist ze nog net zo weinig over zijn verleden als toen ze hem pas had ontmoet. Behalve dan dat hij twee keer getrouwd was geweest en beide scheidingen moeilijk waren geweest.

En toen op een dag viel de bom.

22

September 2007

De metallic blauwe Holden pick-up reed naar het westen, bij Melbourne vandaan. MJ, een lange jonge man van achtentwintig met pikzwart haar en het lijf van een surfer, gekleed in een geel T-shirt en een bermudashort, reed met één hand aan het stuur en zijn andere arm om Lisa's schouder.

De pick-up lag laag op zijn schokbrekers, en volgde veilig de bochten in de weg. MJ was trots op zijn wagen, en hij luisterde tevreden naar het geputtel van de V8 5,7l-motor terwijl ze door de wijde natuur reden. Rechts van hen was open terrein met verschroeide vegetatie. Links, achter een vervallen hek van prikkeldraad, waren in de verte ronde heuvels te zien, verdord door een bijna onafgebroken droogte van zes jaar. Hier en daar stonden een paar dunne rijtjes bomen, als baardstoppels die waren overgeslagen door een scheermes.

Het was zaterdagochtend en MJ hoefde twee dagen lang even niet te blokken. Over een maand had hij een zwaar effectenmakelaarexamen, dat hij moest halen als hij bij zijn huidige werknemer Macquarie Bank wilde blijven werken. De lente was laat dit jaar, hoewel het wel droog was gebleven, maar dit weekend zag eruit of het stralend weer zou worden na die akelige wintermaanden. Hij wilde er zoveel mogelijk van genieten.

Ze reden rustig door. Hij had al zes punten verloren op zijn rijbewijs en keek dus wel uit dat hij niet te snel reed. Hij had trouwens toch geen haast. Hij was blij – intens blij – dat hij hier met zijn meisje reed, hij hield van haar, van de omgeving, van het gevoel op zaterdagochtend dat het hele weekend nog voor je lag.

Hij had ooit gelezen, en dat bleef rondspoken in zijn hoofd: geluk betekent niet dat je alles krijgt wat je wilt. Het is willen wat je al hebt.

Hij zei dit hardop tegen Lisa, en zij vond het prachtig en was het ermee eens. Volledig. Ze gaf hem een kus. 'Wat zeg je toch mooie dingen, MJ.' Hij bloosde.

Ze drukte op een knop en de Whitlams dreunden door de luidsprekers van de waanzinnig dure installatie die hij erin had laten zetten. En hun kampeeruitrusting en de tray VB-biertjes bonkten mee onder het oude zeil achter in de auto. En hun hart bonkte ook. Het was zo fijn om daar te zijn, zo fijn om te leven, van de warme lucht te genieten die door het open raampje in hun gezicht waaide, om Lisa's parfum te ruiken, om haar blonde krullen op zijn pols te voelen.

'Waar zijn we?' vroeg ze. Niet dat het uitmaakte. Ze had het ook naar haar zin. Ze genoot van haar weekendje vrij van haar werk voor de medicijnengigant Wyeth als artsenbezoeker met coagulantia. Ze genoot ervan dat ze alleen maar een wijd wit topje aanhad en een roze korte broek, in plaats van het mantelpakje dat ze doordeweeks moest dragen. Maar bovenal genoot ze ervan dat ze samen was met MJ.

'We zijn er bijna,' zei hij.

Ze reden langs een geel bordje waarop een zwarte fiets stond afgebeeld en stopten voor een T-kruising, naast een radiataboom waarvan de dikke bos naalden erbovenop wel een slecht zittend toupetje leek. Pal voor hen was een steile, kale heuvel met hier en daar struikjes die vast leken te zitten met klittenband.

Lisa, die Engels was, woonde pas twee jaar in Australië. Ze was een paar maanden geleden vanuit Perth naar Melbourne verhuisd, en de omgeving was nieuw voor haar. 'Wanneer ben je hier voor het laatst geweest?' vroeg ze.

'Dat is wel even geleden; een jaar of tien, denk ik. Ik kampeerde als kind hier met mijn ouders,' zei hij. 'Dit was onze lievelingsplek. Je vindt het vast fantastisch. Yihaa!'

Opgetogen trapte hij het gaspedaal in. De pick-up schoot naar voren, nam met piepende banden en brullende motor een scherpe bocht naar links en schoot de grote weg op.

Na een paar minuten kwamen ze langs een bordje aan een paal waarop stond BARWON RIVER. MJ ging langzamer rijden en keek naar rechts terwijl ze een ander bordje passeerden met daarop STONEHAVEN EN POLLOCKS FORD.

Na een tijdje remde hij opeens en draaide naar rechts een zandweggetje op. 'Volgens mij is dit 'm!' zei hij.

Ze hobbelden nog zo'n halve kilometer door. Open terrein rechts van hen, struiken en de oever van een rivier die ze niet konden zien links. Ze kwamen langs een stalen brug op oude bakstenen steunberen, voordat ze door de begroeiing niets meer konden zien. De weg ging opeens steil naar beneden, en vervolgens weer naar boven. Na een paar minuten werd hij wat breder en toen was er geen weg meer, alleen maar gras en bosjes.

MJ bracht de pick-up tot stilstand en trok de handrem aan. Een stofwolk dwarrelde op hen neer. 'Welkom in het paradijs,' zei hij.

Ze kusten elkaar.

Even later stapten ze uit. Het was warm en stil. De motor koelde tikkend af. De geur van gedroogd gras hing in de lucht. Een prieelvogel riep *joehoe!* en toen was het stil. Onder hen in de diepte, glom water en nog verder weg, in de felle zon, waren drie kale bruine heuvels met hier en daar een acacia- of eucalyptusboom te zien. De stilte was zo intens, dat ze even het gevoel hadden dat ze de enige mensen op aarde waren.

'Godallemachtig,' zei Lisa, 'wat is dit schitterend.'

Een vlieg vloog om haar hoofd en ze sloeg hem weg. Er kwam er nog een aan, en ze sloeg die ook weg.

'Ach, die goeie ouwe vliegen,' zei MJ. 'Dit is het juiste plekje!'

'Ze kennen je blijkbaar nog!' zei ze, toen de derde op haar voorhoofd landde.

Hij gaf haar een speels zetje, voordat hij met zijn hand een paar keer op de Australische manier voor zijn gezicht wapperde om vliegen te verjagen. MJ sloeg zijn arm om Lisa heen en leidde haar naar een opening in het struikgewas.

'Daar vertrokken we altijd met onze kano,' zei hij.

Ze tuurde zo'n dertig meter langs een zanderige helling vol met varens naar beneden en zag de rivier. Die was een meter of twintig breed en spiegelglad. Een paar libelles zaten op het water muggenlarven te eten of eitjes te leggen, en er zweefden er ook een paar boven. Het struikgewas aan de overkant werd haarscherp in het water weerspiegeld.

'Wauw!' zei ze. 'Wauhauhauw! Waanzinnig gewoon.'

Toen zag ze een rijtje witte stokjes langs de helling staan. Op elk ervan stond een zwart horizontaal streepje.

'Dat heb ik vroeger gedaan,' zei MJ. 'Het water kwam helemaal tot hier.' Hij wees naar het hoogste streepje.

Lisa telde acht streepjes tot aan het wateroppervlak. 'Wat is het gezakt!'

'Door de opwarming van de aarde,' zei hij.

Toen zag ze een touw, zo dik als een olifantenpoot, aan de overhangende tak van een boom hangen.

'Daar zwaaiden we aan!' zei MJ. 'Het was maar een klein eindje naar beneden.'

Maar nu was het bijna een halve meter.

Hij trok zijn T-shirt uit. 'Ik ga erin!'

'Zullen we niet eerst de tent opzetten?'

'Hè, Lisa, daar hebben we de hele dag nog voor! Ik heb het heet!' Hij trok nog meer kleren uit. 'En de vliegen hebben een hekel aan water.'

'Zeg jij maar hoe het water is, dan zie ik wel.'

'Wat ben jij een slappeling, zeg!'

Lisa lachte. MJ was naakt, hij liep het struikgewas in en even later zag ze hem over de overhangende tak kruipen. Hij reikte naar het touw, dat er gevaarlijk gerafeld uitzag, liet zich zakken, en greep het beet.

'Voorzichtig, MJ!' riep ze, opeens bang.

Met het touw in zijn ene hand sloeg hij met zijn andere op zijn borst en slaakte een Tarzan-kreet. Toen zwaaide hij over de rivier, en hij raakte met zijn blote voeten bijna het water aan. Hij zwiepte heen en weer, liet toen los en kwam met een luide plons in het water terecht.

Lisa keek bezorgd toe. Even later kwam hij boven en hij schudde zijn natte haren uit zijn gezicht. 'Het is heerlijk! Kom er ook in, watje!'

Hij zwom een paar meter, maar opeens vertrok zijn gezicht van pijn.

'Godver!' sputterde hij. 'Shit! Au! Ik heb verdomme mijn teen gestoten!'

Lisa moest lachen.

MJ dook en kwam toen weer boven met een uitdrukking van paniek op zijn gezicht.

'Shit, Lisa!' zei hij. 'Er ligt hier een auto! Er ligt verdomme een auto in de rivier!'

23

11 september 2001

Lorraine keek vol ongeloof toe. De onaangestoken sigaret in haar hand was finaal vergeten. Een jonge verslaggeefster zat druk in de camera te praten, zo op het oog totaal onbewust van het feit dat de South Tower, een paar honderd meter achter haar, in elkaar stortte.

Hij viel recht naar beneden, implodeerde keurig netjes, bijna ondraaglijk netjes, alsof Lorraine heel even getuige was van de beste goocheltruc die er ooit uitgevoerd was. De verslaggeefster ging door. Achter haar verdwenen auto's en mensen onder puin en stofwolken. Mensen renden voor hun leven, recht door de straat naar de camera toe.

Lieve god, had ze het niet door?

Onbewust van wat er aan de hand was, las de verslaggeefster nog steeds voor wat er op de autocue stond of herhaalde wat haar via het oortje verteld werd.

Kijk achter je, wilde ze de vrouw toeschreeuwen.

Eindelijk draaide de vrouw zich om. En ze raakte meteen in paniek. Verdwaasd zette ze wankelend een stap opzij, en nog een. Mensen kwamen langs haar heen rennen, botsten tegen haar op, liepen haar bijna omver. De paddenstoelwolk besloeg nu bijna de hele lucht boven de stad. Als een lawine kwam hij op haar af. De verslaggeefster keek verbijsterd toe, zei nog wat, maar ze was niet te horen, alsof de verbinding verbroken was, en plotseling werd het beeld een grijze massa met schaduwfiguren en chaos toen de camera in de stofwolk terecht kwam.

Lorraine, nog steeds gekleed in haar bikinibroekje, hoorde geschreeuw. Het beeld op tv ging over naar een met de hand geschoten opname van een gigantische stalen en glazen plaat die boven op een rood-witte brandweerwagen viel. Hij brak de ladder, en deukte het middelste gedeelte geheel in, alsof het een plastic speelgoedwagentje was waar een kind boven op was gaan staan.

Een vrouw schreeuwde steeds weer: 'O, lieve hemel! O, lieve hemel! O, lieve hemel!'

Mensen gilden. Het was heel even donker, toen weer beelden opgenomen door een videocamera: een jonge man die langs kwam hinken en een met bloed doordrenkte handdoek tegen het gezicht van een vrouw hield. Hij wilde haar sneller vooruit trekken, voor de wolk uit die hen al snel inhaalde.

Toen waren ze weer in de studio. Lorraine keek naar de nieuwslezer, een man van in de veertig met een colbert aan en een stropdas om. De beelden die ze had gezien, waren op de monitors achter hem nog steeds te volgen. Hij keek verbeten.

'We hebben gehoord dat de South Tower van het World Trade Center is ingestort. Over een paar minuten hoort u het laatste nieuws over het Pentagon.'

Lorraine wilde de sigaret aansteken, maar haar handen trilden te erg en de aansteker viel op de grond. Ze wachtte, durfde haar ogen niet van het scherm af te halen, voor het geval ze een glimp van Ronnie zou missen. Er was een vrouw te zien, die overstuur onverstaanbare dingen schreeuwde. Ze zag een aantrekkelijke vrouw met een microfoon tegen een achtergrond van donkere zwarte rook met oranje vlammen, waardoorheen ze nog net het silhouet van het Pentagon kon zien.

Ze belde Ronnies gsm weer en kreeg opnieuw de bezettoon.

Ze belde weer. En weer. En weer. Haar hart klopte in haar keel, en ze trilde, wilde wanhopig graag zijn stem horen, weten dat hij in orde was. En de hele tijd hoorde ze een stemmetje in haar hoofd zeggen dat de afspraak van Ronnie in de South Tower was. De South Tower die was ingestort.

Ze wilde meer beelden van Manhattan zien. Niet alleen maar dat stomme Pentagon. Ronnie zat in Manhattan, niet in dat stomme Pentagon. Ze schakelde over naar Sky News. Zag weer een video-opname, dit keer van drie bestofte brandweermannen met helm op, die een gewonde grijsharige man droegen. De gele band om hun bovenarm schoof op en neer terwijl ze vlug doorstapten.

Toen zag ze een brandende auto. En een brandende ambulance. Er doken figuren op vanuit het duister erachter. Ronnie? Ze boog zich naar voren, tot ze met haar neus op het grote scherm zat. Ronnie? De figuren doken op uit de rook als mensen op een foto in een ontwikkelbad. Ronnie zat er niet bij.

Ze belde weer zijn gsm. Heel even dacht ze dat hij overging! Toen hoorde ze opnieuw de bezettoon.

Sky News schakelde over naar Washington. Ze pakte de afstandbediening en drukte op een andere knop. Ze kreeg de indruk dat alle zenders dezelfde beelden lieten zien, dezelfde verhalen. Ze zag weer hoe het eerste vliegtuig tegen de toren aan vloog en toen het tweede. Het werd opnieuw vertoond. En opnieuw.

De telefoon rinkelde. Ze drukte snel op het groene knopje, zo blij dat ze amper iets uit kon brengen. 'Ja?'

Het was de wasmachinemonteur, om zijn afspraak voor de volgende dag te bevestigen.

24

Oktober 2006

Het doelwit heette Ricky. Abby had hem een paar keer op feestjes ontmoet, en hij kwam elke keer weer meteen op haar af om haar te versieren. Eerlijk gezegd vond ze hem ook erg aantrekkelijk en ze flirtte graag met hem.

Hij was een knappe vent van in de veertig, een tikje mysterieus en zeer zelfverzekerd, hij leek een beetje op een oude relaxte surfer. Net als Dave wist hij hoe hij met vrouwen moest praten, hij vroeg haar meer dan zij hem vroeg. Hij had ook te maken met postzegels, en niet zo weinig ook.

Niet alle postzegels waren van hem. Die van hem vertegenwoordigden een waarde van vier miljoen pond. Er was wat onenigheid over wat van wie was. Dave had haar verteld dat hij en Ricky fiftyfifty zouden doen, maar Ricky was op zijn woord teruggekomen en wilde nu opeens negentig procent. Toen ze Dave vroeg waarom hij niet naar de politie stapte, had hij geglimlacht. De politie was voor hen beiden geen optie, zo bleek.

En trouwens, hij had een veel beter plan.

25

Oktober 2007

Roy Grace had de grootste moeite, zelfs met behulp van een bundel halogeenlicht, om te zien wat Frazer Theobald tussen zijn roestvrijstalen pincet vasthield. Hij kon alleen maar iets wazigs en blauws onderscheiden.

Hij kneep zijn ogen tot spleetjes, omdat hij gewoon niet wilde toegeven dat hij echt aan een leesbril toe was. Pas toen de patholoog een klein stukje papier achter het pincet hield en hem een loep aanreikte, kon Roy het beter zien. Het was een draad, dunner dan een mensenhaar, meer als een spinrag.

Het zag er dan weer doorschijnend, dan weer lichtblauw uit, en de punten wiebelden heen en weer doordat Theobald licht beefde en doordat er een ijzig koude wind door het riool blies.

'Wie deze vrouw ook heeft vermoord, hij heeft zijn best gedaan om geen bewijs achter te laten,' zei de patholoog. 'Ik denk dat hij haar hier heeft gedumpt omdat hij verwachtte dat ze wel door het water naar de zee zou worden gespoeld. De afstand van de kust naar het riool zou ver genoeg zijn om eventuele bewijsstukken niet naar het lijk terug te voeren.'

Grace keek weer naar het skelet, het was nog steeds mogelijk dat het Sandy was.

'Misschien wist de moordenaar niet dat het riool nooit onder water kwam te staan,' ging Theobald door. 'Hij had er geen rekening mee gehouden dat het lijk in het slib vast zou komen te zitten. Doordat het water zo laag stond, kwam het riool niet onder water te staan, en werd ze niet weggespoeld. Of misschien werd het riool gewoon niet meer gebruikt.'

Grace knikte en keek weer naar het bewegende draadje.

'Volgens mij komt het van vloerbedekking af. Ik kan het mis hebben, maar ik denk dat het lab aan zal tonen dat het inderdaad van een tapijt afkomstig is. Het is te stevig voor een trui of een rok of een kussenovertrek. Het komt uit een tapijt.'

Joan Major knikte bevestigend.

'Waar lag het?' vroeg Grace.

De forensisch patholoog wees naar de rechterhand van het skelet, die deels begraven was in het slib. De vingers waren te zien. Hij wees naar het topje van de middelvinger. 'Zie je dat? Dat is een kunstnagel, van een van die nagelstudio's.'

Er ging een rilling door Grace heen. Sandy had op haar nagels gebeten. Als ze naar tv keken, zat ze erop te bijten, waarbij ze net als een hamster zachte klikkende geluidjes maakte. Hij werd er gek van. En soms deed ze het ook in bed. Vaak als hij wilde gaan slapen, zat ze als een gek te bijten, alsof ze zich ergens zorgen over maakte en het niet aan hem wilde vertellen. Dan keek ze opeens naar haar nagels en werd ze boos op zichzelf en zei ze tegen hem dat hij haar moest zeggen wanneer ze weer aan het nagelbijten was en dat ze ermee op moest houden. En ze zou naar een nagelstudio gaan om dure kunstnagels op haar afgekloven nagels te plakken.

'Ze zijn van kunststof, zitten vastgelijmd, en de nagels zijn op de een of andere manier blijven zitten toen het vlees eronder wegrotte,' zei Frazer Theobald. 'De draad zat hieronder. Het kan zijn dat de dader haar over tapijt trok en ze haar nagels erin sloeg. Dat is de meest logische verklaring. Nog een geluk dat het niet is weggespoeld.'

'Geluk, zeg dat wel,' zei Grace afwezig. Hij dacht razend snel na. Over tapijt trok. Een draad uit blauw tapijt. Lichtblauw. Hemelsblauw.

Ze hadden thuis lichtblauw tapijt. In de slaapkamer. De slaapkamer waarin Sandy en hij samen hadden geslapen totdat ze spoorloos was verdwenen.

26

11 september 2001

Ronnie had pakweg een minuut gerend voordat de dag nacht werd en er plotseling een volledige zonsverduistering plaatsvond. Opeens zat hij midden in een verstikkende, stinkende leegte, met een donderend geraas in zijn oren dat uit de grond afkomstig was.

Het was net alsof iemand een miljoen ton onwelriekende, bittere zwart en grijze bloem in de lucht voor hem had uitgeschud. Die stak in zijn ogen, kwam in zijn mond. Hij slikte er wat van door en hoestte het meteen weer op, en slikte er meteen weer wat van door. Grijze gedaanten zweefden als spoken langs hem heen. Hij stootte zijn teen ergens tegenaan – een brandkraan, besefte hij – waarna hij over dat stomme ding struikelde en voorover viel en met een smak op de grond terechtkwam. Die bewoog. Hij vibreerde, schudde, alsof een gigantisch monster wakker was geworden en zich uit de aarde wilde bevrijden.

Ik moet hier weg zien te komen. Ver weg.

Iemand trapte op zijn been en viel boven op hem. Hij hoorde een vrouw vloeken en zich verontschuldigen, en rook even een vleug parfum. Hij wurmde zich onder haar uit, kwam overeind, maar op dat moment liep iemand van achteren tegen hem op, zodat hij weer voorover viel.

Hyperventilerend van paniek, stond hij weer op en hij zag de vrouw, die eruitzag als een grijze sneeuwpop met een paar schoenen in haar handen geklemd, overeind komen. Toen knalde een grote dikke man met een wilde bos haar tegen hem op, die hem vloekend en stompend uit de weg maaide en struikelend verder ging totdat de mist hem opslokte.

Toen werd hij opnieuw omvergelopen. *Ik moet opstaan. Sta op. Sta op!*

Hij had ooit iets gelezen over mensen die onder de voet werden gelopen in een menigte en stierven. Hij kwam moeizaam weer overeind, draaide zich om, zag in het duister nog meer besneeuwde gedaanten opdoemen. Eentje duwde hem opzij. Hij keek tussen de benen, schoenen, blote voeten naar zijn koffer en aktetas en kreeg ze in het oog. Hij bukte zich, pakte ze beet, en werd toen op zijn rug gegooid.

'Godverdomme!' schreeuwde hij.

Een naaldhaak scheerde rakelings als een lange schaduw over zijn hoofd heen.

En opeens was het stil.

Het gerommel was voorbij. De donder was voorbij. De grond vibreerde niet meer. De sirenes waren ook stilgevallen.

Heel even was hij opgelucht. Hij was in orde! Hij leefde nog!

Mensen liepen nu langzamer langs, meer geordend. Sommigen hinkten. Sommigen hielden elkaar vast. Sommigen hadden glas, als stukjes ijs, in hun haar. De enige kleur in de grijs-zwarte wereld was bloedrood.

'Dit kan toch niet waar zijn?' zei een man vlak bij hem. 'Dit kan toch gewoon niet waar zijn?'

Ronnie kon de North Tower zien en rechts daarvan een overhellende heuvel bestaande uit verwrongen wrakstukken, puin, raamstijlen, kapotte auto's, brandende wagens en verminkte lijken die bewegingloos op de bevlekte grond lagen. Toen zag hij de plek waar de South Tower had moeten zijn.

Waar die had gestaan.

De Tower was verdwenen.

Een paar minuten geleden had hij er nog gestaan, en nu niet meer. Hij knipperde met zijn ogen; misschien was het wel een truc, een soort optische illusie. Hij kreeg meteen nog wat van dat droge spul in zijn ogen waardoor ze gingen tranen.

Hij beefde, zijn hele lijf beefde. Maar bovenal beefde hij vanbinnen.

Hij zag opeens iets naar beneden dwarrelen. Het fladderde en ging heel even omhoog – door de thermiek – en toen weer verder naar beneden. Een lap stof. Het leek wel zo'n stukje stof dat bij een laptop zat voor het beeldscherm, zodat dat niet beschadigde als je hem dichtdeed.

Hij keek toe hoe het als een dode vlinder naar beneden dwarrelde en een halve meter voor hem op de grond terechtkwam; en heel even, tussen al de andere gedachten door, vroeg hij zich af of het de moeite was om het te pakken, omdat hij het stukje stof van zijn eigen laptop al lang geleden was kwijtgeraakt.

Er kwamen nog meer mensen langs gestrompeld. Een eindeloze stroom, allemaal zwart en wit en grijs, als een oude oorlogsfilm of -documentaire waarin beelden van vluchtelingenstromen werden getoond. Hij dacht dat hij een telefoon hoorde gaan. Die van hem? In paniek stak hij zijn hand in zijn zak. Godzijdank had hij zijn telefoon nog! Hij pakte hem, maar die rinkelde niet en er was ook geen pictogram te zien dat aangaf dat hij een telefoontje had gemist. Hij belde Lorraine weer, maar kreeg geen verbinding, alleen een hol gepiep, dat na een paar seconden niet meer te horen was doordat er een helikopter over kwam vliegen.

Hij wist niet wat hij moest doen. Hij was helemaal in de war. Een hoop mensen waren gewond, maar met hem was niets aan de hand. Misschien moest hij wel helpen. Misschien moest hij op zoek gaan naar Donald. Ze hadden het gebouw vast geëvacueerd. Donald was daar waarschijnlijk in de buurt, of misschien liep hij wel rond, op zoek naar hem. Als ze elkaar zagen, konden ze misschien naar een bar of een hotel gaan en alsnog dat gesprek hebben...

Er kwam een brandweerwagen langs racen, een en al rode knipperlichten en sirenes en getoeter, die hem bijna omver reed.

'Klootzakken!' schreeuwde hij. 'Godvergeven eikels, jullie hebben me bijna dood –'

Een groepje zwarte vrouwen die onder het grijze stof zaten, kwam op hem af. Eentje had een rugtas bij zich en een andere wreef over haar dreadlocks.

'Pardon?' vroeg Ronnie, die naar hen toe liep.

'Loop door,' zei een van hen.

'Ja,' zei een ander. 'Die kant moet je niet op gaan!'

Er kwamen meer wagens met sirene en knipperlichten langs scheuren. De grond onder zijn schoenen kraakte. Er lag papiersneeuw op de grond, realiseerde Ronnie zich. De papierloze maatschappij, dacht hij wrang. Echt een papierloze maatschappij. De hele weg lag bezaaid met grijs papier. Overal kwamen vellen papier naar beneden dwarrelen, blanco, vol getikt, gescheurd, in elk mogelijk formaat. Alsof duizenden archiefkasten en prullenmanden vanaf een wolk waren leeggeschud.

Hij bleef even staan, om alles op een rijtje te zetten. Maar het enige wat hem te binnen schoot was: waarom nu? Waarom gebeurt dit verdomme nu?

Waarom moet dit verdomme nu net vandaag gebeuren?

New York werd aangevallen door terroristen, dat was wel duidelijk. Een zacht stemmetje in zijn hoofd zei dat hij bang moest zijn, maar dat was hij niet, hij was alleen allejezus kwaad.

Hij liep door, krakend over vellen papier, liep langs verbijsterde mensen die uit alle richtingen kwamen. Toen hij bijna bij het gekkenhuis van het plaza was aangekomen, werd hij door twee agenten tegengehouden. De ene was klein en had gemillimeterd blond haar, zijn rechterhand rustte op zijn Glock, en met de linker hield hij een portofoon tegen zijn oor. Hij schreeuwde een voortgangsrapport door en luisterde vervolgens. De andere agent, die veel langer was, was zo breedgeschouderd als een footballspeler, had een pokdalig gezicht en keek hem aan met een uitdrukking die deels verontschuldigend was en deels aangaf dat Ronnie zich maar beter koest kon houden omdat ze het al moeilijk genoeg hadden.

'Pardon, meneer,' zei de lange agent. 'U mag hier niet verder, we hebben de ruimte momenteel nodig.'

'Ik moet naar een bespreking,' zei Ronnie. 'Ik... ik...' hij wees, 'ik moet naar –'

'Ik denk dat u beter een nieuwe afspraak kunt maken. Volgens mij gaat er geen enkele bespreking door.'

'Maar weet u, ik moet vanavond weer terug naar Engeland en ik moet echt –'

'Meneer, zowel de bespreking als uw vlucht is afgelast.'

De grond rommelde weer. Er was een afschuwelijk krakend geluid te horen. De twee agenten draaiden zich tegelijkertijd om en keken omhoog naar de zilvergrijze muur van de North Tower. Die bewoog.

27

Oktober 2007

De lift bewoog. Abby voelde de vloer tegen haar voeten aan drukken. Hij kwam hortend naar boven alsof iemand de lift met de hand omhoogtrok. Toen bleef hij opeens hangen. Ze hoorde een doffe klap, gevolgd door een klotsend geluid.

Verdomme.

Haar laarsje was omgevallen. Haar wc-laars.

De lift zwaaide opeens heen en weer, alsof er een gigantische zet tegenaan was gegeven, en knalde tegen de liftschacht aan waardoor ze haar evenwicht verloor, tegen de wand aan sloeg en op de natte vloer viel. *Shit.*

Ze hoorde een harde dreun op het plafond. Het leek het wel of iemand er met een moker op zat te slaan. De slag weergalmde en deed pijn aan haar oren. Weer een dreun. Nog een. Terwijl ze overeind krabbelde, draaide de lift opeens sterk naar één kant, waarbij hij met zoveel kracht tegen de schacht aan kwam dat ze de schok door de stalen wanden heen voelde. Toen kwam hij naar boven, waardoor ze door de kleine ruimte geworpen werd, en tegen de andere wand aan sloeg.

Weer een dreun op het plafond.

Lieve hemel, nee.

Was hij daarboven? Ricky? Was hij een gat aan het maken om bij haar te komen?

De lift kwam weer een paar centimeter omhoog en zwiepte toen voor de zoveelste keer wild heen en weer. Ze jankte van schrik. Pakte haar gsm, drukte op een knopje. Het lichtje ging aan op het moment dat er een deukje in het plafond zichtbaar werd.

Toen weer een dreun en het deukje werd groter. Stofwolkjes dwarrelden naar beneden.

Weer een dreun. En weer een. En weer een. Nog meer stofwolkjes.

Toen stilte. Een lange stilte. Een ander geluid nu. Een dof gebonk. Het was haar hart dat tekeerging. *Boem... boem... boem...* Haar bloed brulde in haar oren. Als een woeste zee kolkte het door haar heen.

Het lichtje van haar gsm ging uit. Ze drukte op het knopje en het lichtje deed het weer. Ze dacht na. Dacht wanhopig na. Kon ze iets als wapen gebruiken als hij de lift in kwam? Er zat een bus pepperspray in haar tas, maar daar kon ze hem maar een paar tellen mee van zich af houden, hooguit een paar minuten als ze het recht in zijn ogen kon spuiten. Ze had iets nodig om hem neer te slaan.

De enige mogelijkheid was haar laarsje. Ze pakte hem op, het leer was nat en zacht, en raakte de hak aan. Die voelde geruststellend hard aan. Ze kon hem op haar rug houden, tot hij zijn hoofd door het gat stak, en hem er dan een oplawaai mee verkopen. Dat zou hij niet verwachten.

Ze was nog steeds in de war. Hoe wist hij dat ze in de lift zat? Had hij op de trap op haar staan wachten, en toen op de een of andere manier de lift stopgezet toen hij besefte dat ze erin zat?

Het bleef stil. Alleen het bonken van haar hart was te horen. Net een bokshandschoen die tegen een boksbal aan slaat.

Door haar angst heen werd ze opeens kwaad.

Ze was er zo dichtbij!

Zo dicht bij haar dromen!

Je moet hieruit zien te komen. Je moet hieruit zien te komen, op welke manier dan ook!

De lift ging opeens weer langzaam omhoog, voordat hij met een flinke zwiep tot stilstand kwam.

Het raspende geluid van metaal op metaal.

Toen stak door de opening tussen de twee deuren de hoekige punt van een koevoet naar binnen.

28

September 2007

Het knarsende geluid van de lier. Het geratel van de draaiende dieselmotor van de sleepwagen van R&K 24-Hour Rescue.

Lisa sloeg een hele wolk vliegen van zich af. 'Rot op!' schreeuwde ze tegen ze. 'Ga toch weg!'

Het geratel ging over in gebrul toen de stalen kabel strak kwam te staan en de man in de cabine gas gaf zodat de lier harder kon trekken.

Ze was benieuwd naar wat er ging gebeuren. Ze wilde wel weten wat die auto daar deed. Niemand reed per ongeluk drie kilometer op een onverharde weg en vervolgens de rivier in, zei MJ. En hij had eraan toegevoegd: 'Zelfs geen vrouw', waarop ze hem een harde schop tegen zijn scheen had gegeven.

Een van de plaatselijke agenten uit Geelong die aan de oproep gehoor hadden gegeven, de kleinste en de rustigste van de twee, had gezegd dat de auto waarschijnlijk bij een misdaad was gebruikt en toen hier was gedumpt. Wie dat ook had gedaan, had er geen rekening mee gehouden dat het waterpeil door de droogte zo zou zakken.

Een vlieg landde op haar wang. Ze sloeg ernaar, maar hij was te snel. De tijd was anders voor vliegen, had MJ haar een keer verteld. Eén seconde voor een mens was tien seconden voor een vlieg. Daardoor zag de vlieg alles in slow motion. Hij had alle tijd om uit de buurt te blijven van je hand.

MJ wist veel over vliegen. Wat niet zo vreemd was, dacht ze, als je in Melbourne woonde en graag de buitenlucht opzocht. Je was dan binnen de kortste keren een expert. Ze plantten zich voort in mest, had hij haar de laatste keer dat ze hadden gekampeerd verteld, zodat ze nooit meer iets wilde eten waar een vlieg op had gezeten.

Lisa keek naar de witte politiewagen met de blauw-wit geblokte streep en het witte politiebusje, met net zo'n streep, en hun blauw-rode zwaailicht. Er stonden twee duikers van de politie in wetsuit en flippers, met duikbril op, tussen de struiken aan de kant van het water toe te kijken terwijl de stalen kabel langzaam maar zeker uit het water omhoogkwam.

Maar vliegen waren ook nuttig. Ze zorgden ervoor dat dode dingen verdwenen: vogels, konijnen, kangoeroes en zelfs mensen. Ze hielpen Moeder Natuur een handje. Ze hadden alleen buitengewoon slechte tafelmanieren: overgeven op hun eten bijvoorbeeld, voordat ze het naar binnen werkten. Nee, je moest ze niet voor een etentje uitnodigen, vond Lisa.

Het was zo warm dat het zweet over haar gezicht liep. MJ had zijn ene arm om haar heen geslagen en hield in zijn andere hand een fles water vast, waar ze allebei uit dronken. Lisa had haar arm om zijn middel geslagen, haar vingers tussen zijn spijkerbroek gestopt, zodat ze zijn klamme T-shirt voelde. Vliegen waren dol op zweet, had hij haar ook nog verteld. Er zat dan wel niet zoveel proteïne in, maar wel alle mineralen die ze nodig hadden. Menselijk zweet was voor vliegen hetzelfde als Perrier of Badoit – of welk watertje uit een fles dan ook – voor mensen.

Vlak voor de kabel veranderde de rivier opeens in een grote draaikolk. Het leek wel of het water kookte. Bellen kwamen aan de oppervlakte en braken daar schuimend open. De grootste, nogal paniekerige agent, bleef instructies roepen, wat Lisa behoorlijk nutteloos leek, omdat iedereen precies wist wat hij moest doen. Hij was begin veertig, schatte ze, met gemillimeterd haar en een haviksneus. Zijn jongere collega en hij waren in uniform: een overhemd met epauletten en een geborduurd embleem van de Victoria Politie op hun mouw genaaid, blauwe broek en stevige stappers. De vliegen waren ook dol op hen.

Lisa zag de achterkant van een donkergroene luxewagen uit de rivier naar boven komen. Het water gutste er vanaf, wat ze zelfs boven het geknars van de lier en het gebrul van de motor uit kon horen. Ze zag het kentekennummer OPH 010 en wat eronder stond: VICTORIA, THE PLACE TO BE.

Hoe lang had hij in de rivier gelegen?

Ze wist niet veel van auto's, maar wel wat. Ze wist dat dit een ouder model Ford Falcon was, van minstens vijf en misschien wel zelfs tien jaar oud. De achterruit werd zichtbaar en vervolgens het dak. De verf glom door het water, maar het chroomwerk was finaal verroest. De banden waren praktisch leeg en zwabberden over de droge, zanderige grond terwijl de auto de helling op werd getrokken. Er stroomde water uit de auto door de kiertjes bij de portieren en de wieldoppen.

Ze vond het een griezelig gezicht.

Een paar minuten later stond de Falcon eindelijk bewegingloos op zijn vier wielen met de zwarte futloze banden. De kabel stond niet meer strak en de chauffeur zat op zijn knieën bij de sleepwagen om hem los te maken. De lier ratelde niet meer en ook de motor van de sleepwagen was tot stilte gebracht. Alleen het geluid van water dat uit de auto stroomde was te horen.

De twee agenten liepen eromheen en tuurden voorzichtig door de ruiten naar binnen. De lange, paniekere agent had zijn hand op zijn pistool gelegd, alsof hij verwachtte dat er iemand uit de auto zou springen en hem zou bedreigen. De kleinere salueerde een paar vliegen weg. De prieelvogel joehoede weer in de stilte.

Toen drukte de lange agent op de knop van de kofferbak om hem open te maken. Er gebeurde niets. Hij drukte opnieuw, en trok tegelijkertijd aan het kofferdeksel. Dat kwam krakend en piepend door de verroeste scharnieren een paar centimeter omhoog. Toen maakte hij hem helemaal open.

En zette geschokt een stap naar achteren toen hij rook wat erin lag, voordat hij haar zag.

'O nee, hè?' zei hij. Hij draaide zich om en gaf over.

29

Oktober 2007

Grijs was de onbetwiste kleur van de dood, dacht Roy Grace. Grijze beenderen. Grijze as nadat je gecremeerd was. Grijze grafstenen. Grijze röntgenfoto's van je gebit. Grijze muren in het mortuarium. Of je nu in je kist of in een riool lag weg te rotten, uiteindelijk bleef er alleen een grijze substantie van je over.

Grijze beenderen op een grijze stalen sectietafel. Waarin gepord wordt met grijze stalen instrumenten. Zelfs het licht hier was grijs; eigenaardig gedimd etherisch licht dat door de grote ondoorzichtige ramen naar binnen sijpelde. Spoken waren ook grijs. Grijze dames, grijze mannen. Er waren er genoeg in de ontleedkamer van het stadsmortuarium Brighton and Hove. De geest van duizenden mensen die de pech hadden gehad dat ze hier waren beland, in deze treurige bungalow met muren van grijs kiezelpleister, in een van de vrieskisten met staalgrijze deuren voordat ze hun voorlaatste reis ondernamen naar een begrafenisondernemer en uiteindelijk naar hun begrafenis of crematie.

Hij rilde. Daar kon hij niets aan doen. Ondanks het feit dat hij het tegenwoordig niet meer zo erg vond om hiernaartoe te gaan omdat de vrouw van wie hij hield er de leiding had, kreeg hij er nog steeds de rillingen van.

Hij kreeg de rillingen van het skelet, met die kunstnagels en de plukjes korenblond haar die nog aan de schedel vastzaten.

En hij vond het ook eng om al die in groene jas geklede mensen in de ruimte te zien: Frazer Theobald, Joan Major, Barry Heath, die onlangs bij de onderzoeksrechter voor deze streek was komen werken. Heath was een kleine, keurig geklede man met een pokergezicht, die onlangs met pensioen was gegaan bij de politie, en nu de akelige taak had om niet alleen bij alle plaatsen delict van een moord op te komen draven, maar ook bij plekken waar de dood onverwacht was ingetreden, zoals bij auto-ongelukken en zelfmoorden. En vervolgens moest hij bij de sectie aanwezig zijn. De fotograaf van de Technische Recherche was ook present om alles vast te leggen. Ook Cleo's assistent Darren was er, die vroeger slagersleerling was geweest, een intelligente, knappe en vriendelijke knul van twintig met hip zwart stekeltjeshaar. En Christopher Ghent, de lange, nauwgezette forensisch tandheelkundige, die al bezig was afdrukken te maken van het gebit van het skelet.

En dan natuurlijk Cleo. Ze had geen dienst gehad, maar omdat hij erbij was, was ze ook gekomen.

Soms had Roy moeite te geloven dat hij echt een relatie had met deze prachtige vrouw.

Hij keek naar haar: lang, met prachtige benen en adembenemend mooi in de groene jas en witte kaplaarzen. Ze had haar lange blonde haar opgestoken en liep zeer op haar gemak en gracieus rond in deze ruimte, háár ruimte, háár plek. Gevoelig, maar tegelijkertijd onaangedaan door al de gruwelijkheden die erin plaatsvonden.

Maar de hele tijd vroeg hij zich af of – en hoe ironisch zou dat niet zijn – hij de sectie bijwoonde die de vrouw van wie hij hield, uitvoerde op de vrouw van wie hij ooit had gehouden.

Het rook sterk naar ontsmettingsmiddel in de kamer. Er stonden twee sectietafels, eentje vastgeklonken aan de grond en de andere, waar het skelet op lag, op zwenkwieltjes. Er stond een blauw hydraulisch hijstoestel naast een rij enorme koelkasten. De muren waren grijs betegeld en een afvoergoot liep langs de zijkant. Aan een kant waren een stel wasbakken, met een opgerolde gele slang. Tegen een andere bevonden zich een breed werkblad, een roestvrijstalen snijtafel en een glazen vitrinekast vol met instrumenten, een paar verpakkingen Duracell-batterijen en lugubere souvenirs die niemand wilde – over het algemeen pacemakers – en die van de slachtoffers afkomstig waren.

Naast de kast hing een lijst waarop de naam van het slachtoffer stond vermeld met kolommen om het gewicht van de hersenen, longen, hart, lever, nieren en milt op te tekenen. Tot nu toe stond er alleen nog maar VROUW, ONBEKEND op geschreven.

Het was een grote kamer, maar die middag voelde het krap aan, zoals altijd wanneer er door de patholoog een lijkschouwing werd verricht.

'Ze heeft drie vullingen,' zei Christopher Ghent tegen niemand in het bijzonder. 'Een van goud. Eén brug, rechtsboven. Een paar witte vullingen. Eentje van amalgaam.'

Grace luisterde en probeerde zich te herinneren wat Sandy aan haar gebit had laten doen, maar hij wist het niet meer.

Joan Major haalde een paar gipsmodellen van beenderen uit haar grote tas. Ze leken op hun zwarte plastic voet wel gebroken bodemvondsten uit archeologische opgravingen. Hij had ze al eens eerder gezien, maar hij kon de subtiele verschillen die ze aangaven niet bevatten.

Toen Christopher Ghent klaar was met zijn opsomming, legde Joan uit welk bot de verschillende stadia van ontwikkeling verbeeldde. Haar conclusie was dat de beenderen van een vrouw waren die ongeveer dertig jaar oud was, met een uitloop van drie jaar naar boven en beneden.

Wat nog steeds de leeftijd was van Sandy toen ze spoorloos verdween.

Hij wist dat hij het van zich af moest zetten, dat het zeer onprofessioneel was zich door persoonlijke zaken te laten beïnvloeden. Maar doe dat maar eens.

30

11 september 2001

De grond schudde. Een rij sleutels die aan haken aan de muur van de winkel hingen, rinkelde. Een paar blikken verf vielen naar beneden. Van een kwam het deksel eraf toen hij op de grond terechtkwam, en de crèmekleurige verf stroomde eruit. Een kartonnen doos viel om, waardoor bronzen schroeven als maden over het zeil kropen.

Het was donker in de lange smalle ijzerwinkel op een paar meter afstand van het World Trade Center, waar Ronnie zich had verscholen nadat hij de lange agent achterna was gelopen. Een paar minuten daarvoor was de stroom uitgevallen. Alleen de noodverlichting, die op batterijen werkte, deed het nog. Er woedde een stoftornado buiten, af en toe nog zwarter dan de nacht.

Een vrouw zonder schoenen en in een duur mantelpakje, die zo te zien nog nooit een voet in een ijzerwinkel had gezet, stond te snikken. Een magere man in een bruine overall, zijn grijze haar samengebonden in een paardenstaart, stond grimmig en hulpeloos zonder iets te zeggen achter de lange toonbank aan de andere kant over zijn domein uit te kijken.

Ronnie hield nog steeds zijn koffer stevig vast. Wonder boven wonder zat zijn aktetas er nog bovenop.

Buiten vloog een politiewagen op zijn kop langs, die plotseling tot stilstand kwam. De portieren stonden open en het binnenlicht was aan. Er zat niemand in, de microfoon van de portofoon bungelde aan het snoer.

Plotseling ontstond er een scheur in de muur links van hem en alle planken aan die kant, vol met dozen verfkwasten in verschillende maten, vielen op de grond. De huilende vrouw krijste.

Ronnie zette een stap naar achteren, tegen de toonbank aan. Hij had ooit eens in een restaurant in Los Angeles gezeten toen er een kleine aardbeving plaatsvond. Zijn partner had hem toen verteld dat de deur de sterkste plek was. Als een gebouw instortte, dan had je de meeste kans het te overleven als je in de deuropening ging staan.

Hij liep naar de deur toe.

De agent zei: 'Ik zou nu maar niet naar buiten gaan, maat.'

Op dat moment kwam er een lawine stenen en glas en puin recht voor de winkel naar beneden waaronder de politiewagen geheel bedolven werd. Het inbraakalarm in de winkel ging af, een hoog krijsend gejank. De man met de paardenstaart liep even weg en het gejank hield op, net als het gerinkel van de sleutels.

De grond trilde niet meer.

Het bleef heel lang stil. Buiten werd het opeens snel lichter. Alsof de dag aanbrak.

Ronnie deed de deur open.

'Ik zou nu maar even nog niet naar buiten gaan,' zei de agent weer.

Ronnie keek hem aan en aarzelde. Toen duwde hij de deur open en liep met zijn koffer achter zich aan naar buiten.

En kwam terecht in een immense stilte. De stilte als je wakker wordt en er een heel dik pak sneeuw ligt. Hier lag er grijze sneeuw.

Grijze stilte.

Toen hoorde hij weer van alles: brandalarm, inbraakalarm, autoalarm, mensen die schreeuwden, sirenes, helikopters.

Grijze gestalten strompelden zwijgend langs hem heen. Een eindeloze stroom vrouwen en mannen met ingevallen, nietsziende gezichten. Sommigen liepen, sommigen renden. Sommigen toetsten nummers in op hun gsm. Hij ging achter hen aan.

Hij strompelde blindelings door de grijze mist die zijn ogen deed branden en zijn mond en neusgaten verstikte.

Hij liep gewoon achter hen aan. Met zijn koffer. Hij liep maar. Hield gelijke tred. Hij zag een brug voor zich opdoemen. De Brooklyn Bridge, volgens hem, wat hij zich zo van New York kon herinneren. Rennend, strompelend over de rivier. Over een eindeloos lange brug door een eindeloos wervelende, verstikkende, grijze hel.

Ronnie had geen idee meer hoe laat het was. Geen idee waar hij zich bevond. Hij liep gewoon achter de grijze geesten aan. Opeens, heel even, rook hij een vleugje zout, toen weer iets wat brandde: vliegtuigbrandstof, verf, rubber. Er kon elk moment nog een vliegtuig aan komen.

Hij besefte eindelijk wat er was gebeurd. Hopelijk was Donald Hatcook in orde. Maar stel dat dat niet zo was? Het zakenplan dat hij had ontwikkeld, was waanzinnig. Ze konden in vijf jaar tijd miljoenen verdienen. Miljoenen, verdomme! Maar als Donald dood was, wat moest hij dan doen?

Hij zag silhouetten in de verte. Silhouetten van wolkenkrabbers. Brooklyn. Hij was nog nooit in Brooklyn geweest, had het alleen vanaf de andere kant van de rivier gezien. Hij kwam er met elke stap dichterbij. De lucht werd ook beter. Hij rook steeds vaker zout. De mist vervaagde.

En opeens was hij bijna de brug over. Hij bleef staan en keerde zich om. Er schoot hem een Bijbelverhaal te binnen, iets over Lots vrouw. Die zich had omgedraaid en een zoutpilaar was geworden. Daar leken al die mensen op die langs hem liepen: zoutpilaren.

Hij hield zich vast aan de metalen reling en keek. De zon scheen op het water onder hem. Miljoenen witte vonkjes op de golven. Daarachter lag

Manhattan, dat eruitzag alsof het in brand stond. De hoge gebouwen waren allemaal gedeeltelijk onzichtbaar door de grijze, bruine, witte en zwarte rookwolken die opstegen naar de strakblauwe hemel.

Hij stond onbeheerst te beven en moest zichzelf nodig in de hand krijgen. Hij zocht in zijn zakken, haalde een Marlboro tevoorschijn en stak die op. Hij nam snel achter elkaar vier diepe halen, maar door al die troep in zijn keel smaakte het niet lekker en duizelig gooide hij, zijn strot nu helemaal verdroogd, de sigaret in het water onder hem.

Hij liep weer met de rij geesten op, naar een weg waar ze allemaal een andere kant op gingen. Hij bleef weer staan toen hem opeens iets inviel. Daar moest hij even rustig over nadenken. Hij liep een verlaten zijstraat in, langs een rij kantoren, terwijl de wieltjes van de koffer nog steeds achter hem aan bonkten.

Diep in gedachten verzonken liep hij een hele tijd door de praktisch verlaten straten totdat hij bij een snelweg aankwam. Vlak voor hem stond een groot billboard, met daarop in enorme rode letters KENTILE. Opeens hoorde hij een motor brullen en vervolgens kwam er een rode pick-uptruck naast hem tot stilstand.

Het raampje ging naar beneden en een man in een geruit hemd en een petje van de New York Yankees op zijn hoofd, keek naar buiten. 'Wil je een lift, maat?'

Ronnie bleef staan, geschrokken en verward door de vraag, en zweette als een otter. Een lift? Wilde hij een lift? Waar naartoe?

Dat wist hij eigenlijk niet. Wilde hij dat wel?

Hij zag mensen in de auto zitten. Geesten die dicht op elkaar zaten.

'Er kan er nog een bij.'

'Waar ga je naartoe?' vroeg hij, alsof hij nog meer mogelijkheden had.

De man had een nasale stem, alsof de bas op zijn stembanden op zijn hardst stond. 'Er zijn nog meer vliegtuigen. Er kunnen elk moment nog meer vliegtuigen komen. We moeten hier weg. Tien vliegtuigen. Misschien zelfs nog meer. Verdomme, man, ze zijn nog maar net begonnen.'

'Ik... eh... ik heb een afspraak met...' Ronnie onderbrak zichzelf. Hij staarde naar het open portier, naar de blauwe stoelen, naar de werkbroek van de man. Hij was een oude vent met een grote adamsappel en een kalkoennek. Zijn gezicht was gerimpeld en vriendelijk.

'Stap erin. Je kunt nog mee.'

Ronnie liep om de wagen heen en stapte voorin, naast de man. Het nieuws stond keihard aan en een vrouw vertelde dat het gebied rondom Wall Street en Battery Park onbegaanbaar was.

Terwijl Ronnie naar de gordel reikte, gaf de chauffeur hem een fles water. Ronnie, die plotseling besefte hoe uitgedroogd hij was, dronk er dankbaar van.

'Ik lap ramen, weet je. In het centrum.'

'Oké,' zei Ronnie afstandelijk.

'Al mijn schoonmaakspullen waren verdomme in de South Tower, snap je wat ik bedoel?'

Ronnie snapte het niet, niet echt, omdat hij maar met een half oor luisterde. 'Oké,' zei hij.

'Ik zal een andere keer wel terug moeten.'

'Een andere keer,' zei Ronnie hem na, die het noch beaamde, noch tegensprak.

'Gaat het wel met je?'

'Met mij?'

De truck reed naar voren. Het interieur rook naar honden en koffie.

'We moeten hier wegwezen. Ze hebben het Pentagon ook te pakken gehad. Er komen verdomme tien vliegtuigen hiernaartoe, op ditzelfde moment. Dit is gigantisch! Gigántisch!'

Ronnie draaide zijn hoofd om. Keek naar de vier in elkaar gekropen gedaanten achter zich. Niet een keek hem aan.

'Arabieren,' zei de chauffeur. 'Arabieren hebben dit gedaan.'

Ronnie keek naar de plastic beker van Starbucks die met een papieren servet vol koffievlekken eromheen in de bekerhouder zat. Ernaast was een fles water in de houder geduwd.

'Het is nog maar net begonnen,' zei de chauffeur. 'We mogen van geluk spreken dat we zo'n sterke president hebben. George Bush jr.'

Ronnie zei niets.

'Gaat het wel? Je bent toch niet gewond of zo?'

Ze reden over een snelweg. Een handvol auto's reed op een verhoogd gedeelte aan de andere kant. Voor hem stond een groot bord waarop aangegeven stond dat het een tweebaansweg werd. Aan de linkerkant stond AFSLAG OOST 24 PROSPECT SNELWEG 27 vermeld. Aan de rechterkant stond WEST VERRAZANO BRIDGE, STATEN ISLAND 278.

Ronnie antwoordde niet omdat hij hem niet hoorde. Hij was weer diep in gedachten verzonken.

Hij broedde een plannetje uit. Het was een idioot plan. Vast het gevolg van de schok. Maar het ging maar niet weg. En hoe meer hij erover nadacht, hoe meer hij zich afvroeg of het zou kunnen lukken. Een plan voor het geval het met Donald Hatcook niet door zou gaan.

Het was misschien zelfs een beter plan.

Hij zette zijn gsm uit.

31

Oktober 2007

Abby keek vol afgrijzen naar de punt van de koevoet. Die ging wild tekeer, eerst naar links, toen naar rechts, zodat de deuren opengingen, een paar centimeter maar, voordat ze weer sloten, met de punt ertussen geklemd.

Er was weer een enorme bons te horen op het plafond en dit keer had ze echt het gevoel dat er iemand op gesprongen was. De lift zwaaide heen en weer, botste tegen de liftschacht aan, waardoor ze haar evenwicht kwijtraakte en het busje pepperspray met een doffe klap op de grond viel toen ze zichzelf schrap zette om niet tegen de muur te smakken.

Met een luid metalig gekrijs gingen de deuren open.

Een koude paniekvlaag sloeg door haar heen.

De deuren ging niet een centimeter of wat open, maar meer, veel meer.

Ze bukte zich en zocht wanhopig naar het busje pepperspray op de grond. Er viel licht naar binnen. Ze zag het busje en greep het snel. Toen, zonder zelfs maar op te kijken, stoof ze naar voren, met haar vinger op de knop, en richtte ze op de steeds groter wordende opening tussen de deuren.

Ze liep rechtstreeks in twee sterke armen, die haar beetpakten, en uit de lift de hal in trokken.

Ze schreeuwde, stribbelde fel tegen, om los te komen. Toen ze weer op het knopje van de pepperspray drukte, kwam er niets uit.

'Verdomme!' schreeuwde ze. 'Godverdomme!'

'Moppie, het is al goed. Het is in orde, mop.'

Ze kende die stem niet. En het was zeker niet zíjn stem.

'Laat me los!' schreeuwde ze terwijl ze met haar blote voeten om zich heen trapte.

Zijn armen hielden haar stevig beet. 'Mop? Mevrouw? Rustig nu maar. Je bent gered. Alles is in orde. Je bent eruit!'

Iemand met een gele helm op glimlachte naar haar. De helm van een brandweerman. Groene overall met fluoriserende strepen. Ze hoorde een portofoon kraken.

Op de trap boven haar stonden twee brandweermannen met helm op. Er stond er nog eentje een paar trappen beneden haar.

De man die haar vasthield, lachte haar weer geruststellend toe. 'Alles is in orde, wijfie. Je bent eruit,' zei hij.

Ze beefde. Was het echt waar? Was dit een valstrik?

Ze zagen er echt genoeg uit, maar ze bleef het busje pepperspray goed vasthouden. Ze vertrouwde Ricky voor geen meter.

Toen zag ze het norse gezicht van de oudere Poolse conciërge die in een vies sweatshirt en bruine broek hijgend de trap op kwam.

'Ik geen geld krijgen voor weekend,' mopperde hij. 'Komt door verhuurder. Ik praat al over lift maanden! Maanden.' Hij keek naar Abby en fronste zijn wenkbrauwen. Wees met zijn wijsvinger waarvan de nagel zwart was naar boven. 'Appartement 82, ja?'

'Ja,' zei ze.

'De verhuurder,' bracht hij hijgend uit in zijn keelachtige accent, 'zij slecht. Ik zeg ze elke dag, elke dag zeg ik ze.'

'Hoe lang heb je hierin gezeten, mop?' vroeg haar redder.

Hij was in de dertig, en zag er goed uit, alsof hij zo bij een jongensbandje kon, met zwarte wenkbrauwen die zo perfect waren dat ze bijna nep leken. Ze keek hem wantrouwend aan, alsof hij te knap was om brandweerman te zijn, alsof hij bij Ricky's uitgebreide valstrik hoorde. Toen ontdekte ze dat ze zo erg beefde dat ze bijna niet kon praten.

'Hebt u water bij u?'

Even later kreeg ze een fles water aangereikt. Ze dronk er gulzig van, zodat ze morste en het water langs haar kin en in de hals van haar trui droop. Ze dronk hem leeg voordat ze weer iets zei.

'Dank u.'

Ze stak de lege fles uit en een hand pakte hem aan.

'De afgelopen avond,' zei ze. 'Ik heb... denk ik... hier in dit stomme ding sinds afgelopen avond gezeten. Is het vandaag zaterdag?'

'Ja. Het is tien voor halfzes, zaterdagmiddag.'

'Sinds gisteren dan. Sinds halfzeven gisteravond.' Ze draaide zich woedend om naar de conciërge. 'Controleer jij verdomme nooit of het alarm het wel doet? Of de telefoon in die klotelift?'

'De verhuurders.' De conciërge haalde zijn schouders op, alsof hem niets te verwijten viel.

'Je kunt maar beter even naar het ziekenhuis gaan om je na te laten kijken,' zei de knappe brandweerman.

Ze raakte in paniek. 'Nee, nee... Het gaat prima met me. Echt, ik... ik... moet alleen –'

'We bellen wel een ambulance.'

'Nee,' zei ze vastberaden. 'Nee, ik hoef niet naar het ziekenhuis.'

Ze keek naar de omgevallen laarsjes die nog steeds in de lift lagen, en naar de natte plek op de grond. Ze rook het niet, maar ze wist dat het daarbinnen stonk.

De portofoon kraakte weer en ze hoorde een oproep. De brandweerman nam aan. 'We zijn klaar. Degene die vastzat is gered. Medische hulp is niet nodig. Ik herhaal: niet nodig.'

'Ik... Ik dacht dat hij naar beneden zou storten. Weet u? De hele tijd. Ik dacht dat hij naar beneden zou storten, en dat ik –'

'Nee, dat kan niet. Er is een kabel gebroken, maar hij had nooit kunnen vallen.' Zijn stem viel weg en hij leek even na te denken, terwijl zijn blik naar het plafond van de lift getrokken werd. 'Woon je hier?'

Ze knikte.

Zijn greep werd wat losser en hij zei: 'Je moet eens naar je servicekosten kijken. Er hoort liftonderhoud bij te zitten.'

De conciërge zei iets over de verhuurder, maar ze hoorde het amper. Haar opluchting dat ze bevrijd was, nam alweer af. Het was fantastisch dat ze uit dat rotding was, maar dat betekende nog niet dat ze buiten gevaar was.

Ze ging op haar hurken zitten om haar laarsjes te pakken zonder de lift weer in te moeten, maar ze lagen te ver weg. De brandweerman boog naar voren en trok ze eruit met de achterkant van zijn bijl. Hij was duidelijk niet zo stom om naar binnen te gaan.

'Wie heeft u gewaarschuwd?' vroeg ze.

'De mevrouw in...' hij pakte zijn aantekenboekje erbij, 'appartement 47. Ze had vanmiddag een paar keer de lift gebeld, en gaf door dat ze iemand om hulp had horen roepen.'

Ze zou haar wel een keer bedanken, bedacht Abby, en ze keek behoedzaam naar de trap, waar dekzeil hing en waar overal gips en cement stond.

'Je moet zo snel mogelijk iets eten,' raadde de brandweerman haar aan. 'Iets gemakkelijk verteerbaars. Soep of zo. Ik loop wel met je mee naar je appartement, om zeker te weten dat het goed met je gaat.'

Ze bedankte hem, en keek toen naar het busje spray en vroeg zich af waarom het niet had gewerkt. Ze besefte dat ze het veiligheidsklepje er niet af had gedraaid. Ze liet hem in haar tas vallen, en met haar laarzen in haar handen liep ze, voorzichtig om de rotzooi van de werkers heen, de trap op. Ze dacht na.

Had Ricky de lift onklaar gemaakt? Net als de telefoon en de alarmbel? Was het te ver gezocht om te denken dat hij dat had gedaan?

Haar deur was nog steeds op slot, ontdekte ze tot haar opluchting. Maar toch, nadat ze de brandweerman opnieuw had bedankt, ging ze behoedzaam naar binnen. Ze keek eerst of de draad die ze over de vloer op de hal had gespannen nog heel was, en pas toen deed ze de deur achter zich dicht en de veiligheidsketting erop. Toen, voor alle zekerheid, controleerde ze elke kamer van haar appartement.

Alles was in orde. Er was niemand binnen geweest.

Ze liep naar de keuken om thee te zetten en pakte een KitKat uit de koelkast. Ze had net een hap genomen toen de deurbel ging, en onmiddellijk daarna werd er aangeklopt.

Kauwend, en op van de zenuwen, omdat het Ricky zou kunnen zijn, liep ze snel naar de voordeur en keek door het kijkgaatje. Er stond een kleine man van begin twintig, in pak, met een mager gezicht en met zijn korte zwarte haar naar voren gekamd.

Wie was dat nu weer? Een verkoper? Een Jehova's getuige? Maar die komen gewoonlijk toch met z'n tweeën? Of misschien was hij wel van de brandweer. Op dit moment was ze hondsmoe, nog steeds zeer ontdaan en ze klapte van de honger. Ze wilde het liefst een kop thee drinken, dan wat eten en vervolgens een paar glazen rode wijn drinken voordat ze haar bed opzocht.

Omdat ze wist dat de man langs de conciërge en de brandweerlui was gelopen om hier te komen, was ze niet zo bang. Ze keek of de veiligheidskettingen erop zaten, maakte de sloten open en trok toen de deur een paar centimeter open.

'Katherine Jennings?' vroeg hij op een scherpe en opdringerige toon. Zijn adem was warm in haar gezicht en rook naar kauwgom.

Ze had het appartement onder de naam Katherine Jennings gehuurd.

'Ja?' vroeg ze.

'Ik ben Kevin Spinella van de *Argus*. Kan ik misschien even met u praten?'

'Nee, liever niet,' zei ze en ze wilde meteen de deur dichtduwen. Maar hij had zijn voet ertussen gestoken.

‘Ik wil alleen maar iets wat ik in de krant kan zetten.’
‘Sorry,’ zei ze. ‘Ik heb u niets te zeggen.’
‘Dus u bent niet blij dat de brandweer u hebt gered?’
‘Nee, dat heb ik helemaal niet...’
Shit. Hij was het al aan het opschrijven in zijn aantekenboekje.
‘Moet u horen, mevrouw Jennings... u bent getrouwd?’
Ze hapte niet.
Hij ging door. ‘Ik snap best dat u een zware beproeving achter de rug hebt... Is het goed als ik de fotograaf naar u toe stuur?’
‘Nee, dat is niet goed,’ zei ze. ‘Ik ben erg moe.’
‘Morgenochtend dan? Hoe laat komt het u het beste uit?’
‘Nee, dank u wel. En wilt u uw voet weghalen?’
‘Had u het gevoel dat uw leven gevaar liep?’
‘Ik ben heel erg moe,’ zei ze. ‘Dank u.’
‘Oké, ik snap het best, u hebt heel wat doorgemaakt. Weet u wat, ik kom morgen wel even langs met de fotograaf. Om een uur of tien? Is dat niet te vroeg voor u op zondagochtend?’
‘Sorry, ik wil niet in de krant.’
‘Mooi, nou, dan zie ik u morgenochtend wel.’ Hij haalde zijn voet weg.
‘Nee, dank u wel,’ zei ze ferm, toen duwde ze de deur dicht en deed hem zorgvuldig op slot. Shit, dat kon ze nu net gebruiken: haar foto in de krant. Trillend haalde ze haar sigaretten uit haar tas en stak er een op. Toen liep ze terug naar de keuken.

Achter in een oud wit busje dat in haar straat geparkeerd stond, zat een man, en ook hij stak een sigaret op. Toen trok hij een blikje Foster’s-bier open, voorzichtig zodat de dure elektronica die naast hem stond niet ondergesproeid werd, en hij nam een slok. Door de lens die in een klein gaatje was gestoken dat hij in het dak van het busje had geboord, kon hij haar appartement uitstekend zien, hoewel het momenteel gedeeltelijk achter een geparkeerde brandweerwagen verscholen werd. Maar evengoed, dacht hij, was het een welkome verandering in de lange wake.
En tot zijn tevredenheid kon hij, aan de schaduw die langs het raam liep, zien dat ze er was.
Oost west, thuis best, dacht hij en hij glimlachte wrang. Dat was bijna grappig.

32

11 september 2001

Lorraine, die nog steeds alleen een bikinibroekje en een gouden enkelketting droeg, zat in haar keuken op een kruk naar de kleine televisie te kijken die boven het aanrecht was bevestigd, en wachtte tot het water kookte. Er lagen zes sigarettenpeuken in de asbak voor haar. Ze had net weer een sigaret aangestoken en inhaleerde diep terwijl ze de telefoon tegen haar oor aan hield en praatte met haar beste vriendin Sue Klinger.

Sue en haar man Stephen woonden in een huis dat Lorraine altijd had willen hebben, een prachtige vrijstaande villa aan Tongdean Avenue – het werd door de meeste mensen als een van de mooiste huizen van Brighton and Hove beschouwd – met uitzicht op de hele stad en de zee. De Klingers hadden ook nog een villa in Portugal. Ze hadden vier mooie kinderen en alles wat Stephen aanraakte veranderde in goud, iets wat je van Ronnie niet kon zeggen. Ronnie had Lorraine beloofd dat als Sue en Stephen ooit hun huis wilden verkopen, ze op de een of andere manier het geld bij elkaar zouden schrapen om het te kunnen kopen. *Ja hoor, tuurlijk. Nou, mooi niet, schatje.*

Het filmpje van de twee vliegtuigen die de torens in vliegen werd opnieuw vertoond, en opnieuw en opnieuw. Alsof degene die het programma produceerde of regisseerde het ook niet kon geloven, en het maar bleef afspelen om zich ervan te verzekeren dat het echt waar was. Of misschien was diegene in shock en dacht hij dat als je de filmpjes maar vaak genoeg draaide, de vliegtuigen op een gegeven moment de torens wel zouden missen en er veilig langs zouden vliegen, en dan zou het weer een doodnormale dinsdagochtend in Manhattan zijn. Ze keek naar de oranje vuurbal, de dikke zwarte wolken en voelde zich steeds beroerder worden.

Nu lieten ze zien hoe de torens instortten. Eerst de zuidelijke, dan de noordelijke toren.

Het water kookte, maar ze reageerde niet, ze wilde haar ogen niet van het scherm af halen, voor het geval dat ze Ronnie zou missen. Alfie schurkte zich tegen haar been aan, maar ze lette er niet op. Sue zei iets tegen haar, maar Lorraine hoorde het niet omdat ze elke persoon op het scherm aandachtig bekeek.

'Lorraine? Hallo? Ben je daar nog?'

'Ja.'

'Ronnie is een overlever. Hij redt het wel.'

De theeketel schakelde zichzelf uit. *Overlever.* Zijn zus had dat woord ook gebruikt.

Overlever.

Verdorie, Ronnie, *wees een overlever.*

Ze hoorde het piepje dat aangaf dat ze een wisselgesprek had. Ze kon zich bijna niet inhouden en schreeuwde opgewonden: 'Sue, dat is Ronnie misschien wel! Ik bel je zo terug!'

O, Ronnie, alsjeblieft, ik hoop dat jij het bent. Alsjeblieft. Dit moet je gewoon zijn!

Maar het was zijn zus. 'Lori, ik hoorde net dat alle vliegtuigen in de Verenigde Staten aan de grond blijven.' Mo werkte voor British Airways als stewardess op de lange vluchten.

'Wat... Wat betekent dat?'

'Dat er geen vliegtuig meer in of uit mag. Ik zou morgen naar Washington vliegen. Er is geen vliegverkeer.'

Lorraine voelde weer een paniekgolf opkomen. 'Tot wanneer?'

'Geen idee, dat horen we nog wel.'

'Betekent dat dat Ronnie morgen niet terug kan?'

'Helaas niet, nee. Ik hoor er meer over in de loop van de dag, maar elk vliegtuig dat naar de Verenigde Staten onderweg is, moet rechtsomkeert maken. Wat inhoudt dat de vliegtuigen niet zullen zijn waar ze moeten zijn. Het wordt een grote chaos.'

'Heel fijn,' zei Lorraine somber. 'Echt heel fijn. Wanneer kan hij weer terugkomen, denk je?'

'Dat weet ik niet, ik breng je zo snel mogelijk op de hoogte.'

Lorraine hoorde een kind roepen en Mo zei: 'Wacht even, lieverd, mama is aan het bellen.'

Lorraine drukte haar sigaret uit. Toen sprong ze van de barkruk, met nog steeds haar blik op de televisie gericht, pakte een theezakje en een mok, en schonk het water erin. Nog steeds met haar ogen op het scherm gericht, zette ze een stap naar achteren en ze kwam hard in aanraking met de punt van de keukentafel.

'Verdomme!'

Ze zag een rode plek tussen de rij blauwe plekken, een paar waren nog purperkleurig en recent, andere geel en bijna vervaagd. Ronnie was slim, hij sloeg haar altijd op haar lichaam, nooit in haar gezicht. Zo kon ze de blauwe plekken makkelijk verbergen.

Na een van zijn – steeds vaker voorkomende – dronken woedeaanvallen huilde hij altijd en vroeg haar om vergeving.

En ze vergaf hem altijd.

Ze vergaf hem omdat ze zich zo ontoereikend voelde. Ze wist hoe graag hij dat ene wilde, dat wat zij hem, tot nu toe, niet had kunnen geven: het kind waar hij zo wanhopig naar verlangde.

En omdat ze bang was hem kwijt te raken.

En omdat ze van hem hield.

33

Oktober 2007

Het was niet het leukste weekend in zijn leven geweest, dacht Roy Grace maandagochtend om acht uur, terwijl hij in de kleine, stampvolle wachtkamer van de tandarts in een *Sussex Life* zat te bladeren. Hij had eigenlijk het gevoel dat de afgelopen week nog niet over was.

De sectie die dr. Frazer Theobald had uitgevoerd, had eindeloos lang geduurd: tot zaterdagavond negen uur. En Cleo, met wie niets aan de hand was tijdens de lijkschouwing, was op zondag erg kattig tegen hem geweest, wat niets voor haar was.

Ze wisten allebei dat het niemands schuld was dat het weekend was verpest, maar toch had hij het gevoel dat ze hem ervoor verantwoordelijk stelde. Net zoals Sandy het hem altijd verweet als hij uren te laat thuiskwam, of als ze op het laatste moment iets moesten afzeggen wat ze al weken van tevoren hadden geregeld omdat hij opeens weer moest werken. Alsof het zijn schuld was dat een jogger op vrijdagmiddag, in plaats van op een tijdstip dat veel beter uitkwam, een lijk in een sloot had ontdekt.

Cleo kende het klappen van de zweep. Ze wist beter dan menig ander hoe het eraan toeging bij de politie en ze wist dat ze lange uren maakten. Bij haar werk ging het er niet veel anders aan toe: ze kon op elk moment van de dag en nacht opgeroepen worden en dat gebeurde dan ook regelmatig. Dus waarom deed ze dan zo?

Ze was zelfs boos op hem geworden toen hij een paar uur naar zijn eigen huis was gegaan om het gras te maaien dat zo langzamerhand wel een oerwoud leek.

'Je had het toch ook niet kunnen maaien als we in Londen hadden gezeten?' had ze gezegd. 'Waarom ga je het dan nu wel doen?'

Zijn huis was het echte probleem, dat besefte hij heel goed. Zijn huis – het huis van hem en Sandy – werkte nog steeds als een rode lap op Cleo. Hoewel hij onlangs een hoop van Sandy's spullen had weggehaald, kwam Cleo nog steeds erg zelden langs en ze leek altijd bijzonder slecht op haar gemak áls ze er was. Ze hadden daar nog maar één keer gevrijd, en dat was voor geen van beiden een erg prettige ervaring geweest.

Sindsdien waren ze altijd naar Cleo's huis gegaan. Het gebeurde steeds vaker dat hij bleef slapen, en hij had inmiddels een scheerapparaat en zijn eigen doucheschuim bij haar thuis, net als een donker pak, een schoon wit overhemd, een effen stropdas en een paar donkere schoenen, zijn kloffie voor naar het werk.

Maar het was een zeer goede vraag geweest en hij had haar niet de waarheid verteld, want dan was het nog erger geworden. De waarheid was dat hij overstuur was door het skelet. Hij wilde een paar uur op zichzelf zijn om erover na te denken.

Om erover na te denken over hoe hij zich zou voelen als het Sandy was.

De relatie met Cleo was veel, veel dieper dan alle andere relaties die hij had gehad sinds Sandy was verdwenen. Maar hij was zich ervan bewust dat, ondanks het feit dat hij zijn best deed om door te gaan met zijn leven, Sandy toch tussen hen in bleef staan. Een paar weken geleden hadden ze tijdens een etentje allebei iets te veel op gehad, en Cleo had tussen neus en lippen door opeens gezegd dat ze er niet jonger op werd. Hij wist dat ze wilde dat hij zich zou binden, maar dat ze besefte dat dat nooit zou gebeuren zolang Sandy er nog was.

Dat was niet waar. Roy was gek op haar. Hield van haar. En hij dacht zeker na over een leven samen met haar.

En daarom was hij de avond ervoor ook zo gekwetst geweest toen hij naar haar huis was gegaan met een paar flessen rode Rioja, hun lievelingswijn van dat moment, en hij de voordeur met zijn sleutel open had gedaan en daar een zwarte puppy had gezien die op hem af kwam rennen, zijn pootjes om zijn been sloeg en op zijn sportschoenen had geplast.

'Humphrey, dit is Roy!' zei ze. 'Roy, dit is Humphrey!'

'Van wie is die nu weer?' vroeg hij verbijsterd.

'Van mij. Ik heb hem vanmiddag gekocht. Hij is vijf maanden oud en komt uit het asiel, hij is een kruising tussen een labrador en een border collie.'

Roys rechtervoet was onaangenaam warm door het plasje dat de puppy had gedaan. Hij voelde zich vreemd verward toen hij op zijn knieën ging zitten, en het hondje met zijn schuurpapieren tong over zijn hand likte. Hij was totaal van zijn stuk gebracht.

'Maar je hebt me helemaal niet verteld dat je een puppy wilde!'

'Ja, nou, er is anders genoeg wat jij mij niet vertelt, Roy,' zei ze luchtig.

Een oudere vrouw kwam de wachtkamer binnen. Ze keek hem achterdochtig aan met een blik van: ik ben toevallig wel vóór je, knul, en ze ging zitten.

Roys dag was vol gepland. Om negen uur had hij een afspraak met Alison Vosper over Cassian Pewe. Om kwart voor tien, later dan normaal, had hij de eerste vergadering van operatie Dingo, de naam die door de computer van Sussex House was gegeven aan de moordzaak van de Onbekende Vrouw, zoals het skelet in het riool voorlopig werd genoemd. En om halfelf werd hij verwacht bij het ochtendgebed, zoals ze de opnieuw ingestelde wekelijkse teamvergadering schertsend betitelden.

's Middags had hij een persconferentie over de vondst van het skelet. Er kon nog weinig verteld worden, maar hopelijk konden ze wel de leeftijd van de vrouw onthullen, haar fysieke kenmerken en de periode waarin ze was gestorven. Misschien kwam iemand dat allemaal bekend voor en herkende men haar. Aangenomen natuurlijk dat het niet Sandy was.

'Roy! Leuk je te zien!'

Steve Cowling stond in zijn witte jas in de deuropening en lachte zijn perfecte witte tanden bloot. Hij was lang, halverwege de vijftig, en had de stramme houding van een militair. Zijn onberispelijk gekamde haar was elke keer dat Roy hem zag weer wat grijzer, maar hij straalde charme en zelfverzekerdheid uit, gecombineerd met een jongensachtig enthousiasme, alsof een gebit werkelijk het meest opwindend ter wereld was.

'Kom erin, ouwe jongen!'

Grace knikte verontschuldigend naar de oudere dame, die er duidelijk gepikeerd uitzag, en liep achter de tandarts aan de lichte, ruime martelkamer in.

Hoewel Steve Cowling, net als hijzelf, elk bezoek weer wat ouder was, had de tandarts steeds weer een andere assistente, de een nog jonger en knapper dan de ander. De nieuwste, een brunette van begin twintig met lange benen, had een grote envelop in haar hand, glimlachte naar hem, en trok er toen een stapeltje negatieven uit en gaf ze met een flirterige glimlach aan Cowling.

Hij pakte het aluminium model op dat Roy hem twintig minuten eerder had gegeven. 'Oké, Roy. Dit is heel interessant. Ik kan je nu al zeggen dat dit beslist niet Sandy is.'

'Nee?' vroeg hij, een tikje teleurgesteld.

'Beslist niet.' Cowling wees naar de negatieven. 'Die zijn van Sandy, er is geen enkele overeenkomst. Maar het model bevat heel wat informatie waar we wat aan kunnen hebben.' Hij keek Grace stralend aan.

'Mooi.'

'Deze vrouw heeft een paar implantaten, en die waren in die tijd razend duur. Titanium schroefmodellen, gemaakt door Straumann, een Zwitsers bedrijf. Het is in wezen een holle cilinder die over de wortel wordt geplaatst, waarna die erin groeit zodat het permanent vast komt te zitten.'

Grace voelde tegenstrijdige emoties terwijl hij luisterde, hij kon zich opeens niet zo goed meer concentreren.

'Wat nu zo interessant is, ouwe jongen, is dat we deze ruwweg kunnen dateren, zodat je ongeveer kunt weten wanneer deze vrouw is overleden. Ze gingen er ongeveer vijftien jaar geleden uit. Ze heeft nog meer dure behandelingen ondergaan: kronen en bruggen. Als ze hier uit de buurt komt, dan zijn er volgens mij zo'n vijf à zes tandartsen die dit hadden kunnen doen. Het is het verstandigst om naar Chris Gebbie te gaan, die heeft zowel in Lewes als in Eastbourne een praktijk. Ik zal de gegevens van de anderen ook voor je opschrijven. Maar ze was duidelijk redelijk welgesteld.'

Grace luisterde, maar hij was met zijn hoofd ergens anders. Als dit skelet van Sandy geweest was, dan had het, hoe akelig ook, tenminste een soort afsluiting betekend. Maar nu bleef de martelende onzekerheid voortduren.

Hij wist niet of hij teleurgesteld of opgelucht moest zijn.

34

September 2007

Door de stank die uit de kofferbak opsteeg moest iedereen kokhalzen. Het leek wel een afvoerpijp die ontstopt was en waar na maanden – wellicht zelfs jaren – de rottingsgassen vrij kwamen.

Lisa deinsde achteruit, ze kneep haar neus dicht en sloot heel even haar ogen. De felle middagzon en de eeuwige vliegen maakten het zelfs nog erger. Toen ze haar ogen weer opende en door haar mond naar adem hapte, was de stank nog net zo erg. Ze moest echt moeite doen om niet over te geven.

MJ zag er evenmin erg blij uit, maar ze deden het wel beter dan de paniekerige agent die zich van de auto af had gedraaid en nu op zijn knieën zat te kotsen. Lisa hield haar adem in, lette niet op MJ die haar naar achteren wilde trekken, en zette een paar stappen naar de kofferbak toe. Toen keek ze erin.

En wilde dat ze dat maar niet had gedaan. De grond onder haar voeten bewoog opeens. Ze hield MJ's hand stevig vast.

Ze zag iets wat op een etalagepop leek en in een brand was gesmolten, voordat ze besefte dat het een lijk was. De overleden vrouw vulde bijna de hele kofferbak, lag gedeeltelijk onder het slijmerige, glinsterende, zwarte water dat langzaam wegliep. Haar haar, dat tot op haar schouders kwam, lag uitgespreid als samengeklit onkruid. Haar borsten hadden een zeepachtige kleur en samenstelling, en er zaten bijna overal grote zwarte plekken op haar huid.

'Is ze verbrand?' vroeg MJ, die graag alles wilde weten, aan de kleinere agent.

'Dat... Nee, nee, maat, dat zijn geen brandwonden. De huid is daar weggerot.'

Lisa keek naar het gezicht van het stoffelijk overschot, maar het was opgezwollen en vormeloos, als het hoofd van een smeltende sneeuwpop. Haar schaamhaar was nog wel aanwezig, de harige bruine driehoek zag er zo levendig uit dat het gewoon onwerkelijk leek, alsof iemand het er als een groteske grap op had geplakt. Ze voelde zich haast schuldig als ze ernaar keek. Schuldig omdat ze daar naar het lijk stond te kijken, alsof de dood privé was en zij zich opdrong.

Maar ze kon haar blik er niet vanaf houden. Dezelfde vragen spookten maar in haar hoofd rond: wat is er met jou gebeurd, arm mens? Wie heeft jou dit aangedaan?

Uiteindelijk vermande de paniekerige agent zich en kwam hij naar hen toe, hij zei dat het een plaats delict was en dat hij het af moest schermen met politielint.

Ze deden een paar stappen naar achteren, maar bleven kijken, alsof het een aflevering van CSI was. Geschokt, aangedaan en verdoofd, maar naarmate er dingen gebeurden, steeds nieuwsgieriger. MJ haalde water en honkbalpetjes uit de auto en Lisa dronk dankbaar wat, en zette toen de pet op om zich tegen de brandende zon te beschermen.

Er kwam een wit busje van de TR aanrijden. Twee mannen in een T-shirt en een lange broek stapten uit en trokken een overall aan. Toen kwam er een kleiner blauw busje aan, waar een fotograaf uit tevoorschijn kwam. Even later reed een blauwe VW Golf naar hen toe waar een jonge vrouw uit sprong. Ze was in de twintig, droeg een spijkerbroek en een witte bloes, had blond kroeshaar en ze stond even om zich heen te kijken. Ze had een opschrijfblok bij zich en een kleine taperecorder. Toen liep ze naar MJ en Lisa toe.

'Hebben jullie de auto ontdekt?' Ze had een aangename maar zakelijke stem.

Lisa wees naar MJ. 'Hij heeft hem ontdekt.'

'Ik ben Angela Parks,' zei ze. 'Van *Age*. Kunnen jullie me vertellen wat er precies is gebeurd?'

Een stoffige goudkleurige Holden kwam aanrijden. Terwijl MJ zijn verhaal vertelde, keek Lisa naar de twee mannen in wit overhemd en stropdas die uitstapten. De ene was fors, met een ernstig, jongensachtig gezicht, en de andere zag eruit als een nachtclubportier: lang, gespierd, wel een tikje te zwaar, met een kaal hoofd en een kleine rode snor. Hij zag er uitermate geïrriteerd uit, waarschijnlijk omdat hij in het weekend moest werken, dacht Lisa, hoewel ze al snel ontdekte dat het anders zat.

'Stomme idioot!' schreeuwde hij bij wijze van begroeting tegen de paniekerige agent terwijl hij een eindje voor het politielint bleef staan. 'Je hebt het helemaal verknald! Je hebt toch verdomme een opleiding gehad? Wat heb je met mijn plaats delict uitgehaald? Je hebt het niet alleen besmet, je hebt het verdomme ontheiligd! Wie heeft je goddomme verteld om die auto uit het water te halen?'

De paniekerige agent stond even met zijn mond vol tanden. 'Ja, sorry hoor, meneer. We hebben het geloof ik een beetje verkeerd aangepakt.'

'Je staat er nu verdomme middenin!'

De lange politieman liep naar Lisa en MJ toe en knikte naar de verslaggeefster. 'Hoe gaat het, Angela?'

'Ja, goed. Leuk je weer te zien, rechercheur Burg,' zei ze.

Toen kwam zijn collega, de portier, met grote passen aan lopen, alsof hij heer en meester was van de oever en de grond eromheen. Hij knikte terloops naar de verslaggeefster en zei toen tegen Lisa en MJ: 'Ik ben inspecteur George Fletcher.' Hij kwam professioneel en verrassend zachtaardig over. 'Hebben jullie de auto ontdekt?'

MJ knikte. 'Ja.'

'Ik wil van jullie allebei een verklaring hebben. Vinden jullie het erg om daarvoor naar het politiebureau van Geelong te gaan?'

MJ keek naar Lisa, toen weer naar de inspecteur. 'Nu meteen, bedoelt u?'

'In de loop van de dag.'

'Geen punt, natuurlijk. Maar ik kan u niet erg veel vertellen.'

'Oké, dat zien we dan wel. Mijn rechercheur zal uw gegevens noteren.'

De verslaggeefster hield de taperecorder onder de neus van de politieman. 'Inspecteur Fletcher, denkt u dat er een verband is tussen de Melbournebendes en deze overleden vrouw?'

'U loopt al langer mee dan ik, mevrouw Parks. Ik heb voorlopig nog geen commentaar. We gaan eerst uitzoeken wie ze is.'

'Was,' corrigeerde de verslaggeefster hem.

'Nou, als u op alle slakken zout wilt leggen, kunnen we maar beter even wachten tot de lijkschouwer haar dood verklaart.'

Hij grijnsde uitdagend, maar niemand glimlachte terug.

35

11 september 2001

Behalve de chauffeur, die maar bleef kletsen, deed niemand zijn mond open. De man leek wel een televisie in een bar, waarvan het geluid irritant hard stond en die je niet uit kon zetten of op een andere zender kon zetten. Ronnie wilde naar het nieuws op de autoradio luisteren, wilde alles op een rijtje zetten, maar door het geklep van de chauffeur lukte hem dat niet.

Bovendien kon Ronnie door het zware Brooklyn-accent van de man de helft niet verstaan. Maar omdat de chauffeur zo vriendelijk was geweest hem een lift te geven, kon hij moeilijk tegen hem zeggen dat hij zijn kop moest houden. Dus zat hij daar maar, met een half oor te luisteren, en af en toe te knikken. Soms zei hij: 'Ja' of 'Echt waar?' of 'Dat meen je toch niet', afhankelijk van wat het meest toepasselijk leek.

De man gaf af op bijna alle etnische minderheden in zijn fantastische Amerika, en vervolgens had hij het over zijn ladders in de South Tower. Dat scheen hem behoorlijk dwars te zitten. De Belastingdienst zat hem ook behoorlijk dwars en hij schold een tijdje op het belastingstelsel.

Toen viel hij gelukkig even stil en was de radio te horen. De geesten achter Ronnie in de pick-up bleven stil. Misschien luisterden ze wel naar de radio, misschien waren ze in shock en konden ze niets opnemen.

Het was een samenvatting. Een opsomming van alles wat er was voorgevallen en wat hij al wist. En George Bush zou wat gaan zeggen. In de tussentijd was burgemeester Giuliani onderweg naar het centrum. Amerika werd aangevallen. Als er meer bekend werd, dan zouden ze dat uitzenden.

In Ronnies hoofd nam zijn plan steeds meer vaste vorm aan.

Ze reden over een brede, verlaten straat. Rechts van hen was een strook gras met bomen en lantaarns. Naast het gras lag een voetgangerspad, of een fietspad, met een hek ernaast. Daar weer naast lag nog een straat, parallel aan die van hen, waar auto's en busjes stonden geparkeerd. Aan weerszijden ervan stonden woningen opgetrokken uit rode baksteen, die niet erg hoog waren, vergeleken met de monolieten in Manhattan. Na bijna een kilometer werden dat grote, hoekige, vrijstaande woonhuizen die wellicht door gezinnen werden bewoond of waren onderverdeeld in appartementen. Het zag eruit als een welvarende wijk. Aangenaam en rustig.

Ze reden langs een bordje waar OCEAN PARKWAY op stond.

Hij zag een ouder echtpaar langzaam over de stoep wandelen en vroeg zich af of ze wisten dat er aan de rivier maar een klein eindje verderop een drama plaatsvond. Waarschijnlijk niet. Als ze het hadden geweten, dan hadden ze wel voor de tv gezeten. Behalve het stel was er verder niemand te zien. Goed, op dit tijdstip op een doordeweekse dag zouden normaal gesproken een hoop mensen op hun werk zitten. Maar moeders zouden toch met hun kinderen wandelen. Mensen zouden hun hond uitlaten. Jongeren zouden rondhangen. Er was niemand. Het verkeer viel ook mee. Helemaal niet druk.

'Waar zijn we?' vroeg hij aan de chauffeur.

'In Brooklyn.'

'O, oké,' zei Ronnie. 'Nog steeds in Brooklyn.'

Hij zag een gebouw waar YESHIVA CENTRUM op stond. Het leek wel alsof ze al uren aan het rondrijden waren. Hij had nooit geweten dat Brooklyn zo groot was. Groot genoeg om erin te verdwalen, om erin zoek te raken.

Hij moest opeens denken aan een paar regels uit *The Jew of Malta*, een toneelstuk van Christopher Marlowe. Dat had hij niet eens zo lang geleden samen met Lorraine en de Klingers in het Theatre Royal in Brighton gezien.

But that was in another country.
And besides, the wench is dead.

De straat ging nog steeds rechtdoor. Ze kwamen bij een kruising waar de elegante rode bakstenen plaatsmaakten voor betonnen flats. Toen opeens reden ze onder een donkergroen stalen treinviaduct door.

De chauffeur zei: 'Russen. Dit hele gebied is nou van die klere-Russen.'

'Russen?' vroeg Ronnie.

De chauffeur wees naar een paar opzichtige etalages. Een nagelstudio. De Sjostakovitsj Muziek-, Kunst- en Sportschool. Overal waren Russische letters te zien. Hij zag een apotheek in cyrillisch schrift aangeduid. Tenzij je Russisch verstond, had je geen idee wat de meeste zaken waren. En hij sprak geen woord Russisch.

'Klein Odessa,' zei de chauffeur. 'Eén grote kutkolonie. Dat was het vroeger toen ik nog klein was niet, hoor. Perestrojka, glasnost, weet je wel? Ze mogen reizen en ja hoor: ze gaan allemaal hiernaartoe! De hele wereld wordt anders, snap je?'

Ronnie had de neiging om de man te zeggen dat de hele wereld ook voor de indianen ooit anders was geworden, maar hij wilde niet uit de truck gezet worden.

Dus zei hij alleen maar: 'Ja.'

Ze maakten een bocht naar rechts en kwamen in een doodlopende straat terecht. Achter in de straat stond een rijtje zwarte verkeerspaaltjes met daarachter een promenade en vervolgens het strand en de oceaan.

'Brighton Beach. Mooie plek. Hier zitten we veilig. Voor de vliegtuigen,' zei de chauffeur, die Ronnie op die manier duidelijk maakte dat dit het eindpunt van de rit was.

De chauffeur draaide zich om naar de geesten achterin. 'Coney Island. Brighton Beach. Ik moet terug om mijn ladders te halen, mijn harnas, al mijn spullen. Dure spullen, weet je.'

Ronnie maakte zijn gordel los, bedankte de man uitbundig en drukte zijn grote eeltige hand.

'Voorzichtig aan, vriend.'

'Jij ook.'

'Zeker weten.'

Ronnie maakte het portier open en sprong op het asfalt. Hij rook meteen de zee. En een vleugje rook en vliegtuigbrandstof. Zo vaag dat hij zich hier veilig voelde. Maar niet zo vaag dat hij zijn plannetje vergat.

Zonder naar de geesten om te kijken, liep hij, bijna met goede moed, naar de promenade en hij haalde zijn mobieltje tevoorschijn om te kijken of die echt wel uitgeschakeld was.

Toen bleef hij staan en hij keek over het brede strand naar de grote golvende groenblauwe oceaan en de vage oriëntatiepunten in de verte. Hij ademde diep in. En nog eens. Zijn plannetje was nog redelijk vaag en moest nog flink worden bijgeschaafd.

Maar hij was helemaal opgewonden.

Extatisch.

Niet veel mensen in New York stompten op 11 september 2001 gelukzalig in de lucht. Maar Ronnie Wilson wel.

36

Oktober 2007

Abby hield een kop thee in haar trillende handen en keek tussen de jaloezieen door naar de straat. Haar ogen waren rood van drie slapeloze nachten achter elkaar. Angst had haar in zijn greep.

Ik weet waar je bent.

Haar koffer stond bij de deur, ingepakt en dicht geritst. Ze keek op haar horloge: vijf voor negen. Over vijf minuten zou ze het telefoontje plegen dat ze de dag ervoor om negen uur al had gepland. Het was ironisch, dacht ze, dat ze bijna haar hele leven een hekel aan maandagochtend had gehad. Maar de dag ervoor had ze niets liever gewild dan dat het al maandagochtend was.

Ze was banger dan ze ooit in haar hele leven was geweest.

Ze kon het natuurlijk volledig mis hebben en onnodig in paniek zijn geraakt, maar volgens haar was hij daar ergens, wachtend, en hield hij haar voortdurend in de gaten. Hij wachtte en hield haar in het oog en hij was wóédend.

Had hij de lift onklaar gemaakt? En het alarm ook? Had hij genoeg kennis om dat te doen? Ze stelde zich steeds weer opnieuw dezelfde vragen.

Ja, hij was vroeger monteur geweest. Hij kon mechanische en elektrische dingen repareren. Maar waarom zou hij de lift onklaar hebben gemaakt?

Ze deed haar best dat te begrijpen. Als hij wist waar ze was, waarom had hij haar dan niet ergens opgewacht? Waarom zou hij haar in de lift opsluiten? Als hij tijd nodig had om bij haar in te breken, dan had hij toch gewoon kunnen wachten tot ze een keertje wegging?

Telde ze, in haar paniek, twee en twee bij elkaar op en maakte ze er vijf van?

Zou kunnen. Maar misschien ook niet. Ze wist het gewoon niet. Dus ze was de dag ervoor de hele dag binnen gebleven, in plaats van dat ze een krant was gaan kopen. Ze had niet voor de tv gehangen, zoals ze anders altijd deed, maar had op dezelfde plek als ze nu zat gezeten, en de straat in de gaten gehouden, terwijl ze naar de ene na de andere Spaanse les op haar koptelefoon luisterde, en de woorden en zinnen hardop uitsprak.

Het weer was slecht geweest op zondag: een zuidwester storm vanaf Het Kanaal die de regen over de stoep, de plassen, de geparkeerde auto's en de voetgangers blies.

En juist die auto's en voetgangers hield ze in de gaten, door de regen heen die ook deze dag nog met bakken tegelijk naar beneden kwam. Ze had toen ze was opgestaan meteen naar de auto's en busjes gekeken. Er waren maar een paar bij gekomen sinds ze naar bed was gegaan. In deze buurt waren veel te weinig parkeerplekken, dus als iemand eindelijk een plekje had, dan lieten ze de auto er zo lang mogelijk staan. Als ze wegreden, werd hun plekje meteen in beslag genomen en als ze terugkwamen, moesten ze de auto een paar straten verderop neerzetten.

Ze had zondag twee bezoekers gehad: een fotograaf van de *Argus*, die ze over de intercom had gezegd dat hij weg moest gaan, en Tomasz de conciërge, die zijn excuses aan kwam bieden, misschien wel uit angst dat hij zijn baantje kwijt zou raken, en hoopte dat ze geen klacht tegen hem zou indienen als hij aardig tegen haar was. Hij legde uit dat de werklui de lift waarschijnlijk te zwaar belast hadden en het liftmechaniek hadden beschadigd. Maar hij kon niet overtuigend uitleggen waarom de alarmbel, die in zijn flat te horen had moeten zijn, het niet had gedaan. Hij verzekerde haar dat het liftbedrijf ermee bezig was, maar door de schade die de brandweermannen hadden veroorzaakt, zou het nog wel een paar dagen duren voordat de lift het weer deed.

Ze werkte hem zo snel mogelijk de deur uit, omdat ze de straat weer in het oog wilde houden.

Ze belde haar moeder, maar die zei niets over eventuele telefoontjes die ze had gehad. Abby deed net of ze nog steeds in Australië zat en het uitstekend naar haar zin had.

Soms ging het wel eens mis met sms'jes, werden ze verzonden naar het verkeerde nummer. Was dat met deze ook het geval?

Ik weet waar je bent.

Zou kunnen.

Was ze doordat ze in de lift had vastgezeten paranoïde geworden en trok ze daardoor te snel conclusies? Dat zou een hele opluchting zijn. Maar dat kon ze zich niet veroorloven. Ze had geweten dat waar ze mee bezig was gevaarlijk zou kunnen zijn. Ze wist dat ze het alleen zou overleven als ze constant op haar hoede was. Hoe lang dat ook mocht duren.

De enige reden waarom ze de dag ervoor had geglimlacht, was vanwege weer zo'n prachtig sms'je van hem. Dat ging als volgt:

'Je houdt niet van een vrouw omdat ze mooi is, ze is mooi omdat je van haar houdt.'

Zij had terug ge-sms't:

'Door haar schoonheid wordt je aandacht getrokken, maar haar persoonlijkheid verovert je hart.'

Ze zag deze zondag niets ongewoons op straat. Er waren geen vreemden die haar in de gaten hielden. Geen Ricky. Alleen regen. Alleen mensen. Het leven ging door.

Het normale leven.

Waar ze – maar nu niet lang meer, beloofde ze zichzelf – geen deel meer van uitmaakte. Maar dat zou binnenkort allemaal veranderen.

37

Oktober 2007

De regen kletterde op het dak en het busje schommelde bij elke sterke windvlaag heen en weer. Hoewel hij warm was aangekleed, had hij het nog steeds koud. Omdat hij geen aandacht wilde trekken, durfde hij de motor maar heel af en toe aan te zetten. Gelukkig had hij wel een zachte matras, boeken, een Starbucks-vestiging in de buurt en muziek op zijn iPod. Vlakbij, aan de promenade, stond een openbaar toilet waar hij zich ook kon wassen en het was ook nog eens buiten het zicht van de vele veiligheidscamera's. Erg handig dus.

Hij had ooit eens van iemand een boek gekregen waarin de zin stond: seks is het leukste wat je kunt doen zonder dat je erbij hoeft te lachen.

Dat klopte niet, vond hij. Wraak was soms ook erg leuk. Net zo leuk als seks.

In het raampje van het portier aan de andere kant zat nog steeds een stuk karton geklemd waarop met rode letters TE KOOP stond, hoewel hij de bus al meer dan twee weken geleden voor driehonderdvijftig pond, handje contantje, had gekocht. Hij wist dat Abby erg slim was en dat ze de auto's elke dag in de gaten hield. Als hij het bordje weghaalde, dan viel haar dat misschien op. Dus als de vorige eigenaar er de balen van had dat er nog steeds mensen belden die het busje wilden kopen, had hij pech gehad. Hij had de wagen niet gekocht om ermee te rijden, hij had hem gekocht vanwege het uitzicht. Hij kon van hieruit elk raam van haar flat zien.

Het was de perfecte parkeerplaats. Het busje had een geldige sticker van de wegenbelasting, en van de apk-keuring, plus een dat hij daar als bewoner mocht parkeren. Ze waren alle drie nog drie maanden geldig.

Maar tegen die tijd zou hij allang weg zijn.

38

Oktober 2007

Het was verdomme elke keer hetzelfde liedje. Hoe zelfverzekerd Roy Grace ook naar dit imposante gebouw toe ging, elke keer weer dat hij er aankwam was daar weinig meer van over.

Malling House, het hoofdkwartier van de politie van Sussex, was maar een kwartier rijden van zijn kantoor. Maar het was een heel andere wereld. Wat heet, dacht hij, terwijl hij onder de open slagboom langs het bewakershokje door reed, het was een heel ander universum.

Het was een samenraapsel van gebouwen op de rand van Lewis, de hoofdstad van Oost-Sussex, waarin de administratie en het bestuur van de vijfduizend politiemensen en medewerkers van de politie van Sussex waren gevestigd.

Twee gebouwen vielen het meest op. Het ene, bestaande uit drie etages, was opgetrokken uit futuristisch glas en bakstenen, en huisvestte de controlekamer, de afdeling Criminaliteit, de meldkamer en het commandocentrum, alsmede bijna alle computers voor de hele politiemacht. Het andere, waar het hoofdkwartier zijn naam aan had te danken, was een imposante uit rode bakstenen opgetrokken Queen Anne-villa, dat vroeger een woonhuis was geweest en nu een perfect onderhouden monument was.

Hoewel het gelegen was naast slecht onderhouden parkeerterreinen, lage nieuwbouwwoningen, moderne bungalows en een donker gebouw zonder ramen met een lange schoorsteen dat Grace altijd deed denken aan een textielfabriek uit Yorkshire, stak het fier af. Het huisvestte het kantoor van de korpschef, de adjunct-korpschef en adjunct-hoofdcommissarissen, onder wie Alison Vosper, alsmede hun ondersteunende staf en een aantal ervaren politiemensen die daar tijdelijk of permanent werkten.

Grace vond een plekje voor zijn Alfa Romeo, en liep toen naar Alison Vospers kantoor, dat zich op de begane grond aan de voorkant van het herenhuis bevond. Het grote schuifraam keek uit op de inrit van gravel en het ronde perkje daarachter. Het was vast erg fijn om in deze kamer te werken, dacht hij, in deze rustige oase, ver weg van de propvolle, donkere ruimten in Sussex House. Soms dacht hij dat hij de verantwoordelijkheid en het machtsgevoel dat erbij hoorde wel prettig zou vinden, maar dan vroeg hij zich af of hij wel met de politiek om kon gaan. Met name die verdomde, verraderlijke politieke correctheid die de hotemetoten nu eenmaal veel meer moesten naleven dan de gewone politiemensen.

De adjunct-hoofdcommissaris was de ene dag je beste vriend en de volgende dag je ergste vijand. Het leek al een hele tijd geleden dat ze Grace' beste vriend was geweest. Hij stond voor haar bureau, er helemaal aan gewend dat ze maar zeer zelden mensen uitnodigde te gaan zitten, omdat ze de gesprekken zo kort mogelijk wilde houden.

Dit keer hoopte hij dat niet mocht gaan zitten. Hij wilde liever staan als hij tekeerging, dan torende hij tenminste boven haar uit.

Ze stelde hem niet teleur. Ze schonk hem een lange, kille blik en zei toen: 'Ja, Roy?'

En opeens stond hij te trillen op zijn benen. Alsof hij op het matje was geroepen bij de hoofdmeester op school.

Ze was begin veertig, had kort, blond haar in een zakelijke coupe en een hard, maar niet onaantrekkelijk gezicht. Adjunct-hoofdcommissaris Alison Vosper was niet erg blij. Ze had een blauw mantelpakje en een helderwitte blouse aan en ze zat met een gezicht als oorwurm aan haar enorme, zeer opgeruimde rozenhouten bureau.

Grace vroeg zich altijd af hoe het zijn meerderen lukte hun kantoor – en hun bureau – zo netjes te houden. Zijn hele loopbaan was zijn werkplek één grote puinhoop geweest. Overal dossiers, onbeantwoorde post, zoekgeraakte pennen, bonnetjes en een bakje voor de uitgaande post dat het allang had opgegeven om gelijke tred te houden met het bakje voor de binnenkomende post. Hij was al heel lang geleden tot de conclusie gekomen dat hij nooit hogerop zou komen omdat hij het niet in zich had om met papierwerk om te gaan.

Het verhaal ging dat Alison Vosper drie jaar geleden geopereerd was aan borstkanker. Maar Grace wist dat het bij een roddel zou blijven, omdat ze een muur om zich heen had opgetrokken. Maar toch zat er achter haar masker van harde politievrouw een zekere kwetsbaarheid die hem aantrok. Ze was eerlijk gezegd helemaal niet onaantrekkelijk en soms sprankelden haar felle bruine ogen en had hij het gevoel dat ze bijna met hem flirtte. Maar deze ochtend niet.

'Fijn dat u met me wilt praten, mevrouw.'

'Je hebt vijf minuten.'

'Goed.'

Shit. Zijn zelfvertrouwen brokkelde al af.

'Ik wil het met u hebben over Cassian Pewe.'

'Inspecteur Pewe?' vroeg ze, alsof ze hem op een subtiele manier wilde herinneren aan de rang van de man.

Hij knikte.

Ze spreidde haar armen. 'En?'

Ze had dunne polsen en mooi gemanicuurde handen, die er op de een of andere manier ouder en rijper uitzagen dan de rest van haar lichaam. Alsof ze wilde benadrukken dat de politie niet langer een mannenwereld was, maar dat er alleen nog steeds veel mannen bij zaten, droeg ze een groot, opzichtig mannenhorloge.

'Weet u...' Hij aarzelde, wat hij had willen zeggen, buitelde over elkaar heen in zijn hoofd.

'Ja?' Zo te horen raakte haar geduld op.

'Nou, hij is een slimme vent.'

'Hij is een erg slimme vent.'

'Zeker weten.' Roy kromp ineen onder haar blik. 'Weet u, hij belde me zaterdag op. Over operatie Dingo. Hij zei dat u had voorgesteld dat hij me zou bellen, dat ik misschien wel zijn hulp kon gebruiken.'

'Dat klopt.' Ze nam nuffig een slokje water uit een kristallen glas op haar bureau.

Worstelend tegen haar priemende blik zei hij: 'Ik denk alleen dat hij beter wellicht iets anders kan doen.'

'Dat maak ik wel uit,' kaatste ze terug.

'Nou, natuurlijk, maar...'

'Maar?'

'Dit is een oude zaak. Dat skelet heeft er zeker tien, vijftien jaar gelegen.'

'Is al bekend wie het was?'

'Nee, maar ik heb wel een paar goede aanwijzingen. Ik hoop vandaag met de gebitsgegevens een eind verder te komen'

Ze draaide de dop op de fles en zette hem op de grond. Vervolgens plaatste ze haar ellebogen op het glimmende rozenhout en sloeg haar vingers in elkaar. Hij ving een vleug van haar parfum op. Het was een andere dan de laatste keer – een paar weken geleden – dat hij hier was geweest. Meer muskusachtig. Meer sexy. Hij had zich wel eens afgevraagd hoe het zou zijn om met deze vrouw naar bed te gaan. Hij had het gevoel dat ze voortdurend alles zou sturen. En hoewel ze een man binnen de kortste keren een stijve kon bezorgen, kon ze zijn pik net zo snel weer laten verschrompelen.

'Roy, wist jij dat de politie van Londen een van de eerste politiekorpsen in Groot-Brittannië was die geen papieren rompslomp meer aan het hoofd heeft als ze iemand arresteren? Dat ze nu burgers aannemen die dat voor hen doen, zodat de politiemensen daar geen twee tot vier uur mee kwijt zijn?'

'Ja, dat weet ik.'

'Het is de grootste en meest vernieuwende politiemacht in ons land. Dus wat denk je, zouden we iets van Cassian kunnen leren?'

Het viel hem op dat ze de man bij zijn voornaam noemde. 'Ik denk wel dat we... Daar twijfel ik niet aan.'

'Heb je wel eens over je eigen functioneren nagedacht, Roy?'

'Mijn functioneren?'

'Ja. Over hoe je dit jaar hebt gefunctioneerd.'

Hij haalde zijn schouders op. 'Ik wil mezelf natuurlijk niet op de borst slaan, maar volgens mij heb ik het wel goed gedaan. Suresh Hossain heeft levenslang gekregen. We hebben drie zware misdrijven opgelost. Twee grote misdadigers komen binnenkort voor de rechter. En we schieten lekker op met een paar oude zaken.'

Ze keek hem zonder iets te zeggen even aan, toen vroeg ze: 'Wat is jouw definitie van succes?'

Hij zocht zijn woorden zorgvuldig uit, omdat hij wist wat er zou komen. 'Overtreders oppakken, ze door het OM laten aanklagen en veroordeeld krijgen.'

'Gebeurt dat oppakken van verdachten zonder na te denken over de kosten of het gevaar voor het publiek of jouw mensen?'

'Indien mogelijk moeten de risico's van tevoren beoordeeld worden. Als we er middenin zitten, kan dat vaak niet. Dat weet u. U moet het zelf ook wel eens hebben meegemaakt dat u in een oogwenk een beslissing moest nemen.'

Ze knikte en was even stil. 'Nou, heel fijn, Roy. Je kunt daar vast lekker door slapen.' Toen viel ze weer stil en ze schudde met haar hoofd op een manier die hij niet prettig vond.

Hij hoorde in een ander kantoor in de verte een telefoon gaan die niet werd opgenomen. Toen gaf Alison Vospers mobieltje aan dat er een sms binnen was gekomen. Ze pakte hem op, keek naar het schermpje en legde het toestel weer op haar bureau.

'Ik zie dat toch anders, Roy. En het Onafhankelijke Klachtenbureau voor de Politie ook. Oké?'

Grace haalde zijn schouders op. 'Hoezo?' Hoewel hij het eigenlijk al wist.

'We zullen eens naar de drie grote operaties van de afgelopen maanden kijken. Operatie Salsa. Bij die zaak die jij onder je hoede had, werd een bejaarde burger gekidnapt en verwond. Twee verdachten kwamen om bij een auto-ongeluk, en jij zat in de auto die hen achtervolgde. In operatie Nachtegaal werd een van je mensen neergeschoten en een andere zwaargewond tijdens een achtervolging, die ook resulteerde in een auto-ongeluk waarbij nog een politieman zwaargewond raakte.'

Die politieman was Cassian Pewe geweest. Waardoor hij pas maanden later hier aan de slag kon gaan.

Ze ging door. 'Je had een helikopterongeluk, en een heel gebouw brandde af, met daarin drie slachtoffers die niet meer geïdentificeerd konden worden. En in operatie Kameleon zat je een verdachte achterna over een spoorlijn, waarbij hij verminkt raakte. En daar ben jij trots op? Je vindt niet dat jouw aanpak wel enigszins verbeterd kan worden?'

Roy was eigenlijk inderdaad trots. Heel erg trots zelfs, uitgezonderd natuurlijk dat zijn mensen gewond waren geraakt, waar hij zichzelf eeuwig de schuld van zou geven. Misschien wist ze inderdaad niet hoe het zat, of wilde ze het niet weten.

Hij was voorzichtig met zijn antwoord. 'Als je een operatie achteraf bekijkt, dan kun je altijd wel iets zien wat beter aangepakt had kunnen worden.'

'Precies,' zei ze. 'En daar is inspecteur Pewe nu voor. Met zijn ervaring bij het beste politiekorps in het land.'

Hij had heel graag gezegd: dat heb je helemaal mis. Die man is een gigantische eikel. Maar hij had nu nog meer dan daarvoor het gevoel dat Alison

Vosper iets anders voorhad met die man. Misschien ging ze wel met hem naar bed. Oké, dat was niet erg waarschijnlijk, maar er moest iets meer zijn, Pewe had haar op de een of andere manier in de tang. Maar goed, het was duidelijk dat Roy op dit moment niet haar lievelingetje was.

Dus, wat maar zeer zelden gebeurde, ging hij dit keer eens mee met wat van hem werd verlangd.

'Goed,' zei hij. 'Fijn dat u me dat hebt uitgelegd. Daar heb ik echt wat aan.'

'Mooi,' zei ze.

Grace liep in gedachten verzonken de kamer uit. De afgelopen vijf jaar hadden er vier inspecteurs in Sussex House gewerkt. Dat ging prima. Ze hadden er niet nog een nodig. Nu waren er vijf, terwijl ze mankracht tekortkwamen bij de gewone agenten en ze ver over het budget zaten. Het zou niet lang duren voordat Vosper en haar collega's het aantal weer terug zouden willen brengen tot vier. En driemaal raden wie er dan zijn ontslag kreeg of, beter gezegd, overgeplaatst werd naar een of ander gat.

Hij moest een plan verzinnen. Iets waardoor Cassian Pewe een kuil voor zichzelf groef.

Maar voorlopig kon hij nergens op komen.

39

Oktober 2007

Hij zou een moord kunnen doen voor een *latte* van Starbucks. Of voor een gewoon vers bakkie koffie. Maar hij durfde zijn observatiepost niet te verlaten. Er was maar één uitgang in haar gebouw, of ze nu de lift of de brandtrap gebruikte, en dat was door de voordeur waar hij naar zat te kijken. Hij wilde geen enkel risico nemen. Ze was al veel te lang binnen geweest, veel langer dan normaal, en hij had het vermoeden dat ze iets van plan was.

Het was al moeilijk en duur genoeg geweest haar op te sporen. Hij had maar één gelukje daarbij gehad: een oude vriend op de juiste plek.

Nou ja, in wezen op de verkeerde plek, want Donny Winters zat wegens identiteitsroof en fraude opgesloten, maar dat was in Ford, de open gevangenis, waar ze redelijke bezoekuren hadden. Bovendien was het nog geen uur rijden hier vandaan. Het was wel een gok om naar hem toe te gaan, en het had hem een hoop geld gekost omdat hij op aanraden van Donny een hele lading afluisterapparatuur had gekocht.

Maar hij had natuurlijk gelijk gehad. Iedere vrouw belde haar moeder. En Abby's moeder was ziek. Abby dacht dat ze veilig belde vanaf een prepaid mobieltje waarvan het nummer werd afgeschermd. Stom wijf.

Stom, inhalig wijf.

Hij keek met een glimlach naar de GSM 3060 Intercept, die op een houten kist voor hem stond. Als je je binnen het bereik van het mobieltje bevond als de eigenaar ervan belde of werd gebeld, dan kon je meeluisteren. Wat ook heel handig was, was dat hij de telefoonnummers te zien kreeg, zowel van de beller, al werd dat afgeschermd, als van de gebelde, of dat nu een gsm was of een vast toestel. Maar dat wist zij natuurlijk niet.

Hij had vlak bij haar moeders flat in Eastbourne in een gehuurde auto zitten wachten totdat Abby zou bellen. Hij had niet lang hoeven wachten. Donny hoefde toen maar één belletje te plegen: naar een corrupte vriend die telefoonmasten installeerde voor mobieltjes. Binnen twee dagen wist hij welke mast Abby's gsm-signalen oppikte.

Hij was erachter gekomen dat masten voor mobieltjes in dichtbewoonde gebieden over het algemeen maar zo'n tweehonderd meter van elkaar verwijderd stonden en vaak zelfs nog minder dan dat. En hij had van Donny gehoord dat mobieltjes niet alleen konden bellen en gebeld konden worden, maar dat ze ook als baken konden dienen. Zelfs als ze stand-by waren, gaven ze een signaal af en ontvingen ze er een.

Het patroon van de signalen van Abby's gsm gaf aan dat ze bijna nooit buiten het bereik van een bepaald baken kwam, eentje van Vodaphone, die in Kemp Town op het kruispunt van Eastern Road en Boundary Road stond.

Dat was heel dicht bij de Marine Parade, die van de Palace Pier naar de jachthaven liep, en waar de mooiste huizen uit de regencyperiode stonden, met aan de andere kant een promenade met uitzicht over het strand en Het Kanaal. Bij de Marine Parade lag een doolhof aan straatjes, vol met appartementjes, goedkope hotelletjes en B&B's.

Hij wist nog hoe dol ze was op het uitzicht op zee vanuit zijn flat en hij verwachtte dat ze nu ook in de buurt van de zee zou zitten. En dat ze er zeer waarschijnlijk op uitkeek. Waardoor het alleen nog maar een kwestie was van de juiste straten uitzoeken waar ze zou kunnen wonen. Hij moest daar een tijdje rondlopen, vermomd uiteraard, in de hoop dat ze zou opdagen. En dat was binnen drie dagen gebeurd. Hij had haar gezien toen ze een kiosk aan Eastern Road binnenstapte, en was haar gevolgd toen ze weer naar huis liep.

Hij was bijna in de verleiding gekomen haar toen meteen te pakken, maar dat was te riskant. Er waren veel mensen in de buurt. Ze hoefde maar te gillen en het spel was afgelopen geweest. Dat was het punt. Daar kon ze hem mee pakken. En dat wist ze.

Het regende inmiddels nog harder, het kletterde op het dak, waardoor het busje om hem heen vibreerde. Op dit soort dagen zou roomservice wel erg prettig zijn, dacht hij. Maar ach, je kon niet alles hebben! En zeker niet als je geen geduld had.

Als kind ging hij vaak vissen met zijn vader. Net als hij was zijn vader dol op gadgets. Hij had een van de eerste elektrische dobbers gekocht. Als een vis toebeet en de dobber naar beneden trok, ging het kleine ontvangertje dat op de grond naast hun vouwstoelen stond piepen.

Net als de piep die hij nu hoorde over zijn Interceptor, terwijl hij door de *Daily Mail* bladerde: een schrille, hoge piep. En nog een.

De trut was aan het bellen.

40

Oktober 2007

De stem op het bandje zei: 'U spreekt met Global Express. Druk op een willekeurige knop om door te gaan. Dank u. Om te zien waar uw pakket zich bevindt, kies 1. Als u een pakje wilt laten ophalen, kies 2. Als u een rekening bij ons hebt en een pakje wilt laten ophalen, kies 3. Als u een nieuwe klant bent en u wilt een pakje laten ophalen, kies 4. Voor alle overige vragen, kies 5.'

Abby drukte op de 4.

'Voor pakjes binnen Groot-Brittannië, kies 1. Voor pakjes naar het buitenland, kies 2.'

Ze drukte op de 1.

Er was een korte stilte. Ze had een gloeiende hekel aan dit soort bandjes. Toen hoorde ze een paar klikken en vervolgens de stem van een jonge man.

'Global Express, met Jonathan. Wat kan ik voor u doen?'

Zo te horen kon Jonathan beter jonge mannen in een pantalon helpen in een kledingzaak.

'Hoi, Jonathan,' zei ze. 'Er moet een pakje bij me worden opgehaald.'

'Dat moet lukken. Is het ter grootte van een envelop? Een pakketje? Of nog groter?'

'Het is een A4-envelop van ongeveer tweeënhalve centimeter dik,' zei ze.

'Dat moet lukken,' verzekerde Jonathan haar. 'En waar moet het naartoe?'

'Naar een adres even buiten Brighton,' zei ze.

'Dat moet lukken. En waar moet het worden opgehaald?'

'In Brighton,' zei Abby. 'Nou ja, eigenlijk in Kemp Town.'

'Dat moet lukken.'

'Wanneer kunnen ze langskomen?' vroeg ze.

'In uw wijk? Wacht even... tussen vier en zeven uur.'

'Kan het niet eerder?'

'Dat moet lukken, maar dan is het wel duurder.'

Ze dacht snel na. Als het weer zo bleef, dan zou het tegen vijf uur al redelijk donker zijn. Was dat gunstig of ongunstig?

'Wordt het op de fiets of met een vrachtwagen opgehaald?' vroeg ze.

'Met een vrachtwagen,' zei Jonathan.

Toen veranderde ze van gedachten. 'Kunt u aangeven dat ze pas na halfzes langs kunnen komen?'

'Pas na halfzes? Dat kijk ik voor u na.'

Het was even stil. Ze dacht diep na. Er waren zoveel mogelijkheden. Toen hoorde ze een klik en was Jonathan weer aan de lijn.

'Dat moet lukken.'

41

September 2007

Hè, wat heerlijk om op maandagmorgen hier op deze plek te zijn, maar niet heus, dacht inspecteur George Fletcher. Het was al erg genoeg om op maandagmorgen een gigantische kater te hebben, maar als je je hier, op de afdeling Forensische Pathologie van het Victorian Institute of Forensic Medicine bevond, dan was dat twee keer zo erg. En hij had een hekel aan al die stomme nieuwe woorden. Het was verdorie gewoon het stadsmortuarium. Hier gingen doden nog een beetje meer dood. Het was de laatste plek waar hun naam in een register werd bijgeschreven voordat ze naar de begraafplaats werden gebracht.

Op dit moment sneed een knarsend, jankend geluid hem door zijn ziel terwijl hij in de overvolle kamer toekeek hoe het lijk van de Onbekende Vrouw langzaam onder de boog van de CT-scanner door ging.

Sinds ze de dag ervoor uit de kofferbak van de auto was gehaald, in een lijkenzak was gestopt en hier gebracht, waar ze de nacht in een vriezer had doorgebracht, was ze niet meer aangeraakt. Het rook onaangenaam. De walgelijke stank van een put en een scherpe, zure lucht die George deed denken aan kroos. Hij had niet alleen een knallende koppijn, hij moest ook nog eens zijn misselijkheid bedwingen. De huid van de vrouw zag er zeepachtig en gezwollen uit, met grote zwart gemarmerde stukken. Haar haar, dat waarschijnlijk blond was geweest en er nog steeds licht uitzag, zat aan elkaar geklit met insecten, stukjes papier en zo te zien een snipper vilt. Het viel niet mee haar gelaatstrekken te onderscheiden, omdat ze of waren weggerot of weggevreten. De patholoog schatte haar halverwege de dertig.

George had een groene jas aan over zijn witte overhemd, stropdas en broek en droeg witte kaplaarzen, net als zijn collega rechercheur Troy Burg, die naast hem stond. Barry Manx, de assistent-patholoog, die mager was, een grote bos kroeshaar had en altijd zeer geïrriteerd overkwam, bediende de machine en de patholoog stond erbij en bekeek het lijk alsof hij een boek aan het lezen was.

Alle lijken werden gescand voordat ze werden opengesneden voor een sectie, voornamelijk om te zien of ze een besmettelijke ziekte bij zich droegen.

Het vlees van de Onbekende Vrouw was hier en daar verdwenen. Haar lippen waren gedeeltelijk weg, net als één oor. De botjes waren door de vingers van haar linkerhand te zien. Hoewel ze in de kofferbak opgesloten had gezeten, waren er genoeg waterdiertjes naar binnen gekomen om zich aan haar te goed te doen.

George had zich de vorige avond ook te goed gedaan, samen met zijn vrouw Janet, aan zijn kookkunst. Een paar maanden geleden had hij een kookcursus gevolgd aan de Technische School in Geelong. Hij had de avond ervoor Morton Bay-krabjes gewokt, met daarna een T-bonesteak in knoflookmarinade en als dessert kiwi panacotta. Met daarbij...

Hij kreunde inwendig toen hij eraan dacht.

Veel te veel zinfandel van Margaret River.

En nu kwam het allemaal weer boven.

Hij zou wel een glas water lusten en een kop sterke zwarte koffie, bedacht hij, terwijl hij achter Burg aan door de glimmend schone gang zonder ramen liep.

De lijkschouwingkamer was niet zijn lievelingsplek. Nooit geweest ook, en al helemaal niet met een kater. Het was een spelonkachtige ruimte die leek op een combinatie tussen een operatiekamer en een fabriekshal. Het plafond was van aluminium met grote luchtopeningen en verzonken lampen, terwijl een hele bundel zwenkarmen met spotlights en stopcontacten uit de muur getrokken kon worden om een lichaamsdeel wat beter te bekijken. De vloer was donkerblauw, alsof ze de boel een beetje op hadden willen leuken, en aan de muur bevonden zich aan elke kant werktafels, karretjes met medische instrumenten, rode vuilnisemmers met gele vuilniszakken erin en slangen.

Er werden elk jaar vijfduizend lijken verwerkt.

Hij stak een paar paracetamols in zijn mond en slikte ze moeizaam door met zijn eigen speeksel. Een fotograaf was foto's aan het maken van het lijk en een gepensioneerde politieagent die George al heel lang kende, en die voor deze zaak het OM vertegenwoordigde, stond aan de andere kant van de kamer, naast een werktafel, terwijl hij het dunne dossier doorbladerde dat was samengesteld, inclusief de foto's die de dag ervoor bij de rivier waren gemaakt.

De patholoog werkte snel door, en sprak om de paar minuten iets in op zijn dictafoon. Terwijl de tijd verstreek, stond George, die net als Troy niet echt nodig was bij het gebeuren, bijna de hele tijd in een rustig hoekje van de kamer. Hij belde mensen met zijn gsm om een onderzoeksteam samen te stellen en ieder van hen een taak te geven, terwijl hij zich tevens voorbereidde op de eerste persconferentie die hij zo lang mogelijk uitstelde in de hoop dat hij iets van de patholoog te horen zou krijgen wat hij kon bekendmaken.

De twee dingen die op dat moment het belangrijkst waren, waren de identiteit van de vrouw en de doodsoorzaak. Troys ziekelijke grapje dat ze misschien Houdini had nageaapt, was anders wel goed voor een glimlach geweest, maar dit keer niet.

De patholoog liet George zien dat het tongbeentje was gebroken, wat zou kunnen betekenen dat ze was gewurgd. Maar haar ogen waren vergaan, zodat niet meer te zien was of de bloedvaatjes waren gesprongen, waarmee dat gestaafd had kunnen worden. En haar longen waren al te ver heen om nog te kunnen zien of al dood was geweest toen de auto te water was gegaan.

Het vlees van de vrouw was niet meer goed. Door lange onderdompeling in het water vergingen niet alleen de zachte delen en het haar, maar wat erger was, het DNA verdween ook. Als er weinig van over was, moesten ze DNA uit haar botten halen, en dat was een stuk minder betrouwbaar.

Als hij niet aan het bellen was, stond George tegen de muur aan, snakte naar een stoel om op te gaan zitten en deed af en toe zijn ogen dicht. Hij voelde zich oud. Politiewerk was voor jonge mensen, had hij de afgelopen tijd meermalen gedacht. Hij moest nog drie jaar voordat hij met pensioen kon gaan, en hoewel hij over het algemeen nog steeds van zijn werk hield, keek hij er toch naar uit om eens niet altijd en eeuwig telefonisch bereikbaar te zijn, en dat hij eindelijk eens op zondagochtend kon uitslapen in plaats van naar een akelige moord opgeroepen te worden.

'George!'

Troy riep hem.

Hij liep naar de tafel toe waar de vrouw op lag. De patholoog hield iets tussen een forceps geklemd. Het zag eruit als een pokdalige, doorzichtige kwal zonder tentakels.

'Borstimplantaat,' zei de patholoog. 'Ze heeft iets aan haar borsten laten doen.'

'Reconstructie na borstkanker?' vroeg George. Een vriendin van Janet had onlangs een borstoperatie ondergaan, en zodoende wist hij er iets vanaf.

'Nee, gewoon een borstvergroting,' zei de patholoog. 'En dat is goed nieuws voor ons.'

George fronste zijn wenkbrauwen.

'Siliconen borstimplantaten hebben allemaal een fabrieksnummer,' legde de patholoog uit. 'En elke implantaat heeft een serienummer dat in het ziekenhuis samen met de naam van de eigenares wordt opgeschreven.' Hij stak de implantaat uit naar George, totdat die een klein rijtje getallen zag staan. 'Zo komen we de fabrikant te weten. Moet dan een makkie voor jullie zijn om erachter te komen wie ze is.'

George pakte zijn gsm weer. Hij belde eerst even snel Janet, om haar te zeggen dat hij van haar hield. Al sinds ze verkering hadden, had hij haar vanaf zijn werk zeker een keer per dag gebeld. En hij meende het ook. Hij hield na al die jaren nog steeds heel veel van haar. Na de ontdekking van de patholoog was zijn humeur er een stuk beter op geworden. De paracetamols deden ook hun werk. Hij kon zelfs al een beetje denken aan lunch.

Toen opeens riep de patholoog: 'George, dit zou wel eens erg belangrijk kunnen zijn!'

Hij liep weer snel naar de tafel toe.

'De baarmoederwand is dik,' zei de patholoog. 'Als een lijk zo lang in het water heeft gelegen, dan is de baarmoeder een van de delen die het langzaamst vergaan. Hier boffen we mee!'

'O, ja?' vroeg George.

De patholoog knikte. 'Nu hebben we DNA!' Hij wees naar het tafeltje dat over het stoffelijk overschot heen was geschoven.

Er lag een plas lichaamsvocht op. Er middenin lag een crèmekleurig orgaan, net een U-vormig worstje dat opengesneden was. George had geen idee wat het was. Maar datgene wat erin lag, trok meteen zijn blik. Hij dacht heel even dat het een onverteerde garnaal was. Maar toen hij beter keek, begreep hij wat het was.

En hij had meteen geen trek meer.

42

Oktober 2007

Een van de eerste veranderingen die het nieuwe regime in Sussex House had doorgevoerd, en die zeer werd gewaardeerd, was dat de hogere politiemensen een eigen parkeerplek hadden gekregen en wel op de beste plaats: voor het gebouw. Wat betekende dat Roy Grace niet meer rond hoefde te rijden op zoek naar een plekje, of zijn auto stiekem op het parkeerterrein van de ASDA-supermarkt aan de overkant van de straat hoefde te zetten, zoals de meesten van zijn collega's. Wat inhield dat hij vervolgens niet meer door de stromende regen naar kantoor hoefde te banjeren of een modderige doorsteek hoefde te nemen dwars door de struiken, met aansluitend een gevaarlijke sprong vanaf een stenen muur.

Het lage art-decogebouw was oorspronkelijk een kliniek geweest voor mensen met een besmettelijke ziekte en stond veilig ver weg bij Brighton and Hove op een heuvel in wat ooit platteland was geweest. Het had al heel wat bestemmingen gehad voordat de politie het had overgenomen, en op een gegeven moment had de stad zich zo uitgebreid dat het gebouw er deel van ging uitmaken. Het stond nu eigenaardig genoeg op een industrieterrein, tegenover de ASDA, die dienstdeed als hun onofficiële kantine en parkeerplaats.

Nadat onlangs de zeer vriendelijke maar lakse commissaris van politie Gary Weston was weggepromoveerd naar de Midlands, was zijn plek ingenomen door de harde, no-nonsense, pijprokende Jack Skerritt, die zijn aanwezigheid duidelijk liet voelen. Skerritt, die hiervoor het hoofd van de geüniformeerde politie van Brighton and Hove was geweest, was tweeënvijftig, en hij combineerde zijn ervaring als oude diender met moderne ideeën, en was een van de meest geliefde – en vooraanstaande – politiemensen in het korps. Dat hij de wekelijkse vergadering weer nieuw leven had ingeblazen, was tot dusver zijn grootste vernieuwing.

Er was nog iets veranderd wat meteen opviel, dacht Grace, toen hij de voordeur in liep en de twee beveiligingsmensen hartelijk groette. Skerritt had namelijk de trap bij de ingang grondig gemoderniseerd. De tentoongestelde antieke knuppels waren aan een museum geschonken. De crèmekleurige muren hadden een likje verf gekregen en er hing nu een groot bord met blauw vilt waarop foto's hingen van alle hoge pieten van dat moment bij de politie.

Het meest in het oog viel de foto van Jack Skerritt zelf. Hij was lang, met een vierkante kin, knap, en deed een beetje denken aan een oude Hollywoodster. Hij had een ernstige uitdrukking op zijn gezicht, keurig gekamd bruin haar en hij droeg een donker jasje en een rustige, geruite stropdas. Hij straalde uit dat als jij hem niet belazerde, hij jou netjes behandelde. En dat klopte inderdaad.

Grace zag tegen hem op en bewonderde de man. Hij was het soort politieman dat hij zou willen zijn. Skerritt moest nog drie jaar voordat hij met pensioen zou gaan, en hij vond die hele politieke correctheid maar niets. Hij maakte zich ook niet erg druk over de richtlijnen die hij van hogerhand kreeg aangereikt. Zijn taak was het om de straten, huizen en bedrijven in Sussex voor rechtschapen burgers veilig te maken, en hoe hij dat deed, was zijn zaak. En in de twee jaar dat hij aan het hoofd had gestaan van de uniformdienst van Brighton and Hove had hij het aantal misdaden ingrijpend doen dalen.

Boven aan de trap bevond zich een ruime overloop bekleed met tapijt, met daarop een nepplant die eruitzag of hij groeihormonen kreeg toegediend en een palm die zo te zien hard eerste hulp nodig had.

Grace drukte zijn pasje tegen het beveiligingspaneel aan en liep de afdeling Zware Criminaliteit op. Dit gedeelte was groot en open, met in het midden een donkeroranje tapijt en aan beide kanten bureaus voor de ondersteunende staf.

De afdelingshoofden hadden ieder een kantoor. De deur van een van deze kantoortjes stond open en Grace knikte even naar zijn vriend Brian Cook, manager van de afdeling Wetenschappelijke Ondersteuning, die naast zijn bureau stond en net de hoorn op de haak legde. Hij haastte zich langs het grote uit glas bestaande kantoor van Jack Skerritt, omdat hij met Eleanor Hodgson wilde praten, zijn ondersteunend managementassistente, zoals zijn secretaresse in deze gekke politiek correcte wereld tegenwoordig werd genoemd.

Er hingen overal posters aan de muur. Een grote met rood en oranje viel het meest op:

GEEF DRUGDEALERS AAN.
ZE VERWOESTEN LEVENS.
ZEG ONS WIE HET ZIJN.

Hij liep snel langs zijn eigen kantoor en een waarop stond INSPECTEUR GAYNOR ALLEN, HOOFD INFORMATIE en liep naar Eleanor toe.

Ze zat tussen allerlei bureaus met overvolle postbakjes en bezaaid met keypads, telefoons, dossiers, opschrijfblokjes en geeltjes. Een of andere grapjas had een L-bordje van een lesauto achter op een monitor geplakt.

Eleanors bureau was het enige dat opgeruimd was. Ze was van middelbare leeftijd, nogal stijfjes, zeer efficiënt maar wel zenuwachtig, met keurig gekamd zwart haar en een doodnormaal, vrij ouderwets gezicht. Ze regelde bijna heel Roy Grace' leven. Ze zag er nu ook nerveus uit toen hij aan kwam lopen, alsof hij haar uit zou gaan schelden voor iets wat verkeerd was gegaan, hoewel hij in de anderhalf jaar dat ze voor hem werkte nog nooit een onvertogen woord tegen haar had gezegd. Zo was ze nu eenmaal.

Hij vroeg haar of ze wilde nagaan of het Thistle Hotel in december genoeg ruimte had voor het diner van de rugbyclub en bladerde even snel door een paar geprinte belangrijke e-mails die ze hem liet zien en toen, nadat hij op zijn horloge zag dat het al twee over halfelf was, liep hij Skerritts ruime, indrukwekkende domein in.

Net als zijn eigen nieuwe kantoor – hij was onlangs van de ene kant van het gebouw naar de andere verhuisd – had dit uitzicht op de weg. Maar daar hield de overeenkomst mee op. Zijn kantoor was net groot genoeg om er een bureau en een kleine ronde tafel in te herbergen, terwijl Skerritts gigantische kamer ruimte bood aan een groot bureau en een lange vergadertafel.

Ook hier was het een en ander veranderd. De ingelijste foto's van racepaarden en hazewindhonden, die zo'n belangrijke rol hadden gespeeld in Gary Westons leven, waren weg. In plaats daarvan hing er één foto van twee tienerjongens, met een paar labradors en puppy's om hen heen. Skerritts vrouw fokte die honden, maar haar man vond het ook prachtig, al had hij er maar zelden tijd voor.

Skerritt rook vaag naar pijptabak, net als Norman Potting. Bij Potting vond Grace het smerig ruiken, maar bij Skerritt vond hij het aangenaam. Het paste bij de man, bij zijn imago van harde kerel.

Tot zijn ergernis zag hij Cassian Pewe aan de tafel zitten, samen met nog een paar inspecteurs en leidinggevenden. Hij kon zich niet voorstellen dat Cassian Pewe ooit iets had gerookt.

De nieuwe inspecteur gaf hem een sluw glimlachje en zei stroperig: 'Dag, Roy, leuk je te zien', en hij stak zijn klamme hand uit. Roy drukte die zo snel als hij kon, en ging toen op de enig overgebleven vrije stoel zitten, terwijl hij zich verontschuldigde bij Skerritt die zeer punctueel was.

'Fijn dat je kon komen, Roy,' zei de hoofdcommissaris.

Zijn stem was krachtig en accentloos en was altijd sarcastisch van toon, alsof hij zoveel leugens van verdachten had gehoord dat hij ermee besmet was geraakt. Roy wist eigenlijk nooit wanneer hij echt sarcastisch was.

'Goed,' zei Skerritt. 'Ter zake.'

Hij zat zeer zelfverzekerd rechtop, en kwam over alsof hij fysiek niet stuk kon, alsof hij uit graniet was gehouwen. Hij las de geprinte agenda voor die op tafel voor hem lag. Iemand gaf Roy er een kopie van en hij bekeek die even. Niets nieuws onder de zon.

Notulen van de vorige vergadering.
Het jaarlijkse auto-ongelukkenrapport.
Challenge Programme 2010, nog 8-10 miljoen pond tekort.
Fusie, hoe staat het met de fusie tussen de politie van Sussex en Surrey...

Skerritt leidde de vergadering snel door elke punt. Toen hij bij 'Overzicht operaties' kwam, bracht Roy hem op de hoogte van operatie Dingo. Hij had op dit moment niet veel nieuws, maar zei wel dat hij hoopte met behulp van de gebitsgegevens snel de identiteit van de overleden vrouw vast te kunnen stellen.

Toen hij bij 'Diversen' was aangekomen, wendde Skerritt zich opeens tot Grace. 'Roy, ik ga het een en ander veranderen in het team.'

Grace' hart zonk hem in de schoenen. Zou het complot van Vosper en Pewe eindelijk zijn ware aard laten zien?

'Jij wordt het hoofd Zware Criminaliteit,' zei Skerritt.

Grace kon zijn oren gewoon niet geloven en vroeg zich af of hij het verkeerd had verstaan of begrepen. 'Zware Criminaliteit?'

'Ja, Roy. Ik heb er lang over nagedacht.' Hij wees naar zijn eigen hoofd. 'Hier in de grijze hersencellen, weet je. Je blijft gewoon inspecteur natuurlijk, maar ik wil je ook als hoofd Zware Criminaliteit. Jij wordt mijn plaatsvervanger; als ik er niet ben, ben jij de baas.'

Hij kreeg promotie!

Hij zag in zijn ooghoek Cassian Pewe kijken alsof hij net een citroen had gegeten.

Grace wist dat hij dezelfde rang zou houden, maar hij zou voor Jack moeten invallen als hij er niet was, en af en toe voor hoofd spelen, dus was hij toch een stap omhoog gegaan.

'Bedankt, Jack. Ik... ik vind het fantastisch.' Toen aarzelde hij even. 'Vindt Alison Vosper dit goed?'

'Laat Alison maar aan mij over,' zei Skerritt, alsof zij er niet toe deed. Toen wendde hij zich tot Pewe. 'Cassian, welkom bij ons team. Roy zal zijn handen vol hebben aan zijn nieuwe werkzaamheden, dus ik wil graag dat jij je op zijn oude zaken stort, wat betekent dat je rapport uitbrengt bij Roy.'

Grace kon maar met moeite een grijns onderdrukken. Cassian Pewes gezicht was de moeite waard. Het leek wel een weerkaart op tv, met overal druppels regen en donderwolken en nergens een zonnestraaltje te bekennen. Zelfs zijn eeuwige bruine kleurtje leek wat getaand te zijn.

De vergadering was om halfelf afgelopen, precies op tijd. Terwijl Grace weg liep, hield Cassian Pewe hem in de deuropening tegen.

'Roy,' zei hij. 'Het leek Alison een goed idee als ik vandaag met je meeloop, dus meega naar de persconferentie en de vergadering vanavond. Om een beetje bekend te raken met alles. Dan kan ik zien hoe je de dingen doet. Vind je dat goed, na Jacks instructies van daarnet?'

Nee, dacht Grace. Dat vind ik helemaal niet goed. Maar hij zei het niet. Hij zei: 'Nou, ik denk dat je je beter kunt verdiepen in de oude zaken. Ik geef je daar de dossiers wel van, dan kun je ermee beginnen.'

En toen vermaakte hij zich een paar tellen door zich voor te stellen dat hij gloeiend hete naalden in Pewes ballen stak.

Maar aan de uitdrukking op Pewes gezicht te zien was Jack Skerritt hem voor geweest.

43

Oktober 2007

Grace hield de persconferentie kort. Het was het seizoen voor bijeenkomsten van de politieke partijen en een hoop verslaggevers, al waren ze niet echt in politiek geïnteresseerd, bevonden zich in Blackpool met de conservatieven, die op dit moment betere stof opleverden dan een skelet in een riool; wat de nationale pers betrof in elk geval.

De Onbekende Vrouw was voor de plaatselijke pers een goed verhaal, temeer omdat de overblijfselen vlak bij een van de grootste bouwprojecten in de stad waren ontdekt en zowel een vleugje geschiedenis uit het verleden als in de maak bevatten. Er werd verwezen naar de koffermoorden uit 1934, waarbij tot twee keer toe een lijk waarvan de ledematen waren afgehakt in een koffer werd ontdekt, zodat Brighton toen het onwelkome etiket 'Meest criminele hoofdstad van Engeland' kreeg opgeplakt.

Er was een televisieploeg van de BBC komen opdagen, alsmede een van de Southern Counties Radio, een jonge man met een videocamera van Absolute Television, de nieuwe internettelevisiezender van Brighton, en een paar mensen van Londense kranten die Grace kende, een verslaggever van de *Sussex Express* en, uiteraard, Kevin Spinella van de *Argus*.

Hoewel hij zich aan Spinella ergerde, kreeg Grace toch langzamerhand respect voor de jonge verslaggever. Hij wist dat Spinella net als hijzelf een harde werker was, en na een ontmoeting bij een van zijn vorige zaken, toen Spinella zoals beloofd belangrijke informatie had achtergehouden, had hij zichzelf laten zien als een verslaggever met wie de politie zaken kon doen. Er waren politiemensen die iedereen van de pers met de nek aankeken, maar Grace zag dat anders. Bijna elke grote misdaad leunde op getuigen, op mensen die zich meldden, op geheugens die opgefrist moesten worden. Als je de pers op de juiste manier bejegende, waren ze best bereid om het een en ander voor jou terug te doen.

Omdat hij niet veel te vertellen had, concentreerde Grace zich op de weinige punten die duidelijk naar voren moesten komen. De leeftijd en een beschrijving van de vrouw, voor zover dat mogelijk was, moesten worden doorgegeven, en het aantal jaren dat ze waarschijnlijk in het riool had gelegen, in de hoop dat een familielid of vriend naar voren zou komen met bijzonderheden over de persoon die rond die tijd werd vermist.

Grace had eraan toegevoegd dat hoewel de doodsoorzaak onbekend was, wurging een mogelijkheid was, en dat degene die haar had vermoord Brighton and Hove waarschijnlijk goed kende.

Toen hij even voor halfeen de kamer verliet, hoorde hij iemand zijn naam roepen.

Irritant genoeg dreef Kevin Spinella Grace na de persconferentie in een hoek, buiten het gehoor van de andere verslaggevers.

'Inspecteur Grace, mag ik u even spreken?'

Roy vroeg zich af of Spinella iets over zijn promotie had gehoord. Dat zou zo snel niet mogelijk kunnen zijn, maar hij had al enige tijd het vermoeden dat Spinella een informant binnen de politie van Sussex had. Hij wist altijd eerder dan wie ook als er iets aan de hand was. Roy was van plan dat tot op de bodem uit te zoeken, maar dat zou nog niet meevallen. Als je eenmaal ging graven, liep je de kans veel van je collega's voor de kop te stoten.

De jonge verslaggever, die zoals altijd een pak, overhemd en stropdas droeg, zag er beter en zwieriger uit dan zaterdagmorgen in de stromende regen op de vindplaats.

'Heeft hier niets mee te maken,' zei Spinella die een stuk kauwgum in zijn mond had. 'Maar ik dacht dat u dit wel wilde weten. Op zaterdagavond sprak ik iemand van de brandweer. Ze hadden iemand in Kemp Town uit een lift bevrijd.'

'Jee, wat heb jij een spannend leven!' zei Grace plagend.

'Ja, ik hou het amper bij,' zei Spinella gemeend, die de plaagstoot niet herkende of net deed alsof. 'Maar het punt is, dat deze vrouw...' Hij aarzelde en tikte tegen de zijkant van zijn neus. 'U hebt toch de neus van een politieman, hè?'

Grace haalde zijn schouders op. Hij was altijd voorzichtig met wat hij tegen Spinella zei. 'Dat zeggen ze nu eenmaal van politiemensen.'

Spinella tikte weer op zijn neus. 'Nou, ik heb dat ook. Een neus voor een goed verhaal, weet u wat ik bedoel?'

'Ja.' Grace keek op zijn horloge. 'Ik heb een beetje haast...'

'Ja, oké, ik zal u niet langer ophouden. Ik wilde het u alleen even vertellen. Die vrouw die ze hebben bevrijd – achter in de twintig – erg knap, ik had het gevoel dat er iets niet klopte.'

'Hoezo?'

'Ze was erg bang.'

'Dat is niet zo gek als ze in de lift vastgezeten heeft.'

Spinella schudde zijn hoofd. 'Nee, op een andere manier.'

Grace keek hem aan. Als hij één ding wist over plaatselijke verslaggevers, dan was het wel dat ze zeer uiteenlopende nieuwsfeiten moesten verslaan: plotselinge sterfgevallen, auto-ongelukken, berovingen, inbraken, vermiste mensen. Verslaggevers als Spinella spraken de hele tijd met mensen die bang waren. Zelfs op zijn betrekkelijk jonge leeftijd en met zijn ervaring, had Spinella waarschijnlijk wel geleerd onderscheid te maken tussen vormen van angst. 'Oké, hoe dan?'

'Ze was ergens bang voor. Toen ik de dag erna met de fotograaf langskwam, wilde ze niet opendoen. Als ik niet beter wist, zou ik zeggen dat ze zich daar schuilhield.'

Grace knikte. Hij dacht even na. 'Welke nationaliteit had ze?'

'Engels. Ze was blank, als ik dat tenminste mag zeggen.' Hij grijnsde besmuikt.

Grace deed net of hij het niet hoorde en sloot de mogelijkheid van seksslavin uit; die kwamen over het algemeen uit Oost-Europa en Afrika. Er waren heel veel eventuele redenen. Je kon door zoveel dingen bang worden. Maar de politie kwam niet even langs alleen maar omdat iemand bang was.

'Hoe heet ze en waar woont ze?' vroeg hij en hij schreef toen 'Katherine Jennings' en haar adres op in zijn opschrijfboekje. Hij zou haar naam wel even laten nagaan in de computer om te zien of er iets uit kwam. Maar verder kon hij alleen maar wachten of haar naam weer ergens opdook.

Terwijl Roy zijn pasje tegen het paneel hield en de afdeling Zware Criminaliteit binnen wilde stappen, riep Spinella hem opnieuw. 'O, eh, inspecteur?'

Hij draaide zich geïrriteerd om. 'Ja?'

'Nog gefeliciteerd met uw promotie!'

44

11 september 2001

Ronnie stond in het zonnetje op de verlaten boulevard en verzekerde zichzelf er nogmaals van dat zijn gsm uit was geschakeld. Echt uit was geschakeld. Hij keek voor zich uit, langs de banken en de reling bij het strand, langs het goudgele zand waarop geen mens te bekennen was, en over de branding van de oceaan heen, naar de zwarte, grijze en oranje rook die de lucht in de verte roestbruin kleurde.

Hij bevatte het nauwelijks. Hij had net beseft dat zijn paspoort nog in het kluisje van zijn hotelkamer lag. Maar dat was misschien wel handig. Hij dacht na. Dacht na. Dacht na. Hij liep over van de ideeën en wilde dat hij zijn hoofd leeg kon maken. Misschien door een bepaalde oefening. Of met een flinke borrel.

Links van hem strekte de boulevard zich uit zo ver zijn oog reikte. Rechts van hem kon hij in de verte het amusementspark op Coney Island ontwaren. Dichterbij stond een verwaarloosde flat van zo'n zes verdiepingen hoog in de steigers. Een zwarte vent in een leren jack stond met een Aziatische man te praten die een vliegerjack droeg. Ze keken steeds om zich heen alsof ze niet wilden opvallen en keken ook steeds naar hem. Misschien waren ze wel bezig met een drugsdeal en dachten ze dat hij een agent was. Misschien praatten ze over voetbal, of basketbal of het weer. Misschien waren ze wel de enige mensen op aarde die verdomme niet wisten wat er die ochtend bij het World Trade Center was voorgevallen.

Ronnie gaf geen reet om hen. Zolang ze hem niet beroofden, konden ze wat hem betrof daar de hele tijd blijven praten. Ze konden daar blijven staan tot de wereld verging, wat best wel eens binnen de kortste keren kon gebeuren, te oordelen naar wat er die dag allemaal was voorgevallen.

Shit. Verdomme. Wat een vreselijke dag. Wat een verdomde pech om nu net hier te zijn. En hij had niet eens het nummer van Donald Hatcooks gsm.

En. En. En. Hij wilde het niet denken, maar het bleef maar terugkomen en op een gegeven moment moest hij het wel toelaten.

Donald Hatcook was misschien wel dood.

Een heleboel mensen waren verdomme dood.

Er was een hele rits winkels, allemaal met Russische opschriften, rechts van hem, langs de boulevard. Hij liep er met zijn tas achter hem aan naartoe, en bleef staan toen hij bij een groot bord kwam, gevat in een metalen lijst met een gebogen bovenrand, waarin een plattegrond zat. Er stond boven:

RIEGELMANN WALKWAY. BRIGHTON BEACH.
BRIGHTON 2ND STREET.

Hoewel er zoveel door zijn hoofd ging, moest hij even grinniken. Toch nog een beetje thuis. Het zou leuk zijn als iemand een foto van hem bij dat bordje maakte. Lorraine zou het erg grappig vinden. Dat kwam wel een keer, als alles weer in orde was.

Hij ging op het bankje naast de plattegrond zitten en zakte onderuit, deed zijn stropdas af, rolde hem op en stopte hem in zijn zak. Toen maakte hij de bovenste knoop van zijn overhemd open. Lekker luchtig. Dat had hij nodig. Hij beefde. Zijn hart ging als een razende tekeer. Hij keek op zijn horloge. Het was bijna middag. Hij schudde het stof uit zijn haar en veegde het van zijn kleren en hij had ontzettend veel zin in een borrel. Normaal gesproken dronk hij niet overdag, nou ja, over het algemeen in elk geval niet tot de lunch. Maar een dubbele whisky zou er wel ingaan. Of een cognac. Of zelfs, toen de Russische opschriften hem te binnen schoten, een wodka.

Hij stond op, pakte het handvat van zijn koffer en liep er weer mee verder, terwijl de wieltjes gestaag over de planken ratelden. Hij zag een winkel pal voor hem. De voorste winkel in het rijtje. In blauw, rood en wit waren de woorden MOSCOW en BAR te zien. Op de groene luifel stond in gele letters de naam TATIANA.

Hij liep de Moscow Bar in. Er zat bijna niemand en het zag er miezerig uit. Rechts van hem was een lange houten bar met daarvoor chromen barkrukken voorzien van rode leren zittingen. Links stonden rode bankjes met metalen tafels. Twee mannen die eruitzagen als boeven uit een Bond-film zaten op de barkrukken. Hun hoofd was geschoren, ze hadden een zwart T-shirt met korte mouwen aan en keken aandachtig naar de breedbeeldtelevisie aan de muur. Ze keken niet op of om.

Er stonden borrelglazen en een fles wodka in een ijsemmer voor hen op de bar. Ze rookten allebei en naast de ijsemmer stond een overvolle asbak. De andere klanten, twee knappe jonge mannen, die allebei een duur uitziend leren jasje en grote ringen droegen, zaten op een van de bankjes. Ze hadden alle twee een kop koffie voor hun neus en eentje van hen had een sigaret in zijn mond.

Het rook lekker, dacht Ronnie. Koffie en sigaretten. Sterke Russische sigaretten. Er hingen bordjes in de bar in het cyrillische schrift, er hingen vaandels en vlaggetjes van over het algemeen Engelse voetbalclubs. Hij herkende Newcastle, Manchester United en Chelsea.

Op televisie was de hel op aarde te zien. Er werd niet gesproken in de bar. Ronnie keek ook, je kon moeilijk anders. Twee vliegtuigen, de ene na de andere, vliegen tegen de Twin Towers aan. Daarna stort elke toren in. Hoe vaak hij het ook zou zien, het zou elke keer anders zijn. Erger.

'Ja, meneer?'

Zwaar accent. De barman was een opdondertje met kort geknipt zwart kroeshaar dat naar voren was gekamd, en hij droeg een smerig schort over een spijkerhemd dat nodig gestreken moest worden.

'Hebt u Kalashnikov wodka?'

Hij keek verbaasd. 'Krashakov?'

'Laat maar,' zei Ronnie. 'Geef me maar gewoon een wodka, zonder ijs, en een espresso. Hebt u espresso?'

'Russische koffie.'

'Ook goed.'

Het opdondertje knikte. 'Eén Russische koffie. Wodka.' Zijn schouders waren gebogen, alsof hij last van zijn rug had.

Er was nu een man op tv te zien. Hij was kaal, zwart en zat onder het grijze poeder en droeg een beademingsmasker, waaraan een opgeblazen zak zat. Hij had duidelijk pijn. Een man met een rode helm met vizier, een rood mondkapje en een zwart T-shirt hielp hem door de grijze sneeuw heen.

'Wat ellende!' zei het opdondertje in gebroken Engels. 'Manhattan. Ongelooflijk. Weet jij van? Weet je wat gebeurt?'

'Ik was erbij,' zei Ronnie.

'Ja? Jij was erbij?'

'Schenk die borrel nou maar in, die heb ik nodig,' viel hij uit.

'Ik haal borrel. Rustig maar. Jij was erbij?'

'Wat was daar niet duidelijk aan?' vroeg Ronnie.

De barman draaide zich beledigd om en pakte een fles wodka. Een van de Bond-boeven keek Ronnie aan en hield zijn glas omhoog. Hij was dronken en praatte moeizaam. 'Zal ik jou eens wat vertellen? Dertig jaar geleden had ik je kameraad genoemd. Maar nu zeg ik vriend tegen je. Snap je wat ik bedoel?'

Ronnie pakte zijn glas meteen nadat de barman hem had neergezet. 'Nee, niet echt.'

'Ben je homo of zo?' vroeg de man.

'Nee, ik ben geen homo.'

De man zette zijn glas neer en zwaaide met zijn armen. 'Heb ik geen problemen mee hoor, homo's. Helemaal niet. Nee hoor.'

'Mooi,' zei Ronnie. 'Ik ook niet.'

De man grijnsde. Hij had erg slechte tanden, zag Ronnie. Het leek wel alsof er grind in zijn mond zat. De man hield weer zijn glas omhoog en Ronnie klonk met hem. 'Proost.'

George Bush was op tv. Hij had een donker pak aan met een oranje stropdas en zat voor een zwart bord in een schoollokaal. Achter hem op de muur hingen tekeningen met op de ene een beer met een gestreepte das die op een fiets reed. Er stond een man in pak naast George Bush, die in zijn oor fluisterde. Toen werden er beelden getoond van een neergestort vliegtuig.

'Jij bent een prima vent,' zei de man tegen Ronnie. 'Ik mag jou wel. Jij bent een prima vent.' Hij schonk nog wat wodka in zijn glas en hield toen de fles even boven Ronnies glas. Hij kneep zijn ogen toe, zag dat dat nog half vol was en zette de fles weer in de ijsemmer. 'Drink op.' Hij sloeg zijn eigen glas wodka achterover. 'Vandaag moeten we drinken.' Hij keek weer naar het scherm. 'Dit niet echt. Kan niet.'

Ronnie nam een slok. De wodka brandde in zijn keel. Toen dronk hij zijn glas in één keer leeg. De wodka brandde zich een weg door zijn slokdarm. Hij schonk er nog een in en een voor zijn nieuwe vriend.

Ze zeiden niets meer. Keken naar de televisie.

Na nog een paar wodka's was Ronnie behoorlijk dronken. Op een gegeven moment kwam hij moeizaam van zijn kruk af, strompelde naar een van de bankjes en viel erop in slaap.

Toen hij wakker werd, had hij een knallende koppijn en een vreselijke dorst. Opeens raakte hij in paniek.

Mijn bagage.

Shit, shit, shit.

Toen zag hij ze tot zijn opluchting staan waar hij ze had neergezet: bij zijn barkruk.

Het was twee uur 's nachts.

In de bar zaten nog steeds dezelfde mensen. Dezelfde beelden waren te zien op tv. Hij sleepte zichzelf naar de kruk en knikte naar zijn vriend.

Burgemeester Giuliani was nu met een ernstig gezicht op tv aan het praten. Hij zag er rustig uit. Hij zag er bezorgd uit. Hij zag eruit als iemand die de touwtjes in handen had.

Ronnies nieuwe vriend keek hem aan. 'Ken jij Sam Colt?'

Ronnie, die naar Giuliani wilde luisteren, schudde zijn hoofd. 'Nee.'

'Die vent die revolver heeft uitgevonden, weet je wel?'

'O ja, die.'

'Weet je wat die zei?'

'Nee.'

'Sam Colt zei: nu heb ik iedereen gelijk gemaakt!' De Rus grijnsde, en liet zijn afzichtelijke tanden weer zien. 'Ja? Oké? Snap je het?'

Ronnie knikte en bestelde een mineraalwater en een kop koffie. Hij had sinds het ontbijt niet gegeten, viel hem opeens in, maar hij had geen honger.

Na Giuliani kwamen er een paar wankelende grijze spoken in beeld. Ze zagen eruit als de grijze geesten die hij eerder had gezien. Een gedicht dat hij ooit op school had moeten leren, kwam opeens weer bovendrijven. Van een van zijn lievelingsschrijvers: Rudyard Kipling. Ja, hij was de beste.

Kipling wist precies wat macht, baas-zijn en een rijk opbouwen inhield.

If you can keep your head when all about you
Are losing theirs...
If you can meet with Triumph and Disaster
And treat those two impostors just the same...

Op het scherm was een huilende brandweerman te zien. Zijn helm zat helemaal onder de grijze sneeuw en de man zat met zijn hoofd in zijn handen en het vizier omhoog te snikken.

Ronnie boog naar voren en tikte de barman op zijn schouder. Hij draaide zich om. 'Hè?'

'Verhuur je ook kamers? Ik heb een kamer nodig.'

Zijn nieuwe vriend draaide zich naar hem om. 'Geen vluchten, hè?'

'Dat klopt.'

'Waar kom je eigenlijk vandaan?'

Ronnie aarzelde even. 'Canada. Toronto.'

'Toronto,' zei de Rus. 'Canada. Oké. Mooi.' Hij was even stil, en toen vroeg hij: 'Goedkope kamer?'

Ronnie besefte dat hij zijn creditcards nergens kon gebruiken, zelfs al stond er nog geld op. Hij had bijna vierhonderd dollar in zijn portemonnee, en daar zou hij het mee moeten doen totdat hij wat hij in zijn bagage had kon verkopen. En dan moest hij wel de juiste koper zien te vinden die hem genoeg wilde betalen. En geen vragen stelde.

'Ja, een goedkope kamer,' zei hij. 'Hoe goedkoper, hoe beter.'

'Dan zit je hier goed. Ik regel wel voor je.'

'O, ja?'

'Ja, je betaalt contant voor je kamer en niemand stelt vragen. Mijn neef verhuurt kamers. Tien minuten lopen hiervandaan. Wil je zijn adres?'

'Lijkt me een goed plan,' zei Ronnie.

'De Rus liet zijn tanden weer zien. 'Plan? Heb jij plan? Goed plan?'

'*Carpe diem!*'

'Hè?'

'Dat is een uitdrukking.'

'Carpe diem?' De Rus sprak het langzaam en moeizaam uit. Ronnie grinnikte en bestelde toen een borrel voor hem.

45

Oktober 2007

Coördinatiecentrum 1 was de grootste van de twee ruime kamers op de afdeling Zware Criminaliteit in Sussex House, waar de onderzoekteams aan ernstige misdrijven werkten. Roy Grace liep er even voor halfzeven 's ochtends binnen met een beker koffie in zijn hand.

Het was een moderne L-vormige kamer, die onderverdeeld was in drie werkplekken, elk met een groot, gebogen, lichthouten bureau waar acht mensen aan konden zitten, en enorme whiteboards, die bijna allemaal onbeschreven waren, uitgezonderd degene waar OPERATIE DINGO op stond, en nog eentje waar een paar foto's op hingen van de Onbekende Vrouw in het riool alsmede een paar foto's van de omgeving eromheen. Op een van de foto's was met een rood cirkeltje aangegeven waar het skelet in het riool had gelegen.

Een groot onderzoek had gemakkelijk alle ruimte daar in kunnen nemen, maar omdat deze zaak niet veel spoed had – en daarom ook maar weinig mensen en budget kreeg toegewezen – nam Grace' team alleen maar een van de werkplekken in beslag. De andere waren verlaten, maar dat kon elk moment veranderen.

In tegenstelling tot de werkplekken in de rest van het gebouw stonden hier nauwelijks persoonlijke dingen op de bureaus. Er hingen ook geen privéfoto's van het gezin, of voetbalpools, of grappige cartoons aan de muur. Bijna elk voorwerp in die kamer, uitgezonderd de meubels, had te maken met het onderzoek. Er werd ook maar weinig lol getrapt. De stilte van concentratie, zacht rinkelende telefoons, vellen papier die uit printers rolden.

Op de werkplek zat het team dat Grace had uitgezocht voor operatie Dingo. Hij geloofde heilig in het bij elkaar houden van een team als dat even kon, en hij had de afgelopen maanden alleen met hen gewerkt. Hij had zo zijn twijfels bij Norman Potting, die voortdurend mensen tegen de haren instreek, maar de man was wel een uiterst bekwame politieman.

Roys plaatsvervanger was rechercheur Lizzie Mantle. Grace mocht haar graag en had eigenlijk stiekem een oogje op haar. Ze was achter in de dertig, knap, met blond, schouderlang haar en ze straalde zoveel vrouwelijkheid uit dat je moeilijk kon geloven dat ze een harde tante was. Ze droeg het liefst broekpakken en had er dit keer een met grijze strepen aan, dat een aandelenhandelaar niet zou hebben misstaan, met een wit herenoverhemd.

Haar blonde knappe uiterlijk had Lizzie gemeen met rechercheur Kim Murphy, en daarom werd er al vals geïnsinueerd dat als je iets wilde bereiken in Sussex House, je eruit moest zien als een blonde del. Dat was beslist niet waar, dat wist Grace heel goed. Beide vrouwen hadden hun rang al op redelijk jonge leeftijd bemachtigd omdat ze het geheel en al verdienden.

Roys promotie zou ongetwijfeld betekenen dat hij nog meer op zijn bordje zou krijgen, dus hij zou Lizzies steun bij dit onderzoek hard nodig hebben.

Buiten haar zaten rechercheur Glenn Branson, Norman Potting en Bella Moy in het team. Bella was vijfendertig, had een vrolijk gezicht en een wilde bos met henna geverfd bruin haar. Ze had, zoals gewoonlijk, een doos chocolaatjes naast haar toetsenbord staan. Roy liep door de kamer, en keek toe terwijl ze aandachtig zat te tikken. Af en toe kwam haar rechterhand omhoog van het toetsenbord, pakte een chocolaatje, stopte dat in haar mond en ging weer door met tikken. Ze was een slanke vrouw, maar Grace kende niemand die zoveel chocola at als zij.

Naast haar zat hoofdagent Nick Nicholl, met ongekamde haren. Hij was zevenentwintig, en een lange, magere bonenstaak. Hij deed zijn werk vol overgave en omdat hij vroeger rugby had gespeeld, had Grace hem aangemoedigd dat weer te gaan doen, en hij was nu een waardevol lid van het team van het politiekorps in Sussex. Hoewel hij, wegens chronisch slaaptekort omdat hij pas vader was geworden, niet zo gedreven was als Grace had gehoopt.

Tegenover hem zat de jonge, enthousiaste agente Emma-Jane Boutwood een dik pak uitdraaien te lezen. Een paar maanden geleden was ze zwaargewond geraakt toen ze tijdens een achtervolging bekneld was geraakt tussen een muur en een gestolen busje. Ze zou eigenlijk nog moeten herstellen, maar ze had Grace gesmeekt om weer wat licht werk te mogen doen.

Verder zaten er nog een analist, een notulist, een typiste en een computerexpert in het team.

Glenn Branson, die een zwart pak, een felblauw overhemd en een rode stropdas droeg, keek op toen Grace binnenkwam. 'Hé, ouwe,' zei hij, maar minder vrolijk dan anders. 'Kunnen we straks even praten?'

Grace knikte naar zijn vriend. 'Ja, natuurlijk.'

Door Bransons begroeting keken een paar andere mensen ook op.

'Kijk eens aan, daar is God!' zei Norman Potting, die een denkbeeldige hoed aantikte. 'Mag ik u als eerste feliciteren met uw stap omhoog!' zei hij.

'Dank je, Norman, maar zo'n grote stap is het nu ook weer niet.'

'Kijk, dat ben ik nu niet met je eens, Roy,' zei Potting. 'We kijken nu toch allemaal zeer tegen je op.' Hij keek triomfantelijk om zich heen alsof hij dat toch maar even goed had gezegd.

Bella, die een hekel had aan Potting, keek hem aan terwijl haar hand als een roofvogel boven de chocolaatjes hing. 'Keken we niet altijd al naar hem op?'

'Maar nu is hij nog hoger, dus kijken we nog meer naar hem op.'

'Misschien had je maar beter in de politiek kunnen gaan in van plaats van bij de politie,' zei ze, en ze stak een chocolaatje in haar mond.

Grace ging op de enig overgebleven vrije stoel zitten, aan het hoofd van de tafel, tussen Potting en Bella in, die meteen haar neus optrok toen ze de verschaalde pijptabak rook die in zijn kleren hing.

Bella zei tegen Grace: 'Gefeliciteerd, Roy. Je hebt het echt verdiend.'

De inspecteur werd vervolgens door zijn hele team gefeliciteerd en legde toen zijn papieren voor de vergadering voor zich op tafel.

'Goed. Dit is de tweede vergadering van operatie Dingo, het onderzoek naar de vermoedelijke moord op een nog onbekende vrouw, op de derde dag nadat ze is ontdekt.'

Hij gaf een samenvatting van het rapport van de forensisch archeoloog. Toen las hij wat speerpunten voor uit Theobalds uitvoerige verslag. Dood door wurging, ondersteund door het gebroken tongbeentje, zou een mogelijkheid zijn. Op wat overgebleven haren werden momenteel tests gedaan om te zien of er giftige stoffen in haar bloed aanwezig waren. Verder was er geen letsel aangetroffen op het skelet, geen gebroken botten, en geen messteken.

Grace nam een slok water en merkte op dat Norman Potting er wel erg voldaan uitzag.

'Oké. Teamuitbreiding. Aangezien het zo lang geleden heeft plaatsgevonden, begin ik daar voorlopig nog niet aan.' Hij werkte de rest van de kopjes af. Vergaderdata: hij gaf aan dat er elke dag om halfnegen 's ochtends en halfzeven 's avonds zou worden vergaderd. Verder verklaarde hij dat het team van de HOLMES-computer er al sinds vrijdagavond mee bezig was. Toen ging hij verder met het kopje Onderzoektactieken, waaronder ook Media viel. Hij benadrukte het belang van media-aandacht, en zei dat ze in gesprek waren met het televisieprogramma *Crimewatch*, zodat deze zaak de volgende week op tv zou komen. Het ging nogal stroef omdat het redactieteam het onderwerp niet erg nieuwswaardig vond. Toen waren zijn mensen aan de beurt en hij gaf Emma-Jane Boutwood als eerste het woord.

De jonge agente had een lange lijst van alle personen die in die periode in Sussex vermist waren, maar er kwam niemand echt in aanmerking. Grace gaf haar opdracht de vermiste personen in het hele land voor die periode na te gaan.

Nick Nicholl vertelde dat DNA van het haar van de vrouw naar het laboratorium in Huntingdon was gestuurd, samen met een stukje bot van haar dijbeen.

Bella Moy had met iemand van de gemeente gesproken. 'Hij liet me de plattegrond van het rioolstelsel zien en ik ben nu de mogelijke plaatsen in kaart aan het brengen waar ze gedumpt kan zijn. Dat is morgen klaar.'

'Mooi,' zei Grace.

'Er is nog iets wat best wel belangrijk zou kunnen zijn,' zei Bella. Het riool loopt zo ver uit in zee, dat als het vloed is, het rioolwater niet terug naar de kust wordt gevoerd.'

Grace knikte, hij had al een vermoeden waar dit naartoe ging.

'Het is mogelijk dat de moordenaar dat wist, misschien was hij wel ingenieur of zo.'

Grace bedankte haar en richtte zich tot Norman Potting, benieuwd waarom de rechercheur zo in zijn nopjes was.

Potting trok een stel röntgenfoto's uit een bubbeltjesenvelop en hield ze triomfantelijk omhoog. 'Deze zijn van de onbekende vrouw!' zei hij.

Het was even helemaal stil. Alle aanwezigen keken hem aan.

'Ik heb ze van een van de tandartsen gekregen die op de lijst stonden die je me had gegeven, Roy,' zei hij. 'De vrouw heeft heel wat aan haar gebit laten doen. Ze heet – nou ja, heette – Joanna Wilson.'

'Goed gedaan,' zei Grace. 'Was ze getrouwd?'

'Nou, ik heb goed nieuws en slecht nieuws,' zei Potting, en hij grinnikte voldaan.

'Zeg het maar,' moedigde Grace hem aan.

'Ze was inderdaad getrouwd. Een heftige relatie – wat ik er tot dusver van heb ontdekt – de tandarts, meneer Gebbie, weet er iets vanaf. Daar hoor ik morgen meer over. Ze was actrice. Ik weet het fijne er nog niet van, maar ze gingen uit elkaar en zij ging weg. Ze ging naar Los Angeles om bekend te worden, dat beweerde de echtgenoot althans.'

'Zo te horen moeten we maar even met die man praten,' zei Grace.

'Tja, dat zal een beetje moeilijk gaan,' zei Potting. Hij knikte even peinzend, perste zijn lippen op elkaar, alsof hij een zware last op zijn schouders torste. 'Hij is op 11 september omgekomen in het World Trade Center.'

46

Oktober 2007

Om kwart voor zeven kreeg Abby het vermoeden dat de koeriersdienst haar was vergeten. Ze stond al vanaf halfzes te wachten, haar koffer voor de deur, haar jas eroverheen gehangen, de grote envelop geadresseerd en dichtgeplakt.

Het was nog helemaal donker buiten en doordat het nog steeds goot, kon ze weinig zien. Ze lette op of ze de wagen van Global Express de straat in zag rijden. Voor de zoveelste keer haalde ze de pepperspray uit haar broekzak en keek ernaar.

Het dunne rode busje aan een kettinkje met riemclip en met deukjes voor de vingers was geruststellend zwaar. Ze klapte het veiligheidsklepje een paar keer open en dicht en deed net of ze ermee richtte. De man van wie ze hem in Los Angeles had gekocht toen ze op doorreis was naar Engeland, had haar verteld dat ze er tien keer één seconde mee kon spuiten waardoor iemand tien seconden werd verblind. Ze had de spray Engeland in gesmokkeld in haar make-uptasje in haar koffer.

Ze deed hem weer in haar zak, kwam overeind en haalde haar gsm uit haar handtas. Ze wilde net Global Express bellen toen de bel eindelijk ging.

Ze haastte zich door de gang naar de voordeur. Op het kleine zwart-witschermpje kon ze alleen een motorhelm zien. Haar hart zonk haar in de schoenen. Die imbeciel aan de telefoon, Jonathan, had gezegd dat het een vrachtwagen zou zijn. Ze had helemaal gerekend op een vrachtwagen.

Shit.

Ze drukte op de knop van de intercom. 'Kom maar naar boven, achtste verdieping,' zei ze. 'De lift doet het helaas niet.'

Ze dacht snel na, ze moest iets verzinnen. Ze pakte de envelop. Haar oorspronkelijke plan was nu weer het beste, vond ze, en ze dacht er twee minuten over na voordat er op haar deur werd geklopt.

Zoals altijd op haar hoede, keek ze door het spionnetje naar buiten en ze zag daar een motorrijder staan, met leren pak, zwarte helm en een donker vizier dat voor zijn gezicht was getrokken. Hij had een klembord bij zich.

Ze maakte de sloten open, haalde de veiligheidskettingen eraf en opende de deur.

'Ik... Ik dacht dat je met een vrachtwagen zou komen,' zei ze.

Hij liet het klembord vallen, dat met een klap op de grond terechtkwam, en gaf Abby een harde stomp in haar maag. Ze werd er volkomen door verrast en sloeg dubbel door de pijn. Ze viel tegen de muur aan.

'Leuk je weer te zien, Abby,' zei hij. 'Maar ik vind je nieuwe look maar niets.'

Hij gaf haar opnieuw een stomp.

47

Oktober 2007

Even voor zeven uur 's avonds reed Cassian Pewe in zijn donkergroene Vauxhall Astra over de kustweg boven op het klif. De wind beukte tegen de auto en het duister werd verlicht door neonlampen. Hij kwam via twee kleine rotondes Peacehaven binnen en reed vervolgens anderhalve kilometer langs een eindeloze rij winkelpanden, zo te zien bijna de helft makelaarskantoren, en de rest felgekleurde fastfoodrestaurants. Het deed hem denken aan de buitenwijken van Amerikaanse stadjes die hij wel eens in films had gezien.

Hij kende dit gedeelte van Oost-Brighton niet en liet zich leiden door de vrouwenstem van zijn TomTom. Hij was Peacehaven gepasseerd en zat achter een langzaam rijdende camper heuvelafwaarts naar Newhaven. De vrouw van het navigatiesysteem vertelde hem dat hij zo'n driekwart kilometer rechtdoor moest blijven rijden. Toen ging zijn gsm, die in de handsfreehouder zat.

Hij keek naar het schermpje, zag dat het zijn vriendin Lucy was, en drukte op beantwoorden.

'Dag, liefje,' koerde hij. 'Hoe gaat het met mijn allerliefste engeltje?'

'Heb je hem op handsfree staan?' vroeg ze. 'Het lijkt wel of ik met een robot zit te praten.'

'Sorry, liefje, ik zit in de auto.'

'Je hebt me niet gebeld,' zei ze ontdaan en ook een beetje boos. 'Je zou me vanochtend bellen, over vanavond.'

Lucy, die in Londen woonde en daar werkte als secretaresse voor een aandelenmakelaar, was niet blij geweest met zijn overstap naar Brighton. Waarschijnlijk, dacht hij, omdat hij niet had gevraagd of ze mee wilde gaan. Hij hield zijn vriendinnen altijd op een afstand, en belde hen zelden als hij had beloofd dat hij hen zou bellen en zegde vaak afspraakjes op het laatste moment af. De ervaring had hem geleerd dat hij hen zo geïnteresseerd hield.

'Engeltje, ik heb het zóóó druk gehad,' koerde hij weer. 'Ik heb gewoon geen tijd gehad. We hebben de hele dag vergaderd.'

'Over honderdvijftig meter links afslaan,' zei de dame van het navigatiesysteem.

'Wie is dat?' vroeg Lucy achterdochtig. 'Wie heb je daar bij je?'

'Dat is de TomTom, lieverd.'

'Dus ik zie je vanavond?'

'Ik denk niet dat dat gaat lukken, engel. Ik werk momenteel aan een grote zaak. Het zou best wel eens een moordonderzoek kunnen worden, met alle gevolgen van dien voor het plaatselijke politiekorps hier. Ze vonden mij de juiste persoon ervoor, omdat ik natuurlijk bij de Londense politie heb gewerkt.'

'En daarna?'

'Nou, als jij nu eens de trein nam, dan zouden we hier laat op de avond kunnen eten. Hoe vind je dat?'

'Mooi niet, Cassian! Ik moet morgen weer om kwart voor zeven op mijn werk zijn.'

'Nou, ja, het was maar een voorstel,' zei hij.

Hij reed over de brug van Newhaven en zag een hele rij bordjes voor zich staan: eentje dat aangaf waar de ferry was, en eentje naar Lewes. Toen, tot zijn opluchting zag hij er een waar Seaford op stond, zijn bestemming.

'Ga bij de tweede afslag links,' zei de TomTom.

Pewe fronste zijn wenkbrauwen. Op het bordje had gestaan dat hij rechtdoor moest.

'Wie was dat?' vroeg Lucy.

'De TomTom weer,' zei hij. 'Wil je niet weten hoe het vandaag is gegaan? Mijn eerste werkdag bij de politie van Sussex?'

'Hoe is het vandaag gegaan?' vroeg ze met tegenzin.

'Nou,' zei hij, ik heb zelfs al een beetje promotie gemaakt.'

'Echt waar? Ik dacht dat je overplaatsing al een promotie was.'

'Dit is nog beter. Ik heb de verantwoording gekregen over alle onopgeloste oude zaken inclusief vermissingen.'

Ze was even stil.

Hij nam een bocht naar links.

Op het schermpje was de weergave van de weg voor hem opeens verdwenen. Toen zei de vrouwenstem: 'Probeer om te keren.'

'Godver,' zei hij.

'Wat is er aan de hand?' vroeg Lucy.

'Mijn TomTom heeft verdomme geen idee waar ik zit.'

'Ik voel met haar mee,' zei Lucy.

'Ik bel je straks terug, engeltje.'

'Zei jij dat of de TomTom?'

'Goh, grappig hoor!'

'Waarom ga je niet lekker met haar romantisch uit eten?' Lucy hing op.

Tien minuten later functioneerde de TomTom weer naar behoren en werd hij afgeleverd bij zijn bestemming in Seaford, een rustig stadje aan de kust, een paar kilometer bij Newhaven vandaan. Hij tuurde in het donker naar het nummer bij de voordeur, en zette de auto voor een kleine halfvrijstaande woning met muren van kiezelpleister. Er stond een Nissan Micra op de oprit.

Hij deed de binnenverlichting aan, keek of zijn stropdas goed zat, kamde zijn haar, stapte uit de auto en deed die op slot. De wind blies onmiddellijk zijn haar in de war terwijl hij snel over het pad in het keurig bijgehouden tuintje naar de voordeur liep. Daar drukte hij op de bel, en hij vervloekte het feit dat er geen afdakje was. De bel ging mistroostig over.

Na een paar minuten werd de deur op een kier geopend en een vrouw – begin zestig, schatte hij – keek hem wantrouwig door haar nogal strenge bril aan. Twintig jaar geleden, met een beter kapsel en zonder de diepe zorgenrimpels, was ze vast knap geweest, dacht hij. Maar nu, met het korte staalgrijze haar, een wijde oranje trui, waarin ze verdronk, bruine polyester broek en schoenen, leek ze wat Pewe aanging op een van die deegachtige typisch Engelse dames die altijd op een kerkbazaar rondliepen.

'Mevrouw Margot Balkwill?' vroeg hij.

'Ja?' vroeg ze aarzelend en een tikje achterdochtig.

Hij toonde haar zijn legitimatiebewijs. 'Ik ben inspecteur Pewe van de politie van Sussex. Is het mogelijk dat ik u en uw man even kan spreken over uw dochter Sandy?'

Haar kleine ronde mond zakte open, waarbij een stel gave tanden te zien werden die geel van ouderdom waren. 'Sandy?' vroeg ze geschokt.

'Is uw man thuis?'

Ze dacht er even over na, als een schooljuffrouw die net door een leerling een lastige vraag was gesteld. 'Ja, hij is thuis, ja.' Ze aarzelde even, en gaf toen aan dat hij binnen mocht komen.

Pewe stapte op de mat waarop WELKOM stond, de kleine kale hal in, die vaag rook naar gebraden vlees en nog sterker naar katten. Hij hoorde dat er een soap op televisie opstond.

Ze deed de deur achter hem dicht, en riep, ietwat timide: 'Derek! Bezoek. Een politieman. Een inspecteur.'

Terwijl hij zijn haar fatsoeneerde, liep Pewe achter haar aan een kleine, kraakheldere woonkamer in. Er stonden een bruinfluwelen bankstel en een salontafel met een glazen blad voor een wat gedateerde vierkante televisie gerangschikt waarop twee vaag bekende acteurs ruzie hadden in een bar. Boven op het toestel stond een foto van een aantrekkelijk blond meisje van een jaar of zeventien. Pewe had die middag de dossiers doorgenomen en wist dat dat Sandy was.

Aan de andere kant van de kleine kamer, naast een in Pewes ogen nogal lelijke victoriaanse kast vol met blauw-witte borden met wilgpatronen, zat een man aan een tafeltje waar kranten overheen lagen, een modelvliegtuigje in elkaar te zetten. Stukjes hout, wieltjes en onderdeeltjes van een onderstel, een mitrailleurkoepel en nog een paar kleine dingetjes die Pewe niet bekend voorkwamen, lagen naast het vliegtuig, dat schuin op een kleine verhoging lag alsof hij na het opstijgen hoogte aan het winnen was. Het rook in de kamer naar lijm en verf.

Pewe keek even snel de rest van de kamer door. Een gashaard met nepkolen stond aan. Een geluidsinstallatie die zo te zien alleen lp's kon draaien en geen cd's. En overal foto's van Sandy op verschillende leeftijden, van een paar jaar oud tot begin twintig. De trouwfoto van Roy Grace en Sandy stond duidelijk zichtbaar op de schoorsteenmantel boven de haard. Sandy droeg een lange witte japon en had een boeket in haar handen. Grace, jong en met veel langer haar dan nu, had een donkergrijs pak aan met een zilvergrijze stropdas.

Meneer Balkwill was een grote man met brede schouders, die zo te zien erg sterk was geweest voordat hij zich had laten gaan. Hij had een randje dun grijs haar en een onderkin boven een bonte coltrui die erg veel leek op de trui van zijn vrouw, alsof zij ze allebei had gebreid. Hij stond met afhangende schouders en een kromme rug op, alsof het leven hem had verslagen, en kwam om de tafel heen lopen. Onder de trui, die bijna tot op zijn knieën hing, droeg hij een wijde grijze broek en zwarte sandalen.

Een dikke cyperse kat, die net zo oud als zijn baasjes leek, kwam onder de tafel vandaan, keek even naar Pewe, maakte een hoge rug en schreed de kamer uit.

'Derek Balkwill,' zei hij met een rustige, bijna verlegen stem die niet bij zijn grote lijf leek te passen. Hij stak zijn grote hand uit en gaf Pewe zo'n stevige en pijnlijke hand dat die ervan schrok.

'Inspecteur Pewe,' zei hij terwijl hij ineenkromp. 'Ik zou u en uw vrouw graag even willen spreken over Sandy. Kan dat?'

De man bleef stokstijf staan. Het kleine beetje kleur dat hij had gehad, trok weg uit zijn wangen en Pewe zag dat zijn handen licht beefden. Hij vroeg zich even geschrokken af of de man op het punt stond een hartaanval te krijgen.

'Ik zet even de oven lager,' zei Margot Balkwill. 'Wilt u een kopje thee?'

'Graag,' zei Pewe. 'Met citroen, als dat kan.'

'U werkt toch samen met Roy?' vroeg ze.

'Ja, dat klopt.' Hij keek nog steeds bezorgd naar haar man.

'Hoe gaat het met hem?'

'Goed. Hij werkt weer aan een moordzaak.'

'Hij heeft het altijd druk,' zei Derek Balkwill, die eindelijk een beetje bijkwam. 'Hij is een harde werker.'

Margot Balkwill haastte zich de kamer uit.

Derek wees naar het vliegtuigje. 'Lancaster.'

'Tweede Wereldoorlog?' vroeg Pewe, die net deed of hij er verstand van had.

'Ik heb er boven nog meer.'

'O, ja?'

Hij glimlachte verlegen. 'Ik heb een Mustang P45, een Spitfire, een Hurricane, Mosquito, Wellington.'

Er viel een ongemakkelijke stilte. Twee vrouwen hadden het op televisie over een trouwjapon. Toen wees Derek naar de Lancaster. 'Mijn vader vloog in ze. Vijfenzeventig vluchten. Weet u iets over de Dambusters? Hebt u de film gezien?'

Pewe knikte.

'Hij was daar een van. Een van de weinigen die terugkwamen.'

'Was hij piloot?'

'Staartschutter. Zijn bijnaam was Charlie Staartstuk.'

'Dappere man,' zei Pewe beleefd.

'Niet echt. Hij deed gewoon zijn werk. Hij was erg verbitterd na de oorlog.'

Even later voegde hij eraan toe: 'De oorlog verziekt mensen, weet u dat?'

'Dat kan ik me voorstellen.'

Derek Balkwill schudde zijn hoofd. 'Nee. Nee, dat kan niemand zich voorstellen. Zit u al lang bij de politie?'

'In januari negentien jaar.'

'Net zolang als Roy.'

Toen zijn vrouw terugkwam met thee en koekjes zette Derek Balkwill met de afstandsbediening het geluid van de televisie uit, maar het beeld bleef aanstaan. Ze gingen zitten, Pewe in een stoel en de Balkwills op de bank.

Pewe pakte zijn kopje, hield het elegante oortje tussen zijn gemanicuurde vingers, blies in de thee, nam een slokje en zette het kopje neer. 'Ik ben nog maar pas van de Londense politie naar Sussex overgeplaatst,' zei hij. 'Ik ga de oude zaken behandelen. Ik heb de dossiers van vermiste personen bekeken, en ik moet tot mijn spijt zeggen dat ik vind dat de zaak van uw dochter niet erg goed is afgehandeld.'

Hij leunde naar achteren en spreidde zijn armen. 'Ik bedoel daarmee, zonder dat ik Roy uiteraard een hak wil zetten...' Hij wachtte even, totdat ze gezamenlijk even knikten zodat hij door kon gaan. 'Ik ben natuurlijk een buitenstaander, en ik krijg de indruk dat Roy Grace er te emotioneel bij betrokken was om het onderzoek naar de vermissing van zijn vrouw goed te kunnen leiden.' Hij was even stil en nam nog een slokje thee. 'Ik vroeg me af wat u daarvan vond.'

'Weet Roy dat u hier bent?' vroeg Derek Balkwill.

'Ik leid een zelfstandig onderzoek,' zei Pewe ontwijkend.

Sandy's moeder fronste haar wenkbrauwen, maar zei niets.

'Ik kan me niet voorstellen dat het kwaad kan,' zei haar man uiteindelijk.

48

11 september 2001

Ronnie was dronken. Hij wankelde met zijn bagage achter hem aan over de stoep, die overhelde als het dek van een schip. Zijn mond was droog en hij had het gevoel dat zijn hoofd in een bankschroef zat. Hij had iets moeten eten, besefte hij. Hij zou straks, als hij eenmaal een kamer had en zijn bagage kwijt kon, wat naar binnen werken.

In zijn linkerhand hield hij een verfrommelde bon uit de bar waar op de achterkant door zijn nieuwe beste vriend – wiens naam hij alweer was vergeten – een adres was geschreven en een plattegrondje getekend. Het was vijf uur 's middags. Een helikopter vloog laag over hem heen. Er hing een onaangename brandlucht. Stond er iets in de fik?

Toen realiseerde hij zich dat het dezelfde brandlucht was als in Manhattan. Dik en plakkerig sijpelde het de lage huizen van rood baksteen binnen die aan weerskanten van hem stonden, en in zijn kleren en poriën. Hij ademde het in, vulde zijn longen ermee.

Eenmaal achter in de straat keek hij op de plattegrond. Zo te zien moest hij bij de volgende kruising rechts afslaan. Hij liep langs verschillende winkels met cyrillisch schrift, vervolgens langs een bank met een pinautomaat. Hij bleef staan, had even de neiging om al het geld op te nemen dat hij op zijn creditcards kon krijgen, maar dat zou niet slim zijn. De automaat zou het tijdstip van de transactie aangeven. Hij liep door. Nog meer winkels. Aan de andere kant van de straat hing een slappe banier, waarop de woorden HOU BRIGHTON BEACH SCHOON stonden.

Hij besefte nu pas hoe verlaten de straten waren. Er stonden aan beide kanten auto's geparkeerd, maar er waren nergens mensen te bekennen. De winkels waren ook bijna helemaal verlaten. Het was net alsof de hele wijk naar een feestje was waar hij geen uitnodiging voor had gekregen.

Maar hij wist dat ze allemaal thuiszaten, voor de televisie. In afwachting van wat er nog meer zou gebeuren, had iemand in de bar gezegd.

Hij kwam langs een slecht verlichte zaak met een uithangbordje waarop stond MAIL BOX CITY en hij bleef staan.

Binnen kon hij links een lange toonbank onderscheiden. Rechts waren allemaal postbussen. Achter in de winkel zat een jonge man met lang haar aan een computer. Een oudere, grijze man in goedkope kleren was bij de toonbank ergens mee bezig.

Ronnie besefte dat hij wat nuchterder werd. Hij kon weer beter denken. En dat leek hem erg nuttig voor zijn plannen. Hij liep door, telde de straten aan zijn linkerhand. Ging toen, aan de hand van het plattegrondje, rechtsaf een verlopen woonstraat in. De huizen zagen eruit alsof ze waren opgebouwd uit aftandse Lego-steentjes. Ze hadden twee of drie verdiepingen, waren halfvrijstaand, en er was geen huis hetzelfde. Er waren treden naar de voordeur, afdakjes, en deuren waar een garage zou moeten zijn; dakpannen, slecht metselwerk en slordig afgewerkte puien, en ramen die niet bij elkaar pasten en zo te zien van verschillende partijen kwamen.

Bij de volgende kruising moest hij volgens het plattegrondje links het verlopen Brighton Path 2 in lopen. Hij kwam langs twee witte Chevrolet Suburbans die voor een dubbele garage stonden geparkeerd, waarvan beide deuren onder waren gekalkt met graffiti, en een rijtje laagbouw, en ging toen naar rechts een zelfs nog meer verlopen straat in met halfvrijstaande woningen. Hij kwam bij nummer 29. Zowel het linker- als het rechterhuis had de kleur van beton. Buiten hing een afgescheurde poster aan een telegraafpaal. Maar dat viel hem nauwelijks op. Hij keek naar het smerige bordes en zag in rode letters op een klein wit bordje dat op de deurstijl gespijkerd zat KAMERS TE HUUR staan.

Hij tilde zijn koffer op, liep het bordes op en belde aan. Even later zag hij door het glas een wazige figuur aan komen lopen en werd de deur opengedaan. Een mager plat meisje, in een vieze smokjurk en op teenslippers, keek hem aan. Ze had smerig vet haar dat net zeewier leek en een bol poppengezicht met grote, met eyeliner omrande ogen. Ze zei niets.

'Ik zoek een kamer,' zei Ronnie. 'En ik heb gehoord dat jullie er een voor me hadden.'

Hij zag een betaaltelefoon aan de muur achter haar hangen en rook de lucht van vochtig en oud tapijt. In het gebouw stond ergens het journaal aan op tv. Het nieuws van de dag.

Ze zei iets wat hij niet kon verstaan. Het leek op Russisch, maar daar was hij niet zeker van.

'Spreek je Engels?'

Ze stak haar hand op ten teken dat hij moest wachten, en liep toen weg. Na een tijdje kwam er een grote man van een jaar of vijftig met een kaalgeschoren hoofd aan lopen. Hij droeg een wit overhemd zonder kraag, een groezelige zwarte broek met bretels, en gymschoenen. Hij keek Ronnie met een laatdunkende blik aan.

'Kamer?' vroeg hij met een keelachtig accent.

'Boris,' zei Ronnie, die zich opeens weer de naam te binnen schoot van zijn nieuwe beste vriend. 'Hij zei dat ik hiernaartoe moest gaan.'

'Hoe lang?'

Ronnie haalde zijn schouders op. 'Een paar dagen.'

De man keek naar hem. Schatte hem in. Misschien om erachter te komen of hij geen terrorist was of zo.

'Dertig dollar per dag. Oké?'

'Goed. Wat een vreselijke dag, vandaag, hè?'

'Slechte dag. Erg slechte dag. Hele wereld gek. Van twaalf tot twaalf. Oké?

Begrepen. Je betaalt elke dag vooruit. Je blijft na twaalf uur middag, dan betaalt weer dag.'

'Begrepen.'

'Contant?'

'Ja, prima.'

Het huis was groter dan het er vanbuiten naar uit had gezien. Ronnie liep achter de man aan door de hal en de gang, langs muren die zo geel waren als nicotine en waar goedkope ingelijste prentjes van landschapjes waren opgehangen. De man bleef staan, liep even een kamer in, en kwam toen met een sleutel met een houten sleutelhanger eraan weer tevoorschijn. Hij maakte er de tegenoverliggende deur mee open.

Ronnie liep met hem mee een kleine kamer binnen die stonk naar verschaalde sigarettenrook. Een klein raampje keek uit op de muur van het huis van de buren. Er stond een klein tweepersoonsbed in waarop een roze gehaakt sprei lag met twee sigarettengaatjes en heel veel vlekken. In een hoek was een wastafel en daarnaast een kleine douche met een plastic geel douchegordijn ervoor dat gescheurd was. Verder waren er een oude leunstoel, een ladekast, een paar goedkope houten tafeltjes, een oude tv met zelfs een nog oudere afstandsbediening en een groen vloerkleed.

'Perfect,' zei Ronnie. En op dat moment was het inderdaad perfect voor hem.

De man sloeg zijn armen over elkaar en keek hem verwachtingsvol aan. Ronnie haalde zijn portefeuille tevoorschijn en betaalde hem drie dagen vooruit. Hij kreeg de sleutel en de man liep de kamer uit en deed de deur achter zich dicht.

Ronnie keek rond. Er lag een stuk zeep in de douche met daarop iets wat verdacht veel leek op een bruine schaamhaar. De televisie gaf wazig beeld. Hij deed alle lichten aan, trok het gordijn dicht en ging op het bed zitten, dat meteen een stuk inzakte. Toen glimlachte hij. Hij kon dit best wel een paar dagen volhouden. Makkelijk.

Dit was per slot van rekening de eerste dag van de rest van zijn leven!

Hij boog naar voren en tilde de aktetas van zijn koffer af. Hij haalde het dossier eruit waar het voorstel en alle gegevens in zaten waar hij weken aan had gewerkt om aan Donald Hatcook te laten zien. Uiteindelijk pakte hij de doorzichtige plastic showtas die onderin had gezeten. Hij haalde er de rode map uit die hij niet had durven achterlaten in het W, zelfs niet in het kluisje. Hij maakte hem open.

Zijn ogen gingen stralen.

'Dag, schatjes van me,' zei hij.

49

Oktober 2007

'En wat is er mis met Guinness?' vroeg Glenn Branson.

'Ik zei toch niet dat er iets mis mee was?'

Roy Grace zette Glenns pint en zijn eigen dubbele Glenfiddich met ijs op de tafel, legde er twee zakjes chips met baconsmaak naast, en ging toen zitten. Het was maandagavond acht uur en de Black Lion was praktisch verlaten. Toch waren ze helemaal achterin gaan zitten, ver bij de bar vandaan, zodat niemand hen kon horen. Door de muzak waren ze bijna onverstaanbaar, zodat ze rustig een privégesprek konden voeren.

'Je kijkt zo misprijzend als ik Guinness bestel,' zei Branson. 'Alsof jij zoiets nooit zou kunnen drinken.'

Je vrouw verandert je van een zelfverzekerde man in een paranoïde vent, dacht Grace, maar hij zei het niet hardop. In plaats daarvan zei hij: 'Voor de man die bang is, ritselt alles.'

Branson fronste zijn wenkbrauwen. 'Wie heeft dat gezegd?'

'Sophocles.'

'In welke film dan?'

Grace schudde grinnikend zijn hoofd. 'God, wat ben je soms toch een cultuurbarbaar. Ken je ook iets wat níét uit een film komt?'

'Dank je wel, Einstein. Dat was een klap onder de gordel.'

Grace stak zijn glas in de lucht. 'Proost, hè?'

Branson hield ook zijn glas omhoog, maar niet erg enthousiast en tikte ermee tegen dat van Grace.

Ze namen allebei een slok en toen zei Grace: 'Sophocles was een filosoof.'

'Leeft ie niet meer?'

'Hij is in 406 voor Christus overleden.'

'Dat was voor mijn tijd, ouwe. Jij bent zeker naar de begrafenis geweest?'

'Goh, wat grappig.'

'Ik kan me nog herinneren toen ik bij je logeerde, dat er overal filosofische boeken rond slingerden.'

Grace nam nog een slok whisky en glimlachte naar hem. 'Vind je het gek als iemand zichzelf wil verbeteren?'

'Vanwege hun grietje, bedoel je?'

Grace kreeg een rood hoofd. Branson had natuurlijk helemaal gelijk. Cleo volgde een cursus filosofie aan de Open Universiteit en hij deed hard zijn best om er iets van te begrijpen.

'Dat kwam aan, hè?' Branson glimlachte flauwtjes.

Grace hield zijn mond.

'Rhinestone Cowboy' stond op en ze luisterden er een tijdje naar. Grace zong zonder geluid te maken mee en bewoog zijn hoofd mee met de muziek.

'Nee, hè? Je gaat me toch niet vertellen dat je fan bent van Glen Campbell?'

'Toevallig wel, ja.'

'Hoe beter ik je leer kennen, hoe meer ik erachter kom dat je maar een zielig mannetje bent!'

'Dat is nog eens een echte muzikant. Beter dan al die rapherrie waar jij naar luistert.'

Branson klopte zichzelf op de borst. 'Dat is mijn muziek, man. Dat zijn mijn mensen die tegen me praten.'

'Houdt Ari er ook van?'

Branson zag er opeens verslagen uit. Hij tuurde in zijn bier. 'Vroeger wel. Geen idee waar ze nu van houdt.'

Grace nam nog een slok. De whisky was lekker, hij kreeg er een warm gevoel van. 'Nou, vertel op. Je wilde toch over haar praten?' Hij trok zijn zakje chips open en stak zijn vingers erin, pakte er een paar uit en stak ze in zijn mond. Hij zei met volle mond: 'Je ziet er beroerd uit, weet je dat? Je ziet er al twee maanden beroerd uit, sinds je weer bij haar terug bent. Ik dacht dat het beter zou gaan als je een paard voor haar had gekocht. Nee dus?' Hij nam hongerig nog een handvol chips.

Branson nam een slok Guinness.

Het rook in de pub naar tapijtreiniger en boenwas. Grace miste de geur van sigaretten, sigaren en pijptabak. Nu je niet meer mocht roken in pubs, vond hij het lang niet zo gezellig meer. En hij had nu wel trek in een sigaret gehad.

Cleo had niet gevraagd of hij straks nog langskwam, omdat ze een verhandeling moest schrijven voor de cursus. Hij zou hier straks wel een hapje eten, of thuis iets uit de vriezer trekken.

Hij was nooit erg goed in koken geweest en hij ging hoe langer hoe meer op Cleo rekenen, besefte hij. De afgelopen maanden had ze bijna elke avond voor hem gekookt, over het algemeen gezond: gestoomde of gewokte vis en groenten. Ze vond het gruwelijk dat de meeste politiemensen op een dieet van junkfood leefden.

'Rhinestone Cowboy' was afgelopen en ze zaten een tijdje stil voor zich uit te kijken.

Glenn verbrak de stilte. 'Je weet dat we geen seks meer hebben, hè?'

'Sinds je weer terug bent bij haar?'

'Precies.'

'Geen enkele keer?'

'Geen enkele keer. Alsof ze me wil straffen.'

'Waarvoor dan?'

Branson dronk zijn glas leeg, knipperde met zijn ogen naar het lege glas en kwam overeind. 'Jij nog eentje?'

'Een kleintje,' zei hij omdat hij moest nog rijden.

'Glenfiddich met ijs, zoals altijd? Met een drupje water?'

'Dus je geheugen werkt nog wel?'

'Ach, hou je kop, ouwe!'

Grace dacht even na, over het werk. Over de vergadering van halfzeven die ze net achter de rug hadden. Joanna Wilson. Ronnie Wilson. Hij kende Ronnie nog. Hij was ooit een van Brightons boeven geweest. Dus Ronnie was op 11 september omgekomen. Het zou je maar gebeuren. Had Ronnie zijn vrouw vermoord? Zijn team werkte eraan. Ze zouden morgen de achtergrond van de man en van zijn vrouw nagaan.

Branson kwam terug en ging weer zitten.

'Hoe bedoel je, Glenn, dat Ari je wil straffen?'

'Toen Ari en ik elkaar pas kenden, neukten we ons suf. Weet je? We werden wakker en we hadden seks. We gingen uit, om een ijsje te kopen of zo, en dan konden we niet van elkaar af blijven. En dan 's avonds weer. Alsof het niet het echte leven was.' Hij pakte het glas bier en dronk het bijna voor de helft in één keer leeg. 'Oké, ik weet natuurlijk wel dat het zo nooit blijft.'

'Het wás het echte leven,' zei Roy. 'Maar het echte leven blijft nooit hetzelfde. Mijn moeder zei altijd dat het leven net een boek is met allerlei hoofdstukken. Er gebeurt steeds iets. Het leven verandert voortdurend. Weet je wat het geheim is van een gelukkig huwelijk?'

'Nou?'

'Je moet geen politieman zijn.'

'Leuk hoor. Ironisch, vind je niet, dat zij juist wilde dat ik dat ging doen?'

Hij schudde zijn hoofd. 'Ik snap gewoon niet waarom ze steeds zo boos is. Op mij. Weet je wat ze vanochtend tegen me zei?'

'Wat dan?'

'Ze zei dat ik haar moedwillig wakker had gehouden. Dat als ik wanneer ik 's nachts opsta en moet pissen, weet je, ik bewust op het water mik zodat het goed hoorbaar is. Ze zei dat als ik echt van haar hield, ik tegen de zijkant van de pot zou pissen.'

Grace goot de whisky bij wat er nog in zijn oude glas zat. 'Meen je dat nou?'

'Echt, man. Ik kan echt niets goed doen. Ze zegt steeds dat ze ruimte nodig heeft en mijn carrière als politieman kan barsten. Ze gaat weer 's avonds uit en is niet van plan dat te laten vanwege de kinderen, want dat is mijn verantwoording. Als ik over moet werken, dan moet ik een babysitter regelen.'

Grace nam een slok whisky en vroeg zich af of Ari misschien een verhouding had. Maar hij wilde zijn vriend niet nog meer overstuur maken door dat te opperen.

'Zo kun je toch niet leven?' zei hij.

Branson pakte zijn zakje chips en speelde ermee. 'Ik hou van mijn kinderen,' zei hij. 'Ik moet er niet aan denken dat we gaan scheiden en ik ze straks maar een paar uur per maand zal zien.'

'Hoe lang is het al zo?'

'Al sinds ze zichzelf wil ontwikkelen. Op maandagavond volgt ze Engelse literatuurlessen en op donderdag architectuur. En dan tussendoor ook nog van alles en nog wat. Ik ken haar gewoon niet meer, ik kan niet meer tot haar doordringen.'

Ze zaten weer een tijdje voor zich uit te staren totdat Branson met moeite een vrolijke glimlach tevoorschijn toverde en zei: 'Maar goed, dat is mijn probleem, nietwaar?'

'Nee,' zei Roy, ook al wist hij dat als Ari Glenn weer de deur uit zette, hij opnieuw opgescheept zou zitten met de ergste huisgenoot die je je maar kunt voorstellen. Glenn had een paar maanden geleden bij hem gelogeerd en het huis was één grote puinhoop geweest alsof Roy een olifant die stoned was van de paddo's te logeren had gehad. 'Wat mij betreft is het ook mijn probleem.'

Voor het eerst die avond moest Glenn echt glimlachen. Toen scheurde hij eindelijk het zakje chips open, en hij keek er lichtelijk teleurgesteld in, alsof hij had verwacht dat er iets anders in zou zitten.

'En, hoe staat het met Cassian Pewe... sorry, inspectéúr Cassian Pewe?'

Grace haalde zijn schouders op.

'Neemt hij het van je over?'

Grace glimlachte. 'Dat zal vast wel zijn bedoeling zijn. Maar zover is het nog lang niet.'

50

Oktober 2007

Cassian Pewe nam voorzichtig weer een slokje thee, en vertrok zijn gezicht toen de hete vloeistof tegen zijn tanden aankwam. Hij had de avond ervoor gel aangebracht om zijn tanden wit te maken die de hele nacht moest inwerken, en nu waren ze buitengewoon gevoelig voor hete en koude stoffen.

Hij zette het kopje op de schotel en zei tegen Sandy's ouders: 'Ik wil één ding wel duidelijk stellen: inspecteur Grace is een zeer gewaardeerd politieman. Ik wil alleen maar de waarheid over uw dochters vermissing achterhalen, meer niet.'

'We willen graag weten wat er gebeurd is,' zei Derek Balkwill.

Zijn vrouw knikte. 'Dat is het enige wat voor ons telt.'

'Mooi,' zei hij. 'Ik ben blij dat we het daar over eens zijn.' Hij glimlachte naar hen. 'Maar,' ging hij door, 'zonder dat ik met een beschuldigend vingertje ga wijzen, er zijn een paar mensen bij de politie van Sussex die vinden dat de zaak nooit goed is onderzocht. Dat is een van de redenen waarom ik erbij ben gehaald.'

Hij was even stil en zij knikten, waardoor hij een beetje overmoedig werd. 'Ik heb het dossier gisteren doorgenomen en er zijn nogal wat vragen bij me gerezen. Als ik in uw schoenen had gestaan, zou ik beslist niet tevreden zijn met wat de politie tot nu toe heeft gedaan.'

Ze knikten weer alle twee.

'Ik snap werkelijk niet waarom Roy de leiding had over dat onderzoek. Hij was er veel te nauw bij betrokken.'

'We hadden vernomen dat er een paar dagen nadat onze dochter werd vermist, een onafhankelijk onderzoeksteam was geformeerd,' zei Margot Balkwill.

'En wie bracht verslag aan u uit?' vroeg Cassian Pewe.

'Nou,' zei ze, 'Roy natuurlijk.'

Pewe spreidde zijn armen. 'Ziet u, daar zit hem de kneep. Normaal gesproken is bij een vermiste vrouw automatisch de echtgenoot de hoofdverdachte, totdat blijkt dat hij er niets mee te maken heeft gehad. Maar wat ik er zo over heb gelezen en gehoord, is uw schoonzoon nooit aangemerkt als verdachte.'

'Ziet u hem nu wel als verdachte dan?' vroeg Derek.

Hij pakte zijn theekopje en het viel Pewe op dat hij weer trilde. Hij vroeg zich af of de man nerveus was of de ziekte van Parkinson had.

'Dat wil ik op dit moment nog niet zo stellen.' Pewe glimlachte besmuikt. 'Maar ik zal zeker stappen zetten om na te gaan of hij inderdaad een verdachte is. Dat is tot nu toe nog niet gebeurd.'

Margot Balkwill knikte. 'Dat lijkt me erg goed.'

Haar man knikte ook.

'Mag ik u een zeer persoonlijke vraag stellen? Heeft een van u ooit maar het gevoel gehad dat Roy iets voor u achterhield?'

Er viel een lange stilte. Margot fronste haar wenkbrauwen, perste haar lippen op elkaar, en balde haar vuisten een paar keer. Het waren eeltige handen, zag Pewe, ze tuinierde vast veel. Haar man zat bewegingloos met zijn schouders naar voren, alsof hij langzaam vermorzeld werd door een zware, onzichtbare last.

'U moet goed begrijpen,' zei Margot Balkwill, 'dat we geen vijandige gevoelens hebben tegen Roy.' Ze zei het op een toontje van een schooljuffrouw die verslag uitbrengt aan een ouder.

'Geen enkel,' zei Derek nadrukkelijk.

'Maar,' zei ze, 'ik vraag me toch af... De menselijke natuur. Hoe goed kennen we elkaar eigenlijk? Dat is toch zo, inspecteur?'

'Zeker weten,' zei Pewe gladjes.

In de stilte die daarna viel, pakte Margot Balkwill haar lepeltje en roerde in haar thee. Het viel Pewe op dat het al de derde keer was dat ze roerde, hoewel ze geen suiker in haar thee had gedaan. 'Is u wel eens iets opgevallen in de manier waarop Roy met uw dochter omging?' vroeg hij. 'Iets wat u dwarszat? Zou u bijvoorbeeld zeggen dat ze een goed huwelijk hadden?'

'Nou, het lijkt me erg moeilijk om met een politieman getrouwd te zijn. Zeker een die zo ambitieus is als Roy.' Ze keek naar haar man, die bevestigend zijn schouders ophaalde. 'Ze was wel heel erg vaak alleen. En als ze op het punt stonden weg te gaan, dan werd hij weer op het laatste moment opgeroepen.'

'Werkte zij zelf ook?'

'Ze heeft een paar jaar bij een reisbureau in Brighton gewerkt. Maar ze wilden graag een kind en dat lukte maar niet. De dokter zei dat ze een rustiger baan moest nemen. Dus ging ze daar weg en kreeg parttime werk als receptioniste bij een medisch centrum. Ze had net even geen baantje toen ze...' Haar stem viel weg.

'Verdween?' vulde Pewe aan.

Ze knikte en de tranen sprongen haar in de ogen.

'Het is erg moeilijk voor ons geweest,' zei Derek. 'En helemaal voor Margot. Zij en Sandy hadden een erg goede band.'

'Dat snap ik.' Pewe trok zijn opschrijfboekje tevoorschijn en schreef een paar dingen op. 'Hoe lang waren ze bezig zwanger te raken?'

'Al een paar jaar,' zei Margot met verstikte stem.

'Dat trekt altijd een zware wissel op een huwelijk,' zei Pewe.

'Alles trekt een zware wissel op een huwelijk,' zei Derek.

Er viel een lange stilte.

Margot nam een slokje thee en vroeg toen: 'Zegt u soms dat er meer achter steekt dan ons altijd is verteld?'

'Nee, dat zou ik op dit moment zeker nog niet willen beweren. Wat ik bedoel, is dat het onderzoek dat naar de verdwijning van uw dochter is uitgevoerd, in mijn optiek als politieman met negentien jaar ervaring in het beste politiekorps van Engeland, niet zo goed is geweest. Meer niet.'

'We verdenken Roy absoluut niet,' zei Margot Balkwill. 'Hopelijk trekt u nu niet de verkeerde conclusie.'

'Dat geloof ik graag. Maar ik moet nu meteen iets heel duidelijk maken. Ik ben niet op een heksenjacht, ik wil deze zaak alleen maar een keer afgerond hebben. Zodat u en uw man weer door kunnen gaan met uw leven.'

'Dat zal toch afhangen, vindt u niet, van of onze dochter nog leeft of niet?'

'Natuurlijk,' zei Cassian Pewe. Hij nam nog een slok thee, en maakte zijn tanden schoon met zijn tong. Hij haalde een visitekaartje uit zijn jaszak en legde het op de tafel. 'Als u nog iets te binnen schiet, dan kunt u me altijd bellen.'

'Dank u,' zei Margot Balkwill. 'U bent een goed mens. Dat voel ik.'

Pewe glimlachte.

51

Oktober 2007

Abby knipperde met haar ogen, en werd door een eigenaardig gonzend geluid uit een verwarrende droom wakker. Haar maag deed pijn. Haar gezicht voelde verdoofd aan. Ze had het ijskoud. Ze bibberde. Ze zag crèmekleurige tegels. Heel even dacht ze dat ze in een vliegtuig was; of was het een hut op een schip?

Toen kwam ze er langzaam achter dat er iets heel erg mis was. Ze kon zich niet bewegen. Ze rook plastic, mortel, cement en ontsmettingsmiddel.

Er kwam opeens iets bovendrijven. En terwijl er een donkere draaikolk in haar explodeerde, wist ze het weer.

De angst schoot door haar heen. Ze wilde haar rechterarm optillen om haar gezicht aan te raken. En pas toen besefte ze dat ze zich niet kon bewegen.

Of haar mond kon opendoen.

Haar hoofd was zo ver naar achteren getrokken dat haar nek pijn deed, en ze zat met haar rug tegen iets hards aan. Dat was de stortbak, wist ze opeens. Ze zat op een toilet. Ze kon alleen maar recht vooruit kijken en met erg veel moeite, iets naar beneden. Toen ze dat deed, ontdekte ze dat ze naakt was. Haar middel, borst, polsen en enkels, haar mond, en zo te voelen ook haar voorhoofd, waren vastgemaakt met grijs tape.

Ze zat in de gastenbadkamer van haar eigen flat. Ze zag de douche met het dure stuk zeep dat nooit uitgepakt was, in een zeepbakje op de wastafel, en een handdoekenrekje en de prachtig crème met rood betegelde muren. Rechts van haar was de deur naar de piepkleine wasruimte, waarin een wasmachine en een droger gepropt waren, en daar achterin bevond zich de deur naar de brandtrap buiten. Links van haar was de deur naar de hal, en die stond op een kier.

Ze zat te rillen en moest bijna overgeven van angst. Ze wist niet hoe lang ze al in deze kleine ruimte zonder ramen had gezeten. Ze wilde anders gaan zitten, maar ze was te stevig vastgebonden.

Was hij weg? Had hij alles meegenomen en haar gewoon achtergelaten.?

Haar maag deed pijn. De tape was zo strak om haar heen gewonden, dat ze sommige ledematen al niet meer kon voelen, en haar rechterhand sliep. De harde toiletzitting deed pijn aan haar achterste en bovenbenen.

Ze zat zich te bedenken wat er achter het toilet zat, waar de tape aan vastzat, maar ze kon het zich niet voor de geest halen.

Het licht was aan, waardoor ook de ventilator werkte, wat, zo besefte ze, dat regelmatige deprimerende gegons veroorzaakte.

Haar angst was omgeslagen in wanhoop. Hij was weg. Ze had al zoveel meegemaakt, en nu dit ook nog. Hoe had dit kunnen gebeuren? Hoe had ze zo stom kunnen zijn? Hoe? Hoe? Hoe?

Haar wanhoop sloeg om in boosheid.

En vervolgens weer in angst toen ze een schaduw zag bewegen.

52

11 september 2001

Lorraine zat in de zitkamer op de rand van de hoekbank en schroefde de dop van een miniatuurflesje wodka. Ze goot de drank op de ijsblokjes en het partje citroen in haar glas. Haar zus was langsgekomen met een hele tas vol miniatuurflesjes. Mo had daar een oeverloze voorraad van en Lorraine nam aan dat zij ze mee pikte uit de vliegtuigen waarin ze werkte.

Het was negen uur. Al bijna donker buiten. Het journaal stond op. Lorraine had er, door haar tranen heen, de hele dag naar gekeken. Steeds dezelfde afschuwelijke beelden van wat er gebeurd was, steeds dezelfde opmerkingen van politici. Nu waren een stel mensen uit Pakistan in de studio: een dokter, een IT-medewerker, een advocaat, een luidruchtige documentairemaakster en een directeur van een bedrijf. Lorraine kon haar oren niet geloven. Zij zeiden dat wat er die dag in Amerika was voorgevallen, een heel goede zaak was.

Ze boog naar voren en drukte haar sigaret uit in een overvolle asbak. Mo maakte in de keuken een salade klaar en warmde wat pasta op. Lorraine keek en luisterde vol verbazing naar die mensen. Dat waren intelligente mensen. Een van hen lachte zelfs. Hij zag er blij uit.

'Het is zo langzamerhand tijd dat de Verenigde Staten van Amerika beseffen dat ze zich niet zomaar overal mee kunnen bemoeien. Wij willen hun normen en waarden helemaal niet. Nu hebben ze hun lesje wel geleerd. Dit keer was het hun beurt om in het verdomhoekje te staan!'

De documentairemaakster knikte en ging er uitgebreid op door.

Lorraine keek naar de telefoon die naast haar stond. Ronnie had niet gebeld. Er waren duizenden mensen omgekomen. En deze mensen waren daar blij om? Mensen die uit wolkenkrabbers sprongen. Het verdómhoekje?

Ze pakte de telefoon en drukte hem tegen haar natte wang aan. *Bel, lieve Ronnie, bel. Bel nou toch. Bel nou toch.*

Mo was altijd beschermend geweest naar Lorraine toe. Hoewel ze maar drie jaar ouder was, deed ze altijd net alsof ze een hele generatie scheelden.

Ze waren twee heel verschillende mensen. Niet alleen vanwege hun haarkleur – dat van Mo was bijna pikzwart – en uiterlijk, maar ook hoe ze het leven tegemoet traden en hoe dat verliep. Mo had een mooi, goed gevormd, rond figuurtje. Ze was lief. Alles zat haar mee. Lorraine had vijf jaar lang de vernedering moeten ondergaan van een ongelooflijk dure – en uiteindelijk nutteloze – ivf-behandeling om kinderen te krijgen. Mo werd al zwanger als ze alleen maar aan de pik van haar man dácht.

Ze hadden drie kinderen, vlot achter elkaar, die allemaal even aardig waren. Mo was gelukkig met haar stille, bescheiden ontwerper en hun kleine gezellige huis. Soms wilde Lorraine meer op haar lijken: tevreden. In plaats van haar verlangen – wanhopige verlangen – naar meer rijkdom.

'Lori!' schreeuwde Mo opgewonden vanuit de keuken.

Ze kwam de kamer in rennen en de hoop laaide in Lorraine op. Had ze Ronnie op het nieuws gezien?

Maar Mo keek haar geschokt aan toen ze binnenkwam. 'Snel! Iemand wil je auto jatten!'

Lorraine sprong van de bank af, deed vlug haar slippers aan, rende naar de voordeur en trok die open. Er stond een truck met een geel knipperlicht op het dak vlak bij haar oprit geparkeerd. Twee mannen, van het stoere type, waren met een lier haar BWM cabrio op de truck aan het hijsen.

'Hé!' schreeuwde ze terwijl ze woedend naar hen toe rende. 'Waar zijn jullie verdomme mee bezig?'

Ze gingen gewoon door en de auto werd langzaam maar zeker de truck op getrokken. Toen Lorraine aan kwam hollen, stak de langste man zijn hand in zijn borstzak en trok er een vel papier uit. 'Bent u mevrouw Wilson?'

Plotseling van haar stuk gebracht en heel wat minder zelfverzekerd, zei ze: 'Ja?'

'U bent getrouwd met meneer Ronald Wilson?'

'Ja, dat klopt.' Ze werd weer strijdlustig.

Hij liet haar de papieren zien. En toen op zachte toon, bijna verontschuldigend, zei hij: 'Inter-Alliance Autofinanciering. We moeten dit voertuig helaas in beslag nemen.'

'Hoezo?'

'Er is al een halfjaar niet afbetaald. Meneer Wilson heeft zich niet aan de regels gehouden.'

'Dat kan niet kloppen.'

'Het klopt helaas wel. Uw man heeft niet gereageerd op de drie aanmaningen die erover gestuurd zijn. Volgens de wet mag het bedrijf dat deze auto aan hem heeft geleaset, het voertuig in beslag nemen.'

Lorraine barstte in snikken uit toen de achterwielen van de blauwe BMW over de helling rolden en stil kwamen te staan. 'Alstublieft, u hebt het nieuws vandaag gezien. Mijn man zit daar. Hij is in... in New York. Ik probeer hem te pakken te krijgen. We kunnen vast wel iets regelen.'

'Hij zal rechtstreeks contact moeten opnemen met het bedrijf, mevrouw.' De man was vriendelijk, maar kordaat.

'Moet u horen, ik... Mag ik de auto vanavond nog hebben?'

'Ik geef u een nummer dat u morgen kunt bellen,' zei hij.

'Maar, maar... ik heb nu helemaal geen auto. Hoe moet dat nu? Ik... Er liggen nog dingen van me in de auto. Cd's. De parkeerschijf. Mijn zonnebril.'

Hij gebaarde. 'Ga uw gang. Die mag u nog pakken.'

'Goh, bedankt,' zei ze. 'Heel aardig van u.'

53

Oktober 2007

Trillend van angst zag Abby de schaduw dichterbij komen, ze hoorde een gymschoen op de glimmende houten vloer in de hal piepen, en daarna geritsel van papier.

Toen kwam Ricky tevoorschijn.

Hij stond in de deur en leunde nonchalant tegen de deurknop, met zijn leren motorjack open geritst, en een smoezelig wit T-shirt aan. Hij had zich al dagen niet geschoren en zijn haar was vet en geplet door de helm. Hij leek anders dan de laatste keer dat ze hem had gezien. Hij zag er niet meer uit als een coole surfer, maar als iemand die wordt achtervolgd. Hij was in een paar maanden tijd jaren ouder geworden. Hij was afgevallen en zijn gezicht zag er ingevallen uit, met wallen onder zijn ogen. Hij rook ranzig.

Jezus, dat ze hem ooit aantrekkelijk had gevonden.

Hij glimlachte, alsof hij haar gedachten kon lezen.

Maar die glimlach kende ze niet van hem. Dat was geen Ricky-glimlach. Het leek meer op een masker dat hij had opgezet. Ze ving een glimp op van zijn horloge. Het was tien voor elf. Was ze bijna vier uur bewusteloos geweest?

Toen zag ze de envelop. Hij stak hem in de lucht, knikte en hield hem ondersteboven, zodat *The Times* en de *Guardian* van vrijdag eruit vielen.

'Leuk je weer te zien, Abby,' zei hij. Maar hij leek niet blij.

Ze wilde wat zeggen, hem vragen haar los te maken, maar ze kon alleen maar een gedempt geluid achter in haar keel voortbrengen.

'Fijn dat je dat ook vindt! Ik vraag me alleen af waarom je iemand oude kranten wilt sturen.' Hij keek naar het adres op de envelop: Laura Jackson, Stable Cottages 6, Rodmell. 'Een oude vriendin van je? Maar waarom zou je haar oude kranten sturen? Daar snap ik echt niets van. Tenzij ik natuurlijk iets over het hoofd zie. Zie ik iets over het hoofd? Misschien worden er in Rodmell geen kranten bezorgd?'

Ze keek hem aan.

Hij scheurde de envelop doormidden. De vulling viel eruit. Vervolgens scheurde hij heel voorzichtig de envelop helemaal aan flarden. Toen hij daarmee klaar was, schudde hij zijn hoofd en liet het laatste flintertje papier op de grond vallen. 'Ik heb allebei de kranten gelezen. Daar stond ook niets bijzonders in. Maar hé, dat doet er allemaal niet meer toe, nietwaar?'

Hij keek haar recht aan, bleef kijken, terwijl hij nog steeds glimlachte. Hij vermaakte zich prima.

Abby's hersens werkten op volle toeren. Ze wist wat hij wilde. Ze wist ook dat als hij dat wilde krijgen, hij haar moest laten praten. Ze was doodsbang en pijnigde haar hersens, dacht diep na, maar ze kreeg geen enkele ingeving.

Hij ging even weg en kwam weer terug met haar grote, blauwe koffer. Die legde hij op de grond, vlak voor de deur zodat zij hem kon zien. Hij ging er op zijn knieën voor zitten, ritste hem open en trok het deksel omhoog.

'Keurig ingepakt,' zei hij met een blik op de inhoud. 'Heel erg netjes, hoor.' Zijn toon werd bitter. 'Maar je hebt dan ook genoeg ervaring met inpakken en wegwezen.'

Zijn grijze ogen keken haar weer aan. En ze zag opeens iets aan hem wat ze nog niet eerder had opgemerkt. Iets nieuws. Er was iets donkers aan hem. Heel donkers. Alsof hij geen ziel meer had.

Hij pakte de koffer uit, één voorwerp per keer. Eerst een warme gebreide trui die ze boven op haar make-uptas had gelegd. Hij vouwde hem langzaam open, bekeek hem zorgvuldig, draaide hem binnenstebuiten en toen hij hem helemaal had onderzocht, gooide hij hem over zijn schouder op de grond.

Ze moest heel nodig plassen. Maar ze zou zich mooi niet voor zijn ogen vernederen. En ze zou hem ook niet de voldoening schenken dat hij zag hoe bang ze was. In plaats daarvan vermande ze zich en keek naar hem.

Hij deed rustig aan, tergend langzaam. Alsof hij wist dat ze nodig moest.

Ze kon op zijn horloge zien dat er twintig minuten waren verstreken toen hij klaar was met uitpakken en het laatste voorwerp, haar reisföhn, de hal in had gesmeten, waar hij tegen de plint aan sloeg.

De hele tijd probeerde ze te bewegen. Maar er gaf niets mee. Niets. Haar polsen en enkels deden verschrikkelijk veel pijn. Ze had een houten kont en ze moest haar knieën tegen elkaar knijpen om de aandrang om te plassen te onderdrukken.

Zonder iets te zeggen schoof hij de koffer opzij en liep de gang in. Ze had ontzettend veel dorst, maar dat was nog het minst erge. Ze moest los zien te komen. Maar hoe?

Ze plaste. Gelukkig kon ze dat nog wél doen, hij had daar tenminste geen tape over gedaan. Ze voelde zich wat beter. Ze was doodmoe en haar hoofd bonsde, maar ze kon nu wel weer wat beter nadenken.

Als ze hem zover kon krijgen om de tape van haar mond af te halen, dan kon ze tenminste met hem praten, hem proberen over te halen.

Misschien zelfs een deal met hem sluiten.

Ricky was per slot van rekening zakenman.

Maar dat hing af van hoe goed hij zocht.

Hij kwam weer terug. Hij had een glas whisky met ijs bij zich en rookte een sigaret. De zoete, sterke geur was zeer aanlokkelijk. Ze zou er bijna alles voor overhebben om maar een trekje te kunnen nemen. En een borrel. Maakte niet uit wat voor.

Hij schudde de ijsblokjes heen en weer, en trok toen zijn neus op. Hij deed een stap naar voren en reikte achter haar. Ze hoorde een *kleng* toen hij doortrok en ze voelde druppels water tegen haar achterste op spatten.

'Vies wijf,' zei hij. 'Je moet wel doortrekken als je geweest bent. Net zoals je graag mensen door de plee spoelt.' Hij gooide wat as op de grond. 'Mooie flat, hoor. Aan de buitenkant ziet het er een stuk minder fraai uit.' Hij wachtte even en dacht na. 'Maar aan de andere kant ziet mijn busje er hiervandaan vast ook niet uit.'

Ze kreeg een schok. Busje. Dat oude, witte busje? Dat ding dat nooit van zijn plaats af kwam? Wat stom van haar dat ze daar nooit aan had gedacht.

Ze keek hem smekend aan. Maar hij keek spottend terug, nam nog een slok whisky, rookte de sigaret op en trapte hem uit op de grond.

'Oké, Abby, we moeten nodig eens praten. Heel eenvoudig: ik stel je wat vragen, en dan kijk je naar rechts voor ja en naar links voor nee. Snap je dat?'

Ze wilde met haar hoofd schudden, maar dat lukte niet. Ze kon hem maar een heel klein stukje naar rechts en links bewegen.

'Nee, Abby, dat heb je niet goed begrepen. Ik zei dat je moest kíjken, dus met je ogen, niet met je hoofd. Snap je het nu?'

Ze twijfelde even, maar keek toen naar rechts.

'Goed zo!' zei hij, alsof hij een puppy prijzend toesprak. 'Goed gedáán, meisje!'

Hij zette het glas neer, pakte opnieuw een sigaret en stak hem tussen zijn lippen. Toen pakte hij het glas op, en schudde de ijsklontjes weer heen en weer. 'Lekkere whisky,' zei hij. 'Single malt. Duur, hoor. Maar dat is voor jou natuurlijk geen punt, hè?'

Hij knielde, zodat hij op ooghoogte met haar was en kwam naar voren, tot hij pal voor haar zat. 'Hè? Geld is toch geen punt voor jou?'

Ze bleef recht voor zich uitkijken, rillend van de kou.

Hij nam een lange haal van zijn sigaret en blies de rook recht in haar gezicht. Die brandde in haar ogen. 'Geld?' zei hij weer. 'Toch geen punt voor jou, hè?'

Hij stond op. 'Weet je, Abby, maar heel weinig mensen weten dat je hier bent. Maar heel weinig. Dus niemand zal je missen. Niemand zal komen kijken of je er nog bent.' Hij nam een slok. 'Mooie douche,' zei hij. 'Kosten noch moeite gespaard, zie ik. Je zult er wel van genieten. Nou, ik ben een redelijk mens.'

Hij schudde hard met de ijsblokjes, keek naar het glas, en Abby dacht heel even dat hij echt een deal wilde sluiten.

'Dit is mijn aanbod. Ik kan je net zolang pijn doen totdat je het me allemaal teruggeeft. Of je geeft het gewoon direct allemaal terug.' Hij glimlachte weer. 'Dat lijkt me toch niet zo moeilijk.'

Hij nam langzaam een lange haal van zijn sigaret alsof hij het heerlijk vond dat ze naar hem keek, ervan genoot dat ze waarschijnlijk zat te snakken naar een sigaret. Hij hield zijn hoofd schuin en liet de blauwe rook uit zijn mond ontsnappen en naar boven zweven.

'Weet je wat?' zei hij. 'Je mag er een nachtje over slapen.'

Toen deed hij de deur dicht.

54

Oktober 2007

Roy Grace zat aan het bureau in Coördinatiecentrum 1, met een van de ergste katers die hij ooit had gehad. Zijn mond voelde aan als de bodem van een papegaaienkooi en het leek wel alsof een kettingzaag in zijn hoofd tekeerging.

Zijn enige troost was dat Glenn Branson, die schuin tegenover hem zat, zich zo te zien net zo beroerd voelde. Wat had hen de vorige avond in vredesnaam bezield?

Ze waren naar de Black Lion gegaan voor een drankje, omdat Glenn over zijn huwelijk wilde praten. Tegen middernacht waren ze naar buiten komen strompelen nadat ze een enorme hoeveelheid whisky, bier, en flessen Rioja hadden gedronken. Grace wilde er liever niet aan denken. Hij kon zich nog vaag herinneren dat ze een taxi naar huis hadden genomen en dat Glenn bij hem was gebleven omdat zijn vrouw hem niet stomdronken thuis wilde hebben.

Daar hadden ze nog meer whisky gedronken en had Glenn zijn cd's bekeken en zoals gewoonlijk zijn smaak bekritiseerd.

Glenn was er de volgende ochtend nog steeds geweest, in de logeerkamer, klagend over een knallende koppijn. Hij vertelde Grace dat hij er net zo lief een einde aan wilde maken.

'Het is nu halfnegen, donderdag 23 oktober,' las hij op van de vergaderstukken.

Zijn plan van aanpak en zijn aantekeningen, die een halfuur eerder door zijn assistente waren uitgetikt, lagen naast een beker koffie voor hem. Hij had een heleboel paracetamols ingenomen, maar die hielpen niet, en hij had een kauwgompje in zijn mond gestoken om zijn adem te maskeren, want hij was ervan overtuigd dat hij naar de drank stonk. Zijn auto stond nog bij de pub en hij wilde hem in de loop van de ochtend te voet ophalen. Een wandeling zou hem goeddoen.

Hij maakte zich zo langzamerhand zorgen over zijn drankgebruik. Cleo dronk als een tempelier, wat ook niet hielp, en hij vroeg zich af of ze dat deed vanwege de vreselijke dingen die ze zag bij haar werk. Sandy had af en toe een glas wijn in het weekend gedronken, of als het heel erg warm was een glas bier, maar daar was het bij gebleven. Cleo dronk elke avond wijn en maar heel zelden één glas, behalve als ze opgeroepen kon worden. Samen dronken ze, na een glas whisky of twee, vaak een hele fles wijn op en soms maakten ze een volgende fles ook bijna geheel soldaat.

Bij het medische onderzoek kortgeleden had de dokter hem gevraagd hoeveel glazen alcohol hij per week dronk. Grace had gelogen en zeventien gezegd, omdat hij dacht dat twintig een redelijk aantal was voor een man. De dokter had zijn wenkbrauwen gefronst en hem geadviseerd minder dan vijftien te gaan drinken. Roy had het uitgerekend op internet en ontdekt dat zijn gemiddelde wekelijkse alcoholinname rond de tweeënveertig glazen lag. Dankzij de avond ervoor was zijn inname deze week twee keer zoveel geweest. Hij bezwoer zichzelf nooit meer een druppel alcohol te drinken.

Bella Moy, die tegenover hem zat, werkte zelfs op dit vroege uur al chocolaatjes naar binnen. Hoewel zij ze normaal gesproken nooit ronddeelde, schoof ze dit keer de doos naar Grace toe.

'Volgens mij kun je wel wat suiker gebruiken, Roy!' zei ze.

'Valt het op?'

'Leuk feestje?'

Grace keek even naar Glenn. 'Was dat maar zo.'

Hij haalde de kauwgom uit zijn mond, nam een chocolaatje, en pakte er toen hebberig nog drie. Hij voelde zich er niet slechter door. Toen nam hij een slok koffie en stak de kauwgum weer in zijn mond.

'Coca-Cola,' zei Bella. 'De echte, niet die light cola. Dat is goed tegen een kater. En een uitgebreid Engels ontbijt trouwens ook.'

'Jij kunt het weten,' kwam Norman Potting tussenbeide.

'Ik heb nooit last van een kater,' zei ze minachtend tegen hem.

'Onze heilige maagd,' mompelde Potting.

'Zo kan hij wel weer, Norman,' zei Grace, die naar Bella glimlachte voordat ze er iets op terug zei.

Toen ging hij door en las voor wat Norman Potting de vorige avond tijdens de vergadering had gemeld: dat Ronnie, de man van Joanna Wilson, op

11 september 2001 in het World Trade Center was omgekomen. Toen hij klaar was, zei hij tegen Potting: 'Goed werk, Norman.'

De rechercheur gromde wat, maar was zo te zien trots als een pauw.

'Wat weten we van Joanna Wilson? Zijn er familieleden met wie we kunnen praten?' vroeg Grace.

'Daar ben ik mee bezig,' zei Potting. 'Haar ouders zijn overleden, dat heb ik inmiddels achterhaald. Geen broers of zussen. Ik zoek nog uit of er verdere familie was.'

Grace keek even naar Lizzie Mantle, zijn plaatsvervangster, en zei: 'Goed, als er geen naaste familie is, moeten we gaan kijken naar Wilsons kennissen en vrienden. Norman en Glenn kunnen dat nagaan. Bella, neem via de Amerikaanse ambassade in Londen contact op met de FBI, misschien kun je erachter komen of Joanna Wilson in de jaren negentig in Amerika is geweest. Als ze daar wilde gaan werken, moet ze een werkvisum hebben aangevraagd. Verzoek de FBI in alle dossiers en computergegevens na te kijken of er iets over haar bekend is in die periode.'

'Kennen we iemand op de ambassade?' vroeg ze.

'Ja. Ene Brad Garrett op de juridische afdeling. Hij zal je wel helpen. Als er wat is, dan ken ik ook nog twee mensen bij het Openbaar Ministerie in New York. Weet je, het is eigenlijk het slimst om maar meteen contact met hen op te nemen. Dat scheelt je een hoop gedoe. Als we bewijs nodig hebben, dan bewandelen we uiteraard wel de aangewezen weg.' Hij dacht even na. 'Ik bel Brad wel om hem op de hoogte te stellen.'

Toen wendde hij zich tot hoofdagent Nicholl. 'Nick, ik wil dat je Ronnie Wilsons gangen nagaat. Kijk maar of hij elders in Groot-Brittannië bekend is.'

De jonge hoofdagent knikte. Hij zag er zoals altijd bekaf en afgetrokken uit. Ongetwijfeld, dacht Grace, had hij als gelukkige kersverse vader de zoveelste slapeloze nacht doorgebracht.

Hij vroeg aan Lizzie Mantle: 'Heb jij verder nog iets?'

'Ik zit aan die Ronnie Wilson te denken,' zei ze. 'Normaal gesproken zou hij onze hoofdverdachte zijn.'

Grace haalde het stuk kauwgum uit zijn mond en gooide het in de prullenbak die naast hem op de grond stond. 'Mee eens,' zei hij. 'Maar we moeten meer te weten zien te komen over hem en zijn vrouw, hoe hun huwelijk was. Nagaan of er een motief is. Bedroog hij haar? Of zij hem? Eens zien wat we kunnen uitsluiten.'

'Als je eenmaal alles hebt uitgesloten wat onmogelijk is, dan blijft de waarheid over, hoe onwaarschijnlijk die ook is,' merkte Norman Potting op.

Het was even stil. Potting keek zeer zelfvoldaan voor zich uit.

Toen keek Bella Moy hem aan en zei ijzig: 'Sherlock Holmes. Heel goed, Norman. Jullie zijn zo'n beetje van dezelfde leeftijd.'

Grace wierp haar een waarschuwende blik toe, maar ze haalde haar schouders op en nam nog een chocolaatje. Hij richtte zich tot Emma-Jane Boutwood. 'E-J, ik wil dat jij de stamboom van de Wilsons in beeld brengt.'

'Ik heb nog iets te melden,' zei Norman Potting. 'Ik heb gisteren een en ander op de computer nagekeken. Ronnie Wilson had een strafblad.'

'Is hij veroordeeld?' vroeg Grace.

'Ja. Hij was een bekende van de politie. Hij dook voor het eerst op in 1987. Hij werkte toen voor een dubieus bedrijf in tweedehands auto's, dat rotzooide met de kilometerteller, en van verschillende auto's die total loss waren weer één hele maakte.'

'En toen?' vroeg Grace.

'Hij werd veroordeeld tot twaalf maanden voorwaardelijk. Waarna hij een tijdje later weer in beeld kwam. In 1991 ging Terry Biglow vier jaar achter de tralies. Wegens oplichting van voornamelijk oude dames. Voel je vooral niet aangesproken, Bella.' Hij keek haar even aan.

'O, daar hoef je niet bang voor te zijn,' antwoordde ze.

'Mooi,' ging hij door. 'Ronnie Wilson werkte voor hem. Werd aangeklaagd als medeplichtige, maar een slimme advocaat kreeg hem vrij op een vormfoutje. Ik heb met Dave Gaylor die de zaak onder zich had gesproken.'

'Heeft Wilson voor Terry Biglow gewerkt?' vroeg Grace.

Iedere aanwezige kende de naam Biglow. Dat was een misdaadfamilie in de stad die heel ver terugging. Drie generaties die betrokken waren bij drugs, gestolen antiek, callgirls en getuigenbedreiging; ieder lid van die familie was slecht nieuws.

Grace keek naar rechercheur Mantle. 'Je zou wel eens gelijk kunnen hebben, Lizzie. We hebben genoeg om hem als verdachte aan te merken.'

Alison Vosper zou dat wel fijn vinden, dacht hij. Ze was dol op de uitdrukking: we hebben een verdachte. Zo kwam ze tenminste goed over bij haar baas de hoofdcommissaris. En als haar baas blij was, dan was zij ook blij.

En als zij blij was, dan viel ze hem tenminste niet lastig.

55

11 september 2001

Opgefrist van de douche, waardoor het grijze stof uit zijn haar was gewassen en hij weer gedeeltelijk nuchter was geworden, ging Ronnie op de roze gehaakte sprei met de twee brandgaatjes liggen. Zijn bed had geen hoofdeinde – en dat voor dertig dollar per nacht – dus lag hij tegen de kale muur aan met een sigaret in zijn mond naar de wazige beelden op de aftandse televisie te kijken.

Hij zag steeds weer de twee vliegtuigen de Twin Towers in vliegen. Het Pentagon dat in brand stond. Het ernstige gezicht van burgemeester Giuliani die de politie en de brandweermannen prees. Het ernstige gezicht van president Bush die de oorlog aan terrorisme verklaarde. De ernstige gezichten van al die grijze geesten.

Het zwakke peertje droeg bij tot de algehele droefgeestigheid van de kamer. Hij had de gordijnen gesloten zodat hij de muur van het huis ernaast niet meer kon zien. Momenteel leek de hele wereld buiten zijn kamertje een en al ernst en droefgeestigheid.

Hoewel hij een knallende koppijn had van alle wodka die hij had gedronken, voelde hij zich toch niet droefgeestig. Zeker, hij was geschokt door wat hij die dag had gezien, en door het feit dat zijn plannen in het water waren gevallen. Maar hier in deze kamer voelde hij zich veilig. Afgeschermd door zijn gedachten. Hij had ingezien dat hij de kans van zijn leven had gekregen.

Hij wist ook dat hij veel spullen in zijn kamer in het W had laten liggen: zijn vliegticket, zijn paspoort en ook nog wat ondergoed. Maar hij maakte zich daar geen zorgen om, hij was er zelfs blij om.

Hij keek naar zijn gsm, om er voor de duizendste keer zeker van te zijn dat hij uitgeschakeld was. Hij was bang dat hij op de een of andere manier opeens weer aan stond. Dat hij plotseling Lorraines stem zou horen, die blij zou schreeuwen of, wat waarschijnlijker was, hem uit zou schelden omdat hij haar niet had gebeld.

Hij zag iets over het kleed weg schieten. Het was een donkerbruine kakkerlak van ruim een centimeter groot. Hij wist dat kakkerlakken een van de weinige wezens waren die een kernoorlog zouden overleven. Zij hadden zich door evolutie geperfectioneerd. Survival of the fittest.

Ja, nou, hij mocht er ook zijn. En nu zijn plan vastere vorm aan ging nemen, wist hij wat hij als eerste moest doen.

Hij liep naar de prullenmand en viste het plastic tasje dat er bij wijze van vuilniszakje in zat eruit. Toen haalde hij de rode showtas uit zijn aktetas en stopte die erin, omdat hij niet dacht dat hij beroofd zou worden voor een plastic tasje. Hij besefte dat het heel riskant was geweest dat hij zijn koffer en aktetas de hele tijd achter zich aan had gesleept. Hij bleef even luisteren. Het nieuws dat hij het belangrijkst vond werd nu uitgezonden. Er werd steeds weer vermeld dat alle niet-militaire vluchten van en naar Amerika niet toegestaan waren. Tot nader order.

Perfect.

Hij trok zijn jas aan en liep de kamer uit.

Het was kwart voor zeven. Het schemerde al een beetje, maar terwijl hij met het plastic tasje in zijn hand terugliep naar de drukke hoofdstraat waar de trein boven reed, was het nog licht genoeg.

Hij had sinds het ontbijt niets gegeten, maar hij had geen honger. Hij moest eerst iets doen.

Tot zijn opluchting was Mail Box City nog open. Hij stak de straat over en liep er naar binnen. Rechts waren allemaal metalen postbussen. Achterin zat dezelfde langharige man die hij eerder had gezien aan een computer te werken. Achter de man bevonden zich twee onbezette telefooncellen. Links van Ronnie stonden drie mensen in de rij. De voorste, een man met een witte veiligheidshelm op en een tuinbroek aan, liet een eigenaardig bankboekje zien en kreeg een stapeltje bankbiljetten. Achter hem stond een stuurse oude vrouw in een spijkerrok, en een nerveus meisje met lang oranje haar dat steeds maar handenwringend om zich heen keek met nietsziende glazige ogen, sloot de rij.

Ronnie ging achter het meisje staan. Vijf minuten later gaf de grijze man aan de balie hem in ruil voor vijftig dollar een sleutel die zo dun was als een scheermesje, en een stukje papier. 'Nummer 31,' zei hij met een keelachtig accent en hij stak zijn vinger op. 'Eén week. Jij terug dan, anders bus open. Eruit. Snap je?'

Ronnie knikte en keek naar het stukje papier. De datum en de tijd stonden er tot op de minuut op gestempeld. En ook de vervaldatum.

'Geen drugs.'

'Begrepen.'

De man keek hem lang en verdrietig aan en werd opeens wat toeschietelijker. 'Jij goed?'

'Ja hoor, het gaat goed met me.'

De man knikte. 'Gek, gek vandaag. Waarom doen ze dit? Is gek, ja?'

'Gek.'

Ronnie draaide zich om, liep naar zijn postbus en maakte die open. Hij was langer dan hij had verwacht. Hij legde het plastic tasje erin, keek om zich heen om er zeker van te zijn dat niemand naar hem keek, deed het deurtje dicht en draaide hem op slot. Hij kreeg opeens een ingeving en liep terug naar de balie. Nadat hij had betaald voor een halfuur internet, ging hij aan een van de computers zitten en logde in op hotmail.

Vijf minuten later had hij alles geregeld. Hij had een nieuwe naam en een nieuw e-mailadres. Dit was het begin van zijn nieuwe leven.

En opeens had hij honger als een paard. Hij liep de winkel uit en ging op zoek naar een hamburger met patat. En een augurk. Opeens had hij een moord kunnen doen voor een augurk. En gebakken uien. Ketchup. De hele mikmak. En cola.

Champagne kwam later nog wel.

56

Oktober 2007

'Binnen,' zei Alison Vosper toen er bij haar op de deur werd geklopt.

Cassian Pewe had de kleren voor dit gesprek zorgvuldig uitgekozen. Zijn mooiste blauwe pak, zijn beste witte overhemd, zijn lievelingsdas: lichtblauw met witte geometrische figuren. En hij had zoveel Calvin Klein Eternity op gespoten dat het rook alsof hij er een uur in had liggen marineren.

Je wist altijd wel of het tussen jou en iemand anders klikte, en Pewe had al de eerste keer dat ze elkaar ontmoetten geweten dat het tussen hem en de adjunct-hoofdcommissaris goed zat. Ze hadden elkaar in januari tijdens een conferentie van de Londense politie over antiterrorisme en de islamitische dreiging in Engelse steden leren kennen. Hij had gemerkt dat er een seksuele spanning tussen hen hing. Hij was ervan overtuigd dat de reden waarom ze hem zo had aangemoedigd bij de politie van Sussex te komen werken

– en zich hard had gemaakt voor zijn promotie tot inspecteur – was omdat ze andere plannen met hem had.

Dat begreep hij best. Hij wist dat vrouwen hem erg aantrekkelijk vonden. En hij had zich in zijn carrière dan ook altijd gericht op de vrouwen bij de politie die een machtspositie hadden. Ze waren niet allemaal zo meegaand geweest, sommigen waren zelfs net zo keihard als hun mannelijke collega's en misschien nog wel harder. Maar de meesten waren normale vrouwen, intelligent en sterk, maar ook emotioneel. Je moest er gewoon achter zien te komen hoe je hen kon bespelen.

Daarom verraste hem de kilheid van de adjunct-hoofdcommissaris hem des te meer.

'Ga zitten,' zei ze, zonder op te kijken van de diverse kranten die ze als een stel kaarten voor zich uit had gespreid. Ze bleef ijzig kijken terwijl ze een artikel las in de *Guardian*, die ze vasthield met haar elegant gemanicuurde hand.

Hij ging in de zwartleren leunstoel zitten. Hoewel het al vier maanden geleden was dat de taxi waarin hij had gezeten door een gestolen busje was aangereden, waarbij zijn linkerbeen op vier plaatsen was gebroken, was het voor hem nog steeds pijnlijk om lang te blijven staan. Maar dat hield hij voor zichzelf; hij wilde niet het risico lopen dat zijn carrière gevaar liep omdat hij als invalide werd gezien.

Alison Vosper ging door met lezen. Pewe keek naar de ingelijste foto's van haar echtgenoot, een gezette politieman met een kaalgeschoren kop die een aantal jaar ouder was dan zij, en hun twee zoontjes in schooluniform met nogal domme brilletjes op.

Er hingen een paar diploma's op haar naam aan de muur, alsmede twee oude prenten van Brighton, de ene van de renbaan en de andere van een pier die allang niet meer bestond.

De telefoon ging. Ze kwam naar voren, tuurde op het schermpje, pakte de hoorn op en blafte: 'Ik ben in gesprek, ik bel je wel terug.' Ze legde de hoorn weer neer en ging door met lezen. 'En, hoe gaat het met je werk?' vroeg ze opeens terwijl ze bleef lezen.

'Tot dusver heel goed.'

Ze keek even op en hij deed zijn best oogcontact te houden, maar ze keek bijna meteen weer naar iets anders op haar bureau. Ze leunde naar voren, pakte een stapeltje papieren – een verslag van het een of ander – en bladerde erdoor alsof ze ergens naar zocht. 'Ik heb gehoord dat je op de oude zaken bent gezet?'

'Klopt.'

Ze had een kort, getailleerd zwart jasje aan en een witte blouse met een mao-boordje, die bovenaan werd dichtgehouden door een zilveren broche met een opaal erin. Haar borsten, waarover hij had zitten fantaseren, werden er bijna door geplet. Toen keek ze hem aan en glimlachte. Een lange, bijna uitnodigende glimlach.

Hij smolt meteen. Onmiddellijk daarna was hij het oogcontact kwijt omdat ze weer door de papieren ging bladeren.

Ze was enorm sexy, vond hij. Ze was niet knap, maar hij vond haar erg aantrekkelijk. Haar huid was melkwit en zelfs het kleine wratje dat net boven haar blouse uitpiepte, haar enige onvolkomenheid, vond hij spannend. Ze had een luchtje op met een vleugje citroen erin dat hem uitermate opwond. Ze zag er oprecht en sterk uit en straalde autoriteit uit. Hij wilde om het bureau heen lopen, haar de kleren van het lijf scheuren en met haar op de grond rollebollen.

Hij kreeg een stijve toen hij eraan dacht.

En zij was nog steeds in die verdomde papieren aan het bladeren!

'Leuk je weer te zien,' zei hij rustig, om een beginnetje te maken.

Hij liet een verwachtingsvolle stilte vallen. Voelde ze hetzelfde voor hem en deed ze gewoon een beetje terughoudend? Misschien wilde ze straks wel iets met hem gaan drinken. In een gezellige tent.

Hij zou haar in zijn optrekje in de jachthaven kunnen uitnodigen. Met uitzicht op de jachten, echt cool.

Nu zat ze weer in de *Guardian* te lezen.

'Zoek je soms iets?' vroeg hij. 'Staat er iets in over ons korps?'

'Nee,' zei ze neerbuigend. 'Ik wil graag op de hoogte blijven van het nieuws.' Toen zei ze, zonder op te kijken: 'Ik neem aan dat je uit gaat zoeken hoeveel onopgeloste zaken er nog zijn?'

'Nou,' zei hij, 'ja, natuurlijk.'

'Moorden, mensen die onder verdachte omstandigheden zijn gestorven? Vermiste personen? Nog onontdekte ernstige misdrijven?'

'Ja, inderdaad.'

De *Telegraph* was aan de beurt en ze bekeek de voorpagina.

Hij keek haar onzeker aan. Er stond een onzichtbare barrière tussen hen in en dat verontrustte hem. 'Zeg, ik... ik vroeg me af of ik je onder vier ogen iets kon zeggen.'

'Ga je gang.' Ze draaide snel een paar bladzijden om.

'Nou, ik weet dat ik verslag moet uitbrengen aan Roy Grace, maar ik heb zo mijn twijfels wat hem betreft.'

Ze was opeens een en al oor. 'Ga door.'

'Je weet natuurlijk dat zijn vrouw vermist wordt,' zei hij.

'Dat weet het hele korps al negen jaar lang,' zei ze.

'Nou, ik ben gisteravond bij haar ouders langs geweest. Ze maken zich erge zorgen. Zij hebben het gevoel dat het onderzoek dat de politie van Sussex heeft ingesteld niet geheel en al onpartijdig is geweest.'

'Leg uit.'

'Ja. Nou, het punt is dat er maar één politieman was die het onderzoek naar haar vermissing heeft uitgevoerd, en dat was Roy zelf. Dat lijkt mij niet helemaal juist. Ik bedoel maar, dat zou bij de politie in Londen nooit hebben gemogen.'

'Wat wil je daarmee zeggen?'

'Nou,' ging Pewe op zalvende toon door, 'haar ouders maken zich daar grote zorgen om. Als ik het zo bekijk, dan lijkt het wel alsof ze denken dat Roy iets achterhoudt.'

Ze keek hem even aan. 'En welke indruk heb jij?'

'Ik zou graag toestemming willen hebben om dit mijn hoofdtaak te maken. Er dieper op ingaan. En dat ik naar eigen inzicht stappen mag ondernemen.'

'Je hebt mijn toestemming,' zei ze. Toen keek ze weer naar de kranten en wuifde hem met haar hand weg. De hand waar een ring met een diamant en haar trouwring aan zaten.

Toen hij opstond, had hij geen stijve meer, maar inmiddels was hij door een andere reden opgewonden geraakt.

57

Oktober 2007

Het leek wel alsof het licht en de ventilator al uren en uren aan waren. Abby had in die kleine ruimte zonder ramen geen benul van tijd. Ze wist niet of het nog midden in de nacht was of 's ochtends. Haar mond en keel waren uitgedroogd en ze klapte van de honger. Bijna haar hele lijf deed pijn of sliep door de tape.

Ze zat te rillen van de kou omdat ze op de tocht zat. Ze wilde wanhopig graag haar neus snuiten. Die was verstopt zodat ze er alleen maar met de grootste moeite door adem kon halen. Door haar mond lukte dat al helemaal niet, en doordat ze steeds sneller naar lucht hapte, voelde ze een paniekaanval opkomen.

Ze deed haar best langzamer adem te halen en zo weer rustig te worden. Ze kreeg het gevoel dat ze niet meer in haar lichaam zat, dat ze was overleden en erboven zweefde. Alsof de naakte vrouw die daar met tape vastgebonden zat iemand anders was, en niet meer zijzelf.

Zij was overleden.

Haar hart bonkte. Hamerde. Ze wilde iets tegen zichzelf zeggen en hoorde het gedempte gemompel in haar mond. *Ik leef nog. Ik kan mijn hart horen slaan.*

In haar hoofd voelde ze een band die steeds strakker om haar hersens werd aangetrokken. Ze voelde zich ellendig en kon niet meer scherp zien. Toen ging ze onbeheerst beven. Het klamme angstzweet brak haar uit toen haar opeens iets inviel wat aankwam als een mokerslag.

Stel dat hij weg was gegaan en haar zo liet zitten?

Om te sterven...

Toen ze hem net had ontmoet, had ze gedacht dat zijn gewelddadige uitstraling, net als bij Dave, niet meer was dan een grote bek en stoer doen, om bij zijn gangstervriendjes te horen. Maar toen ze een keer bij hem was, had hij een spin in de badkuip gevangen en elke poot er met een aansteker af gebrand, en hem toen levend en wel in een jampotje gestopt, zodat hij van de dorst of honger om zou komen.

Door het besef dat hij heel goed in staat zou zijn om hetzelfde met haar te doen, deed ze nog meer haar best om vrij te komen. De paniek nam toe.

Concentreer je.

Denk na.

Dit is alleen maar een paniekaanval. Je gaat niet dood. Je bent niet uitgetreden. Praat tegen jezelf.

Ze ademde in, uit, in, uit. Hoi, dacht ze, ik ben Abby Dawson. Het gaat goed met mij. Dit is alleen maar een rare chemische reactie. Het gaat goed met mij, ik zit in mijn lichaam, ik ben niet dood, dit gaat weer voorbij.

Ze deed haar best om zich bewust te worden van de tape, eerst die om haar voorhoofd. Haar nek deed vreselijk veel pijn doordat haar hoofd zo ver naar achteren werd getrokken. Maar hoe ze ook haar best deed, ze kreeg er geen millimeter beweging in.

Vervolgens haar handen, die met tape vastgeplakt zaten aan haar bovenbenen. Haar vingers waren uitgespreid en ook vastgeplakt, zodat ze niets kon vastpakken. Ze probeerde haar benen te bewegen, maar die waren zo stevig tegen elkaar aan gebonden, dat het wel leek of ze in het gips zaten. Niets gaf mee. Er was nergens ook maar een beetje speling.

Waar had hij dat geleerd? Of had hij het gewoon al doende opgepikt? En haar glimlachend vastgebonden?

O ja, hij had ongetwijfeld geglimlacht.

En ze kon het hem niet eens kwalijk nemen.

Ze wilde opeens wanhopig graag dat ze er nooit aan was begonnen. Ze was gewoon niet sterk genoeg, besefte ze. Niet slim genoeg. Hoe had ze ooit kunnen denken dat het haar zou lukken? Hoe kon ze zo stom zijn geweest?

Ze hoorde opeens een geluid, en toen piepende rubberzolen, en vervolgens viel er een schaduw door de deur naar binnen. Ricky keek op haar neer, hij had een grote plastic boodschappentas van de ASDA in zijn ene hand en een witte mok koffie in de andere. Het aroma drong in haar neus. O, wat was dat lekker.

'Hopelijk heb je goed geslapen, Abby. Ik wil graag dat je er vandaag weer tegenaan kunt. En, heb je goed geslapen?'

Ze kreunde luid.

'Sorry hoor, van die tape. Maar de muren hier zijn niet erg dik. Ik kan geen risico nemen. Dat snap je vast wel. Nou... was het bed een beetje hard? Wel goed voor je houding natuurlijk, die positie. Rechte rug. Heeft iemand je wel eens verteld hoe belangrijk een goede houding is?'

Ze reageerde niet.

'Nee, nou ja, ik denk niet dat het woord "recht" veel in jouw woordenschat voorkomt.' Hij zette de boodschappentas met een klap op de grond. Er ratelden een paar metalen dingen in.

'Ik heb het een en ander meegenomen. Ik heb eigenlijk nog nooit eerder iemand gemarteld. Maar ik heb het natuurlijk wel in films gezien. En erover gelezen.'

Haar keel kneep samen.

'Je moet goed begrijpen, Abby, dat ik je geen pijn hoef te doen. Je hoeft me alleen maar te zeggen waar het is. Je weet wel, wat je van me hebt gepikt. Mijn hele handel dus.'

Ze was stil. Beefde.

Hij pakte de tas en schudde ermee, wat een luid metaalachtig gerammel tot gevolg had. 'Er zit hier van alles in, maar wel erg primitief over het algemeen. Een boor bijvoorbeeld, die dwars door je knieschijf kan gaan. Een pakje spelden en een kleine hamer. Die kan ik onder je vingernagels timmeren. Een tang voor je gebit. Maar we kunnen het ook een beetje meer cultureel aanpakken.'

Hij stak zijn hand in zijn zak en trok er een zwarte iPod uit. Toen liet hij hem zien. 'Muziek,' zei hij. 'Luister maar eens.'

Hij deed haar een paar oortjes in, keek op het schermpje en drukte op de startknop. Toen zette hij het geluid hard.

Abby hoorde een song en ze kende die wel, maar kon zo snel niet op de naam komen.

'"Fool for Love",' hielp Ricky haar een handje. 'Dat zou ík kunnen zijn, vind je niet?'

Ze keek hem aan, helemaal verstijfd van angst. Ze wist niet welke reactie hij van haar verwachtte. En ze wilde hem niet laten zien hoe bang ze was.

'Wat een heerlijk nummer,' zei hij. 'Vind je ook niet? Weet je nog, als je naar rechts kijkt is dat ja, naar links nee.'

Ze keek naar rechts.

'Mooi, nu gaat ie goed! Dus, is het hier of ergens anders? Ik zal de vraag even anders formulieren. Is het hier, in de flat?'

Ze keek naar links.

'Oké. Ergens anders dan. Wel in Brighton?'

Ze keek naar rechts.

'In een kluis?'

Ze keek weer naar rechts.

Hij stak zijn linkerhand in de zak van zijn spijkerbroek en trok er een kleine, platte sleutel uit. 'Is dit de sleutel?'

Ze gaf aan dat het klopte.

Hij glimlachte. 'Mooi. Nu moeten we alleen nog achter de bank en het adres zien te komen. Is het NatWest?'

Ogen naar links.

'Lloyds TSB?'

Ogen naar links.

'HSBC?'

Haar ogen gingen naar links. En ook bij Barclays.

'Oké, ik geloof dat ik het snap,' zei hij en hij liep weg. Even later kwam hij terug met de Gouden Gids, opengeslagen bij beveiligingsbedrijven. Zijn vinger ging naar beneden, bleef hangen en kreeg bij elke naam steeds weer een nee van Abby. Toen kwam hij bij Southern Deposit Security.

Haar ogen gingen naar rechts.

Hij bekeek de naam en het adres, alsof hij ze uit zijn hoofd wilde leren, en sloeg toen de gids dicht.

'Mooi, heel mooi. Nu moet ik nog een paar dingen weten. Staat de rekening op naam van Abby Dawson?'

Ogen naar links.

'Katherine Jennings?'

Haar ogen gingen naar rechts.

Hij glimlachte, zag er opeens veel blijer uit.

Toen keek ze hem aan, ze wilde hem iets vertellen. Maar hij lette er niet op.

'*Hasta la vista, baby!*' zei hij opgewekt. 'Dat is uit een van mijn lievelingsfilms. Weet je nog?' Hij keek haar aandachtig aan.

Ze bewoog haar ogen naar rechts. Ze wist het nog. Ze kende de film, de zin: Arnie Schwarzenegger in *The Terminator*. Ze wist precies wat het betekende.

Tot ziens, schatje!

58

Oktober 2007

Na de vergadering trok Roy Grace zich terug in de oase van rust van zijn kantoor en keek hij een tijdje uit het raam, over de hoofdstraat naar het parkeerterrein van de ASDA en de lelijke supermarkt zelf, die het prachtige uitzicht op zijn geliefde Brighton and Hove belemmerde. Gelukkig kon hij nog wel een stukje van de lucht zien, en voor het eerst in dagen was daar wat blauws in te ontdekken met een paar straaltjes zonlicht die tussen de wolken door priemden.

Hij had een mok hete koffie in zijn handen die Eleanor hem had gebracht en keek naar de plastic bakken waarin zijn prachtige verzamelingen zaten: zesendertig aanstekers die hij nog niet neer had gezet, en een mooie selectie internationale politiepetten.

Naast de opgezette bruine forel die hij jonge politiemensen voorhield bij lessen in geduld, lag een nieuwe aanwinst, een verjaardagscadeau van Cleo. Het was een opgezette karper, in een vitrine, met daaronder gegraveerd – echt een vreselijke woordspeling – *carpe diem*.

Zijn aktetas lag geopend op tafel, net als zijn gsm, zijn dictafoon en een hele stapel papier over de rechtszaken die hij aan het voorbereiden was. Hij moest er deze morgen een afhandelen, want het OM zat hem achter de broek.

Bovendien, dankzij zijn promotie, lagen er ook nog eens nieuwe stapels dossiers, die met de minuut hoger werden doordat Eleanor er steeds weer eentje kwam brengen en maar neerlegde waar het nog kon. Er zaten samenvattingen in van elk ernstig misdrijf dat momenteel door de politie werd onderzocht, en die moest hij bekijken.

Hij maakte een lijst van alles wat hij moest doen naar aanleiding van operatie Dingo, en las toen de papieren over de lopende rechtszaken door, wat hem een uur kostte. Daarna haalde hij zijn opschrijfboekje tevoorschijn, en terwijl hij de laatste bladzijde opsloeg, las hij zijn meest recente aantekening na. Hij had een slecht handschrift, dus het kostte hem wel even voordat hij het kon ontcijferen en het hem bekend voorkwam.

Katherine Jennings, flat 82, Arundel Mansions,
Lower Arundel Terrace 29.

Hij keek er even naar zonder te weten wat het betekende. Hij wachtte tot zijn hersens weer gingen werken en hem doorgaven waarom hij dat had opgeschreven. Toen viel hem weer in dat Kevin Spinella hem na de persconferentie de vorige dag had gesproken en hem verteld dat ze uit een lift was bevrijd en dat ze ergens bang voor leek te zijn.

De meeste mensen die hadden vastgezeten in een lift zouden bang zijn. Omdat hij een tikje last had van claustrofobie en ook van hoogtevrees, zou hij waarschijnlijk zelf ook wel bang zijn geweest. En behoorlijk bang ook. Maar toch, je wist maar nooit. Hij zou het netjes doorgeven aan het district Oost-Brighton. Hij draaide het interne nummer van de beste politieman die hij daar kende, Stephen Curry, gaf hem de naam en het adres van de vrouw door en legde uit hoe hij eraan kwam.

'Het is niet zo belangrijk, Steve. Maar als een van de straatagenten eens een keer bij haar langs zou kunnen gaan, om te zien of alles in orde is met haar, zou dat mooi zijn.'

'Doen we,' zei Stephen Curry, die het zo te horen druk had. 'Laat dat maar aan mij over.'

'Heel graag,' zei Grace.

Nadat hij had opgehangen, keek hij weer naar al de stapels werk op zijn bureau en bedacht dat hij in de loop van de ochtend, tegen de middagpauze, te voet zijn auto op zou halen. Even een frisse neus halen. Een beetje zon pakken en zijn hoofd helder krijgen. Daarna zou hij naar het centrum gaan om te zien of hij een paar van Ronnie Wilsons oude vrienden kon opsporen. Hij had wel een idee waar hij het eerst naartoe kon gaan.

59

12 september 2001

Ronnie had bijna de hele nacht tussen de ongewassen nylon lakens liggen woelen. Het schuimrubberen kussen dat bikkelhard was en het matras waarvan de veren als kurkentrekkers in hem prikten, hadden ook niet echt geholpen. Hij had twee dingen kunnen doen: het raam dicht laten en naar de airconditioning luisteren die ratelde als twee skeletten die in een metalen keet aan het vechten waren, of het open doen en wakker liggen door het constante geloei van sirenes en het geklepper van helikopters.

Even voor zes uur lag hij klaarwakker aan de kleine rode plekjes op zijn been te krabben. Hij ontdekte er al snel meer op zijn borst en buik, die jeukten als de hel.

Hij tastte op het nachtkastje rond naar de afstandbediening en zette de televisie aan. De ellende van de buitenwereld kwam opeens de kamer in. Er waren beelden van New York te zien. Mensen die er ontredderd uitzagen, vrouwen en mannen, die met de hand gemaakte borden, plakkaten, sommige met foto's, sommige met alleen een naam, in rode, zwarte of blauwe letters, met de oproep HEBT U DEZE PERSOON GEZIEN? omhoog hielden.

Er kwam een nieuwslezer in beeld, die vertelde hoeveel mensen er waarschijnlijk waren omgekomen. Onder hem werden alarmtelefoonnummers getoond, alsmede het belangrijkste nieuws.

Dat allemaal slecht was.

Alles spookte door zijn hoofd, samen met waar hij de hele nacht over had gepiekerd. Gedachten, ideeën, lijsten. Lorraine. Donald Hatcook. Vlammen. Gekrijs. Vallende mensen.

Zijn plan.

Was Donald in orde? Als hij het had overleefd, was het dan zeker dat hij met zijn biodieselplan in zee zou gaan? Ronnie was altijd een gokker geweest en hij dacht niet dat hij daar veel kans op had, zijn nieuwe plan had veel meer kans van slagen. Wat hem betrof was Donald Hatcook, of hij het nu overleefd had of niet, verleden tijd.

Lorraine zou veel verdriet hebben. Maar ze zou na een poosje wel begrijpen dat dat er nu eenmaal bij hoorde.

Ooit zou het stomme wijf het begrijpen, en heel snel ook, als hij haar zou bedelven onder briefjes van vijftig pond en alles wat haar hartje begeerde voor haar zou kopen!

Ze zouden rijk zijn!

Ze zouden nu alleen even ervoor moeten lijden.

En heel, heel erg voorzichtig zijn.

Hij keek op zijn horloge: twee minuten over zes. Het kostte hem moeite om met zijn vermoeide brein en de jetlag uit te vogelen of het in Engeland nu vroeger of later was dan hier. Later, bedacht hij eindelijk. Het zou in Brighton dus even na elf uur 's ochtends zijn. Hij vroeg zich af wat Lorraine aan het doen was. Ze had vast zijn gsm, zijn hotel en Donald Hatcooks kantoor gebeld. Misschien was ze wel naar haar zus toe gegaan, of wat meer waarschijnlijk was, haar zus zou naar hun huis zijn gekomen.

Er was nu op televisie een politieman aan het woord. Hij zei dat er dringend vrijwilligers nodig waren om in het puin te zoeken. Er moesten mensen in het rampgebied gaan graven en water uitdelen. Hij zag er doodvermoeid uit, alsof hij de hele nacht op was geweest. Zo te zien stond hij door vermoeidheid en emoties en de grote last op zijn schouders, op het punt er elk moment onderdoor te gaan.

Vrijwilligers. Ronnie dacht er even over na. Vrijwilligers.

Hij stapte uit bed en ging onder het iele straaltje van de douche staan. Hij voelde zich merkwaardig bevrijd, maar ook nerveus. Hij kon het heel gemakkelijk verknallen. Maar voor hetzelfde geld kon hij het slim aanpakken. Heel slim. Vrijwilligers. Ja, dat zou iets kunnen zijn! Daar had hij wat aan!

Hij droogde zich af, zette een New Yorkse zender op voor het nieuws, om te zien wat de verwachting voor deze dag was. Zouden er nog meer aanslagen volgen, waar iedereen zo bang voor was? Of ging het leven weer zijn normale gangetje? In elk geval in bepaalde wijken van Manhattan.

Dat moest hij weten, want hij moest zakendoen. Zijn nieuwe leven had een fundering nodig. Je moest speculeren om te accumuleren. Wat hij nodig had was duur en als hij het kon krijgen, zou hij daar contant voor moeten betalen.

Datgene wat hij wilde weten, was nu op het nieuws: de delen van New York die waren afgesloten en de delen die toegankelijk waren en of er vervoer mogelijk was. Dat bleek over het algemeen het geval te zijn. De nieuwslezer vertelde ernstig dat wat er de dag ervoor was gebeurd de wereld had veranderd.

Daar had ze gelijk in, dacht hij, maar voor de meesten was het een dag als alle andere. Dat was een opluchting voor Ronnie. Na het drankgelag in de bar, zijn maaltijd en het voorschot op de kamer, had hij nog maar driehonderdtwee dollar over.

Hij besefte dat maar al te goed: driehonderdtwee dollar totdat hij iets kon regelen. Hij zou zijn laptop kunnen belenen, maar dat was te riskant. Hij had, toen de computer een paar jaar geleden in het autobedrijf in beslag werd genomen, door schade en schande geleerd dat het bijna onmogelijk was om het geheugen helemaal te wissen. Zijn laptop zou altijd naar hem terug te voeren zijn.

Ze hadden het weer over vrijwilligers die nodig waren om in het puin te zoeken. Vrijwilligers, dacht hij. Het idee kreeg vaste voeten, en hij werd er steeds enthousiaster over.

Dankzij het ochtendjournaal kon hij weer een deel van zijn plan uitvoeren.

60

Oktober 2007

Sussex House was oorspronkelijk aangekocht als hoofdkwartier voor de recherche van Sussex. Maar een tijdje geleden, hoewel het gebouw al uit zijn voegen barstte, was de uniformdienst van het district Oost-Brighton er ook nog eens aan toegevoegd. De leden van het team Buurtpreventie, die problemen oplosten in de verschillende wijken, zaten in een piepkleine ruimte die door een paar dubbele deuren afgescheiden was van de hal.

Voor adjudant Stephen Curry was het grote nadeel van deze locatie dat hij elke ochtend op twee plaatsen tegelijk moest zijn. Hij moest hier zijn voor zijn dagelijkse bespreking met het hoofd van het team Buurtpreventie, die even na negen uur afgelopen was, en daarna moest hij als een gek door de spits van Brighton naar het politiebureau in John Street voor de dagelijkse vergadering met als voorzitter de hoofdinspecteur Misdrijven voor de divisie Brighton and Hove.

Curry was een stevig gebouwde man van negenendertig, met een harde, knappe kop, en vol jeugdig enthousiasme. Curry had dit keer zelfs nog meer haast dan normaal en hij keek nerveus op zijn horloge. Het was al kwart voor elf. Hij was net van John Street naar Sussex House gereden om wat dringende zaken af te handelen, en stond nu op het punt er weer vandoor te gaan, toen Roy Grace hem belde.

Hij schreef zorgvuldig de naam Katherine Jennings en haar adres in zijn opschrijfboekje op, en zei toen tegen Grace dat hij wel iemand van Buurtpreventie ernaartoe zou sturen.

Omdat het niet dringend leek, vond hij dat het wel even kon wachten. Toen sprong hij op, griste zijn pet van de kapstok en liep snel naar buiten.

61

12 september 2001

Lorraine zat in haar witte badstof jas weer aan de keukentafel, een sigaret in haar mond, en een kop thee voor haar neus. Haar hoofd klapte zowat en haar ogen stonden wazig. Ze was, na een praktisch slapeloze nacht, nog niet helemaal bij. Haar hart lag als een baksteen in haar borst en ze was misselijk.

Ze tikte de halve centimeter lange askegel van de sigaret af op de asbak waarin al vier peuken lagen. De *Daily Mirror* lag naast haar en het nieuws was op tv, maar voor het eerst sinds de middag ervoor zat ze aan iets anders te denken.

Voor haar lag de post van die ochtend, en die van de dag ervoor en ook die van maandag. Plus nog de post die ze op Ronnies kleine werkkamer boven in zijn bureau in had gevonden.

De brief waar ze naar keek was van een schuldeiser met de naam EndCol Financial Recovery. Die refereerde aan een overeenkomst die Ronnie klaarblijkelijk was aangegaan om de plasmatelevisie in de woonkamer af te betalen. De volgende brief was van een andere schuldeiser. Die liet Ronnie weten dat de telefoon in zijn huis afgesloten zou worden als hij niet binnen een week de openstaande zeshonderdtwee pond zou betalen.

Dan was er nog een brief van de Belastingdienst, die eiste binnen drie weken betaling van bijna elfeneenhalf duizend pond en dat er anders beslag op zijn spullen werd gelegd.

Lorraine schudde ongelovig haar hoofd. De helft van de brieven ging over rekeningen die betaald moesten worden. En in eentje, van de bank, stond dat zijn aanvraag voor nog een lening afgewezen was.

De ergste brief was wel die van de hypotheekbank. Ze had hem in zijn bureau gevonden en er stond in dat de hypotheek was ingetrokken en dat ze Ronnie voor de rechter zouden slepen om beslag op het huis te leggen.

Lorraine drukte de sigaret uit, begroef haar gezicht in haar handen en snikte het uit. De hele tijd dacht ze: waarom heb je me niets verteld, lieverd van me? Waarom heb je niet gezegd dat je – we – er zo slecht voor stond? Ik had toch wat kunnen doen, een baan zoeken? Ik zal niet veel hebben verdiend, maar het zou toch meegenomen zijn geweest. Het was in elk geval beter dan niets.

Ze schudde nog een sigaret uit het pakje en keek als verdoofd naar het scherm. Naar de mensen in New York die rondliepen met borden en foto's van hun verdwenen geliefden. Dat zou zij ook moeten doen, wist ze. Ze zou daarnaartoe moeten gaan en hem gaan zoeken. Misschien was hij wel gewond en lag hij in een ziekenhuis...

Hij leefde nog, dat voelde ze gewoon. Hij was een overlever. Met die schulden zou hij wel raad weten. Als Ronnie erbij was geweest, dan zouden ze de auto nooit mee hebben genomen. Hij zou iets hebben geregeld, of wat geld bijeen gescharreld, of die klootzakken hebben afgemaakt.

Voor de tigste keer belde ze zijn nummer. En ze kreeg opnieuw de voicemail. Niet zijn stem, maar zo'n bandje dat zei dat de persoon die ze belde momenteel helaas niet beschikbaar was en of ze misschien een bericht in wilde spreken.

Ze verbrak de verbinding, nam een slok thee, stak de sigaret aan en hoestte. Een felle, scheurende hoest waardoor de tranen haar in de ogen sprongen. Ze toonden nu het smeulende puin, de skeletachtige muren, de hele apocalyptische scène van wat ooit tot de dag ervoor het World Trade Center was geweest. Naar aanleiding van de beelden die nu te zien waren – eerst een close-up van een brandweerman met een beschermend masker voor die over een berg bewegende, rokende stenen strompelde, en toen een breder beeld van een stuk beton van zo'n honderdvijftig meter hoog en een geplette politiewagen, vroeg ze zich af waar de South Tower had gestaan, of er nog iets van over was, en of Ronnie daaruit had kunnen komen.

De deurbel ging. Ze schrok ervan. Toen werd er hard aangeklopt.

Shit, shit, shit.

Ze sloop naar boven, naar Ronnies werkkamer, en keek naar buiten. Er stond een blauw busje voor haar oprit op straat, en twee grote mannen stonden voor haar deur. De ene had een kaalgeschoren kop en droeg een parka en een spijkerbroek; de andere, met gemillimeterd haar en een grote gouden oorring, had een vel papier in zijn hand.

Ze bleef doodstil staan en hield haar adem in. Er werd opnieuw aangeklopt. De bel ging weer, en nog een keer. Toen hoorde ze het busje eindelijk wegrijden.

62

Oktober 2007

Eikel!

Cassian Pewe was pas een paar dagen in Sussex House, maar Tony Case, hoofd Huishoudelijke Dienst, had hem in drie minuten door.

Case, die vroeger zelf politieman was geweest, deed de hele administratie voor dit gebouw en voor Littlehampton, Horsham en Eastbourne, de drie andere gebouwen waarin een afdeling Zware Criminaliteit gevestigd was. Een van zijn taken was het beoordelen van het risico bij invallen, het budgetteren van forensische middelen en nieuwe materialen, en fiat daarvoor krijgen, alsmede ervoor zorgen dat de mensen die daar werkten alles kregen wat ze nodig hadden.

Zoals schilderijhaakjes.

'Kijk,' zei Pewe alsof hij het tegen een bediende had, 'ik wil dat haakje zeveneneenhalve centimeter meer naar rechts hebben en precies twintig centimeter hoger. Begrepen? Waarom schrijf je dat niet op?'

'Weet je wat, ik haal anders wel een paar haakjes, een hamer en een meetlat, dan kun je het zelf ophangen,' stelde Case voor. De andere politiemensen, inclusief de hoofdcommissaris, deden het allemaal zelf.

Pewe, die zijn colbert uit had gedaan en hem over zijn stoel had gehangen, droeg een wit overhemd met rode bretels. Hij liep hanig door de kamer heen en weer terwijl hij de bretels naar voren stak. 'Ik doe niet aan klussen,' zei hij. 'En ik heb er ook de tijd niet voor. Er is vast wel iemand die dat soort dingen doet.'

'Ja,' zei Tony Case. 'Ik.'

Pewe keek door het raam naar het sombere gevangenisblok. Het regende bijna niet meer. 'Wat een rotuitzicht,' mopperde hij.

'Inspecteur Grace heeft er anders nooit over geklaagd.'

Pewes hoofd kreeg een raar kleurtje, alsof hij iets had ingeslikt waarvoor hij allergisch was. 'Was dit zíjn kantoortje vroeger?'

'Ja.'

'Het is echt een waardeloos uitzicht.'

'Bel anders adjunct-hoofdcommissaris Vosper eens, zij zal vast wel het gevangenisblok voor je willen laten slopen.'

'Ik vind dat niet grappig,' zei Pewe.

'Niet grappig?' vroeg Tony Case. 'Dat was dan ook niet de bedoeling. Ik ben aan het werk. We doen hier niet aan grapjes. We zijn hier met politiezaken bezig. Ik haal wel een hamer voor je, als die tenminste niet gejat is.'

'En mijn medewerkers? Ik heb om twee agenten verzocht. Waar moeten die zitten?'

'Ik weet helemaal niets af van twee medewerkers.'

'Daar is ruimte voor nodig. Ze moeten toch bij mij in de buurt zitten?'

'Ik regel wel een kleiner bureau voor je,' zei Tony Case. 'Dan kunnen ze hier bij zitten.' Hij liep de kamer uit.

Pewe wist nu niet of de man hem zat te belazeren of dat hij het meende, maar zijn gedachtestroom werd onderbroken doordat de telefoon ging. Hij nam zeer gewichtig op met: 'Inspecteur Pewe.'

Het was de telefonist. 'Meneer, ik heb iemand van Interpol aan de lijn. Namens de politie van de staat Victoria in Australië. Hij wil graag iemand spreken die over onopgeloste zaken gaat.'

'Goed, verbind maar door.' Hij ging rustig zitten, en legde zijn benen tussen de stapels dossiers in op zijn bureau. Toen hield hij de hoorn tegen zijn oor aan. 'Met inspecteur Cassian Pewe,' zei hij.

'Eh, goedemorgen, eh, Casjen, met brigadier James Franks van Interpol in Londen.'

Franks had een afgemeten bekakt accent. Het beviel Pewe maar niets dat de pennenlikkers van Interpol dachten dat zij veel beter waren dan de gewone politiemensen.

'Als je me je telefoonnummer geeft, dan bel ik je terug,' zei Pewe.

'O, dat hoeft niet hoor.'

'Vanwege de veiligheid. Zo doen we dat hier in Sussex,' zei Pewe pedant, die genoot van het kleine beetje machtsvertoon.

Franks betaalde hem terug door hem ruim vier minuten lang naar *Nessun dorma* te laten luisteren voordat hij opnam. Hij had het nog leuker gevonden als hij had geweten dat Pewe, die alleen van klassieke muziek en opera hield, een bloedhekel aan dat nummer had.

'Oké, Casjen, de politie van Melbourne in Australië heeft contact met ons opgenomen. Ze hebben een auto uit een rivier gehaald die daar zo'n tweeënhalf jaar in heeft gelegen. In de kofferbak troffen ze het lijk van een ongeidentificeerde zwangere vrouw aan. Ze hebben DNA van haar en de foetus afgenomen, maar ze hebben nog geen match in de Australische databank aangetroffen. Maar weet je...'

Frank viel even stil en Pewe hoorde hem slurpen alsof hij een slok koffie nam voordat hij verder ging.

'De vrouw had een borstvergroting ondergaan. Voor zover ik weet staat het nummer van de fabrikant op die siliconen en ze hebben elk ook nog een eigen nummer, dat in het ziekenhuis op naam van de patiënt staat vermeld. Deze implantaten zijn door het Nuffield-ziekenhuis in Woodingdean in Brighton and Hove in 1997 ingebracht.'

Pewe haalde zijn voeten van het bureau en keek om zich heen naar zijn opschrijfboekje, dat nergens was te bekennen, en schreef toen de bijzonderheden maar op de achterkant van een envelop. Hij verzocht Franks alle gegevens over de implantaten en het DNA van zowel de moeder als de foetus door te faxen, en hij zegde toe dat hij het onderzoek onmiddellijk zou starten. Toen wees hij er nog fijntjes op dat hij Cassian heette en niet Casjen, en hij hing op.

Hij had echt een assistent nodig. Hij had wel wat belangrijkers aan zijn hoofd dan een vrouw die in een Australische rivier was verdronken. En één ding was zelfs héél erg belangrijk.

63

Oktober 2007

Abby lachte. Haar vader lachte ook.

'Dommerd dat je d'r bent, dat deed je expres, hè?'

'Nee, echt niet, pappie!'

Ze stonden allebei een gedeeltelijk betegelde badkamermuur te bekijken. Het waren witte tegels met een blauw randje en hier en daar een geheel blauwe tegel, waarvan zij er net eentje andersom had geplaatst, zodat de lelijke achterkant te zien was, die eruitzag als een vierkantje cement.

'Je zou me moet helpen, jongedame, maar zo heb ik niets aan je!'

Ze giechelde. 'Ik deed het niet expres, pappie, echt niet.'

Hij gaf haar met het plamuurmes een tikje op haar voorhoofd, zodat er een beetje voegsel op achterbleef.

'Hé!' riep ze. 'Ik ben geen badkamermuur, hoor, je kunt me niet betegelen.'

'Nou en of ik dat kan.'

Haar vaders gezicht betrok en de glimlach verdween. Plotseling was hij het niet meer. Het was Ricky.

Hij had een boor in zijn hand. Met een glimlach zette hij die aan. De boor gierde.

'Welke eerst, de rechter- of de linkerknie, Abby?'

Ze beefde, ze kon zich niet bewegen door de tape, maar haar ingewanden krompen ineen, inwendig deinsde ze terug, schreeuwde ze geluidloos.

Ze kon de boor zien draaien. Hij kwam steeds dichter bij haar knie. Nog maar een paar centimeter. Ze krijste. Haar wangen bolden op. Er kwam niets uit. Alleen maar een eindeloos lange, gedempte kreun.

Gedempt in haar keel en in haar mond.

Hij schoot naar voren met de boor.

En terwijl ze weer krijste, veranderde het licht opeens. Ze rook de droge lucht van vers voegsel, zag crèmekleurige tegels. Ze hyperventileerde. Ricky was er helemaal niet. Ze kon de boodschappentas zien liggen, net over de drempel waar hij hem had gelaten. Ze was nat van het zweet. Ze hoorde de ventilator draaien, voelde de koude tocht ervan. Ze had het gevoel dat haar mond was samengeplakt. Ze was zo uitgedroogd, zo verschrikkelijk uitgedroogd. Eén drupje maar. Eén klein glas water. Alsjeblieft.

Ze keek weer naar de tegels.

Hoe ironisch dat ze hier gevangen werd gehouden. Met al die tegels. Zo vlakbij. Zo verdomde vlakbij! Ze kon niet helder nadenken. Ze moest Ricky zien te bereiken. Ervoor zorgen dat hij de tape van haar mond haalde. En als hij redelijk was, dan zou hij dat ook inderdaad doen als hij weer terugkwam.

Maar hij was niet redelijk.

En toen ze zich dat bedacht, werd ze koud tot op het bot.

64

12 september 2001

Klaarwakker en volkomen helder, ook al waren zijn ogen moe, stapte Ronnie even na halfacht de voordeur van zijn pension uit. De stank viel hem meteen op. De hemel was wazig, metaalachtig blauw en het zou zo vroeg fris moeten ruiken. Maar in plaats daarvan rook hij een doordringende, zure lucht.

Eerst dacht hij dat het door de vuilnisbakken kwam, maar toen hij het bordes af was gegaan en de straat op was gelopen, bleef hij het ruiken. Alsof er ergens iets vochtigs lag te schimmelen, iets wat chemisch, zuur en plakkerig was. Zijn ogen deden ook pijn, alsof er zich kleine stukjes schuurpapier in de mist bevonden.

Op straat hing een eigenaardige sfeer. Het was woensdagochtend, midden in de week, en er reden bijna geen auto's. Mensen liepen met betrokken ingevallen gezichten langzaam langs, alsof ook zij nauwelijks hadden geslapen. De hele stad leek in een diepe shock te zijn. De verbijsterende gebeurtenissen van de dag ervoor hadden kunnen doordringen en waren deze dag een nieuwe, donkere realiteit.

Hij zag een eettentje dat tussen de Russische letters op de etalage het woord ONTBIJT in rode neonletters had hangen. Binnen zat een handvol mensen, onder wie twee agenten, in stilte te eten, terwijl ze naar het journaal keken op de televisie die hoog aan de muur hing.

Hij ging achterin zitten. Een bedrukte serveerster schonk koffie en een glas ijswater voor hem in, terwijl hij met lege blik naar het Russische menu keek, voordat hij zich realiseerde dat er op de achterkant vast een Engelse versie stond. Hij bestelde verse jus d'orange en een stapeltje pannenkoeken met spek, en keek naar de televisie terwijl hij op zijn bestelling zat te wachten. Het was niet te geloven dat het pas vierentwintig uur geleden was sinds hij had ontbeten. Het leek wel vierentwintig jaar.

Nadat hij het eettentje uit was gelopen, liep hij de kleine afstand naar Mail Box City. Dezelfde jongeman zat nog steeds te tikken aan een van de computers, en een magere brunette van begin twintig, die eruitzag alsof ze elk moment in snikken uit kon barsten, staarde op een andere computer naar een website. Een nerveus uitziende kale man in een tuinbroek die de bibberatie had, haalde wat spullen uit een grote tas en stopte ze in een postbus terwijl hij om de haverklap schichtig om zich heen keek. Ronnie vroeg zich af wat er in die tas zat, maar hij was zo verstandig niet te staren.

Hij hoorde nu bij de zwervers, de bezitlozen, de armen en de vluchtelingen. Hun wereld draaide om plaatsen als Mail Box City, waar ze hun schamele bezittingen konden bewaren of verbergen en hun post konden ophalen. De mensen wilden geen vrienden maken, ze wilden alleen maar anoniem blijven. Net als hij.

Hij keek op zijn horloge. Het was halfnegen. Nog een halfuur voordat de mensen met wie hij wilde spreken aanwezig zouden zijn op hun kantoor, als ze die dag tenminste kwamen opdagen. Hij betaalde voor een uur internet en ging aan een computer zitten.

Om halftien ging Ronnie naar een van de overdekte telefoons die achter tegen de muur stonden, stopte een kwartje in de gleuf en draaide het bovenste nummer op de lijst die hij net van internet had gehaald. Terwijl hij stond te wachten, keek hij naar de gaatjes in de geluiddichte bekleding van de overdekking. Het deed hem denken aan een telefoon in de gevangenis.

Hij schrok op toen er werd opgenomen: 'Abe Miller Associates, met Abe Miller.'

De man was niet onbeleefd, maar Ronnie kreeg ook niet de indruk dat hij echt geïnteresseerd was en graag een deal wilde sluiten. Het was net, dacht hij, alsof Abe Miller het gevoel had dat de wereld een dezer dagen toch zou vergaan, dus waarom zou hij nog moeite doen? Wat maakte het ook allemaal uit? Zo kwam Abe Miller op hem over.

'Een Edward van één pond, ongestempeld, puntgaaf,' zei Ronnie nadat hij zichzelf had voorgesteld. 'Gom is perfect, zonder plakker.'

'Oké, wat wil je ervoor hebben?'

'Ik heb er vier. Ik wil vierduizend per stuk.'

'Zo, dat is wel een beetje veel.'

'Ze zijn in prima staat. De prijs in de catalogus is twee keer zo hoog.'

'Weet je, ik heb geen idee hoe dit alles de markt gaat beïnvloeden. Aandelen doen niets meer, als je weet wat ik bedoel.'

'Ja, maar postzegels zijn veel beter dan aandelen. Niet zo veranderlijk.'

'Ik weet niet of ik nu wel wat moet kopen. Ik wil liever nog een paar dagen wachten, kijken hoe het gaat. Als ze inderdaad puntgaaf zijn zoals jij beweert, dan zou ik er misschien wel twee willen hebben. Maar niet meer. En voor twee.'

'Voor tweeduizend dollar per stuk?'

'Meer zou momenteel niet lukken. Als je nog een week wilt wachten, misschien dat de prijs dan wat omhoog kan. Maar misschien ook niet.'

Ronnie snapte best waarom de man zo terughoudend was. Hij wist dat hij sinds de beurscrash van Wall Street in 1929 waarschijnlijk wel de slechtste ochtend en de slechtste plek ter wereld had uitgezocht om zaken te doen, maar hij kon niet anders. Hij kon niet op zijn lauweren rusten. Wat naar zijn gevoel zijn hele leven al zo was. Koop als het duur is, verkoop als het niets meer waard is. Waarom kreeg hij het verdomme altijd zo voor zijn kiezen?

'Ik bel je nog wel,' zei Ronnie.

'Prima. Hoe heette je ook alweer?'

Ronnie dacht razendsnel na, hij was even de naam kwijt die hij voor zijn hotmailadres had gebruikt. 'Nelson,' zei hij.

De man vrolijkte een beetje op. 'Ben je toevallig familie van Mike Nelson? Uit Birmingham? Jij bent toch ook Engels?'

'Mike Nelson?' Ronnie vloekte in stilte. Niet handig als er nog iemand in de handel zat met dezelfde naam. Men zou dat onthouden, en op dit moment had hij liever dat mensen hem zouden vergeten. 'Nee,' zei hij. 'Geen familie.'

Hij bedankte Abe Miller en hing op. Hij dacht over de naam na en vond dat hij hem misschien toch wel kon houden. Als er nog een handelaar zo heette, dan zou men misschien denken dat ze familie waren en dat zou hem een voordeeltje kunnen opleveren. Deze handel dreef op reputatie.

Hij belde nog zes andere handelaars. Niet een was bereid hoger te bieden, en twee zeiden zelfs dat ze op dit moment helemaal niets wilden kopen, wat hem de zenuwen bezorgde. Hij vroeg zich af of de markt zelfs nog slechter kon worden, en of hij maar beter het bod van Abe Miller kon accepteren nu het nog geldig was. Als, na vijfentwintig minuten in deze onzekere wereld, het aanbod tenminste inderdáád nog geldig was.

Achtduizend dollar. Ze waren minstens twintig waard. Hij had er nog een paar bij zich. Inclusief twee vellen ongestempelde zwarte 1 penny-postzegels met gom. Normaal gesproken zou hij vijfentwintigduizend dollar per vel krijgen, maar god wist hoeveel ze nu nog waard waren. Het had geen nut om ze aan te bieden. Het was het enige wat hij nog had. Hij zou er nog lang mee moeten doen.

Waarschijnlijk zelfs heel erg lang.

65

Oktober 2007

Roy Grace was zijn carrière begonnen als straatagent in het centrum van Brighton, en had daarna een tijdje bij het drugsteam gezeten. Hij kende de meeste straatdealers en ook de grootste gebruikers bij naam, en hij had ze bijna allemaal wel een keer opgepakt.

Normaal gesproken werden alleen de onbelangrijke mensen opgepakt, die het dichtst bij het vuur zaten. Meestal liet de politie die gewoon hun gang gaan en hielden ze hen alleen in de gaten, en soms werden ze zelfs vriendjes met hen in de hoop een grotere vangst te doen: de tussenpersoon, de verstrekkers, en heel incidenteel, een grote opdracht. Maar elke keer dat de politie een paar spelers uit het spel haalde, werd hun plaats onmiddellijk ingenomen.

Op dit moment, terwijl hij zijn Alfa Romeo in Church Street parkeerde en de motor afzette zodat de song van Marla Glenn abrupt werd afgekapt, zou de drugswereld echter wel eens goed in zijn straatje kunnen passen.

Hij had een regenjas aan over zijn pak en liep tussen de mensen door die uit de kantoren kwamen lopen voor hun lunchpauze. Hij kwam langs cafés, broodjeszaken en een boekingskantoor, en ging linksaf Marlborough Place in, waar hij bleef staan en net deed of hij iemand belde. Het gebied dat ten noorden daarvan lag en zich uitstrekte naar het oosten aan de andere kant van London Road was al heel lang het domein van de straatdealers.

Het duurde maar vijf minuten voordat hij twee slordig geklede mannen zag die sneller liepen dan de rest van de mensen, wat hen meteen verraadde. Hij ging achter hen aan, maar bleef op afstand. De ene was lang en mager, met afhangende schouders, en had een windjack aan over een grijze broek en gympen. De andere, die kleiner en dikker was, droeg een trainingspak en zwarte schoenen. Hij liep op een eigenaardige manier, met zijn armen gespreid, en keek om de haverklap schichtig achterom, alsof hij bang was dat hij werd gevolgd.

De langere man had een plastic boodschappentas bij zich, waar ongetwijfeld een blikje bier in zat. Het was in de stad verboden om op straat te drinken, dus de meeste zwervers stopten een open blikje in een plastic tasje. Ze liepen erg vlug, of omdat ze snel geld nodig hadden, wat betekende dat ze een overtreding zouden begaan – een tasjesroof of winkeldiefstal – of ze waren onderweg naar hun dealer om hun dagelijkse voorraad te kopen, dacht Grace. Of misschien waren zij wel de dealers op weg naar een klant.

Twee rood-gele bussen denderden langs, met erachter een Streamline-taxi en een hele rits personenauto's. In de verte loeide een sirene en beide mannen keken om zich heen. De stevige keek zo te zien steeds over zijn rechterschouder achterom, dus Grace bleef links achter hem lopen, pal bij de etalages, en verschool zichzelf zoveel mogelijk achter de mensen op de stoep.

De twee mannen liepen links Trafalgar Street in, en Grace had zo langzamerhand wel een vermoeden waar ze naartoe gingen. En ja hoor, een paar honderd meter verder gingen ze naar links en hadden ze hun bestemming bereikt.

Pelham Square was een klein, elegant pleintje met oude huizen. Middenin bevond zich een park met een hek eromheen. De bankjes bij de ingang aan Trafalgar Street waren altijd populair geweest bij kantoormensen die bij mooi weer daar hun lunch opaten. Nu er op de werkplek niet meer gerookt mocht worden, waren ze zelfs nog meer in trek. De mensen die daar hun boterham zaten op te eten, of van een sigaret genoten, letten niet op de groep zwervers die achter in het park bij een bank stond, of zagen ze zelfs niet eens.

Grace leunde tegen een lantaarnpaal aan en keek even naar hen. Niall Foster was een van de drie mensen die op de bank zaten. Hij dronk, net als alle anderen, bier uit een blikje dat in zijn plastic tasje verstopt zat. Hij was begin veertig en had een dom, gemeen gezicht en een vreemd kapsel dat deed denken aan een mislukte tonsuur. Hij droeg een hemdje zonder mouwen, hoewel er een behoorlijk koude wind stond, een blauwe werkbroek en zware schoenen.

Grace kende hem wel. Hij was inbreker en drugsdealer op kleine schaal. Hij was nu vast en zeker aan het handelen met het trieste groepje mensen om hem heen. Naast hem op de bank zat een smerige, uitgebluste vrouw met bruin samengeklit haar. Naast haar zat een even smerige man van in de dertig, die aldoor zijn hoofd tussen zijn knieën stak.

De twee mannen die hij had gevolgd liepen naar Foster toe. Het ging allemaal volgens het boekje. Foster had alle drugsgebruikers verteld dat hij op dit moment in het park zou zijn en dat ze daarnaartoe moesten gaan. Zodra hij het vermoeden had dat hij in de gaten werd gehouden, ging hij snel weg, naar een andere locatie, en belde hij zijn klanten om daarnaartoe te gaan. Soms vonden er wel diverse verhuizingen plaats voordat de dealer zich eindelijk veilig voelde. En vaak hadden ze zelfs een jonge helper die de drugs voor hen verhandelde. Maar Foster was gierig, hij wilde daar vast niemand voor betalen. En hij wist ook wel hoe het werkte. Hij was zich er maar al te goed van bewust dat hij een onbeduidend schakeltje in het geheel was en slikte als hij onraad rook eenvoudigweg de drugs die hij bij zich had door, en viste ze later weer uit de wc-pot.

Niall Foster keek in zijn richting en Grace ging snel de stoep op omdat hij niet gezien wilde worden. Hij knalde daardoor bijna boven op de man naar wie hij juist op zoek was.

Het was al een paar jaar geleden, maar Grace was geschokt toen hij zag hoe oud de schurk was geworden. Terry Biglow was lid van een van de kleinere misdaadfamilies van Brighton. De geschiedenis van de Biglows ging terug naar de scheermessenbenden, die in de jaren veertig en vijftig territoriumoorlogen voerden over afpersingsgeld, en er waren nog genoeg mensen in Brighton and Hove die ooit hadden staan bibberen als ze alleen de naam al hoorden. Maar nu waren de meeste oude familieleden overleden, en de jongere zaten of voor lange tijd achter de tralies of waren naar Spanje gevlucht. De rest hing nog rond in de stad, en was net als Terry vergane glorie.

Terry Biglow was vroeger een zware jongen geweest, vervolgens een heler en daarna een drugsdealer. Hij had indruk gemaakt met een rock-'n-rollkapsel en goedkope hippe schoenen. Hij moest nu halverwege of eind zestig zijn, dacht Grace, maar je zou hem zo tien jaar ouder schatten.

Het haar van de oude boef was nog steeds keurig gekapt, maar het zag er een stuk vetter uit dan vroeger en ook wat dunner, en was saai grijs. Zijn ratachtige gezicht was bleek en mager, bijna uitgemergeld, en zijn scherpe kleine tanden waren roestbruin. Hij had een sjofel grijs pak aan met een goedkope riem om de broek die bijna tot op zijn borst kwam. Het leek wel of hij een paar centimeter was gekrompen, en hij rook muf. De enige dingen waaraan de oude Terry Biglow nog waren te herkennen, waren het grote gouden horloge en de ring met een enorme smaragd.

'Meneer Grace, rechercheur Grace, wat leuk u hier te ontmoeten! Wat een verrassing!'

Niet echt, had Roy Grace bijna gezegd. Maar hij was blij dat zijn bezoekje in de stad zo soepel verliep.

'Ik ben inspecteur,' corrigeerde hij hem.

'Ach, maar natuurlijk! Dat was ik vergeten.' Biglows stem was zacht en iel.

'Promotie gekregen, hè? Dat had ik gehoord. En u verdient het, meneer Grace. Neemt u me niet kwalijk, recher... inspecteur. Ik ben helemaal clean, trouwens. Ik heb God gevonden in de gevangenis.'

'Zat hij ook vast?' vroeg Grace.

'Dat soort dingen doe ik niet meer, meneer,' zei Biglow dodelijk serieus. Hij had Grace' sneer niet door, of deed net alsof.

'Dus je staat toevallig hier buiten het park waar Niall Foster aan het dealen is, Terry?'

'Een compleet toeval,' zei Biglow, terwijl hij nog schichtiger dan anders keek. 'Ja, zeer toevallig, meneer. Mijn vriend en ik... We wilden net gaan lunchen, en liepen hier langs.'

Biglow draaide zich om naar zijn maat, die net zo slordig gekleed was. Grace kende de man wel: Jimmy Bardolph, die vroeger handlanger was geweest van de Biglows. Maar nu niet meer, dacht hij zo. De man stonk naar alcohol, zijn gezicht zat onder de korstjes en zijn haar zag er niet uit. Zo te zien was hij niet meer in bad geweest sinds de nageboorte van hem af was gewassen.

'Dit is mijn vriend inspecteur Grace, Jimmy. Hij is een beste vent, altijd eerlijk tegen me. Meneer Grace is een smeris die je kunt vertrouwen.'

De man stak een geaderde, smerige hand uit de te lange mouw van zijn regenjas. 'Aangenaam kennis te maken, meneer. Misschien kunt u iets voor me doen?'

Grace deed net of hij hem niet hoorde en zei tegen Biglow: 'Ik moet even met je praten over een oude vriend van je, Ronnie Wilson.'

'Ronnie!' riep Biglow uit.

Uit zijn ooghoek zag Grace dat Foster hem had opgemerkt en nu het park uit rende. De dealer glipte de uitgang uit, keek Grace even bezorgd aan en liep toen in sukkeldraf de straat in terwijl hij zijn mobieltje tegen zijn oor hield.

'Ronnie!' zei Biglow weer. Hij schonk Grace een weemoedige glimlach en schudde zijn hoofd. 'Goeie ouwe Ronnie. Hij is dood, dat weet u toch? God hebbe zijn ziel.'

De frisse lucht verlichtte Grace' hoofdpijn niet echt, en dus leek het hem een goed idee om Bella's voorstel op te volgen en een warme, vette maaltijd te nuttigen. 'Hebben jullie al gegeten?' vroeg hij.

'Nee, we waren onderweg naar een eettentje.' Terry Biglow moest opeens glimlachen, alsof hij blij was met het alibi dat hem net op een schotel werd aangereikt. 'Ja, ziet u, Jimmy en ik, daarom zijn we hier. We liepen alleen maar naar het café, omdat het zulk mooi weer is en zo.'

'Mooi. Nou, in dat geval, ga dan maar voor. Ik trakteer.'

Hij liep achter hen aan door de straat, Jimmy liep met schokkerige kleine stapjes, alsof hij een stuk speelgoed was dat weer opgewonden moest worden, naar een koffiehuis.

66

Oktober 2007

Abby hoorde een deur dichtslaan. De voordeur. Heel even kreeg ze hoop. Was dat misschien de conciërge?

Toen hoorde ze zijn zolen piepen. En zag ze zijn schaduw.

Ricky kwam de badkamer binnen stormen en sloeg haar in het gezicht. Ze kromp ineen.

'Godvergeven kutwijf dat je d'r bent!'

Hij sloeg haar weer, nog harder. Ze herkende hem amper. Hij had zich vermomd, een blauwe honkbalpet diep in zijn ogen getrokken, een donkere zonnebril en een zware baard en snor. Hij liep de badkamer uit, en ze keek met brandende ogen toe terwijl hij de tas in de gang pakte en hem leeggooide op de grond.

Er viel een boor uit. Een grote tang. Een hamer. Een zakje injectienaalden. Een stanleymes.

'Met welke wil je beginnen, trut?'

Ze kreunde van angst. Het sloeg op haar darmen, zo bang was ze. Ze keek hem veelbetekenend aan. Smekend.

Hij stak zijn hoofd pal voor het hare. 'Heb je me gehoord?'

Ze bedacht welke kant ze ook weer uit moest kijken om nee aan te geven. Naar links. Ze keek naar links.

Hij bukte zich en pakte het stanleymes op, hield het mesje pal voor haar rechteroog. Toen draaide hij het mes om en drukte de achterkant tegen haar oog aan. Ze voelde het koude staal op haar voorhoofd. Ze hyperventileerde van de angst.

'Zal ik een van je ogen eruit snijden? Hem mee nemen? Wil je dat soms? Dan is het hier nog donkerder.'

Ze keek wanhopig naar links: nee. Nee, nee, nee.

'Ik zou het kunnen doen, nietwaar? Ik zou hem met me mee kunnen nemen en eens zien wat er gebeurde.'

Nee, nee, nee.

'Slim hoor. Biometriek. Irisherkenning. Dat vind je zeker wel erg knap van jezelf, hè? Stop het allemaal in een kluisje waar je irisherkenning voor nodig hebt om erin te komen. Wat denk je, zal het werken als ik je oog eruit sneed en hem mee nam? Als het niet lukt, dan kom ik wel terug voor het andere oog.'

Weer gaf ze dringend aan: nee, nee, nee.

'Maar als dat ook niet lukt, dan zijn we natuurlijk allebei de lul. Want dan ben jij blind en ik ben nog geen steek verder. En dat weet je donders goed, nietwaar?'

Opeens haalde hij het mesje weg. Toen, in een snelle beweging, trok hij de tape van haar mond.

Ze schreeuwde het uit. Zo te voelen had hij de huid meegenomen. Ze ademde diep door haar uitgedroogde keel in. Haar gezicht stond in brand.

'Zeg wat, trut.'

Krakend zei ze: 'Mag ik alsjeblieft wat water? Alsjeblieft, Ricky.'

'O, dit is te gek voor woorden!' zei hij. 'Niet te geloven, toch? Je pikt mijn hele handel, laat me je de halve wereld achterna reizen, en wat zeg je dan uiteindelijk als eerste tegen me?' Hij bauwde haar stem na. '"O, alsjeblieft, Ricky, mag ik een glaasje water?"' Hij schudde zijn hoofd. 'Wat wil je? Met of zonder bubbels? Uit de kraan of uit de fles? Wat dacht je van het water uit het toilet waarin je hebt zitten zeiken? Is dat wat? Wil je er soms wat ijs en een schijfje citroen bij?'

'Maakt niet uit,' bracht ze moeizaam uit.

'Je krijgt zo wel wat,' zei hij. 'Je had het menu in moeten vullen voor roomservice en dat gisteravond aan de deurknop moeten hangen. Dan had je dat vanochtend allemaal gekregen. Maar dat boeide je niet omdat je te druk bezig was je grote liefde Ricky te belazeren, hè?' Hij grinnikte. 'Bóéide. Dat is eigenlijk best grappig, vind je niet?'

Ze zei niets, deed haar best na te denken zodat ze hem niet weer tegen de haren in zou strijken als ze iets zei. Het was wel fijn, dacht ze, dat ze eindelijk de kans kreeg iets te zeggen. En ze wist hoe wanhopig graag hij terug wilde hebben wat ze had gestolen.

En hij was niet gek.

Hij had haar nodig. Hij dacht dat hij het alleen op die manier kon krijgen. Leuk of niet, hij moest iets met haar zien te regelen.

Toen hield hij zijn gsm tegen haar oor en drukte op een knopje. Ze hoorde een opname. Het duurde maar een paar seconden, maar dat was genoeg.

Ze hoorde zichzelf en haar moeder kletsen. Een telefoongesprek dat ze op zondag hadden gevoerd, dat kon ze zich nog goed herinneren. Ze kon zichzelf horen praten.

'Hoor eens, mam, het duurt nu niet lang meer. Ik heb contact met Cuckmere House. Ze hebben een prachtige kamer met uitzicht op de rivier. Die komt over een paar weken vrij, en ik heb hem voor jou gereserveerd. Ik heb het opgezocht op internet en het ziet er werkelijk schitterend uit. En natuurlijk ga ik eerst kijken en dan kom ik je helpen met de verhuizing.'

Toen hoorde Abby haar moeder antwoord geven. Mary Dawson, nog zeer bij, ondanks dat ze zwaar ziek was, zei: 'En waar haal jij het geld vandaan, Abs? Dat soort tehuizen kost een vermogen. Tweehonderd pond per dag, soms wel. Misschien nog wel meer.'

'Maak je daar nou maar geen zorgen over, mam. Dat regel ik wel. Ik –'

De opname werd plotseling afgebroken.

'Dat is het leuke aan je, Abby,' zei Ricky die zijn gemene smoel voor haar gezicht hield. 'Je leeft zo met iedereen mee.'

67

Oktober 2007

In het koffiehuis stonk het naar frituurvet. Grace ging tegenover de twee mannen zitten en bedacht dat alleen al inademen je cholesterol zo ver omhoog zou jagen dat je tegen een hartaanval zat. Maar hij bestelde toch maar gebakken eieren met bacon, worst en patat, geroosterd brood en een cola. Hij was blij dat noch Glenn Branson noch Cleo erbij was om hem op zijn kop te geven vanwege zijn eetgewoonten.

Terry Biglow bestelde gebakken eieren met patat en zijn wazige vriend Jimmy wilde alleen maar een kop thee en bleef Grace aankijken alsof de inspecteur de enige man op aarde was die hem kon redden van iets wat hijzelf ook niet goed wist. Zichzelf, waarschijnlijk, dacht Roy, die toekeek terwijl hij een flesje Bells uit zijn jaszak haalde en een grote slok nam. Hij zag de tatoeages op zijn knokkels. Elke stip stond voor een jaar in de gevangenis. Hij telde er zeven.

'Ik ben nu een eerlijk man, meneer Grace,' zei Terry Biglow opeens.

Ook hij had gevangenistatoeages, en een slangenstaart op zijn hand waarvan het lijf onder zijn mouw verscholen zat.

'Dat zei je al. Mooi.'

'Mijn oom is erg ziek. Alvleesklierkanker. Kunt u zich mijn oom Eddie nog herinneren, meneer Grace? Sorry, inspectéúr Grace?'

Grace kon hem zich helaas inderdaad nog herinneren. Hij had ooit een van Eddie Biglows slachtoffers een getuigenverklaring afgenomen en dat was hij nooit vergeten. Diens gezicht was aan beide kanten, van de haargrens tot aan de kin, met een gebroken glas opengesneden, omdat hij er iets van had gezegd toen Biglow tegen hem op botste in een bar.

'Ja,' zei hij. 'Ik kan me hem nog wel herinneren.'

'In feite,' ging Biglow door, 'heb ik zelf eigenlijk ook een beetje kanker.'

'Wat erg,' zei Grace.

'In mijn buik, weet u?'

'Erg?' vroeg Grace.

Biglow haalde zijn schouders op, alsof het allemaal wel meeviel. Maar in zijn ogen stond angst te lezen.

Jimmy knikte wijs en nam nog een slok. 'Wie gaat er nou voor me zorgen als hij er niet meer is?' zei hij jammerend tegen Grace. 'Ik heb bescherming nodig.'

Grace trok even zijn wenkbrauwen op, pakte de cola aan van de serveerster en nam er meteen een slok van. 'Ronnie Wilson en jij waren toch bevriend, Terry?'

'Ja, dat klopt.'

'Voordat jij de gevangenis in ging?'

'Ja, daarvoor nog. Ik heb voor hem gezeten, weet je.' Hij roerde weemoedig suiker door zijn thee. 'En dat is een feit.'

'Kende je zijn vrouw?'

'Allebei zijn vrouwen.'

'Allebei zijn vrouwen?' vroeg Grace verbaasd.

'Ja. Joanna en daarna Lorraine.'

'Wanneer is hij hertrouwd?'

Hij krabde op zijn achterhoofd. 'Gut, dat was een paar jaar nadat Joanna hem had verlaten. Dat was een stuk hoor, die Joanna, heel knap! Maar ik mocht haar niet. Ze zat achter het geld aan, weet je. Klampte zich aan Ronnie vast omdat ze dacht dat hij rijk was, maar ze besefte niet dat hij geen rooie rotcent had.' Hij tikte op de zijkant van zijn neus. 'Niet zo'n beste zakenman, Ronnie. Had altijd grote plannen. Maar hij had er gewoon de – hoe noem je dat ook weer? – de neus niet voor, de flair. Dus toen Joanna daarachter kwam, nam ze de benen.'

'Waar naartoe?'

'Los Angeles. Haar moeder overleed en ze erfde wat geld. Ronnie werd op een ochtend wakker en toen was ze ervandoor. Had alleen een briefje achtergelaten. Ze wilde kijken of ze daar als actrice aan de slag kon.'

Het eten werd geserveerd. Terry verdronk zijn patat in azijn, en schudde er vervolgens een half zoutvaatje over leeg. Grace schonk wat bruine saus op zijn bord en pakte toen de ketchup die in een houder in de vorm van een tomaat zat. 'Had ze nog contact met iemand nadat ze naar Los Angeles was gegaan?'

Biglow haalde zijn schouders op en prikte een patatje aan zijn vork. 'Nee, volgens mij niet. Niemand mocht haar eigenlijk. Wij zeker niet. Mijn vrouw kon haar niet uitstaan. En ze deed ook geen moeite om met ons bevriend te raken.'

'Kwam ze hier vandaan?'

'Nee, uit Londen. Volgens mij heeft hij haar leren kennen in zo'n lapdancetent daar.'

Er werd weer een patatje gespietst.

'En zijn tweede vrouw?'

'Lorraine. Die was oké. Zag er ook fantastisch uit. Het duurde even voordat hij met haar trouwde, wel twee jaar, geloof ik. Ze moesten wachten omdat hij eerst officieel van Joanna gescheiden moest zijn, en die was nergens te bekennen.'

Tja, krijg maar eens een lijk zover de scheidingspapieren te tekenen terwijl het in een riool ligt weg te rotten, dacht Grace.

'Waar is Lorraine nu?'

Biglow keek hem verwonderd aan.

'Ik heb echt bescherming nodig, meneer Grace,' zeurde Jimmy weer.

Biglow keek naar zijn vriend en wees naar zijn eigen gezicht. 'Zie je dat mijn lippen bewegen? Dat betekent dat ik nog steeds aan het praten ben, dus hou erover op, ja?' Hij wendde zich weer tot Grace. 'Lorraine. Tja, nou, als u haar wilt spreken, dan zult u een boot en een duikpak moeten regelen. Die heeft zelfmoord gepleegd. Is op een avond van de veerboot Newhaven-Dieppe overboord gesprongen.'

Grace had opeens geen trek meer. 'Ga door.'

'Ze zat in de put, zag het helemaal niet meer zitten toen Ronnie dood was.

Hij had haar ook financieel zeer berooid achtergelaten. De hypotheekbank legde beslag op het huis en de deurwaarder kwam de rest inpikken. Er waren alleen nog een paar postzegels over.'

'Postzegels?'

'Ja, daar zat Ronnie in. Hij zat er voortdurend in te handelen. Hij zei een keer tegen me dat hij liever postzegels had dan geld, omdat je ze zo handig mee kon nemen.'

Grace dacht even na. 'Ik dacht dat de nabestaanden van de slachtoffers van 11 september een behoorlijk grote vergoeding kregen. Is dat bij haar niet gebeurd, dan?'

'Daar heeft ze nooit iets over gezegd. Ze werd zowat een kluizenaar, weet u, bleef op een afstand. Alsof ze zich in haar hol terugtrok. Toen ze alles in beslag namen, verhuisde ze naar een huurflatje aan Montpelier Road.'

'Wanneer is ze overleden?'

Hij dacht even na. 'Ja. In november. 11 september was in 2001, dus dan zal het in november 2002 zijn geweest. Het was bijna december. Weet u wat ik bedoel? Dat is een zware tijd, Kerstmis, voor sommige mensen. Ze is van de veerboot gesprongen.'

'Waar is het lijk aangespoeld?'

'Geen idee.'

Grace maakte wat aantekeningen terwijl Biglow zat te eten. Zelf at hij nauwelijks, hij zat na te denken: de ene vrouw gaat naar Amerika en belandt in een riool in Brighton, de andere vrouw springt van een veerboot. Zijn hoofd liep om van de vragen. 'Hadden ze kinderen?'

'De laatste keer dat ik Ronnie sprak, zei hij dat ze ermee bezig waren. Maar dat ze wat problemen hadden.'

Grace dacht nog wat na. 'Wie waren behalve jij Ronnie Wilsons beste vrienden?'

'Zo goed bevriend waren we nu ook weer niet. We kenden elkaar, maar daar bleef het bij. Donald Hatcook wellicht. Ronnie was bij hem in zijn kantoor op 11 september, naar het zich laat aanzien. Helemaal boven in een van de torens van het World Trade Center. Donald had het helemaal gemaakt, de arme klootzak.' Hij dacht even na. 'En Chad Skeggs. Maar die is geëmigreerd, weet u, naar Australië.'

'Chad Skeggs?'

'Ja.'

De naam kwam Grace vaag bekend voor, de man had ooit jaren geleden in de problemen gezeten, maar meer kon hij zich niet herinneren.

'Ze zijn allemaal weg nu. Toentertijd waren er natuurlijk de Klingers. Ja, Steve en Sue Klinger, kent u die? Woonden in Tongdean.'

Grace knikte. De Klingers hadden een opzichtig huis aan Tongdean Avenue. Stephen was, zoals eufemistisch werd gezegd, al zolang Grace bij de politie zat, iemand waar de politie wel interesse in had. Het was algemeen bekend dat Klinger, die ooit begonnen was als autohandelaar, illegaal zijn geld verdiende en dat zijn nachtclubs, bars, koffietenten, studentenhuizen en zijn bank van lening alleen maar waren bedoeld om het geld uit zijn werkelijke handel – drugs – wit te wassen. Maar hij had de teugels strak in handen, en als hij al een drugsbaas was, dan kon niemand dat bewijzen.

'Ronnie en hij zijn samen begonnen,' ging Biglow door. 'Toen kregen ze problemen over een paar auto's waarvan met de kilometerteller was gesjoemeld. Ik kan me niet meer herinneren wat er nou precies is gebeurd. Maar het bedrijf was van de ene op de andere dag verdwenen: de garage met alle papieren erin brandde tot de grond toe af. Dat was wel handig. Ze werden nooit aangeklaagd.'

Grace zette Steve en Sue Klingers naam op de lijst van mensen die zijn team moest spreken. Toen pakte hij een stukje geroosterd brood en doopte dat in de eidooier.

'Terry,' zei hij, 'wat vond jij van Ronnie?'

'Hoe bedoelt u, meneer Grace?'

'Wat voor vent was het?'

'Een godvergeten psychopaat,' zei Jimmy opeens.

'Bek dicht!' zei Biglow nijdig. 'Ronnie was helemaal geen psychopaat. Maar hij kon goed kwaad worden, dat is wel zo.'

'Hij was een godvergeten psychopaat,' zei Jimmy weer.

Biglow glimlachte naar Grace. 'Hij was soms wel een beetje gestoord, weet u, hij was zelf eigenlijk zijn ergste vijand. Hij was boos op de wereld omdat hij maar niet slaagde en sommigen van zijn vrienden wel, snapt u wat ik bedoel?'

Zoals jij, vroeg Grace zich af. 'Dat denk ik wel.'

'Weet u wat mijn vader ooit over hem heeft gezegd?'

Grace had een stukje vette worst in zijn mond en schudde zijn hoofd.

'Hij zei dat hij het soort vent was dat achter jou door een tourniquet ging en dan opeens voor je stond zonder dat hij had betaald!' Biglow grinnikte. 'Ja, dat was Ronnie ten voeten uit. God zegene hem!'

68

12 september 2001

Ronnie voelde zich een stuk beter met geld op zak. In de linkerzak van zijn colbert, om precies te zijn. Hij had zijn linkerhand erin gestoken en hield het opgevouwen stapeltje gloednieuwe honderddollarbiljetten stevig vast. De hele weg in de L-trein van het centrum van Manhattan naar het Brighton Beach station, waar hij eruit moest, hield hij het geld omklemd.

Zonder zijn hand uit zijn zak te halen, liep hij het stukje naar Mail Box City en daar stopte hij zesenvijftighonderd dollar veilig weg in zijn postbus. Toen liep hij terug door de straat tot hij bij een kledingzaak kwam, waar hij een paar witte T-shirts, sokken, onderbroeken, een spijkerbroek en een lichtgewicht pilotenjack aanschafte. Iets verderop zat een souvenirwinkel waar hij voor zichzelf een zwarte honkbalpet kocht waarop de woorden BRIGHTON BEACH stonden geborduurd. Toen stapte hij een sportzaak binnen voor een goedkoop paar sportschoenen.

Hij kocht bij een kraampje een broodje met cornedbeef en een augurk zo groot als een kleine meloen en een cola voor de lunch. Vervolgens ging hij terug naar zijn kamer. Hij zette de televisie aan en hees zich in zijn nieuwe kleren. De oude stopte hij in een van de plastic tassen waarin zijn nieuwe spullen hadden gezeten.

Hij at het broodje op terwijl hij tv zat te kijken. Hij had het meeste al gezien, het waren herhalingen: beelden van George Bush die de oorlog aan het terrorisme verklaarde en commentaar van andere regeringshoofden. Toen weer die blije mensen in Pakistan, die lachend op en neer sprongen op straat terwijl ze trots anti-Amerika-spandoeken omhooghielden.

Ronnie was eigenlijk best wel tevreden met zichzelf. Hij was niet moe meer en voelde zich opgetogen. Hij was heel dapper geweest: hij was het oorlogsgebied in gegaan en had het weer verlaten. Het liep allemaal op rolletjes!

Hij at het broodje op, pakte de plastic tas waar zijn oude kleren in zaten en liep naar buiten. Een paar huizen verderop propte hij het tasje in een stinkend vuilnisvat dat al bijna helemaal vol zat met rottende etensresten. Toen liep hij met verende tred naar de Moscow Bar.

Die was vrijwel verlaten, net als de dag ervoor, maar tot zijn vreugde zag hij zijn nieuwe beste vriend Boris op zo te zien dezelfde kruk zitten als waarop hij de vorige dag had gezeten, met een sigaret in zijn hand, gsm tegen zijn oor aan gedrukt en een halfvolle fles wodka voor zijn neus. Het enige wat anders was, was zijn T-shirt, dat dit keer roze was en bedrukt met goudkleurige letters: GENESIS WORLD TOUR.

Het opdondertje van een barman was er ook weer, hij was glazen aan het afdrogen met een theedoek en knikte even naar Ronnie.

'Jij terug,' zei hij in gebroken Engels. 'Dacht jij misschien helpen.' Hij wees naar de televisie. 'Zij vrijwilligers nodig,' zei hij. 'Zij mensen nodig om lijken uitgraven. Ik dacht misschien jij dat doen.'

'Misschien wel,' zei Ronnie. 'Misschien ga ik dat inderdaad doen.'

Hij ging op de barkruk naast zijn vriend zitten en wachtte tot die klaar was met zijn gesprek, dat zo te horen zakelijk was, en gaf hem toen een klap op zijn rug. 'Hé, Boris, hoe gaat het ermee?'

Ronnie kreeg een daverende klap terug, waardoor zijn vullingen er bijna uit vlogen.

'Mijn vriend! Hoe gaat? Je kamer gevonden gisteravond? Was goed?'

'Hij was prima.' Ronnie leunde naar voren en krabde aan een bijzonder jeukerige beet op zijn enkel. 'Heel goed. Bedankt.'

'Mooi. Voor mijn vriend uit Canada, doe ik graag.'

Zonder dat het werd gevraagd, kwam de barman aanzetten met een borrelgaasje en Boris schonk dat tot de rand toe vol.

Ronnie hield het glas elegant tussen zijn duim en wijsvinger en bracht hem naar zijn lippen. '*Carpe diem!*' zei hij.

De wodka ging lekker vlot naar binnen. Hij smaakte naar citroen, en Ronnie was er meteen aan verslaafd. De tweede ging zelfs nog vlotter naar binnen.

De Rus zwaaide waarschuwend zijn hand voor Ronnies neus heen en weer en stak toen zijn glas omhoog. Hij keek Ronnie recht aan, terwijl zijn mond zich plooide tot een glimlach. 'Weet je gisteren, wat ik je zei, mijn vriend?'

'Wat dan?'

'Als je in Rusland proost, dan drink je het hele glas leeg. In één keer. Zo!' Boris sloeg het glas achterover.

Twee uur later, nadat ze steeds mooiere verhalen over hun verleden hadden verteld, zat Ronnie te tollen, hij kon amper op de barkruk blijven zitten. Boris was betrokken bij allerlei louche zaakjes, waaronder de import van nepparfummetjes en nep-eau de toilets, het vervalsen van werkvergunningen voor Russische immigranten, en hij liet Russische hoeren die in Amerika wilden werken overkomen. Hij was geen pooier, verzekerde hij Ronnie. Nee, nee, hij was beslist, absoluut geen pooier.

Toen legde hij opeens zijn arm om Ronnies schouders en zei: 'Weet je, mijn vriend, jij zit in problemen. Ik je helpen! Ik kan je overal mee helpen!'

Ronnie zag tot zijn schrik dat Boris de glazen weer vol schonk. De televisie kreeg hij niet meer scherp in beeld. Kon hij deze vent wel vertrouwen? Hij moest toch íémand vertrouwen, en in de verwarde toestand waarin hij zich op dat moment bevond, had hij niet het gevoel dat Boris hem erop aan zou kijken.

'Nou,' zei hij, 'je kunt inderdaad wel iets voor me doen.'

De Rus hield zijn ogen gericht op het televisiescherm waarop burgemeester Giuliani aan het praten was.

'Voor mijn Canadese vriend, alles. Zeg maar.'

Ronnie zette zijn honkbalpet af en boog zich naar voren. Fluisterend zei hij: 'Ken je misschien iemand die een nieuw paspoort en visum kan maken?'

De Rus keek hem stuurs aan. 'Wat denk je dit is? Ambassade? Dit is maar bar, man. Oké?'

Ronnie was geschokt door de felheid van de man, maar toen grijnsde de Rus breeduit naar hem.

'Paspoort en visum. Natuurlijk. Maak je geen zorgen. Wat je wilt, daar zorg ik voor. Jij wilt paspoort, visum, geen punt. Ik heb vriend die regelt. Hij regelt alles voor jou. Als je tenminste geld hebt?'

'Hoeveel?'

'Hangt af hoe moeilijk visum is. Ik geef je zijn naam. Ik hoef niks, oké?'

'Dat is heel aardig van je.'

De Rus stak zijn glas omhoog. '*Carpe diem?*'

'*Carpe diem!*' antwoordde Ronnie.

De rest van de middag was één groot waas.

69

Oktober 2007

Abby staarde als verdoofd door de ruit van de gehuurde grijze Ford Focus. Ze had niet gedacht dat het nog erger kon worden, maar dat was dus wel zo.

De hemel was helderblauw toen ze op de A27 richting Brighton reden met Patcham rechts van hen en glooiende hellingen links. Vrijheid, dacht ze, hoewel ze nog steeds gevangen was. Ze was niet langer vastgebonden en had nu een spijkerbroek aan, een trui en een jack en gympen. Het gras zag er groen en tierig uit door de zware regenbuien de afgelopen tijd, en als de verwarming van de auto niet aan had gestaan en heerlijk warme lucht verspreidde, had je door de blauwe hemel kunnen denken dat het zomer was. Maar in haar hart was het volop winter.

Hij kon alleen maar aan dat bandje komen, wist ze, door haar moeders telefoon af te tappen.

Ricky zat boos naast haar en reed in stilte; hij lette erop dat hij niet te hard reed omdat hij niet wilde worden aangehouden. De boosheid was nu al zo'n twee maanden aan het sudderen. De afrit was vlakbij. Hij zette de richtingaanwijzer aan. Hij was hier al een keer geweest, dus hij kende de weg. Ze hoorde het gestage getik en keek naar het knipperende lichtje op het dashboard.

Ze had wat water gedronken, en een stuk brood en een banaan gegeten en voelde zich weer een beetje meer mens en kon ook weer wat beter nadenken, hoewel ze zich nog steeds vreselijk zorgen maakte over haar moeder, en over zichzelf. Hoe had Ricky haar moeder weten op te sporen? Waarschijnlijk op dezelfde manier als waarop hij haar had opgespoord, hoe dat dan ook was. Ze piekerde zich suf of ze misschien een aanwijzing in Melbourne had achtergelaten. Hoe was hij verdomme aan haar adres gekomen? Dat was eigenlijk niet zo moeilijk geweest, veronderstelde ze. Hij wist wat haar achternaam was en ze had vast wel een keer gezegd dat haar moeder weduwe was en in Eastbourne woonde. Hoeveel Dawsons stonden er nu in het telefoonboek van Eastbourne? Vast niet veel. Zeker niet voor iemand die zo gedreven was.

Hij gaf nergens antwoord op.

Haar moeder was te zwak om zichzelf te kunnen verdedigen. Ze had multiple sclerose en kon zich nog een klein beetje voortbewegen, maar dat zou niet lang meer duren. En hoewel ze zo onafhankelijk als de pest was, had ze fysiek geen kracht meer. Een kind kon haar overmeesteren, waardoor ze uiterst kwetsbaar was voor kwaadwillende mensen. Toch wilde ze per se geen seniorenalarm dragen. Abby wist dat de buurvrouw af en toe bij haar kwam kijken en ze ging op zaterdagavond met een vriendin naar de bingo. Maar verder was ze alleen.

Nu wist Ricky waar ze woonde, en omdat hij zo'n sadist was, maakte ze zich grote zorgen over haar moeder. Ze had het vermoeden dat hij het er niet bij zou laten als hij alles terug had, hij wilde haar en haar moeder ook nog eens pijn doen. Hij wist precies hoeveel ze van haar moeder hield, hoe schuldig ze zich voelde toen ze haar in de steek liet en naar de andere kant van de wereld verhuisde, terwijl ze juist toen Abby zo hard nodig had. Dat had ze hem allemaal verteld, toen ze zijn vertrouwen wilde winnen en haar hart bij hem uitstortte. Hij zou met veel plezier haar moeder pijn doen om Abby te pakken.

Ze waren bijna bij een kleine rotonde. Hij nam de tweede afslag rechts en reed een heuvel af. Aan hun rechterhand stond een woonwijk midden tussen de grasvelden. Links was het Hollingbury-industrieterrein, met een aantal grote winkels, fabrieken uit de jaren vijftig en pakhuizen die verbouwd waren tot kantoren en moderne bedrijven. Een van die gebouwen, dat gedeeltelijk aan het oog werd onttrokken door een ASDA-supermarkt, was het hoofdbureau van politie, maar dat wist Abby niet. En ook al had ze het geweten, dan had ze nog niet het risico genomen om daarnaartoe te gaan. Wat Ricky ook had gedaan om aan dat geld te komen, zij was degene die een dief was. Zij had bijna alles van hem gestolen, en ook al was degene die je bestal een misdadiger, dan was en bleef jij nog steeds een dief.

En bovendien, als ze elkaar aan zouden geven, zouden ze alles kwijt zijn. Ze stonden momenteel in een soort patstelling. Maar ze wist ook dat als ze hem alles gaf wat hij wilde, er geen enkele reden meer voor hem was om haar in leven te laten. En een heleboel redenen om haar te laten sterven.

Ze zag een enorm gebouw met het bord BRITISH BOOKSHOPS erop, vervolgens het Argus-gebouw, een bordje van het kledingwarenhuis Matalan, en daarna kwamen ze langs een Renault-dealer. Ricky vergat bijna de bocht te nemen, hij vloekte, remde hard en draaide aan het stuur zodat de banden piepten. Hij reed met een vaartje een steile helling af en moest opeens boven op de rem staan toen een gigantisch grote Volvo met een kleine vrouw aan het stuur uit het parkeerterrein van een rij winkels kwam gereden.

'Stomme trut,' zei hij, en de vrouw tikte ten antwoord op haar voorhoofd. Heel even dacht – hoopte – Abby dat hij uit de auto zou stappen en heibel zou trappen.

In plaats daarvan reed de Volvo met brullende motor weg en gingen zij verder de heuvel af, langs het parkeerterrein en de achterkant van een warenhuis. Toen reden ze door een poort met massief stalen deuren een terrein op waar overal bordjes hingen waarop stond aangegeven dat er beveiligingscamera's aanwezig waren. Er stonden diverse zwarte waardetransportbusjes en vrachtwagens geparkeerd met op de zijkant in het goud een wapenschild afgebeeld waarin een ketting zat gedraaid en de naam SOUTHERN DEPOSIT SECURITY.

Ze reden naar een laag, modern gebouw waarin kleine, smalle raampjes zaten zodat het eruitzag als een fort. Wat het natuurlijk ook was.

Ricky parkeerde in het bezoekersgedeelte en zette de motor af. Toen draaide hij zich om naar Abby.

'Als je iets probeert, dan is je moeder dood. Begrijp je me?'

Ze wist er met moeite een 'ja' uit te persen.

En de hele tijd zat ze te piekeren. Zat ze te bedenken hoe ze dit moest spelen. Wat er de komende minuten zou gaan gebeuren. Ze deed haar best aan alles te denken, hield zichzelf voor wat haar sterke punten waren.

Zolang ze nog had wat hij wilde hebben, was hij bereid te onderhandelen. Het maakte niet uit wat hij zei, daar kwam het op neer. Daardoor was ze nog steeds in leven en ongeschonden, daar was geen twijfel over mogelijk. Met een beetje geluk bleef haar moeder daardoor ook in leven. Dat hoopte ze maar.

Ze had wel een plan, maar dat had ze nog niet goed kunnen overdenken en toen ze uit de auto stapte, raakte ze er een beetje de draad van kwijt. Ze werd opeens één grote bonk zenuwen, haar knieën knikten en ze moest zich vasthouden aan het dak van de auto omdat ze anders had overgegeven.

Na een paar minuten voelde ze zich weer een beetje beter. Ricky pakte haar bij de arm en ze liepen naar de ingang toe, als een stel dat geld wilde gaan storten, of op wilde nemen, of alleen maar even naar het familiezilver wilde kijken. Ze gluurde vanuit haar ooghoek naar Ricky en walgde zo van hem dat ze zich afvroeg hoe ze zich ooit had kunnen verlagen om al die walgelijke dingen met hem te doen.

Ze drukte op de knop terwijl twee beveiligingscamera's haar gebiedend aankeken, en gaf haar naam op. Even later ging de deur open en liepen ze door twee stel veiligheidsdeuren naar een sobere hal, die uit graniet gehouwen leek.

Twee grote, norse, geüniformeerde beveiligingsmedewerkers stonden bij de deur en twee andere zaten achter een glazen scherm aan de balie. Ze liep naar een van hen toe en sprak met hem door de gaatjes in het scherm terwijl ze zich opeens afvroeg of ze hem moest laten merken dat ze daar niet vrijwillig was, maar liet het toen schieten.

'Katherine Jennings,' zei ze beverig. 'Ik wil graag bij mijn kluis.'

Hij schoof een register onder het scherm door. 'Kunt u dit even invullen? Gaat u allebei naar binnen?'

'Ja.'

'Dan moet u het allebei invullen.'

Abby vulde haar naam, de datum en de tijd in, en gaf toen het register aan Ricky, die hetzelfde deed. Toen hij klaar was, schoof hij het weer onder het scherm door en de beveiligingsmedewerker tikte iets in op een computer. Even later schoof hij geprinte naambordjes, gelamineerd en met een speld eraan, over de balie naar hen toe.

'Weet u wat u moet doen?' vroeg hij aan Abby.

Ze knikte en liep naar de beveiligde deur rechts van de balie. Toen hield ze haar rechteroog pal voor de biometrische irisscanner en drukte op de groene knop.

Een paar tellen later klikte het slot open. Ze duwde tegen de zware deur en hield hem voor Ricky open en vervolgens gingen ze allebei naar binnen. Daar bevond zich een betonnen trap. Zij liep naar beneden met Rick pal achter haar. Onderaan was een massieve stalen deur met nog een biometrische irisscanner. Ook hier hield ze haar rechteroog ervoor en drukte ze op de groene knop. Er was een harde klik en ze duwde de deur open.

Ze kwamen in een lange, smalle, ijskoude ruimte. Hij was zeker dertig meter lang en zes meter breed, met aan beide zijden en achterin allemaal stalen, genummerde kluizen.

De kluizen rechts waren vijftien centimeter diep, aan de linkerkant zestig centimeter en achterin waren ze één meter tachtig hoog. Net als de laatste keer dat ze hier was geweest, vroeg ze zich af wat daarin zou zitten, welke schatten er sowieso, legaal of illegaal, achter deze gesloten deuren zaten.

Met de sleutel in zijn hand bekeek Ricky popelend de cijfers op de kluisjes. '426?' vroeg hij.

Ze wees naar achteren, aan de linkerkant, en keek toe terwijl hij zich er naartoe haastte.

Toen stak hij de dunne, platte sleutel in het verticale slot en draaide er verwachtingsvol aan. Hij voelde hoe soepel het goed geoliede slot werkte. Hij draaide de sleutel helemaal om, en luisterde naar elk pinnetje dat op zijn plaats viel. Hij was dol op sloten, altijd al geweest, en wist hoe de meeste in elkaar zaten. Hij trok aan de sleutel, maar de deur ging nog niet open. Het mechaniek was waarschijnlijk ingewikkelder dan hij had beseft, dus hij draaide de sleutel nog een keer helemaal om en voelde de pinnetjes bewegen. Hij trok weer.

Dit keer ging de zware metalen deur open en hij tuurde naar binnen. Tot zijn grote verbazing was de kluis leeg.

Hij draaide zich op zijn hakken om, Abby luid vervloekend. En zag dat hij in een lege ruimte stond.

70

Oktober 2007

Abby rende. Ze had bijna elke ochtend in Melbourne hardgelopen en, hoewel ze er de afgelopen maanden weinig aan had gedaan, had ze toch nog een redelijke conditie.

Ze rende zonder om te kijken langs het geasfalteerde parkeerterrein van Southern Deposit Security, langs de busjes en vrachtwagens, door de poort en de heuvel op. Net voordat ze rechtsaf door de struiken het parkeerterrein achter de winkels op wilde rennen, keek ze snel even achterom.

Ricky was nog nergens te bekennen.

Ze baande zich een weg door de struiken, werd op het parkeerterrein bijna aangereden door een auto met een gestreste vrouw aan het stuur, terwijl ze tussen de auto's door rende naar de ingang van een MFI-filiaal. Ze bleef staan toen ze er was en keek om.

Geen Ricky te bekennen.

Ze liep de winkel in, zich vaag bewust van de onmiskenbare, sterke geur van nieuwe meubelen en rende erdoorheen, klanten ontwijkend, terwijl ze langs kantoor-, zitkamer- en slaapkamermeubels kwam. Opeens was ze achter in de winkel, in het badkamergedeelte. Overal waren douches. Rechts van haar stond een eenvoudige douchebak.

Ze keek om zich heen. Geen Ricky.

Haar hart ging tekeer alsof het los was geschoten in haar borst. Ze had nog steeds het geplastificeerde naamkaartje van Southern Deposit Security vast. Ze had haar handtas niet mee mogen nemen van Ricky, maar het was haar wel gelukt haar gsm mee te smokkelen in haar blouse, samen met wat geld, haar creditcard, en de sleutel van haar moeders flat. Ze had de telefoon uitgezet, voor het geval er werd gebeld, wat anders nooit gebeurde. Nu pakte ze hem en zette hem weer aan. Zodra er verbinding was, belde ze haar moeder.

Er werd niet opgenomen. Ze had haar moeder al maandenlang gesmeekt om voicemail te nemen, maar ze had het nog steeds niet gedaan. Nadat hij vele malen over was gegaan, kreeg ze de bezettoon te horen. Ze belde weer.

Er zat een houten opklapbaar lattenbankje tegen de wand van een van de douches. Ze ging er naartoe, trok het bankje naar beneden en ging zitten met de gsm die steeds maar overging tegen haar oor aan. Ze moest nadenken. Nadenken.

Ze was helemaal in paniek.

Ze kon hem op geen enkele manier meer voor de gek houden. Ze had er niet genoeg over nagedacht. Op dit moment ging het denken haar niet goed af. Ze kon alleen maar op de automaat doorgaan, en de situatie per minuut bekijken.

Ricky had gedreigd dat hij haar moeder kwaad zou doen. Een zieke, oudere vrouw. Haar grote voordeel was dat ze nog steeds datgene had wat Ricky zo wanhopig graag terug wilde hebben. Ze moest zichzelf er steeds aan herinneren dat zij alle troeven in handen had.

Wat Ricky ook beweerde.

Zij had wat hij wilde.

Behalve...

Ze liet haar hoofd in haar handen zakken. Ze had niet met een normaal iemand van doen. Ricky leek meer een machine.

Door de stem schrok ze zich een ongeluk.

'Gaat het wel? Kan ik iets voor u doen, mevrouw?'

Een jonge verkoper in pak en stropdas, met een naamkaartje op zijn revers met JASON erop, stond voor de douchedeur. Ze keek hem aan.

'Ik... ik...'

Hij zag er vriendelijk uit en opeens sprongen de tranen haar in de ogen. Terwijl haar hersens op volle toeren werkten, kreeg ze opeens een ingeving. Ze zei zo zielig mogelijk: 'Ik voel me niet zo lekker. Zou je misschien een taxi voor me kunnen bellen?'

'Maar natuurlijk.' Hij keek haar bezorgd aan. 'Of wilt u liever een ambulance?'

Ze schudde haar hoofd. 'Nee, graag een taxi. Als ik weer thuis ben, gaat het vast beter. Ik moet gewoon even liggen.'

'We hebben hier een ruimte voor het personeel,' zei hij vriendelijk. 'Wilt u daar misschien even wachten?'

'Ja, graag. Dank u.'

Terwijl ze voorzichtig om zich heen keek naar Ricky, liep ze achter Jason aan door een zijdeur een kleine kantine in. Daar stonden een rij stoelen tegen de muur met een lage tafel ervoor, wat thee- en koffiespullen, een kleine koelkast en een koektrommel.

'Wilt u misschien wat drinken?' vroeg hij. 'Wat water?'

'Ja, water,' zei ze met een knikje.

'Ik bel eerst een taxi en dan krijgt u wat water.'

'Kan hij misschien naar een zijingang komen? Ik... ik weet niet of ik het wel red door de winkel naar de hoofdingang.'

Hij wees naar een deur die haar nog niet was opgevallen en waar een lichtgevend bordje boven hing met NOODUITGANG erop.

'Personeelsingang,' zei hij. 'Ik zeg wel dat hij daarnaartoe moet.'

'Dat is heel aardig van u.'

Tien minuten later kwam Jason haar vertellen dat de taxi buiten stond. Ze dronk haar glas water leeg en toen, in haar rol als zieke dame, schuifelde ze langzaam door de deur naar buiten en stapte achter in een turquoise-witte Streamline-taxi, terwijl ze de jonge verkoper hartelijk bedankte voor zijn hulp.

De chauffeur, een oudere man met grijs haar, sloot het portier achter haar.

Ze gaf hem het adres van haar moeders flat in Eastbourne op voordat ze onderuitzakte in de stoel, zodat ze wel nog net naar buiten kon kijken, maar hopelijk niet gezien kon worden, en trok het jasje over haar hoofd.

'Zal ik de verwarming hoger zetten?' vroeg de chauffeur.

'Nee, dank u wel,' antwoordde ze.

Ze keek rond of ze Ricky of de gehuurde Ford kon ontdekken toen ze over het parkeerterrein reden. Ze zag hem niet. Maar boven aan de heuvel, bij het kruispunt naar de grote weg, zag ze opeens de auto. Het portier aan de bestuurderskant was open en Ricky stond ernaast en keek om zich heen. Zijn gezicht onder de honkbalpet was vertrokken van woede.

Ze kromp ineen onder het raampje, bedekte haar hoofd helemaal met het jasje. Toen wachtte ze tot ze voelde dat de taxi optrok en rechtsaf de heuvel op ging, voordat ze weer een eindje overeind kwam en door de achterruit gluurde. Ricky keek een andere kant op, hield het parkeerterrein in de gaten.

'Kunt u alstublieft snel rijden?' vroeg ze. 'Ik geef u een goede fooi.'

'Ik zal mijn best doen,' zei de taxichauffeur.

De radio stond afgestemd op een klassieke zender. Ze herkende de muziek: Verdi's 'Koor van de Joodse slaven'. Ironisch genoeg was dat een van haar moeders lievelingsstukken. Wat een buitengewoon toeval. Of was het een teken?

Haar leven lang geloofde ze al in voortekens. Ze had nooit in de religie van haar ouders kunnen geloven, maar ze was wel altijd bijgelovig geweest. Eigenaardig dat dit nu op de radio was, op dit moment.

'Mooie muziek,' zei ze.

'Ik kan het wel zachter zetten.'

'O nee, zet u het alstublieft harder.'

De taxichauffeur voldeed aan haar verzoek.

Ze toetste weer haar moeders telefoonnummer in. Toen hij overging, kwam er een piepje tussendoor dat ze werd gebeld. Dat kon maar van twee mensen afkomstig zijn. Ze zag *privénummer* op het schermpje staan.

Ze aarzelde. Deed haar best logisch na te denken. Zou het haar moeder kunnen zijn? Hoogst onwaarschijnlijk, maar toch...

Maar toch...

Ze bleef aarzelen. Toen nam ze op.

'Oké, trut, heel grappig! Waar zit je?'

Trillend verbrak ze de verbinding. Ze voelde zich weer helemaal beroerd worden.

De telefoon ging weer. Opnieuw *privénummer*. Ze verbrak de verbinding.

En opnieuw.

Toen besefte ze dat ze dit veel slimmer kon spelen en wachtte tot hij weer ging.

Maar dat gebeurde niet.

71

13 september 2001

Ronnie was totaal onvoorbereid op de verwoesting waar hij mee te maken kreeg toen hij van het metrostation naar het World Trade Center liep. Hij dacht dat hij wel een vermoeden had hoe het zou zijn nadat hij het die dinsdag met eigen ogen had gezien en vervolgens op tv, maar de werkelijkheid schokte hem tot in zijn ziel.

Het was net middag. Hij had nog steeds een kater na het drinkfestijn met Boris de vorige dag en door de stoffige lucht werd hij nog misselijker. Het was dezelfde ranzige stank die al twee dagen in Brooklyn hing, alleen was het hier veel sterker. Een lange rij brandweerwagens en militaire jeeps reed langzaam door de straat. In de verte loeide een sirene en de helikopters die voortdurend pal boven de wolkenkrabbers om hem heen hingen maakten een oorverdovend kabaal.

Hij had niet voor niets zoveel tijd doorgebracht met zijn nieuwe beste vriend. Hij was hem zelfs gaan beschouwen als zijn eigen persoonlijke regelneef. De vervalser die Boris hem had aanbevolen, woonde maar zo'n tien minuten lopen bij zijn kamer vandaan. Ronnie had verwacht een kromme oude man met een oogloep en inktvlekken op zijn vingers in een smerig optrekje in een achterafstraatje aan te treffen. In plaats daarvan was het een knappe, zeer goed geklede, vriendelijke Rus van hooguit dertig, die zonder meer voor bankier of advocaat door zou kunnen gaan, in een keurig onopvallend kantoor in een gerenoveerde straat.

Voor vijfduizend dollar, de helft vooruit, wat Ronnie hem zonder meer had overhandigd, zou hij Ronnie een paspoort en een visum leveren. Zodat Ronnie nog maar zo'n drieduizend dollar over had. Daar zou hij het wel een tijdje mee kunnen redden, als hij voorzichtig aan deed. Hopelijk zou de postzegelmarkt binnenkort weer aantrekken, hoewel de aandelenmarkt volgens de ochtendkrant nog steeds in een vrije val zat.

Maar dat stelde allemaal niets voor bij wat hem te wachten stond als zijn plan slaagde.

Vlak voor hem stond een hefboom omhoog om een aantal voertuigen door te laten. Twee jonge soldaten die zijn kant opkeken, stonden ernaast. Ze hadden stoffige gevechtskleding aan en een helm op en hielden hun machinegeweer agressief beet alsof ze in het kader van de oorlog tegen terrorisme zo snel mogelijk iets wilden neerknallen.

Een menigte mensen, zo te zien toeristen, met een groep Japanse tieners ertussen, stond om zich heen te staren en maakte overal foto's van: de etalages die onder het stof zaten, de stukken papier en asvlokjes die tot aan hun enkels op straat lagen. Er was op het oog nog meer grijs stof dan op dinsdag, maar de geesten waren minder grijs. Ze zagen er dit keer meer uit als mensen. Mensen in shock.

Een vrouw van achter in de dertig met vet bruin haar, die een jurk en teenslippers droeg, en bij wie de tranen over haar wangen biggelden, liep door de menigte heen terwijl ze een foto van een lange, knappe man omhooghield, met een overhemd en een stropdas aan. Ze zei niets, maar keek met een smekende blik iedereen even aan, in de hoop dat iemand even zou knikken als die hem herkende. Ja, die vent ken ik. Ik heb hem net nog gezien. Hij was ongedeerd en was op weg naar...

Net voordat hij bij de soldaten aankwam, zag hij links een bord met tientallen foto's erop geplakt. De meeste waren van close-ups, bij enkele was de Amerikaanse vlag op de achtergrond te zien. Er zat een stuk plastic omheen tegen de regen en overal stonden een naam en een met de hand geschreven boodschap bij, waarvan de meeste luidde: HEBT U DEZE PERSOON GEZIEN?

'Sorry, meneer, maar u mag hier niet langs.' De stem was beleefd maar autoritair.

'Ik wil meehelpen het puin opruimen,' zei Ronnie met een nep-Amerikaans accent. 'Ze hebben vrijwilligers nodig.' Hij keek verwonderd naar de soldaten en naar hun wapens. Toen zei hij met verstikte stem: 'Een familielid van me... in de South Tower.'

'Dat geldt voor bijna iedereen in New York, vriend,' zei de oudste soldaat. Hij glimlachte naar Ronnie, een beetje hulpeloze glimlach die aangaf dat ze zich er met z'n allen doorheen moesten slaan.

Een graafmachine met daarachter een bulldozer ratelde onder de slagboom door.

De andere soldaat wees naar iets verderop in de straat. 'Ga naar links, de eerste links, dan zie je een heleboel tenten. Daar krijg je kleding en hoor je wat je moet doen. Veel sterkte.'

'Ja,' zei Ronnie. 'Jij ook.'

Hij dook onder de slagboom door en na een paar stappen werd het verwoeste terrein in zijn volle omvang zichtbaar. Het deed hem denken aan foto's die hij ooit van Hiroshima had gezien nadat de atoombom erop was gevallen.

Hij ging naar links, er niet zeker van of hij goed liep, en wandelde een stukje over de straat. Toen zag hij opeens de Hudson voor zich verschijnen en vlak bij de rivier ontdekte hij, op de rand van een hoop puin, een geïmproviseerd kamp met kraampjes en tenten.

Hij liep langs een terreinwagen die op zijn kop lag. Het jasje van een brandweerman lag er in stukken gescheurd naast, gele strepen op het grijze, stoffige, lege uniform. Er was een mouw losgeraakt en die lag wat verderop. Een brandweerman in een stoffig blauw T-shirt zat op een klein bergje puin met zijn hoofd in zijn ene en een fles water in zijn andere hand, Hij zag eruit alsof hij op instorten stond.

Toen er heel even geen helikopters over vlogen, hoorde Ronnie het brullende geluid van een lier, het gejank van staalknijpers, boren, bulldozers en het onophoudelijke gemurmel, gejengel en gekrijs van mobieltjes. Hij zag een hele rij mensen, de meesten in uniform en met een helm op, die achter elkaar de tenten in liepen. Anderen stonden voor de kraampjes die van lange houten tafels waren gemaakt. Er hingen een hoop geurtjes hier: geroosterde kip en hamburgers.

Als verdoofd stond hij opeens zelf in de rij, hij kwam langs een kraampje waar iemand hem een fles water gaf. Bij het volgende kraampje kreeg hij een stofmasker. Toen liep hij een tent in, waar een glimlachende overjarige hippie met lang haar hem een blauwe helm gaf, een zaklamp en reservebatterijen.

Ronnie stopte zijn honkbalpet in zijn zak en deed het stofmasker voor en vervolgens zette hij de helm op. Hij liep langs nog een kraampje, waar hij het aanbod van een paar sokken, ondergoed en werklaarzen afsloeg, en liep door naar de achteruitgang. Toen sjokte hij achter de rij mensen aan langs de zwarte ruïne van wat eens een gebouw was geweest. Een agent van de NYPD met een helm op en een smerige blauwe kevlar bodywarmer kwam langs rijden op een groene tractor met zo te zien een paar plastic lijkenzakken in zijn kielzog.

Achter een zwartgeblakerde boom zag Ronnie een vogel vliegen boven een skeletachtig uitsteeksel in de lucht. Een dikke muur stond als de toren van Pisa nog scheef overeind. Er zat geen glas meer in de sponningen, die er voor de rest heel uitzagen, maar de veertig tot vijftig kantoren die ernaast hadden moeten zitten, waren weg, ingestort.

Hij struikelde over de daken van geplette politieauto's en vervolgens over de onderkant van een half begraven brandweerwagen. Af en toe hoorde hij onder het puin een gsm gaan. Kleine groepjes mensen waren fanatiek aan het graven en roepen. Mensen liepen rond met reddingshonden: Duitse herders, labradors, rottweilers en nog een paar rassen die hij niet kon thuisbrengen, die al snuivend aan hun halsband trokken.

Hij bleef doorlopen, langs een bureaustoel die onder het stof zat, en waarover een net zo stoffig damesjasje hing. De handset van een telefoon zat eromheen gedraaid en bungelde over de zitting.

Hij zag iets glinsteren. Toen hij beter keek, besefte hij dat het een trouwring was. Ernaast lag een kapot horloge. Ketens van mensen verwijderden stukken puin, en gaven ze aan elkaar door. Hij deed een stap naar links terwijl hij toekeek en het patroon wilde begrijpen van wat er gebeurde. Uiteindelijk snapte hij dat er niet echt een patroon was. Er liepen wat mensen in uniform rond die grote zwarte vuilniszakken bij zich hadden en degene die iets had gevonden, gaf het aan hen.

Voor hem zag hij wat hij oorspronkelijk voor een stuk van een gebroken beeld had gehouden. Toen realiseerde hij zich opeens tot zijn afgrijzen, dat het een hand was. Hij voelde zijn ontbijt omhoog komen. Vlug wendde hij zich af en nam een slok water, waarbij hij het droge stof voelde oplossen in zijn mond.

Aan de rand van de puinhoop zag hij een bordje staan waarop met rode letters stond geschreven GOD ZEGENE DE BRANDWEER EN DE POLITIE.

Ook hier strompelden uitgeputte mensen rond die foto's omhooghielden. Mannen, vrouwen, kinderen, zelfs heel kleine kinderen, die tussen al de verschillende hulpdiensten met helm, stofkapje en zuurstofmasker op door liepen.

Hij kwam langs een verbrand kruis en moest zich goed concentreren om zijn evenwicht op de bewegende massa onder zich te bewaren. In de verte stond een gebogen kraan die wel wat weg had van een dode Tyrannosaurus Rex. Twee mannen in groene operatiepakken. Hij liep langs een agent met een blauwe helm op en een mijnwerkerslamp en zo te zien bergbeklimmersuitrusting aan zijn riem, die met een elektrische vermaler het puin bewerkte.

Over het puin lag schots en scheef de Amerikaanse vlag, alsof iemand deze plek net had overwonnen.

Het was één grote chaos. En zo te zien was er niets geregeld.

Helemaal perfect, dacht Ronnie.

Hij keek achterom. De lange rij mensen strekte zich eindeloos achter hem uit. Hij deed een stap opzij en liet hen langs hem heen lopen. Hij liep wat verder weg en toen, onopgemerkt, en met een klein beetje spijt, liet hij zijn mobieltje in het puin vallen en trapte er met zijn hak op. Hij trapte er nog een keer op en zette een paar stappen naar voren. Vervolgens trok hij zijn portefeuille uit zijn jasje, hij keek erin, haalde de dollarbiljetten eruit en stak die in de achterzak van zijn spijkerbroek.

Hij liet de vijf creditcards, zijn lidmaatschapskaart van RAC, zijn lidmaatschapskaart van de Automobielclub van Brighton and Hove erin zitten, en na even wikken en wegen, ook zijn rijbewijs.

Omdat hij niet wist of hij hier wel mocht roken, stak hij onopvallend een sigaret in zijn mond, haalde zijn aansteker tevoorschijn en schermde het vlammetje af met zijn hand. Maar in plaats van de sigaret aan te steken, hield hij de rand van zijn portefeuille in de vlam. Toen liet hij ook die in het puin vallen en stampte er hard op.

Hij stak de sigaret op en trok er dankbaar aan. Toen hij die had opgerookt, bukte hij zich en pakte de portemonnee. Daarna liep hij weer terug voor zijn gsm. Hij liep ermee naar een van de plekken waar je de goederen af kon geven.

'Deze heb ik gevonden,' zei hij.

'Gooi ze maar in de zak. We gaan er nog doorheen,' zei de agente van de NYPD tegen hem.

'Misschien kunnen ze hiermee wel iemand identificeren,' zei hij nog voor de zekerheid.

'Daar zijn we hier voor,' verzekerde ze hem. 'Er worden sinds dinsdag een heleboel mensen vermist. Een heleboel mensen.'

Ronnie knikte. 'Ja.' Hij moest het toch zeker weten en wees naar de zak. 'Wordt dat allemaal ingeschreven?'

'Zeker weten. Het wordt allemaal ingeschreven. Elk ding. Elke schoen, elke broekriem. Alles wat je daar maar vindt, geef je aan ons. We hebben allemaal wel een familielid daar ergens,' antwoordde de agente terwijl ze naar de puinhoop voor hen gebaarde. 'Iedereen in deze stad is wel iemand kwijtgeraakt.'

Ronnie knikte en liep weg. Het was een stuk gemakkelijker gegaan dan hij had gedacht.

72

Oktober 2007

'Hier is het,' zei Abby. 'Bij die lantaarnpaal links.' Ze keek door de achterruit. Ricky en zijn auto waren nergens te bekennen. Maar het was natuurlijk mogelijk dat hij een snellere route had genomen, dacht ze. 'Kunt u er alstublieft langs rijden, links afslaan en de volgende straat in rijden?'

De taxichauffeur deed wat ze had gevraagd. Het was een rustige woonwijk, vlak bij het Eastbourne College. Abby speurde de straten af en keek naar de geparkeerde auto's. Tot haar opluchting was Ricky of de huurauto nergens te bekennen.

De chauffeur was weer terug in de brede straat met de twee-onder-een-kapwoningen van rode steen, met helemaal achterin, uit de toon vallend bij de rest van de wijk, flats uit de jaren zestig waarin haar moeder woonde. Die waren toentertijd heel goedkoop neergezet en na veertig jaar de zoute Kanaalwind te hebben doorstaan, zagen ze er niet meer uit.

De chauffeur parkeerde dubbel naast een oude Volvo. De meter gaf aan dat het ritje vierendertig pond kostte. Ze gaf de chauffeur twee briefjes van twintig pond.

'Ik heb uw hulp nodig,' zei ze. 'Ik geef u dit vooraf, zodat u weet dat ik u niet laat zitten. Ik hoef geen geld terug, ik wil dat u de meter laat lopen.'

Hij knikte en keek haar bezorgd aan. Ze keek weer achterom, maar ze was nog niet overtuigd.

'Ik ga het gebouw in. Als ik over vijf minuten nog niet terug ben, dus over precies víjf minuten, kunt u dan de politie bellen? Zeg maar dat ik word aangevallen.'

'Moet ik met u mee gaan?'

'Nee, dank u, dat hoeft niet.'

'Valt uw vriendje u lastig? Uw man?'

'Ja.' Ze deed het portier open en stapte uit, terwijl ze de straat in de gaten hield. 'Ik zal u mijn gsm-nummer geven. Als u een grijze Ford Focus op ziet dagen, vierdeurs, heel schoon, met een vent aan het stuur die een honkbalpetje draagt, belt u me dan zo snel mogelijk.'

Het duurde een eeuwigheid voordat hij zijn pen had gevonden en vervolgens schreef hij tergend langzaam het nummer op.

Toen hij klaar was, liep ze snel naar de ingang van het gebouw, opende de deur en haastte zich de donkere gemeenschappelijke hal in. Het was vreemd om daar weer te zijn, het was nog precies hetzelfde als vroeger. Het zeil op de grond, dat eruitzag alsof het er al lag sinds het gebouw was opgeleverd, was brandschoon, zoals altijd, en er waren ook nog steeds dezelfde kleine metalen brievenbusjes waarin wat foldertjes voor pizza, Chinees, Thais en Indiaas eten uit staken die ook nog hetzelfde leken. Het rook er sterk naar boenwas en naar gekookte groenten.

Ze keek naar haar moeders brievenbus, om te zien of hij al geleegd was, en tot haar ongenoegen zag ze dat er diverse enveloppen in waren gepropt, alsof er geen ruimte meer in was. Eén envelop, die er bijna helemaal uit hing, was een betalingsherinnering van het kabelbedrijf.

De post was een van de hoogtepunten van haar moeders dag. Ze was dol op puzzels en had een abonnement op een stel puzzelbladen. Ze was er erg goed in. Diverse uitjes en zelfs vakanties in Abby's jeugd waren te danken aan haar moeder, en de helft van de bezittingen van haar moeder had ze ook gewonnen.

Dus waarom had ze haar post niet gehaald?

Terwijl haar hart in de keel bonkte, snelde Abby door de gang naar de deur van haar moeders flat helemaal achter in het gebouw. Ze hoorde in een flat boven haar de televisie spelen. Ze klopte op de deur, en maakte hem toen zonder op een reactie te wachten met haar sleutel open.

'Hoi, mam!'

Ze hoorde stemmen. Een weerbericht.

Ze riep harder: 'Mam!'

Goh, wat was dit vreemd. Het was ruim twee jaar geleden dat ze hier was geweest. Ze was zich bewust van de schok die haar moeder zou krijgen, maar daar kon ze nu eenmaal niets aan doen.

'Abby?' vroeg haar moeder volslagen verbijsterd.

Ze liep snel naar binnen, door het piepkleine halletje de zitkamer in, zich nauwelijks bewust dat het er rook naar vocht en lijflucht. Haar moeder zat op de bank, ze was graatmager, had sluik haar dat grijzer was dan ze zich kon herinneren, en droeg een gebloemde ochtendjas en slippers met pompoenen. Ze had een dienblad met roosjes op haar schoot. Abby kon zich dat ding nog uit haar jeugd herinneren. Er stond een geopend bekertje rijstpudding op.

Op het tapijt lagen overal uitgescheurde puzzels uit kranten en tijdschriften, het weerbericht van tussen de middag stond aan op de Sony-grootbeeldtelevisie, waarvan Abby zich nog kon herinneren dat ze die had gewonnen. Hij stond boven op een metalen theewagen die ze ook had gewonnen.

Het dienblad viel op de grond toen haar moeder haar aanstaarde alsof ze een spook zag.

Abby rende door de kamer naar haar toe en sloeg haar armen om haar heen.

'Ik hou van je, mam,' zei ze. 'Ik hou zoveel van je.'

Mary Dawson was altijd al een kleine vrouw geweest, maar nu was ze zelfs nog kleiner dan Abby zich kon herinneren, alsof ze in de afgelopen twee jaar was gekrompen. Hoewel ze nog steeds een knap gezicht had, met prachtige lichtblauwe ogen, had ze veel meer rimpels dan de laatste keer dat Abby haar had gezien. Ze hield haar stevig vast en de tranen stroomden over haar wagen, zodat haar moeders haar dat rook alsof het niet was gewassen, maar toch een vertrouwd geur had, nat werd.

Toen haar vader tien jaar eerder aan prostaatkanker was overleden, een afschuwelijke maar gelukkig snelle dood, had Abby even gehoopt dat haar moeder iemand anders zou ontmoeten. Maar toen ze ziek werd, werd die hoop de grond in geslagen.

'Wat is er aan de hand, Abby?' vroeg haar moeder verwonderd, en toen zei ze met een blij gezicht: 'Is dit soms *This Is Your Life*? Ben je daarom hier?'

Abby lachte. Toen, terwijl ze haar moeder stevig vasthield, besefte ze opeens hoe lang het geleden was sinds ze echt had gelachen. 'Volgens mij draait dat niet meer.'

'Je kon daar ook niets in winnen, lieve Abby.'

Abby moest weer lachen. 'Ik heb je zo gemist, mam!'

'Ik heb jou ook gemist, lieverd. Waarom heb je me niet verteld dat je terugkwam? Wanneer ben je thuisgekomen? Als ik had geweten dat je kwam, had ik me een beetje opgeknapt!'

Abby moest opeens denken aan hoe laat het was en keek op haar horloge. Er waren drie minuten verstreken. Ze sprong op. 'Ben zo terug!'

Ze ging snel naar buiten, keek behoedzaam om zich heen, liep toen naar de taxi en maakte het portier aan de passagierskant open. 'Het duurt nog een paar minuten, maar hetzelfde is nog van toepassing. Bel als u hem ziet.'

'Als hij op komt dagen, sla ik hem verrot.'

'Bel me maar gewoon!'

Ze ging weer terug naar haar moeder.

'Mam, ik kan het nu niet allemaal uitleggen. Ik bel een slotenmaker voor een nieuw slot op je deur en een veiligheidsketting en een spionnetje. Ik wil dat vandaag nog zien te regelen.'

'Wat is er, Abby? Wat is er aan de hand?'

Abby liep naar de telefoonlader en hield hem ondersteboven. Ze had geen idee hoe een microfoontje eruitzag, maar er zat niets onder. Toen bekeek ze de telefoon zelf, maar zo te zien was die ook in orde. Maar wat wist zij er nu van?

'Heb je nog meer telefoons?' vroeg ze.

'Je zit in de problemen, hè? Wat is er? Ik ben je moeder, vertel het me!'

Abby bukte zich en pakte het dienblad van de grond en liep toen naar de keuken om een doekje te pakken voor de gemorste rijstpudding.

'Ik koop een nieuwe telefoon voor je, een mobieltje. Deze mag je niet meer gebruiken.'

Terwijl ze de rommel van het kleed af veegde, besefte ze dat het hun oude tapijt was uit hun huis in Hollingbury. Het was donkerrood met een brede rand in elkaar grijpende rozen in groen, okergeel en bruin, en het was zo oud dat het hier en daar versleten was. Maar ze vond het leuk om te zien, het deed haar even aan haar jeugd denken.

'Wat is er, Abby?'

'Alles is in orde.'

Haar moeder schudde haar hoofd. 'Ik mag dan ziek zijn, maar ik ben niet gek. Je bent bang. Als je het je oude moedertje niet kan vertellen, wie dan wel?'

'Doe nu maar gewoon wat ik zeg. Heb je een Gouden Gids?'

'In de middelste la onderin,' zei haar moeder en ze wees naar een notenhouten ladekast.

'Ik leg het nog wel uit, maar daar heb ik nu geen tijd voor. Goed?' Ze liep naar de ladekast en pakte de gids. Die was al een paar jaar oud, maar ze dacht niet dat dat uitmaakte, en ze bladerde erdoorheen op zoek naar de rubriek Slotenmakers.

Ze belde, en zei toen tegen haar moeder dat er over een paar uur iemand langs zou komen van Eastbourne Lockworks.

'Zit je in de problemen, Abby?'

Ze schudde haar hoofd omdat ze haar moeder niet ongerust wilde maken. 'Ik word gestalkt, die man wil met me uit, en wil dat via jou bereiken, meer niet.'

Haar moeder keek haar onderzoekend aan, alsof ze het niet helemaal geloofde. 'Ben je nog steeds bij die Dave?'

Abby legde het vaatdoekje weer in de gootsteen, liep terug en gaf haar moeder een kus. 'Ja.'

'Dat leek me niet zo'n beste.'

'Hij is lief voor mij.'

'Je vader, dat was een goede man. Hij was niet ambitieus, maar hij was een goed mens. Hij was een wijze man.'

'Dat weet ik.'

'Weet je nog wat hij altijd zei? Hij lachte om me omdat ik altijd meedeed aan prijsvragen en vertelde me dat het leven niet draaide om wat je wilde. Het draaide om willen wat je had.' Ze keek haar dochter aan. 'Wil jij wat je hebt?'

Abby bloosde. Toen gaf ze haar moeder een kus op beide wangen. 'Bijna. Ik ben over een uurtje terug met je nieuwe telefoon. Komt er nog iemand langs vandaag?'

Haar moeder dacht even na. 'Nee.'

'Die vriendin van je, je bovenbuurvrouw, die soms op visite komt?'

'Doris?'

'Zou ze jou misschien gezelschap kunnen houden terwijl ik weg ben?'

'Ik ben dan wel ziek, maar ik ben niet compleet invalide,' zei haar moeder.

'Voor het geval dat *hij* komt.'

Haar moeder keek haar weer onderzoekend aan. 'Kun je me maar niet beter alles vertellen?'

'Straks, dat beloof ik. Waar woont ze?'

'Op nummer 4, op de eerste etage.'

Abby haastte zich naar buiten en rende de trap op. Ze kwam uit op de eerste verdieping, liep naar de flat en belde aan.

Even later hoorde ze wat onhandig gerammel met een veiligheidsketting, en wenste dat haar moeder er ook een had. Toen werd de deur een paar centimeter opengedaan door een statige grijsharige vrouw met karakteristieke gelaatstrekken, die deels aan het oog werden onttrokken door een zonnebril formaat duikbril. Ze had een elegant gebreid twinset aan.

'Hallo,' zei ze met een zeer deftig accent.

'Ik ben Abby Dawson, Mary's dochter.'

'Mary's dochter! Ze heeft het altijd over jou. Ik dacht dat je nog in Australië zat.' Ze trok de deur wat wijder open en hield haar hoofd pal voor dat van Abby. 'Sorry,' zei ze. 'Ik heb een oogafwijking, ik kan alleen maar uit mijn ooghoek goed zien.'

'Wat erg,' zei Abby. 'Vervelend, hoor.' Abby had te veel haast om echt mee te leven. 'Ik vroeg me af of u iets voor me kon doen. Ik moet even een uurtje weg en – het is een lang verhaal – maar een ex-vriendje maakt me het leven zuur en ik ben bang dat hij hier op komt dagen en mijn moeder lastigvalt. Zou u misschien bij haar kunnen blijven totdat ik weer terug ben?'

'Ja hoor, natuurlijk. Ze mag anders ook hier komen.'

'Ja, maar er komt straks een slotenmaker langs.'

'Oké, maak je maar geen zorgen. Ik ga zo meteen naar haar toe. Even mijn stok pakken.' Toen, haar stem zwaar met zogenaamde dreiging, zei ze: 'Als die kerel op komt dagen, dan is hij nog niet jarig!'

Abby ging snel weer naar beneden naar haar moeder toe. Ze legde uit wat ze had geregeld en zei toen: 'Je mag de deur voor niemand openmaken als ik weg ben.'

Toen liep ze snel de straat op en stapte achter in de taxi.

'Ik moet een mobieltje kopen,' zei ze tegen de chauffeur. Toen keek ze in haar jaszak. Ze had nog zo'n tachtig pond over. Dat zou genoeg moeten zijn.

Ricky had zijn wagen rechts in de straat achter een camper gezet, en hij zag de taxi wegrijden. Toen startte hij de motor en volgde hem, hij bleef een stuk achter de taxi, heel benieuwd waar Abby naartoe zou gaan.

Tegelijkertijd speelde hij op de GSM 3060 Intercept die naast hem op de passagiersstoel lag, het gesprek af naar Eastbourne Lockworks en leerde hij het nummer uit zijn hoofd. Hij had de Intercept meegenomen omdat hij het risico niet had willen lopen zo'n duur ding in de auto te laten liggen, en daar was hij nu blij om.

Hij belde de slotenmaker en zegde beleefd de afspraak af, gaf als reden op dat de klant, zijn moeder, vergeten was dat ze die middag een afspraak had in het ziekenhuis. Hij zou die dag nog terugbellen om een afspraak te maken voor de volgende dag.

Toen belde hij Abby's moeder, hij stelde zichzelf voor als de manager van Eastbourne Lockworks en verontschuldigde zich uitgebreid voor het feit dat het zo lang duurde. Ze hadden een noodgeval aan de hand, maar er zou zo snel mogelijk iemand langskomen. Alleen kon dat op zijn vroegst wel eens pas begin van de avond worden. En anders de volgende ochtend. Was dat in orde? Ze vond het prima.

De taxichauffeur reed tergend langzaam, zodat hij met gemak een stuk achter hen kon blijven hangen, en het felle turqoise en wit en het bordje op het dak maakten het heel eenvoudig om de auto in het oog te houden. Tien minuten later ging hij zelfs nog langzamer rijden toen hij door een drukke winkelstraat reed. De remlichten lichtten een paar keer op voordat hij uiteindelijk voor een telefoonwinkel parkeerde. Ricky draaide onmiddellijk een parkeerplek op en keek toe terwijl Abby naar de winkel rende.

Toen zette hij de motor af, haalde een Mars uit zijn zak – hij had opeens een razende honger – en wachtte.

73

Oktober 2007

Er zat adjudant Stephen Curry iets dwars. Hij was net terug op zijn kantoor na de Buurtpreventievergadering, die veel langer had geduurd dan verwacht.

Het was uitgelopen op een lunchvergadering, met een hele lijst van agendapunten, die varieerden van twee illegale kampeerterreintjes die overlast bezorgden voor Hollingbury en Woodingdean, tot het opstellen van een rapport over de nieuwste tienerbendes en een hele serie happyslappingvoorvallen die daarmee in verband werd gebracht. Deze gewelddadige voorvallen waren een toenemend probleem: jongeren sloegen zomaar iemand, filmden dat en zetten het trots op internetsites als Bebo en MySpace. De ergste aanvallen vonden op scholen plaats, had de *Argus* ontdekt, en hadden veel invloed gehad op de kinderen en de bezorgde ouders.

Het was al bijna halfdrie en hij had die dag nog een hele lading werk. Hij moest ook nog eens eerder weg, het was zijn trouwdag en hij had Tracy met de hand op zijn hart beloofd dat hij niet te laat thuis zou zijn.

Hij ging aan zijn bureau zitten en las op zijn computer alle incidenten door die de afgelopen paar uur in zijn district hadden plaatsgevonden, maar er was niets bij waar hij zich meteen op moest storten. De noodgevallen waren ogenblikkelijk afgehandeld en er waren verder geen dingen waar hij mankracht voor moest inzetten. Het was de gebruikelijke verzameling kleine overtredingen.

Opeens schoot Roy Grace' telefoontje hem te binnen en hij pakte zijn opschrijfboekje om de naam, Katherine Jennings, en haar adres op te zoeken. Hij had net John Morley, een van de brigadiers van het team Buurtpreventie, binnen zien komen, dus hij pakte de telefoon en vroeg of die iemand van het team bij de vrouw langs kon sturen.

Morley stopte de telefoon tussen oor en schouder en pakte een pen, terwijl zijn linkerhand op de plaats bleef liggen waar hij was gebleven in een dossier over een man die tijdens de nachtdienst was opgepakt. Toen draaide hij een klein stukje papier om dat op zijn bureau lag en waar hij al een kentekennummer op had geschreven, en pende de naam en het adres neer.

De brigadier was jong en slim, en door zijn korte snelle kapsel en kevlar bodywarmer zag hij er harder uit dan hij in werkelijkheid was. Maar net als al zijn collega's was hij gestrest door te hard werken door onderbezetting.

'Ze kan ook overstuur zijn geraakt door die lul van een Spinella. Ik raak zelfs overstuur door hem.'

'Ik weet er alles van!' beaamde Curry.

Een paar minuten later wilde Morley net alles in zijn opschrijfboekje overschrijven, toen de telefoon weer ging. Het was een telefonist van het Southern Resourcing Centre die de brigadier verzocht de leiding op zich te nemen bij een noodgeval. Er werd een acht jaar oud meisje vermist. Ze was die middag op school verdwenen en was niet bij haar familie.

Binnen de kortste keren was het een gekkenhuis. Morley belde eerst zijn eigen adjudant en blafte door de portofoon orders tegen zijn team en de agenten die rondliepen in de stad. In de tussentijd rende hij ook even de volle kamer door, naar de zes gemeenschappelijke metalen bureaus die achterin stonden, en waar dozen vol met kantoorspullen en een rij haken waren voor jassen, hoeden en helmen, om zijn pet te pakken.

Toen, nadat hij twee agenten die net aankwamen voor de middagdienst had geronseld, liep hij op een drafje naar de voordeur, nog steeds in gesprek over de portofoon.

Toen ze met z'n drieën langs zijn bureau kwamen, werd door de luchtverplaatsing het papiertje waarop Katherine Jennings' naam en adres stonden geschreven opgetild, waarna het op de grond dwarrelde.

Tien minuten later kwam de ondersteunend managementassistente de kamer in en legde ze een paar kopietjes van de nieuwste regels voor training binnen de politie op brigadier Morleys bureau om rond te delen. Ze wilde net weer weg lopen, toen ze het stukje papier op de grond zag liggen. Ze bukte zich, pakte het op en gooide het netjes in de prullenmand.

74

Oktober 2007

De frisse lucht en het vette ontbijt hadden zijn kater verdreven, vond Roy Grace, die zich bijna weer mens voelde toen hij Church Street in liep en de NCP-parkeertoren in ging.

Hij stak zijn kaartje in het apparaat, en trok als altijd een gezicht toen hij zag hoeveel geld het ging kosten. Daarna liep hij de trap op naar zijn etage en dacht na over Terry Biglow.

Misschien werd hij wel sentimenteel op zijn oude dag, want hij voelde zelfs een beetje medelijden voor de man, maar niet voor die walgelijke vriend van hem. Biglow had ooit wel een tikje stijl gehad en hij was waarschijnlijk de laatste van zijn generatie ouderwetse boeven die nog respect hadden voor de politie. Maar daar bleef het dan ook bij.

Zo te zien zou die arme vent het niet lang meer maken. Wat ging er door een man als hij heen, zo vlak voor zijn dood? Vond hij het erg dat hij zijn leven had verspild en niets had bijgedragen aan een betere wereld? Dat hij gedeeltelijk verantwoordelijk was voor het kapotmaken van het leven van heel veel mensen, dat hij uiteindelijk geen rooie cent had? Totaal niets meer had, zelfs zijn gezondheid niet.

Hij opende het portier van zijn auto, ging in de wagen zitten en keek zijn aantekeningen door die hij na die ontmoeting had gemaakt. Halverwege belde hij even Glenn Branson en vertelde hem dat Ronnie een tweede vrouw had gehad, genaamd Lorraine. Toen gaf hij hem de opdracht om samen met Bella Moy de Klingers te gaan spreken die volgens Terry Biglow Ronnie Wilsons beste vrienden waren geweest. Stephen Klinger had momenteel een hele reeks antiekwinkels in Brighton onder zich en moest snel op te sporen zijn.

Hij had nog niet opgehangen of zijn telefoon ging. Het was Cleo.

'Hoe gaat het met je kater, inspecteur Grace?' vroeg ze.

Eigenaardig, dacht hij, Sandy had hem altijd alleen maar Grace genoemd en nu deed Cleo dat ook al af en toe. Maar eigenlijk vond hij het best wel leuk.

'Kater? Hoe weet jij dat nou?'

'Omdat je me om halftwaalf gisteravond vanuit de pub hebt gebeld en lallend vertelde hoeveel je van me hield.'

'Echt waar?'

'O, o, een black-out. Dat moet me wel een slemppartij zijn geweest.'

'Dat was het ook. Vijf uur lang huwelijksperikelen van Glenn Branson. Daardoor zou iedereen naar de fles grijpen.'

'Zijn huwelijk gaat dus binnenkort op de klippen?'

'Ja, dat zal niet lang meer duren.'

'Zeg, kun je wat voor me doen?' vroeg ze, opeens poeslief en aardig.

'Wat dan?'

'Kun je tussen vijf en zes bij me langskomen?'

'Wat moet ik dan doen?'

'Nou, we hebben net een uiterst onaangename zelfmoord binnengekregen – een man die in zijn tuinschuurtje een boor in zijn mond heeft gestoken – en de lijkschouwer is niet erg blij met de omstandigheden. Ze wil dat de patholoog het bekijkt, dus onze goede vriend Theobald zal vanmiddag de sectie verrichten. Wat betekent dat ik niet met Humphrey naar de cursus kan.'

'Cursus?'

'Ja, dus ik dacht dat jij en Humphrey elkaar zo beter konden leren kennen.'

'Cleo, ik zit midden in een heel erg –'

Ze brak hem af en zei: 'Jouw moordonderzoek? Ze is al tien jaar dood. Een uurtje meer maakt dan ook niet uit. Het is maar een uurtje, meer vraag ik niet van je. Het is de eerste dag van de nieuwe cursus en ik wil heel graag dat Humphrey van begin af aan meedoet. En omdat je zo'n schat van een man bent, weet ik dat je het voor me gaat doen, en kan ik je een heel lekkere beloning in het vooruitzicht stellen!'

'Beloning?'

'Oké. De cursus is van vijf tot zes... Weet je wat? Als jij er met Humphrey naartoe gaat, dan kook ik Thaise wokgroenten met tijgergarnalen en sint-jakobsschelpen voor je.'

Het water liep hem in de mond. Cleo's garnalen en sint-jakobsschelpen uit de wok was een van de beste gerechten uit haar waanzinnige repertoire. Het was bijna lekker genoeg om een moord voor te doen.

Voordat hij erop had kunnen reageren, zei ze: 'Ik heb ook nog een zeer speciale fles Cloudy Bay sauvignon blanc in de koelkast liggen voor je.' Ze wachtte even en zei toen met een zwoele, verleidelijke stem: 'En...'

'En?'

Het bleef stil, alleen het geruis van de telefoon was te horen.

'En wat?' vroeg hij.

Zelfs nog verleidelijker, zei ze: 'Dat laat ik aan je fantasie over.'

'Had je iets speciaals in gedachten?'

'Ja, een heleboel. We moeten gisteravond ook nog inhalen. Denk je dat je, met je kater en zo, wel paraat zou kunnen staan?'

'Dat denk ik wel, ja.'

'Mooi. Dus jij zorgt voor Humphrey en in ruil zorg ik voor jou. Oké?'

'Zal ik koekjes meenemen?'

'Voor Humphrey?'

'Nee, voor jou.'

'Krijg de klere, Grace.'

Hij grinnikte.

'O, en nog wat, kijk uit dat je niet al te opgewonden raakt. Humphrey kauwt graag op harde dingen.'

75

Oktober 2007

Hij had nog wel een Mars gelust – hij klapte van de honger – maar Ricky durfde de auto niet uit te stappen om er een te kopen, voor het geval zij ertussenuit kneep. Godver, ze was al een halfuur in die telefoonwinkel, wat deed die trut daar allemaal? Ongetwijfeld was ze aan het dubben over de kleur die ze wilde hebben.

De taxi moest een vermogen kosten zo langzamerhand. En van wiens geld ging ze dat betalen?

Van *zijn* geld, natuurlijk.

Deed ze het expres om hem te stangen, omdat ze wel wist dat hij haar in de gaten hield?

Hier zou ze voor boeten. En flink ook. Heel flink.

Ze zou haar verontschuldigingen uitschreeuwen. Steeds opnieuw. Totdat hij eindelijk klaar was met haar.

Er viel een schaduw over zijn raampje. Toen keek een parkeerwacht naar binnen. Hij draaide het raampje naar beneden.

'Ik kom mijn moeder ophalen,' zei Ricky. 'Ze is invalide, het duurt maar een paar minuten.'

De parkeerwacht, een magere jongeman met een nors gezicht en met zijn pet schuin op zijn hoofd, was niet erg onder de indruk. 'U staat hier al een halfuur.'

'Ik word gek van haar,' zei Ricky. 'Ze is dement aan het worden.' Hij tikte op zijn horloge. 'Ik moet met haar naar het ziekenhuis. Het duurt echt nog maar een paar minuten.'

'Nog vijf minuten,' zei de parkeerwacht, en hij beende weg. Toen bleef hij voor de auto voor die van Ricky staan en tikte een bonnetje in op zijn computertje.

Ricky keek toe toen even daarop de eigenares van de auto geërgerd aan kwam lopen en meteen heibel trapte. Hij bleef de parkeerwacht in de gaten houden die zijn pad langzaam vervolgde. Opeens realiseerde hij zich tot zijn schrik, dat er weer twintig minuten waren verstreken.

Jezus, hoe lang duurde het verdomme wel niet om een telefoon te kopen?

Er verstreken nog eens vijf minuten. En weer vijf. Plotseling reed de taxi weg en werd verzwolgen door het verkeer.

Ricky keek verbaasd om zich heen. Had hij haar over het hoofd gezien? Had de parkeerwacht gezegd dat de taxi weg moest wezen?

Hij startte de auto en reed erachter aan. Hij zat een paar auto's achter de taxi die richting de zee reed, en toen afsloeg naar rechts. Hij hield afstand, en liet een paar auto's tussen hen rijden, terwijl hij de achterlijke, idiote, stomme ouwe lul van een taxichauffeur die met een slakkengangetje reed achtervolgde. Ze kwamen langs de zee en gingen toen de heuvel op naar de top van het klif, de favoriete plek in Beachy Head voor mensen die zelfmoord wilden plegen.

Een dubbeldekker zat achter op zijn bumper en wilde dat hij sneller ging rijden. 'Schiet op, stomme eikel!' schreeuwde hij door zijn voorruit naar de taxi. 'Rij verdomme eens een keertje door!'

Nog steeds in een slakkengangetje reed hij langs de Beachy Head pub, de kronkelige weg naar Birling Gap op, en toen door het dorpje East Dean. Het irritante ritje ging door nog meer natuurschoon, langs de Seven Sisters en vervolgens Seaford. Vlak na het veer ging het heuvel op naar Peacehaven. Er stonden een langharige jonge man en een meisje in de verte op een hoek te zwaaien en tot Ricky's verbijstering ging het lichtje VRIJ opeens branden en reed de taxi naar hen toe.

Hij zette zijn auto ook neer en de hele rij auto's achter hen schoot voorbij.

Hij keek toe terwijl het stel achterin instapte.

De taxi was leeg geweest.

Hij had een lege taxi gevolgd.

Shit, shit, shit.

O, trut dat je d'r bent, nu kun je het echt helemaal schudden.

76

Oktober 2007

Een roodharig sletje in een superkort paars jurkje, met benen tot aan haar oksels en gigantische tieten die uit haar beha puilden, gaf Roy Grace een knipoog.

Hij pakte de kaart en toen de lichtinval veranderde, gaf ze hem ook met haar andere oog een knipoog. Hij grinnikte en sloeg de kaart open. Een iel stemmetje dat een vrouwelijke zangeres imiteerde van wie de naam hem zo snel niet te binnen schoot, zong *Happy Birthday*.

'Prachtig!' zei hij. 'Voor wie is die?'

Hoofdagent Esther Mitchell was, met haar lange benen en knappe koppie zonder meer de aantrekkelijkste rechercheur in Sussex House. Ze was ook een van de vrolijkste.

'Voor rechercheur Willis,' zei ze opgewekt. 'Voor zijn veertigste verjaardag.'

Grace grijnsde. Baz Williams, een veel te zware luiwammes die nooit, en dat vond iedereen, tot rechercheur had mogen worden bevorderd, was een notoire billenknijper. De kaart was dus zeer toepasselijk. Er was nog een lege plek tussen de stuk of tien andere handtekeningen; daar zette hij zijn naam en hij gaf de kaart aan haar terug.

'Hij geeft vanavond een feestje. In de Black Lion.'

Grace trok een gezicht. De Black Lion in Patcham, de stamkroeg van Sussex House, was zijn minst favoriete pub en hij moest er niet aan denken daar twee avonden achter elkaar naartoe te gaan, en bovendien had hij al een veel beter aanbod gekregen.

'Bedankt, ik kijk wel of ik kan komen,' zei hij.

'Er wordt een busje geregeld, als je je daar misschien voor wilt aanmelden...'

'Nee, bedankt,' zei hij en hij keek op zijn horloge. Hij moest over vijf minuten weg: met dat kleine rothondje Humphrey naar de cursus. Toen glimlachte hij naar haar. Ze kwam heel aardig over en was in de korte tijd dat ze daar was zeer populair geworden, en niet alleen door haar uiterlijk.

'O, en inspecteur Pewe wilde weten wat er geregeld was voor als je naar Australië toe moest.'

'Hè?'

'Sorry, ik ben samen met hoofdagent Robinson aan hem toegewezen om aan de onopgeloste zaken te werken.'

'Zei je nou Australië?'

'Ja, hij wilde weten met welke luchtvaartmaatschappij wij samenwerkten voor een goede businessclassdeal.'

'Businessclassdeal?' vroeg hij. 'Wat denkt hij dat dit is? Een advocatenkantoor soms?'

Ze grijnsde verontschuldigend. 'Ik eh... ik dacht dat u er vanaf wist.'

'Ik wilde net weg,' zei Grace, 'maar ik ga wel eerst even bij hem langs.'

'Ik zal het hem zeggen.'

'Bedankt, Esther.'

Ze keek hem aan met een blik van 'ik mag hem ook totaal niet', toen ze zijn kantoor uit liep.

Vijf minuten later liep Grace zijn oude kantoor met het waardeloze uitzicht op het gevangenisblok binnen. Cassian Pewe zat daar, in zijn hemdsmouwen, zo te horen een privételefoontje te plegen. Grace gaf geen bal om zijn privacy. Hij trok een van de vier stoelen bij een kleine ronde vergadertafel vandaan en plantte hem pal voor Pewes bureau waarna hij erop neer plofte.

'Ik bel je zo terug, engeltje,' zei Pewe die op zijn hoede naar Grace' woedende gezicht keek. Hij hing op en zei stralend: 'Roy! Leuk je te zien!'

Grace kwam meteen ter zake. 'Wat hoor ik over Australië?'

'O, ik wilde net naar je toe gaan om het erover te hebben. Ik zoek iets na voor de politie van Victoria in Melbourne – nou ja, Melbourne en omgeving – en ik kwam tot de ontdekking dat het nauw samenhangt met jouw operatie Dingo. Toevallig, vind je niet, Dingo? Dat is toch een Australische wilde hond?'

'Hoezo nauw samenhangt? En waarom moet een hoofdagent iets over reizen uitzoeken? Daar hebben we ondersteunend managementassistenten voor.'

'Ik vind dat er iemand naar Australië moet gaan, Roy, en ik dacht dat ik misschien zelf –'

'Ik weet niet hoe dat er in de Londense politie aan toegaat, maar ik kan je wel vertellen, Cassian, dat we in Sussex ons geld aan politiewerk uitgeven en niet aan snoepreisjes. Als we vliegen, dan is dat economy, oké?'

'Maar natuurlijk, Roy,' zei Pewe, die gladjes naar hem glimlachte. 'Maar het is natuurlijk wel een lange reis en daarna moet er nog gewerkt worden ook.'

'Tja, dat is dan jammer. We runnen hier geen reisbureau.'

De enige manier waarop jij wat mij betreft in Australië terecht kunt komen, inspecteur Pewe, dacht Grace, is door met een schepje een tunnel ernaartoe te graven!

'Ga je me nog vertellen wat het met mijn zaak van doen heeft?'

Pewe zei: 'We hebben informatie binnen over Lorraine, Ronnie Wilsons tweede vrouw, die zeer interessant is. Heeft te maken met Ronnie Wilson. Zou wel eens naar hem toe kunnen leiden.'

'Ja, nou, je weet duidelijk niet wat er met Ronnie Wilson is gebeurd. Hij is op 11 september in het World Trade Center omgekomen.'

'Dat is het nu juist,' zei Cassian Pewe, 'ik heb bewijs dat dat wel eens niet zou kloppen.'

77

Oktober 2007

Ricky volgde de taxi door de hoofdstraat van Peacehaven. Hij had de neiging de chauffeur zodra die stopte bij de strot te grijpen en hem te ondervragen over Abby.

Maar wat zou die man nou weten? Die slimme kleine trut had hem waarschijnlijk een flinke fooi gegeven om daar te blijven staan en na een uurtje op te rotten, en meer zou hij niet weten, en Ricky zat er nu bepaald niet op te wachten, nu iedere agent in Brighton naar hem op zoek was, dat hij zou worden opgebracht wegens geweldpleging. Hij had iets veel belangrijkers aan zijn hoofd momenteel. Verschillende belangrijke dingen zelfs.

Allereerst het feit dat Abby wist dat hij haar telefoongesprek met haar moeder had opgenomen. Maar ze kon niet weten hoe hij dat heeft gedaan. Ze dacht waarschijnlijk dat hij op de een of andere manier een microfoontje in haar moeders telefoon had verstopt.

Nu snapte hij het!

Daarom was ze naar een telefoonwinkel gegaan, om een nieuwe telefoon voor haar moeder te kopen!

Hij besefte al een tijdje dat Abby gevaarlijk grondig was. En haar eigen telefoon? Hij toetste haar nummer in.

Al na twee keer overgaan werd er opgenomen. Een jonge knul zei afwachtend: 'Ja?'

'Met wie spreek ik, verdomme?' wilde Ricky weten.

De verbinding werd meteen verbroken. Hij belde opnieuw. Zodra de gsm overging werd de verbinding verbroken. De trut had, zoals hij wel had verwacht, haar mobieltje ergens gedumpt. Dat betekende dat ze een nieuwe nodig had.

Mijn geduld wordt grondig door jou op de proef gesteld.

En waar zit je?

Hij werd geflitst door een snelheidscamera, maar dat kon hem geen bal schelen. Waar had ze in dat uur gezeten? Wat had ze in die tijd gedaan?

Een paar kilometer verder sloeg de taxi af, maar hij zag het amper. Hij reed nu door Marine Parade, langs de elegante regencypuien aan Sussex Square. Hij was bijna bij Abby's straat. Hij zette de auto aan de kant en draaide de motor uit om na te denken.

Waar had ze de buit verstopt? Ze had er niet veel ruimte voor nodig gehad. Niet meer dan een A4-envelop. Het pakje dat ze via de koerier had willen versturen, was nep geweest. Waarom? Zodat hij de koerier achterna zou gaan? Zodat ze de buit kon halen en de benen nemen? Het was enorm stom van hem geweest, besefte hij nu, dat hij haar had ge-sms't. Hij had haar uit haar tent willen lokken, maar hij had er geen rekening mee gehouden dat ze zo slim was.

Het feit dat ze een neppakje had willen verzenden, en het feit dat de kluis leeg was, wilden echter wel wat zeggen. Had ze soms gehoopt dat hij het neppakje zou volgen, zodat zij het echte pakje in de kluis bij Southern Deposit Security kon stoppen? De enige verklaring was, nam hij aan, dat ze de kans nog niet had gekregen om met het pakje daarnaartoe te gaan. Of dat ze het er pas geleden nog uit had gehaald.

Tenzij ze ergens anders nog een kluis had, was de kans groot dat het nog in haar flat was.

Hij had de hele avond haar spullen doorzocht, inclusief de kleren die hij haar had uitgetrokken. Hij had haar paspoort meegenomen, zodat de trut niet zo snel het land uit kwam.

Maar als ze ergens nog een kluisje had, dan zou hij toch de sleutel of iets van een bonnetje hebben gevonden? Hij had elke vierkante centimeter van die stomme flat doorzocht, alle meubels van hun plaats gehaald, elke losse vloerplank eruit gehaald. Hij had zelfs de achterkant van de tv's eraf getrokken, de kussens opengesneden, de ventilatieroosters losgeschroefd, de lampen losgedraaid. Toen hij nog in drugs handelde had hij ontdekt hoe nauwgezet de politie een huis kon doorzoeken, en had hij alle schuilplaatsen geleerd die een slimme dealer zou gebruiken.

Het kon natuurlijk ook dat ze het zolang aan een vriendin had gegeven. Maar de naam op het pakje dat ze aan de koerier had gegeven was vals, dat had hij nagegaan. Hij had het vermoeden dat ze met niemand contact had opgenomen. Als ze zelfs haar moeder niet had verteld dat ze weer terug was, dan betwijfelde hij dat ze het aan haar vrienden had laten weten.

Nee, hij raakte er steeds meer van overtuigd dat het nog steeds in haar flat was.

Ondanks al haar slimme streken wist Ricky maar al te goed dat ze een achilleshiel had. Een ketting is zo sterk als de zwakste schakel.

Abby's moeder was die zwakste schakel.

Hij wist eindelijk wat hij moest doen.

Het Renault-busje dat al die tijd voor Abby's flat had gestaan, vertikte het om te starten. De accu stond op het punt de geest te geven en hij dacht net dat hij het wel kon vergeten, toen de motor opeens al rokend aansloeg.

Hij reed het parkeerplekje uit en zette de gehuurde Ford er neer. Als Abby weer terugkwam, dan zou ze de auto zien en denken dat hij er was. Hij glimlachte. Voorlopig zou ze nog niet naar de flat terugkeren. Er zat geen sticker op de gehuurde auto dat hij daar als bewoner mocht parkeren, dus hij zou op een gegeven moment wel een bon krijgen, en misschien zelfs een wielklem, maar wat kon hem dat schelen?

Hij haalde de GSM 3060 Intercept uit de Ford en legde hem in het busje. Toen reed hij weg richting Eastbourne. Onderweg kocht hij een hamburger en een cola. Hij voelde zich een stuk beter. Hij was ervan overtuigd dat hij binnen de kortste keren de touwtjes weer in handen zou hebben.

78

Oktober 2007

Om halfzeven 's avonds vond de vierde vergadering van operatie Dingo plaats. Terwijl Roy Grace de samenvatting aan zijn hele team voorlas, merkte hij op dat Glenn Branson hem vreemd aankeek en zijn neus optrok alsof hij hem iets duidelijk wilde maken.

'Is er iets?' vroeg Grace hem.

Toen zag hij een paar andere mensen hem ook vreemd aankijken.

'Ik hoop dat je het niet erg vindt dat ik het zeg, baas, maar je ruikt een beetje sterk,' zei Glenn. 'Je gebruikelijke eau de cologne ruikt heel anders, als je snapt wat ik bedoel. Heb je ergens in gestaan of in gezeten?'

Grace besefte tot zijn schrik wat de rechercheur bedoelde. 'O ja, sorry hoor. Ik heb net een... hondencursus bijgewoond. Dat kleine ettertje heeft in de auto over me heen gekotst. Ik dacht dat ik het allemaal weg had gekregen.'

Bella Moy dook in haar handtas en gaf Grace een fles parfum. 'Hier moet het wel mee lukken,' zei ze.

Grace spoot met tegenzin zijn broek, overhemd en colbert ermee in.
'Nu ruik je naar een bordeel,' merkte Norman Potting op.
'Nou, je wordt bedankt,' zei Bella met een verontwaardigde blik.
'Niet dat ik er verstand van heb,' mompelde Potting, in een poging het weer goed te maken. Toen zei hij: 'Ik heb onlangs gelezen dat Koreanen honden eten.'
'Zo kan hij wel weer, Norman,' zei Roy Grace streng terwijl hij naar de uitgetikte agenda keek. 'Oké, Bella, weet jij inmiddels of Joanna Wilson echt naar Amerika is gegaan? Dat mannetje van mij heeft nog niets opgeleverd.'
'Op jouw voorstel heb ik iemand bij het Openbaar Ministerie in het district New York benaderd. Die heeft me een uur geleden een e-mail gestuurd, waarin staat dat voor 11 september immigraties uitsluitend door het Immigration and Naturalization Agency werden behandeld. Dat is sindsdien veranderd. Ze zijn samengegaan met de douane en heten nu de Immigration Customs Enforcement. Hij zei dat er, tenzij ze binnen is gekomen op een visum voor verlengd verblijf, geen documenten over zouden bestaan. Hij heeft het nagekeken voor de jaren negentig en ze komt daar niet in voor, maar hij zegt dat je met geen mogelijkheid kunt nagaan of ze daar nu wel of niet is geweest.'
'Goed, bedankt. E-J, hoever ben je met de stamboom? Heb je al een paar familieleden van Joanna Wilson opgespoord?'
'Nou, ze had er niet zoveel. Ik heb een homoseksuele stiefbroer opgespoord, en dat is me echt een nummer. Hij noemt zichzelf Mitzi Dufors, is tegen de zestig, draagt leren hotpants met studs en zit onder de piercings. Hij heeft een of andere travestietenact in een homoclub in Brighton. Liet zich niet erg aardig uit over zijn overleden stiefzus.'
'Middelbare mannen in leren hotpants zijn nu eenmaal niet te vertrouwen,' kwam Norman Potting tussenbeide.
'Norman!' zei Grace, die hem een waarschuwende blik toewierp.
'Jij bent anders zelf ook niet echt een modegoeroe, Norman,' merkte Bella op.
'Oké, afgelopen nu, mensen!' zei Grace.
Potting haalde als een onwillig kind zijn schouders op.
'Heeft die stiefbroer verder nog iets gezegd?'
'Hij zei dat Joanna, ongeveer een jaar voordat ze naar Amerika ging, een huisje in Brentwood van haar moeder had geërfd. Volgens hem heeft ze van het geld van de verkoop haar acteercarrière daar bekostigd.'
'We moeten uit zien te vinden hoeveel geld dat was en wat ermee is gebeurd. Goed gedaan, E-J.'

Grace maakte wat aantekeningen en toen was Branson aan de beurt. 'Glenn, hebben Bella en jij de Klingers nog gesproken?'

Branson grijnsde. 'We kregen Stephen Klinger te pakken op een goed tijdstip, net na de lunch, hij was zo dronken als een kanon en zeer bereid om te praten. Hij zei dat niemand Joanna Wilson graag had gemogen, zo te horen was ze een slet. Ronnie had heel wat met haar te stellen en niemand vond het erg toen ze hem in de steek liet – zoals ze dachten – en naar Amerika ging. Hij bevestigde dat Ronnie opnieuw getrouwd was, met Lorraine, nadat hij netjes de voorgeschreven periode had gewacht tot hij weer mocht trouwen. Toen Ronnie overleed was zij ontroostbaar. Wat nog erger was, als dat al kon, was dat hij haar financieel in de stront liet zitten.'

Grace maakte een aantekening.

'Eerst werd haar auto in beslag genomen, toen haar huis. Zo te horen had die Wilson helemaal niets. Hij was compleet blut. Zijn weduwe werd uiteindelijk uit haar mooie huis in Hove gezet en trok in een huurflat. Krap een jaar later, in november 2002, schreef ze een zelfmoordbriefje en sprong van de veerboot van Newhaven naar Dieppe.' Hij was even stil. 'We hebben mevrouw Klinger ook gesproken, maar zij bevestigde eigenlijk alleen maar wat haar man al had verteld.'

'Kan een van haar familieleden beamen dat ze depressief was?' vroeg Grace.

'Ja, haar zus werkt als stewardess voor British Airways. Ik heb net met haar gesproken. Ze was aan het werk en kon niet veel zeggen. Ik heb voor morgen een afspraak met haar gemaakt. Maar ze heeft al min of meer bevestigd wat Klinger vertelde. O, en ze zei nog dat ze met Lorraine naar New York was gegaan toen er weer gewone vluchten mogelijk waren. Ze hebben een week met een grote foto van Ronnie door de stad gesjouwd. En met hen miljoenen andere mensen.'

'Dus zij is ervan overtuigd dat Ronnie op 11 september is omgekomen.'

'Voor honderd procent,' zei Glenn. 'Hij had een afspraak in de South Tower met iemand genaamd Donald Hatcook. Iedereen op de verdieping van Donald Hatcook is waarschijnlijk meteen omgekomen.' Hij keek even in zijn aantekeningen. 'Je wilde toch informatie over die gast Chad Skeggs?'

'Ja, ben je nog wat te weten gekomen?'

'De politie van Brighton wil hem graag spreken in verband met onzedelijke handelingen in 1990 bij een jonge vrouw. Het meisje zegt dat ze de club verlieten en samen weggingen en dat ze toen door hem in elkaar is geslagen. Het zou met sm te maken kunnen hebben. Het is mogelijk dat ze aanvankelijk meedeed, maar dat hij te ver doorging. Het was een bijzonder heftige aanranding, en hij werd tevens beschuldigd van verkrachting. Maar toentertijd vond men het te ver gaan om hem in Australië op te gaan pakken. Ik denk niet dat hij zijn neus nog in Engeland laat zien, tenzij hij ongelooflijk dom is.'

Grace draaide zich naar hoofdagent Nicholl. 'Nick, heb jij nog nieuws?'

'Nou,' zei hij, 'ik heb iets interessants ontdekt. Ik heb uitgebreid onderzoek gedaan naar Wilson, en daar kwam niets uit wat we niet al wisten, dus ik dacht: hij was zakenman, had een leuk huis in Hove, die moet toch wel een verzekering hebben ergens. Dus ik ging zoeken en ik kwam erachter dat Ronnie Wilson een levensverzekering van meer dan anderhalf miljoen pond had afgesloten bij Norwich Union.'

'Ik neem aan dat de weduwe daar niets vanaf wist?' zei Grace.

'Toch wel,' zei Nick Nicholl. 'Ze heeft in maart 2002 de hele mep uitbetaald gekregen.'

'Toen ze dus nog zielig in haar huurflat zat?' vroeg Grace.

'En er is nog iets,' zei de hoofdagent. 'In juli 2002, tien maanden nadat haar man overleed, kreeg Lorraine Wilson uit het Compensatiefonds 11 september een betaling van tweeënhalf miljoen dollar.'

'Drie maanden voordat ze van de veerboot sprong,' zei Lizzie Mantle.

'Waarschijnlijk van de veerboot van Newhaven naar Dieppe sprong,' verbeterde Nick Nicholl haar. 'Officieel staat ze nog steeds bij de politie van Sussex als vermist te boek. Ik heb het dossier bekeken en degenen die het toen hebben onderzocht, waren er niet geheel en al van overtuigd dat ze zelfmoord had gepleegd. Maar ze konden verder niets ontdekken.'

'Twee miljoen vijfhonderdduizend dollar, als je naar de koers kijkt in die tijd, dan zou dat bijna één en driekwart miljoen pond zijn geweest,' zei Norman Potting.

'Dus ze stierf berooid met meer dan drie miljoen op de bank?' zei Bella.

'Alleen stond het geld niet meer op de bank,' zei Nick Nicholl. Hij hield twee mappen omhoog. 'Ik heb deze, dankzij Steve, iets eerder te pakken kunnen krijgen dan gebruikelijk is.'

Hij wuifde als bedankje naar de dertig jaar oude hoofdagent Mackie die een eindje verderop aan de tafel zat, gekleed in een spijkerbroek en een wit overhemd met open kraag.

Mackie sprak met stille autoriteit en kwam fatsoenlijk en efficiënt over, eigenschappen waar Grace van hield. 'Mijn broer werkt bij de HSBC-bank. Hij heeft mijn verzoek met voorrang behandeld.'

Nick Nicholl haalde een stapel papieren uit een van de mappen. 'Dit zijn afschriften, helemaal terug tot aan 2000, van alle gezamenlijke rekeningen van Ronnie en Lorraine Wilson. Er wordt steeds maar geld afgehaald en er komt nauwelijks iets bij.' Hij stopte de stapel weer in de ene map en stak de andere omhoog. 'Dit is veel interessanter. Het is een bankrekening die op Lorraine Wilsons naam staat en is geopend in december 2001.'

'Voor het geld van de levensverzekering, neem ik aan?' vroeg Lizzie Mantle.

Nick Nicholl knikte en Grace was onder de indruk. De jongeman bulkte nu niet bepaald van het zelfvertrouwen, maar op dit moment leek hij de touwtjes in handen te hebben.

'Ja, dat is in maart 2002 gestort.'

'Zo snel al?' vroeg Lizzie Mantle. 'Ik dacht dat je, omdat er geen lijk is gevonden, zeven jaar moet wachten totdat een vermist persoon overleden wordt verklaard.' Terwijl ze sprak, ontweek ze bewust Roy Grace' blik, omdat ze wist dat het voor hem persoonlijk heel gevoelig lag.

'Er was internationaal overeengekomen, dankzij het initiatief van burgemeester Giuliani,' zei Steve Mackie, 'om de familieleden van de slachtoffers van 11 september niet zo lang te laten wachten en zo snel mogelijk uit te betalen.'

Nick Nicholl had diverse bankafschriften voor hem neergelegd, alsof hij een stel kaarten aan het uitdelen was. 'Maar nu wordt het pas echt interessant. Dat hele bedrag, dus anderhalf miljoen pond, werd in een paar keer, contant, verspreid over drie maanden opgenomen.'

'Wat heeft ze ermee gedaan?' vroeg Grace.

Nick Nicholl stak zijn handen omhoog. 'Haar zus was helemaal stomverbaasd toen ik het haar vertelde. Ze kon het gewoon niet geloven. Ze zei dat Lorraine volledig afhankelijk was van wat zij en haar vriendinnen konden missen.'

'En de betaling uit het Compensatiefonds 11 september?' wilde Grace weten.

'Die werd in juli 2002 gestort.' Nicholl stak het betreffende afschrift omhoog. 'Toen gebeurde hetzelfde. Het geld werd tussen het moment van storten en een paar weken voordat ze het zelfmoordbriefje schreef, in een paar keer, contant, opgenomen.'

Het hele team dacht na. Glenn Branson tikte met zijn pen tegen zijn tanden. Lizzie Mantle, die even iets opschreef, keek op.

'Hebben we geen idee waar het geld voor is gebruikt?' vroeg ze. 'Heeft ze niemand bij de bank verteld waar het geld voor nodig was? Ik neem toch aan dat er wel wat vragen werden gesteld toen ze zoveel geld contant uitbetaald wilde krijgen.'

'De bank gaat na of hun cliënten in de problemen zitten als ze grote sommen geld opnemen,' zei hoofdagent Mackie. 'Toen ze ernaar werd gevraagd, zei ze dat de bank niet achter haar had gestaan toen haar man was overleden en dat ze het daarom verdomde om het geld bij hen te laten staan.'

'Een felle tante, hoor,' zei Lizzie Mantle.

'Zien we al een bepaald patroon ontstaan?' vroeg Norman Potting. 'Wilsons eerste vrouw krijgt geld, zegt tegen haar vriendinnen dat ze naar Amerika gaat en belandt in een riool. Dan krijgt zijn tweede vrouw geld en ze belandt in Het Kanaal.'

Grace knikte naar hem en vond het tijd dat de informatie die hij van Cassian Pewe had gekregen ook maar eens in de groep moest worden gegooid. 'Ik heb iets wat een en ander kan verklaren,' zei hij. 'Verleden maand heeft de politie in een rivier in Geelong, een plaatsje vlak bij Melbourne, het lijk van een vrouw in de kofferbak van een auto aangetroffen,' zei hij. 'De Technische Recherche schat dat ze hooguit twee jaar geleden is gestorven. De vrouw had siliconenborsten, en die kwamen uit een voorraad die het Nuffield-ziekenhuis hier in Woodingdean in juni 1997 had binnengekregen. Het serienummer ervan was terug te voeren naar degene die de borstvergroting had gehad: Lorraine Wilson.'

Hij liet dit even bezinken.

'Dus... ze zwom van Het Kanaal naar Australië en toen die rivier op?' zei Glenn Branson. 'Met ruim drie miljoen pond in haar badpak gestopt.'

'En er is nog meer,' ging Roy Grace door. 'Ze was vier maanden zwanger. De Australische politie kon geen DNA-overeenkomsten ontdekken in hun bestand voor de moeder, en ook niet voor de vader, en vroeg zich af of er misschien wel iets in ons bestand zou zitten. Daar zitten we nu op te wachten. Als het goed is horen we morgen of er een overeenkomst is voor een of allebei.'

'Zo te horen hebben we een probleem,' zei Norman Potting.

'Het zou ook een aanwijzing kunnen zijn,' verbeterde Grace hem. 'De sectie in Melbourne gaf aan dat de mogelijke doodsoorzaak wurging is,' ging hij door. 'Dat vermoeden ze omdat Lorraine Wilsons tongbeentje gebroken was, dat is het U-vormige botje onder aan de nek.'

'Zo is Joanna Wilson waarschijnlijk ook omgekomen,' zei Nick Nicholl.

'Goed onthouden,' zei Grace. 'Je doet het pico bello vandaag, Nick. Ik ben blij dat je door die slapeloze nachten niet suf bent geworden!'

Nicholl kreeg een rood hoofd en zag er voldaan uit.

'Ronnie Wilson heeft het niet slecht gedaan voor een dooie,' zei Norman Potting. 'Dat hij zijn vrouw kon wurgen.'

'Er is nog niet genoeg bewijs om dat aan te nemen, Norman,' zei Grace, hoewel hij het zich zelf ook had afgevraagd. Hij keek even op de agenda. 'Mooi, dan gaan we het zo aanpakken: als ze meer dan drie miljoen pond in een paar maanden tijd heeft uitgegeven, dan moet dat ergens bekend zijn. Glenn en Bella, jullie gaan daar meteen achteraan. Ga eerst maar weer naar de Klingers. Zoek uit wat je kunt over de kringen waarin de Wilsons zich begaven. Waar gaven ze geld aan uit? Gokten ze? Hadden ze een huis in het buitenland gekocht? Of een boot? Drie en een kwart miljoen pond is een hoop geld, en zeker vijf jaar geleden.'

Branson en Bella knikten.

'Steve, kun jij zo snel mogelijk uitzoeken wat er met de erfenis van Joanna Wilson is gebeurd? Ik weet dat het tien jaar geleden is en dat er geen dossiers meer van zijn. Maar doe je best.'

Grace bladerde even door zijn aantekeningen en ging toen door. 'Ik ga morgen naar New York om te zien of ik nog iets kan ontdekken. Het is de bedoeling dat ik donderdagavond terugvlieg en hier vrijdagochtend gewoon weer ben. Norman en Nick, jullie gaan naar Australië.'

Potting glom tevreden, maar Nicholl zag er bezorgd uit.

'Er zijn al plaatsen voor jullie gereserveerd voor de vlucht van morgenavond. Jullie slaan een dag over en zijn pas op vrijdagochtend in Melbourne. Dan heb je de hele dag om onderzoek te doen, en door het tijdsverschil kunnen jullie daar op vrijdagochtend hier verslag van doen. Wat is er aan de hand, Nick? Heb je moeite om je vaderlijke plicht te verzaken?'

De hoofdagent knikte.

'Wil je wel gaan?'

Hij knikte weer, wat enthousiaster dit keer.

'Zijn jullie er al eens eerder geweest?'

'Nee, maar een neef van me woont in Perth,' zei Nick Nicholl.

'Dat is bijna net zo ver bij Melbourne vandaan als Brighton,' zei Bella.

'Dus ik kan hem niet even opzoeken?'

'Het is geen vakantie, hè? Je moet daar gewoon aan het werk,' berispte Grace hem.

Nick Nicholl knikte.

'We volgen het spoor van een dode vrouw,' zei Norman Potting.

En Grace had het gevoel dat het tevens het spoor van een dode man zou kunnen zijn.

79

Oktober 2007

Roy Grace ging direct na de vergadering naar zijn kantoor en belde Cleo om haar te vertellen dat hij wat later zou zijn dan afgesproken omdat hij nog het een en ander moest afhandelen en vervolgens naar huis moest om een koffer in te pakken.

Hij was al een paar keer eerder in New York geweest. Tweemaal met Sandy – de ene keer om kerstinkopen te doen en de andere keer om hun vijfjarig huwelijksfeest te vieren – en verder voor zijn werk. Hij hield van die stad en hij keek ernaar uit om zijn twee politievrienden daar, Dennis Baker en Pat Lynch, weer eens te zien.

Hij had hen zo'n zes jaar geleden leren kennen toen hij naar New York had gemoeten wegens een moordzaak. Dat was net twee maanden voor 11 september geweest. Dennis en Pat zaten toen bij de NYPD, bureau Brooklyn, en bevonden zich onder de politiemensen die meteen naar het rampgebied toe waren gegaan. Zij waren in New York, volgens Grace, het best gekwalificeerd om erachter te komen of Ronnie Wilson wel of niet op die gruwelijke dag omgekomen was.

Cleo vatte het prima op, zei lief en luchtig dat hij maar moest komen zodra hij kon. En, zo verzekerde ze hem, ze had een zeer, zeer, zeer sexy beloning voor hem. Omdat hij uit ervaring wist hoe buitengewoon haar sexy beloningen waren, vond hij dat het de rekening van de stomerij om zijn pak na Humphreys cursus en kotspartij te reinigen meer dan waard was.

Hij bekeek eerst zijn e-mails. Hij beantwoordde een paar dringende en vond dat hij de rest wel in het vliegtuig kon afhandelen.

Hij was nog maar net bezig met zijn post, toen er op de deur werd geklopt en, zonder te wachten op een reactie, Cassian Pewe met een gepijnigde uitdrukking op zijn gezicht binnenstapte. Hij ging voor Grace' bureau staan, zijn colbertje over zijn schouder, de bovenste knoop van zijn overhemd open, en zijn dure stropdas op halfelf.

'Roy, sorry dat ik zo kom binnenlopen, maar ik ben behoorlijk overstuur.'

Grace stak zijn vinger omhoog, las een memo door, en keek hem toen aan. 'Overstuur? Hoe dat zo?'

'Ik heb net gehoord dat rechercheur Potting en hoofdagent Nicholl morgen naar Melbourne gaan. Klopt dat?'

'Ja, dat klopt helemaal.'

Pewe tikte op zijn borst. 'En ik dan? Ik kwam ermee. Dan zou ik toch zeker degene moeten zijn die er naartoe gaat?'

'Sorry hoor, maar wat bedoel je met: ik kwam ermee? Je had toch alleen maar het telefoontje van Interpol aangenomen?'

'Roy,' zei hij op een toon die aangaf dat Grace zijn aller-, allerbeste vriend was, 'dankzij mij is het allemaal zo snel gegaan.'

Grace knikte, hij ergerde zich aan de houding van de man en aan de onderbreking. 'Ja, en dat waardeer ik zeer. Maar je moet goed begrijpen dat we hier in Sussex als een team werken, Cassian. Jij behandelt de onopgeloste, en ik de lopende zaken. De informatie die je mij hebt doorgegeven, zou wel eens belangrijk kunnen zijn voor de zaak, en het feit dat je zo snel hebt gehandeld, was me opgevallen.'

En lazer nu op zodat ik weer aan het werk kan, wilde hij zeggen, maar dat deed hij natuurlijk niet.

'Mooi. Maar ik vind toch dat ik dan mee zou moeten gaan naar Australië.'

'Je kunt hier veel beter werk doen,' zei Grace. 'En ik heb het voor het zeggen.'

Pewe keek hem vuil aan en beet hem diep beledigd toe: 'Daar zou je wel eens spijt van kunnen krijgen, Roy.'

En hij stormde Grace' kantoor uit.

80

Oktober 2007

Het was dinsdagavond, acht uur. Ricky zat in het donker in zijn busje tegenover de flat van Abby's moeder waar hij al eerder had gestaan, weer op hetzelfde plekje met het gunstige uitzichtpunt. Daarvandaan kon hij zowel de voordeur als de straat zien die ze door zou moeten gaan als ze stiekem via de achteruitgang weg wilde glippen.

De kou drong door tot in zijn botten. Hij wilde alleen maar alles terug, Abby uit zijn leven en snel weg uit dit godvergeten vochtige, ijskoude land en weer naar wat zonneschijn.

Hij had geen mens gezien in de afgelopen drie uur. Eastbourne stond bekend als een stad voor gepensioneerden waar de gemiddelde leeftijd overleden of bijna overleden was. Deze avond leek het wel of iedereen was gestorven. De straatverlichting scheen op verlaten trottoirs. Wat een verspilling, dacht hij. Gaf deze stad dan niets om het milieu?

Abby zat met haar moeder binnen, in de warmte. Hij had het gevoel dat ze daar de hele avond zou blijven, maar hij durfde zijn plek niet te verlaten om naar een pub te gaan en een borrel of drie te nemen, totdat hij daarvan overtuigd was.

Hij had ongeveer twee uur eerder het signaal van haar nieuwe gsm opgepikt toen ze naar haar moeders nieuwe mobieltje belde om te kijken of de beltoon en het volume goed waren ingesteld, en om haar nieuwe nummer door te geven. Door dat telefoontje had hij allebei de nummers te pakken gekregen.

Toen ze met de telefoontjes bezig waren, had hij op de achtergrond de televisie horen spelen. Zo te horen stond er een soapserie op, waarin een man en een vrouw in een auto zaten te ruziën. De trut en haar moeder zaten dus lekker gezellig tv te kijken, in een warm huis, terwijl ze de nieuwe mobieltjes aan het opladen waren die met zijn geld waren gekocht.

De Intercept piepte. Abby belde allerlei verzorgingshuizen die haar moeder een week of vier onderdak konden bieden totdat er plek vrijkwam in het verzorgingshuis van haar keuze.

Ze vroeg hen uit over verpleegzorg, dokters, het eten, de ingrediënten van de maaltijden, oefeningen, of er een zwembad was, een sauna, of er een grote weg in de buurt was, of het rustig lag, of er een tuin was waar je met de rolstoel in kon, of iedereen een eigen badkamer had. De lijst was ellenlang. Grondig. De trut was buitengewoon grondig. Dat had hij tot zijn verdriet ervaren.

En van wiens geld ging ze dat betalen?

Hij hoorde Abby voor de volgende dag afspraken maken voor drie bezoeken. Hij nam aan dat ze haar moeder dan alleen zou laten. Dat ze niet was vergeten dat de slotenmaker langs zou komen.

Tegen de tijd dat hij klaar was met haar, zou ze geen verzorgingshuis meer nodig hebben, maar een rouwkamer.

81

Oktober 2007

De volgende ochtend om tien voor halfnegen liep adjudant Stephen Curry samen met brigadier Ian Brown de kleine vergaderzaal van het cellencomplex achter Sussex House binnen. Hij had de agenda voor de vergadering van die dag bij zich, die bestond uit een overzichtelijke opsomming van alle zware misdaden die in de afgelopen vierentwintig uur in zijn district hadden plaatsgevonden.

Brigadier Morley en Mary Gregson, de brigadier van de tweede ochtenddienst, een kleine gezette politievrouw met een stekeltjeskapsel, die zeer toegewijd was aan de zaak, waren ook aanwezig.

Ze kwamen meteen ter zake. Curry somde alle zaken op. Er was een akelig racistisch voorval geweest, waarbij een jonge islamitische student in elkaar geslagen was bij een afhaalrestaurant aan Park Road in Coldean, toen hij onderweg was naar de universiteit; een fataal verkeersongeluk op Lewes Road, waarbij een motorrijder en een voetganger betrokken waren; een gewelddadige beroving in Broadway in Whitehawk; en een jonge man die in Preston Park in elkaar was geslagen door een stelletje potenrammers.

Hij besprak elk geval uitvoerig, bracht alle belangrijke punten naar voren, zodat hij bij de bespreking van halftien niet in de problemen kon komen met de hoofdinspecteur.

Toen gingen ze door naar de huidige vermiste personen in het district en kwamen een aanpak overeen. Mary vermeldde de details over een persoon die in hechtenis zat maar in de loop van de dag zou worden aangeklaagd en herinnerde Curry eraan dat hij om elf uur een afspraak had met de officier van justitie over een serie tasjesroven die tijdens de vorige dienst hadden plaatsgevonden.

Toen viel de inspecteur opeens iets in. 'John, ik had het gisteren met je over die vrouw in Kemp Town bij wie je langs moest gaan. Ik zie haar niet op de lijst staan – hoe heet ze ook alweer? – Katherine Jennings. Heb je al iets?'

Morley kreeg een rood hoofd. 'O, sorry, baas. Ik heb er niets mee gedaan. Dat incident met Gemma Buxton kwam ertussen en... sorry, hoor, toen heb ik verder alles laten vallen. Ik zal het op mijn lijst zetten en er vanochtend iemand naartoe sturen.'

'Prima,' zei Curry, en hij keek weer op zijn horloge. Shit, al bijna vijf over negen. Hij sprong op. 'Tot straks, allemaal.'

'Veel plezier bij de hoofdmeester,' zei Mary met een brutale grijns.

'Hé, misschien ben je vandaag wel zijn lievelingetje!' zei Morley.

'Terwijl ik jou met je slechte geheugen in mijn team heb?' kaatste hij terug. 'Het zal toch wel niet.'

82

Oktober 2007

Ricky sliep onrustig. Hij had zichzelf in een drukke pub aan de boulevard op een paar biertjes getrakteerd en elke keer dat hij koplampen zag of een auto, of voetstappen, of een portier dat dichtsloeg hoorde, schrok hij wakker. Hij zat in de passagiersstoel zodat een nieuwsgierige politieman niet zou denken dat hij een dronken bestuurder was, en kwam alleen maar het busje uit om in een naburig steegje te plassen.

Hij reed weg om zes uur 's ochtends, toen het nog donker was, en ging op zoek naar een koffiehuis, waar hij ontbeet. Binnen een uur was hij weer terug op zijn uitkijkpost.

Hoe was hij hier toch in verzeild geraakt, vroeg hij zich steeds weer af. Hoe had die trut hem zo kunnen belazeren? O, ze had het heel goed gespeeld, had hem verleid, was op en top het geile sletje geweest. Hij mocht alles met haar doen en ze deed net of ze het lekker vond. Misschien had ze het ook wel lekker gevonden. Maar de hele tijd had ze hem uit zitten horen. Vrouwen waren slim. Ze wisten precies hoe ze mannen moesten manipuleren.

Hij was zo stom geweest het haar te vertellen, omdat hij zo nodig op moest scheppen. Hij dacht dat ze onder de indruk zou zijn.

In plaats daarvan beroofde ze hem toen hij een keer apestoned en leplazarus was en was ze er met de handel vandoor gegaan. Hij moest en zou het terug krijgen. Hij had geen cent meer, zat tot aan zijn nek in de schulden en zijn bedrijfje liep voor geen meter. Dit was de enige kans die hij nog had. Het was hem in de schoot geworpen, en toen had zij het van hem afgepakt en was ermee vandoor gegaan.

Maar hij had wel één ding in zijn voordeel: het wereldje waar zij mee te maken kreeg, was een stuk kleiner dan ze dacht. Als ze naar iemand toe zou gaan met haar handel, dan zouden er vragen worden gesteld. En veel vragen ook. Hij had het vermoeden dat ze daar al achter was gekomen, en dat ze daarom nog steeds hier was. En nu bevond hij zich ook nog eens in Brighton.

Om halftien 's ochtends kwam een taxi uit Eastbourne aanrijden die voor de flat parkeerde. De chauffeur stapte uit en belde aan. Even later kwam Abby naar buiten. In haar eentje.

Mooi.

Perfect.

Ze zou naar de eerste van de drie afspraken gaan die ze voor die ochtend gemaakt had bij de verzorgingshuizen. Ze zou mammie alleen laten, nadat ze haar ongetwijfeld op het hart had gebonden niemand binnen te laten behalve de slotenmaker.

Hij keek toe terwijl Abby instapte en de taxi wegreed. Hij bleef zitten. Hij wist hoe onvoorspelbaar vrouwen waren en dat ze net zo goed binnen vijf minuten weer terug kon zijn omdat ze iets was vergeten. Hij had de tijd. Ze zou zeker anderhalf uur wegblijven, en waarschijnlijk zelfs wel drie uur of nog langer. Hij moest nog heel even geduld hebben om er zeker van te zijn dat de kust veilig was.

Daarna was het een fluitje van een cent.

83

Oktober 2007

Glenn Branson drukte op de bel en deed een paar stappen naar achteren zodat de beveiligingscamera hem goed kon opnemen. Het gietijzeren hek bewoog een paar keer en ging toen geruisloos open. De rechercheur stapte weer in de dienstauto en reed tussen de twee indrukwekkende stenen pilaren door naar de ronde oprijlaan. Het grind knarste onder de wielen toen hij de auto achter een zilverkleurige Mercedes sportwagen met daarnaast een zilverkleurige S-klasse luxewagen neerzette.

'Prima plek, vind je niet?' vroeg hij. 'Voor hem en voor haar een eigen Mercedes.'

Bella Moy knikte, terwijl haar wangen weer wat kleur kregen. Glenns rijkunsten hadden haar de schrik van haar leven bezorgd. Ze mocht Glenn graag en wilde hem niet beledigen, maar ze zou het liefst met de bus terug naar kantoor gaan, of desnoods blootsvoets op gloeiende kolen als het niet anders kon.

Het paleisachtige huis was deels gebaseerd op architectuur uit de tijd van koning George, en deels op een Griekse tempel, met een zuilengang over de hele breedte van het huis. Ari zou een moord doen voor zo'n huis, dacht Glenn. Eigenaardig toch, toen ze net getrouwd waren had geld haar totaal niet geïnteresseerd. Tegen de tijd dat Sammy, die nu acht was, naar school ging, was dat allemaal veranderd. Dat kwam vast doordat ze met andere moeders had staan praten, en had gezien in wat voor mooie auto's zij reden en in wat voor schitterende huizen zij woonden.

Maar hij vond dit soort huizen ook waanzinnig. Glenn vond dat huizen een aura hadden. Er stonden genoeg huizen in deze buurt en ook elders in de stad, die net zo groot en chic waren, maar die gaven de indruk dat er gewone, fatsoenlijke mensen in woonden. Heel zelden zag je een pand als dit, dat een beetje te chic leek en bewust of onbewust uitstraalde dat het niet met wit geld was gekocht.

'Zou je hier willen wonen, Bella?' vroeg hij.

'Als het zou moeten.' Ze glimlachte en keek een beetje weemoedig. Hij keek naar haar vanuit zijn ooghoek. Ze zag er leuk uit, had een vrolijk gezicht en een grote bos bruin haar. Ze droeg geen trouwring en had altijd nogal saaie kleren aan, alsof ze het verspilde moeite vond zich leuk aan te kleden. Hij zou haar dolgraag eens in andere kleren willen steken. Dit keer had ze een witte blouse aan onder een eenvoudige blauwe trui met V-hals, een zwarte wollen broek, stevige zwarte schoenen en een korte, groene duffeljas.

Ze had het nooit over haar privéleven en hij vroeg zich vaak af wat ze thuis had. Een man, een vrouw, een paar huisgenoten? Een van zijn collega's had ooit verteld dat Bella voor haar bejaarde moeder zorgde, maar Bella zelf had er nooit iets over gezegd.

'Waar woonde je ook alweer?' vroeg hij toen ze uit de auto stapten. Een windvlaag blies zijn camel jas omhoog.

'In Hangleton,' zei ze.

'Oké.'

Dat was niet zo gek. Hangleton was een leuke, rustige woonwijk in het oosten van de stad, met er dwars doorheen een grote weg en een golfbaan. Er stonden hoofdzakelijk huisjes en bungalows met keurig onderhouden tuinen. Het was precies de soort rustige, veilige buurt waar een vrouw zou wonen met haar bejaarde moeder. Hij zag opeens Bella voor zich die met een lijdzaam gezicht een zieke, frêle dame verzorgde, terwijl ze ter compensatie voortdurend chocolaatjes at. Als een zielig huisdier opgesloten in een kooi.

Hij belde aan en een Filippijns dienstmeisje deed de deur open. Ze begeleidde hen naar een serre met een hoog plafond en uitzicht op de tuin, een immens zwembad en een tennisbaan.

Ze gingen in leunstoelen zitten die om een salontafel met een marmeren blad stonden en het meisje bood hen een drankje aan. Toen kwamen Stephen en Sue Klinger de kamer binnen.

Stephen was een lange, slanke, zo te zien nogal afstandelijke man van achter in de veertig, met grijs golvend haar dat strak naar achteren was gekamd, en zijn wangen zaten onder de paarse adertjes, zoals bij zware drinkers. Hij had een krijtstreeppak aan en dure instappers en hij keek, zodra hij Branson een hand had gegeven, op zijn horloge.

'Ik moet helaas over tien minuten weg,' zei hij, zijn stem hard en emotieloos, wel heel anders dan de Stephen Klinger die ze de vorige dag in zijn kantoor hadden gesproken nadat hij duidelijk een zware lunch had genuttigd.

'Dat maakt niet uit, meneer, we hebben maar een paar vraagjes voor u en voor mevrouw Klinger. We waarderen het zeer dat u de moeite wilt nemen ons weer te spreken.'

Hij wierp tersluiks Sue Klinger een waarderende blik toe en zij grijnsde besmuikt, alsof ze het wel had gezien. Ze zag er erg goed uit, vond hij. Begin veertig, prachtig lijf, een bruin designer trainingspak aan en gympen die zo te zien net uit de doos kwamen.

En ze keek hem zeer uitnodigend aan. Dat had hij al twee keer achter elkaar opgemerkt, en hij had net gedaan of het hem niet was opgevallen, dus sloeg hij zijn opschrijfboekje op en concentreerde zich maar op Stephen Klingers blik, die een stuk eenvoudiger te interpreteren was.

Het meisje kwam binnen met koffie en water.

'Mag ik voor de zekerheid nog een paar dingen vragen, meneer? Hoe lang zijn u en Ronnie Wilson bevriend geweest?' vroeg Branson.

Klingers ogen gingen heel even naar links. 'We kennen – kenden – elkaar al sinds we tieners zijn,' zei hij. 'Zevenentwintig... nee, dertig jaar nu zo'n beetje.'

Glenn zei, om het te verifiëren: 'En u zei gisteren dat zijn huwelijk met zijn eerste vrouw Joanna niet zo goed was, maar dat zijn huwelijk met Lorraine beter was?'

Opnieuw gingen de ogen weer heel even naar links voordat hij de vraag beantwoordde.

Dit was een neurolinguïstisch experiment dat Glenn van Roy Grace had geleerd, en waar hij soms wat aan had als hij wilde weten of iemand de waarheid sprak. De menselijke hersens zijn in tweeën verdeeld: de linker- en de rechterhelft. De ene kant wordt gebruikt voor het langetermijngeheugen en in de andere kant vinden de creatieve denkprocessen plaats. Als iemand een vraag wordt gesteld, dan gaan de ogen van iemand automatisch naar de hersenhelft die hij gebruikt. Bij sommige mensen bevindt het geheugen zich in de rechterhersenhelft en bij sommige in de linker; de creatieve kant zit daar dan tegenover.

Dus hij wist dat toen Stephen Klingers ogen naar links, de geheugenkant, gingen toen hij een vraag moest beantwoorden, hij waarschijnlijk de waarheid sprak. Dus als zijn ogen naar rechts gingen, betekende dat dat hij waarschijnlijk een leugen vertelde. Het was niet voor honderd procent zeker, maar het kon toch een goede aanwijzing zijn.

Branson boog naar voren toen het meisje een kopje en een porseleinen roomkannetje voor hem neerzette, en zei: 'Denkt u dat Ronnie Wilson in staat zou zijn geweest om een van zijn vrouwen te vermoorden?'

Klinger keek oprecht geschokt. Net als zijn vrouw. Zijn ogen bleven naar voren gericht toen hij antwoord gaf. 'Nee, Ronnie niet. Hij kon wel kwaad worden, maar...' Hij haalde zijn schouders op en schudde zijn hoofd.

'Hij had een groot hart,' zei Sue. 'Hij was goed voor zijn vrienden. Ik kan niet geloven... Nee, dat lijkt me niet waarschijnlijk.'

'We hebben een paar dingen ontdekt die we u graag willen vertellen. Op dit moment moet het nog onder ons blijven, maar we zijn bezig met een persverklaring die morgen of overmorgen bekend wordt gemaakt.'

Branson keek even naar Bella, alsof hij haar zo de kans bood om iets te zeggen, maar ze gaf aan dat hij wat haar betrof door kon gaan.

Hij deed wat melk in zijn koffie en zei toen: 'Het ziet er naar uit dat Joanna Wilson nooit naar Amerika is gegaan. Haar lijk is afgelopen vrijdag in een riool in het centrum van Brighton aangetroffen. Ze had daar al enige tijd gelegen en was zo te zien gewurgd.'

Nu waren ze allebei met stomheid geslagen.

'Godsamme!' zei Sue.

'Heeft dat afgelopen maandag niet in de *Argus* gestaan?' vroeg Stephen zich hardop af.

Bella knikte.

'En wilt u nu beweren dat... dat... Ronnie dat soms heeft gedaan?' vroeg hij.

'Als ik mijn verhaal af mag maken, meneer,' zei Branson nadrukkelijk. 'We kwamen er gisteren achter dat ook het lijk van Lorraine Wilson is ontdekt.'

Sue Klinger verbleekte. 'In Het Kanaal?'

'Nee, in Australië, in een rivier vlak bij Melbourne.'

De Klingers keken hem stomverbaasd aan. Ergens in het huis rinkelde een telefoon. Niemand maakte aanstalten om op te nemen. Glenn nam een slokje koffie.

'In Melbourne?' zei Sue Klinger na een tijdje. 'In Australië?'

'Hoe is ze in godsnaam vanuit Het Kanaal daar terechtgekomen?' vroeg Stephen verbijsterd.

Het gerinkel hield op. 'De sectie toonde aan dat ze pas een jaar of twee dood is, meneer, dus zo te zien heeft ze in 2002 geen zelfmoord gepleegd door in Het Kanaal te springen.'

'Is ze in plaats daarvan dan in een Australische rivier gesprongen?' vroeg Stephen.

'Dat denk ik niet,' antwoordde Glenn. 'Haar nek was gebroken en ze lag in de kofferbak van een auto.' De rest van het verhaal hield hij achter.

De Klingers zaten doodstil, ze moesten wat hij hun had verteld even verwerken. Uiteindelijk verbrak Stephen de stilte. 'Wie heeft dat gedaan? En waarom? Heeft dezelfde persoon zowel Joanna als Lorraine vermoord?'

'Dat weten we op dit moment nog niet. Maar er zijn bepaalde overeenkomsten in de manier waarop ze allebei zijn omgebracht.'

'Wie... wie zou er nu Joanna vermoorden en vervolgens Lorraine?' vroeg Sue. Ze schoof nerveus de gouden armband om haar pols naar boven en beneden.

'Wist u misschien dat Joanna Wilson een huis van haar moeder had geerfd, dat ze kort voor haar dood heeft verkocht?' vroeg Glenn. 'Het bracht zo'n honderdvijfenzeventigduizend pond op. Wij gaan momenteel na wat er met dat geld is gebeurd.'

'Het is waarschijnlijk gebruikt om Ronnies schulden af te betalen zodra het op haar rekening kwam te staan,' zei Stephen. 'Ik mocht hem graag, maar hij was hopeloos wat geld betrof, als u snapt wat ik bedoel. Hij was altijd wel ergens mee bezig, maar het ging nooit eens een keer goed. Hij wilde graag meedoen met de grote jongens, maar daar was hij bij lange na niet goed genoeg voor.'

'Dat is wel erg hard, Steve,' merkte Sue op terwijl ze haar man aankeek. 'Ronnie had soms best goede ideetjes.' Ze keek de twee politiemensen aan en tikte op haar slaap. 'Hij was eigenlijk een uitvinder. Hij had eens een dingetje uitgevonden waarmee je de lucht uit een wijnfles kon krijgen als die eenmaal geopend was. Hij wilde er patent op aanvragen, toen die – hoe heette die ook alweer – Vacu Vin in de winkel kwam en de markt veroverde.'

'Ja, maar de Vacu Vin was van plastic,' zei Stephen. 'Die van Ronnie was van koper, de stomme zak. Hij had toch moeten weten dat metaal en wijn niet samengaan.'

'Maar je zei toen zelf dat je het een slim ding vond, toch?'

'Ja, maar ik zou nooit meer geld stoppen in een van Ronnies ondernemingen. Dat heb ik twee keer gedaan en het ging allebei de keren mis.' Hij haalde zijn schouders op. 'Je hebt nu eenmaal meer nodig dan alleen maar een goede uitvinding om het te maken.' Hij keek op zijn horloge en werd een beetje nerveus.

'Meneer en mevrouw Klinger,' zei Bella, 'wist u dat Lorraine heel veel geld had ontvangen in de maanden voordat ze – zogenaamd – zelfmoord pleegde?'

Sue schudde heftig met haar hoofd. 'Dat bestaat niet. Dat zou ik hebben geweten. Ronnie heeft haar berooid achtergelaten, het arme ding. Ze moest weer op Gatwick gaan werken. Ze kon nergens krediet krijgen omdat er zoveel aanklachten tegen Ronnie liepen. Ze kon zelfs niet genoeg bij elkaar schrapen om een auto te kopen. Ik heb haar zelfs een keer tweehonderd pond geleend omdat ze niets meer had.'

'Nou, dit zal dan een verrassing voor u beiden zijn,' zei Glenn, 'maar Ronnie Wilson had een levensverzekering afgesloten bij Norwich Union en die heeft Lorraine Wilson in maart 2002 anderhalf miljoen pond uitgekeerd.'

De schok was duidelijk zichtbaar. Hij ging door.

'En in juli 2002 ontving mevrouw Wilson bijna tweeënhalf miljoen dollar uit het Compensatiefonds 11 september. Wat toentertijd zo'n één en driekwart miljoen pond was.'

Er viel een lange stilte.

'Ik kan het niet geloven. Ik kan gewoon niet geloven...' Sue schudde haar hoofd. 'Ik weet dat er toen ze verdween een paar politiemensen waren die niet geheel overtuigd waren van het feit dat ze zelfmoord had gepleegd door van die boot te springen. Ze wilden ons niet vertellen waarom niet. Misschien wisten ze toen iets wat wij niet wisten. Maar Stephen en ik, en al haar andere vrienden, waren ervan overtuigd dat ze niet meer leefde, en niemand van ons heeft ooit meer iets van haar gehoord.'

'Als het waar is wat u zegt, dan...' Stephen Klinger onderbrak zichzelf halverwege de zin.

'Ze heeft al het geld opgenomen, contant, steeds verschillende bedragen, tussen de tijd dat ze het geld had ontvangen en haar verdwijning in november 2002,' zei Bella.

'Contant?' zei Stephen Klinger.

'Weet u misschien of de Wilsons – nou ja, Ronnie dan eigenlijk – door iemand werden gechanteerd?' vroeg Glenn.

'Lorraine en ik waren heel goed bevriend,' zei Sue. 'Volgens mij had ze me dat dan wel verteld, weet u, dat had ze me wel toevertrouwd.'

Net zoals ze u heeft toevertrouwd dat ze drie en een kwart miljoen pond had gekregen, dacht Glenn.

Stephen Klinger stak opeens zijn vinger in de lucht. 'Dat is ook zo, dat zou ze wel eens van Ronnie hebben kunnen geleerd. Hij zat in de postzegels.'

'Postzegels?' vroeg Glenn. 'Gewone postzegels, bedoelt u?'

Hij knikte. 'De duurdere soort. Hij verkocht ze altijd handje contantje. Zodat de Inkomstenbelasting er niet achter zou komen.'

'Voor ruim drie miljoen pond kun je een hoop postzegels kopen,' zei Bella.

Stephen schudde zijn hoofd. 'Niet per se. Ik kan me nog herinneren dat Ronnie en ik een keer in de pub waren, en hij zijn portefeuille openmaakte en me een postzegel liet zien, helemaal verpakt in vloeipapier, en zei dat hij voor die ene postzegel vijftigduizend pond had betaald. Hij dacht dat hij er een koper voor had die er zestig voor neer zou leggen. Maar hem kennende, zal hij er waarschijnlijk maar veertig voor hebben gekregen.'

'Weet u misschien waar meneer Wilson zijn postzegels kocht en verkocht?'

'Hij ging naar een paar handelaars hier in de buurt, had hij me verteld, voor de goedkopere zegels dan. Hij deed ook wel zaken met Hawkes aan Queen's Road. En met een paar handelaars in Londen, en ook in New York. O ja, hij had het wel eens over een grote handelaar die vanuit huis werkte – ik weet niet meer hoe hij heette – hij woont pal om de hoek aan Dyke Road. Bij Hawkes weten ze wel wie ik bedoel.'

Glenn noteerde de naam.

'Hij zei dat de top van die markt maar een heel klein wereldje was. Als een van de handelaars veel verkocht, dan wist iedereen dat in die business. Dus als Lorraine zoveel geld aan postzegels heeft uitgegeven, dan weet iemand dat vast nog wel.'

'En ik neem aan,' zei Bella, 'dat ze het zich ook nog zouden herinneren als ze ze weer had verkocht.'

84

Oktober 2007

Het was Duncan Troutts eerste dag als volleerd politieman. Hij was behoorlijk trots op zichzelf, voelde zich nogal zelfbewust en was eerlijk gezegd ook wel een beetje bang dat hij het zou verknallen.

Hij was één meter vijfenzeventig lang, woog nog geen vijfenzestig kilo, en was dus een iel ventje, maar hij stond zijn mannetje. Hij was al van jongs af aan dol op vechtsporten en had een hele rits diploma's voor kickboksen, taekwondo en kungfu.

Sonia, zijn vriendin, had hem een ingelijste poster cadeau gedaan waarop stond:

AL GING IK IN HET DAL VAN DE SCHADUW DES DOODS, ZO VREES IK NIET; WANT IK BEN DE GEMEENSTE KLOOTZAK IN HET DAL

Nu, om tien uur 's ochtends, stond de gemeenste klootzak in het dal op het kruispunt van Marine Parade en Arundel Road, in het oosten van Brighton and Hove. Niet echt een dal. Zelfs geen kuil, eigenlijk. Het was momenteel rustig op straat. Het zou nog een uurtje of wat duren voordat de drugsverslaafden op zouden duiken. Een feitje waar het plaatselijke toeristenbureau niet mee adverteerde was dat de stad het grootste aantal spuiters – en drugsdoden – per hoofd van bevolking in Groot-Brittannië had. Troutt was al gewaarschuwd dat een onevenredig groot aantal daarvan in zijn wijk woonde.

Zijn portofoon kraakte en hij hoorde zijn naam. Hij nam vol spanning op en kreeg brigadier Morley aan de lijn.

'Alles goed, Duncan?'

'Ja, brigadier. Tot zover wel, brigadier.'

De wijk van Troutt besloeg de kust van Kemp Town tot en met de buurt

Whitehawk, waarin van oudsher de gevaarlijkste en gewelddadigste gezinnen woonden, alsmede een grote groep fatsoenlijke mensen. De wirwar van straatjes met rijtjeshuizen tussen die buurten in, bevatte een grote hoeveelheid pensions, goedkope hotelletjes, een welvarende buitenwijk, met een van de grootste homogemeenschappen in Engeland en tientallen restaurants, pubs en kleine winkeltjes, alsmede diverse scholen en het ziekenhuis.

'Je moet even ergens naartoe. We hebben doorgekregen dat een vrouw in jouw wijk nogal geagiteerd was.' Hij beschreef wat er was voorgevallen.

Troutt haalde zijn gloednieuwe opschrijfboekje tevoorschijn en schreef de naam, Katherine Jennings, en het adres op.

'Dit komt van de adjudant, en volgens mij oorspronkelijk van een nog hogere piet af, als je snapt wat ik bedoel.'

'Zeker, brigadier. Ik ben er vlakbij, ik ga er meteen naartoe.'

Met hernieuwde ijver beende hij gewichtig over de Marine Parade en sloeg links af naar de kust.

De vrouw woonde in een groot flatgebouw van acht verdiepingen hoog. Er stond een container voor het gebouw, en ook een busje van een liftbedrijf, dat dubbel geparkeerd stond in de straat. Hij kwam langs een grijze Ford Focus die een parkeerbon op zijn raam had zitten, stak over en liep naar de hoofdingang. Er kwamen twee mannen aan met een grote gipsplaat en hij stapte opzij. Toen keek hij naar het belpaneel. Er stond geen naam bij nummer 82. De agent drukte op de bel. Er gebeurde niets.

Onder aan het paneel zat een knopje voor de conciërge, maar omdat de voordeur op een kier stond, liep hij maar gewoon naar binnen. Er hing een bordje DEFECT op de lift, dus nam hij de trap, voorzichtig vanwege de stoflakens. Het ergerde hem enigszins dat zijn schoenen die hij de vorige avond glimmend had gepoetst, onder het stof kwamen te zitten. Er werd gehamerd en hij hoorde iemand boven hem boren, en op de vijfde verdieping moest hij om allerlei bouwmaterialen heen manoeuvreren.

Hij liep door en kwam bij de achtste etage. De deur naar Katherine Jennings flat bevond zich recht tegenover hem. Hij zag dat er drie verschillende sloten op zaten en ook nog eens een spionnetje, en dat wekte zijn interesse. Twee sloten waren niet ongebruikelijk, had hij geleerd van de huizen in bepaalde wijken waarin voortdurend werd ingebroken. Maar drie was te veel van het goede. Hij bekeek ze nauwkeurig en zag dat ze er allemaal zeer stevig uitzagen.

Jij bent ergens bang voor, dame, dacht hij, en hij belde aan.

Er werd niet opengedaan. Hij belde nog een paar keer en bleef elke keer geduldig wachten. Ten slotte ging hij maar op zoek naar de conciërge.

Toen hij weer in de kleine hal beneden was, kwamen er twee mannen binnenlopen. Eentje was in de dertig en zag er vriendelijk uit. Hij had een overall aan waar op het borstzakje *Stanwell Maintenance* stond geborduurd, en een gereedschapsriem om. De andere zag er Slavisch uit, was in de zestig, en droeg een tuinbroek en een vies sweatshirt. Hij had een ouderwetse gsm in zijn hand en een van zijn nagels was zwart.

De monteur glimlachte bevreemd naar Troutt. 'Goh, u bent er ook snel bij!'

De oudere man hield zijn telefoon omhoog. 'Ik heb gebeld, nog maar minuut geleden of zo!' Door zijn keelachtige accent klonk het als een klacht.

'Net gebeld?'

'Over de lift!'

'Sorry hoor,' zei Troutt. 'En u bent?'

'De conciërge.'

'Ik ben hier vanwege iets anders,' zei Troutt. 'Maar als u me vertelt wat er aan de hand is, wil ik u graag helpen.'

'Het is heel eenvoudig,' zei de jongere man. 'Er is gerotzooid met de lift. Die is gesaboteerd. En het alarm en de telefoon in de lift... de elektriciteitsdraden daarvan zijn doorgesneden.'

Troutt was een en al oor. Hij trok meteen zijn opschrijfboekje tevoorschijn. 'Kunt u me iets meer vertellen?'

'Ik kan het u laten zien. Hebt u een beetje verstand van techniek?'

Troutt haalde zijn schouders op. 'We zullen zien.'

'Als u met mij mee gaat naar de motor, kunt u het zelf zien.'

'Oké. Maar ik moet eerst even met deze meneer praten.'

De monteur knikte. 'Ik moet toch mijn busje ergens anders neerzetten. Die stomme parkeerwachten hier zijn net de Gestapo.'

Terwijl de liftmonteur wegliep, vroeg Troutt aan de conciërge: 'De bewoner van flat 82, Katherine Jennings?'

'Is nieuw. Woont hier pas paar weken. Korte huurovereenkomst.'

'Kunt u me iets over haar vertellen?'

'Ik niet veel met haar gesproken, alleen op zondag dan, toen ze vastzat in lift. Ze heeft genoeg geld, kijk naar de huur.'

'Weet u wie de lift heeft vernield? Plaatselijke jeugd? Of had het met haar te maken?'

De conciërge haalde zijn schouders op. 'Ik denk hij niet wil toegeven mechanisch probleem. Misschien hij beschermt zichzelf of bedrijf?'

Troutt knikte, maar ging er niet op in. Hij zou zijn mening wel vormen nadat hij met de liftmonteur een blik op de motor had geworpen.

'Weet u wat ze doet voor de kost?'

De conciërge schudde zijn hoofd.

'Is ze getrouwd? Heeft ze kinderen?'

'Is alleen.'

'Weet u waar ze zoal heen gaat?'

'Ik woon andere kant. Zie huurders hier alleen bij problemen. Politie zoekt haar?'

'Nee hoor, zo zit het niet.' Hij glimlachte geruststellend. 'Ik had mezelf even moeten voorstellen: agent Troutt. Ik ben een van de nieuwe wijkagenten.' Hij dook een kaartje op.

De conciërge nam het aan en keek er achterdochtig naar, alsof de agent hem iets wilde verkopen. 'Ik hoop u ook vrijdag- en zaterdagavond laat langskomt. Afgelopen vrijdagavond hebben ettertjes vuilnisbak in de fik gezet,' mopperde hij.

'Ja, dat is nu precies waar dit nieuwe plan om draait,' zei de jonge agent oprecht.

'Nou, ik moet eerst zien.'

85

Oktober 2007

'Hé, ouwe, ben je al weg?'

Grace, die op zijn sokken bij de terminal in Gatwick Airport stond, keek toe terwijl zijn schoenen op de lopende band door de scanner gingen. Hij hield de gsm tegen zijn oor en zei: 'Nee, alleen mijn stomme schoenen tot nu toe. Ik word hier echt kwaad over, weet je,' ging hij door. 'Je moet verdomme steeds meer uitdoen als je wilt vliegen. Alleen maar omdat een of andere gek vijf jaar geleden zijn veters in de hens wilde steken! En mijn reistas moet als bagage mee, omdat hij volgens de nieuwe regels te groot is als handbagage, dus nu moet ik straks erop staan wachten. Zonde van mijn tijd, verdomme!'

'Niet zo goed geslapen, dus?'

Grace grijnsde toen hij aan de heerlijke nacht met Cleo moest denken. 'Nee, niet echt. Maar het was wel beter dan de avond ervoor. Toen heb ik me een stuk in mijn kraag gezopen met een of andere zielenpoot die de hele tijd tegen me aan zat te zeuren.'

De rechercheur deed net of hij dat niet had gehoord, en zei: 'En, heeft de hond weer over je heen gekotst?'

Grace die zijn pak al aanhad omdat hij er netjes uit wilde zien bij aankomst in New York, strikte moeizaam de veter van zijn rechterschoen terwijl hij de telefoon tussen zijn kin en schouder geklemd hield. Het lukte hem niet staande, dus ging hij zitten. 'Nee, in plaats daarvan heeft hij op de vloer gepoept.'

'Gaat het wel met je? Je stem is zo gesmoord.'

'Ja, het gaat prima, ik ben alleen die kloteschoenen aan het aandoen. Heb jij nog iets belangrijks te melden of is dit gewoon een gezellig kletspraatje?'

'Weet jij iets van zegels af?' vroeg Branson.

'Die van de supermarkt?'

'Heel grappig.'

'Ik kan je wel het een en ander vertellen over postzegels van de Britse koloniën,' zei Grace. 'Mijn vader spaarde ze, alleen eerstedagenveloppen. Hij kocht ze voor mij toen ik nog klein was. Ze zijn geen rooie rotcent waard. Mijn moeder wilde dat ik ermee naar een postzegelhandel ging nadat hij was overleden, maar die wilde ze nog niet gratis hebben. Als je een andere hobby wilt, kun je beter vlinders gaan verzamelen, of wat dacht je van treinen spotten?'

'Ja, ja. Ben je klaar?'

Grace gromde.

'Hoor eens, Bella en ik zijn net bij de Klingers geweest, hè? Al dat geld dat Lorraine Wilson contant heeft opgenomen, die ruim drie miljoen dus, ja? Volgens mij heeft ze daar postzegels mee gekocht.'

'O, ja?'

Grace liet de veter even voor wat hij was en luisterde aandachtig. Hij dacht na over het gesprek dat hij op dinsdag met Terry Biglow had gehad.

'Ja. Stephen Klinger zei tegen me dat het een klein wereldje was, die toppostzegelhandel. Dat iedereen elkaar kende.'

'Heeft hij je een lijst met plaatselijke handelaren gegeven?'

'Wel een paar, ja.'

'Hoor eens, Glenn. Als je te maken hebt met zo'n klein groepje, dan laten ze daar niemand binnen, niet zozeer om zichzelf te beschermen als wel degene naar wie navraag wordt gedaan. Dus je moet ze aan de tand voelen, begrepen?'

'Hmm.'

'Zeg maar dat dit een moordonderzoek is, en als ze informatie achterhouden, dat ze dan aangeklaagd kunnen worden als medeplichtigen. Maak ze dat maar heel duidelijk.'

'Ja, meneer de baas. Prettige vlucht. Doe de groeten aan New York. Geniet ervan.'

'Ik stuur je wel een ansichtkaart.'

'Doe er wel een postzegel op, hè?'

86

Oktober 2007

Bella nam via de portofoon contact op met een van de onderzoekers op de afdeling Zware Criminaliteit van operatie Dingo en vroeg hem een lijst samen te stellen van alle postzegelhandelaren in Brighton and Hove en omgeving. Toen, met Glenn aan het stuur, reden ze naar Queen's Road, waar de winkel zat waar Stephen Klinger het over had gehad.

Hawkes bevond zich vlak naast het station en zag eruit alsof het er al een eeuwigheid zat. De etalage werd nooit veranderd, er werd alleen af en toe wat aan toegevoegd. Hij stond vol met muntensetjes in dozen, medailles, eerstedagenveloppen in plastic mapjes en oude ansichtkaarten.

Ze gingen snel naar binnen, want het miezerde buiten, en zagen twee vrouwen, allebei in de dertig en blond en knap, die zussen zouden kunnen zijn. Branson had zich postzegelhandelaren zo niet voorgesteld. Hij had altijd gedacht dat postzegels verzamelen iets was voor zielige mannetjes.

De vrouwen waren in gesprek verwikkeld en schenen de politiemensen niet op te merken, alsof ze gewend waren aan mensen die keken en niet kochten. Glenn en Bella blikten om zich heen en wachtten beleefd tot de dames klaar waren met hun gesprek. De winkel was vanbinnen zelfs nog voller, overal stonden houten tafels met kartonnen dozen vol met oude pikante ansichtkaarten en allang verdwenen stadsgezichten in Brighton.

De vrouwen hielden opeens op met praten en keken hun richting uit. Branson trok zijn legitimatiebewijs tevoorschijn.

'Ik ben rechercheur Branson van de politie van Sussex en dit is mijn collega rechercheur Moy. We willen graag de eigenaar even spreken. Is een van u dat misschien?'

'Ja,' zei de oudste van de twee vriendelijk, maar enigszins afstandelijk. 'Ik ben Jacqueline Hawkes. Waar gaat dit over?'

'Komen de namen Ronnie en Lorraine Wilson u misschien bekend voor?'

De vraag verraste haar en ze keek even snel naar de andere vrouw. 'Ronnie Wilson? Mijn moeder heeft een paar jaren geleden wel eens zaken met hem gedaan. Ik kan me hem nog goed herinneren. Hij kwam hier voortdurend, en maar onderhandelen. Hij is toch dood? Voor zover ik me kan herinneren, is hij op 11 september omgekomen.'

'Ja,' zei Bella, die verder niets wilde loslaten.

'Was hij een grote handelaar? Kocht hij goede spullen?' vroeg Branson. 'Zeldzame postzegels, bedoel ik?'

Ze schudde haar hoofd. 'Niet bij ons. We hebben niet veel dure spullen, dat hebben we gewoon niet in voorraad. We hebben eigenlijk meer de gebruikelijke handel.'

'Tot hoe hoog gaat u dan?'

'Het kleinere werk, over het algemeen. Postzegels ter waarde van tweehonderd pond, maar niet meer. Tenzij iemand natuurlijk met een koopje aan komt zetten, dan willen we nog wel eens hoger gaan.'

'Is Lorraine Wilson hier wel eens geweest?' vroeg hij.

Jacqueline dacht even na en knikte toen. 'Ja, inderdaad, maar ik kan me niet meer herinneren wanneer dat precies was. Kort nadat hij overleed, zou ik zo zeggen. Ze had een paar postzegels van haar man die ze wilde verkopen. We hebben ze gekocht, maar ze waren niet veel waard, uit het hoofd tweehonderd pond of zo.'

'Heeft ze het met u wel eens over duurdere zegels gehad? En dan bedoel ik écht duurdere zegels.'

'Hoeveel duurder bedoelt u dan?'

'Honderdduizend, bijvoorbeeld.'

Ze schudde haar hoofd. 'Nee, nooit.'

'Als iemand bij u postzegels wil kopen ter waarde van een paar honderdduizend pond, wat zou u dan doen?'

'Ik zou hen doorsturen naar een veilinghuis in Londen of naar een andere handelaar, en dan maar hopen dat ze daar fatsoenlijk genoeg zijn om me daar een beetje commissie voor te geven!'

'Naar wie zou u ze hier in de buurt sturen?'

Ze haalde haar schouders op. 'Er is eigenlijk maar één persoon in Brighton op dat niveau: Hugo Hegarty. Hij is al wat ouder, maar hij zit nog steeds in de handel.'

'Hebt u zijn adres?'
'Ja, ik schrijf het wel even voor u op.'

Dyke Road, die ongemerkt in Dyke Road Avenue overging, liep als een ruggengraat vanaf het centrum van de stad helemaal naar de Downs toe, en vormde zo een grens tussen Brighton en Hove. Aan de straat stonden een paar winkels, kantoren en restaurants, maar over het algemeen vrijstaande woonhuizen die hoe verder verwijderd van het centrum steeds chiquer werden.

Tot Bella's opluchting was het druk op de weg, zodat Glenn heel langzaam moest rijden. Terwijl ze de nummers hardop voorlas, zei ze: 'Het is links, en we zijn er bijna.'

Er was een oprit, die bijna verplicht leek in deze buurt. Maar, in tegenstelling tot het huis van de Klingers, was hier geen elektrisch hek, wel een van hout, dat zo te zien al in geen jaren gesloten was geweest. De oprit stond vol met auto's, dus Branson zette de wagen op straat neer, met twee wielen op de stoep, zich ervan bewust dat hij op die manier half op een fietspad stond, maar er zat niets anders op.

Ze liepen naar het huis toe, wurmden zich langs een oudere BMW cabrio, een nog oudere Saab, een vieze, grijze Aston Martin DB7 en twee Volkswagen Golfs. Glenn vroeg zich af of Hegarty niet alleen in postzegels handelde maar ook in auto's.

Ze doken onder het afdakje bij de voordeur en belden aan. Toen de indrukwekkende eiken deur open werd gedaan, kon Glenn Branson zijn ogen bijna niet geloven. De man die daar stond leek sprekend op een van zijn lievelingsacteurs: Richard Harris. Glenn was zo verbaasd dat hij heel even sprakeloos was terwijl hij stond te zoeken naar zijn legitimatiebewijs.

De man was erg getekend door het leven en Glenn had geen idee hoe oud hij precies was. Hij zou halverwege de zestig kunnen zijn, maar net zo goed achter in de zeventig. Zijn haar, eerder wit dan grijs, was lang en nogal slordig en hij had een witte trui aan over een sportshirt en een trainingsbroek.

'Rechercheur Branson en rechercheur Moy van de politie van Sussex,' zei Glenn. 'We zouden graag de heer Hegarty even willen spreken. Bent u dat?'

'Hangt ervan af welke meneer Hegarty u bedoelt,' zei de man met een ontwijkende glimlach. 'Een van mijn zonen, of mij?'

'De heer Hugo Hegarty,' zei Bella.

'Dat ben ik.' Hij keek op zijn horloge. 'Ik moet over twintig minuten tennissen.'

'We hebben maar even nodig, meneer,' zei ze. 'We willen even met u praten over iemand met wie u een paar jaar geleden zaken hebt gedaan: Ronnie Wilson.'

Zijn ogen vernauwden zich en hij leek plotseling nerveus. 'Ronnie. Lieve hemel! U weet toch wel dat hij overleden is?'

Hugo Hegarty aarzelde even voordat hij een stap naar achteren zette en een tikje vriendelijker zei: 'Wilt u anders even binnenkomen? Het is zulk slecht weer.'

Ze gingen een lange, gelambriseerde hal binnen die vol hing met mooie olieverfschilderijen, en liepen achter Hegarty aan een eveneens gelambriseerde studeerkamer in, waar een roodleren gecapitonneerde bank en een bijpassende leunstoel stonden. Door de glas-in-loodramen zagen ze het zwembad, een groot stuk gras met herfstachtige struiken eromheen en kale bloemperken, en over de houten schutting het dak van het huis van de buren. In de kamer boven hen werd er gestofzuigd.

Het was een nette kamer. Er hingen planken met golftrofeeën erop en op het bureau stond een hele verzameling foto's. Eentje was van een knappe, zilvergrijze vrouw, waarschijnlijk Hegarty's vrouw, en op al de andere stonden vier tieners, twee jongens en twee meisjes, en een baby. Naast het bureaublad lag een gigantisch grote loep.

Hegarty gebaarde dat ze op de bank konden gaan zitten en nam zelf op het puntje van de leunstoel plaats. 'Die arme Ronnie. Verschrikkelijk toch, allemaal? Moest hem weer overkomen hoor, dat hij er precies op die dag was.' Hij lachte nerveus. 'En, wat kan ik voor u doen?'

Branson zag een rij dikke, zware postzegelcatalogussen van Stanley Gibbons en een rij van een stuk of tien andere catalogussen op de planken staan. 'We zijn momenteel bezig met een onderzoek en een van de aanwijzingen leidde naar meneer Wilson,' antwoordde hij. 'U handelt in waardevolle postzegels is ons verteld. Is dat juist, meneer?'

Hegarty knikte en kreeg toen een enigszins gepijnigde uitdrukking op zijn gezicht. 'Maar nu niet echt meer. De handel is erg onvoorspelbaar geworden. Ik doe nu meer in onroerend goed en aandelen dan met postzegels. Maar af en toe wil ik nog wel eens iets doen. Ik blijf graag op de hoogte van wat er speelt.'

Hij keek hen ondeugend aan, wat Branson wel leuk vond. Richard Harris kon precies zo kijken, dat hoorde bij de aantrekkingskracht van die grote acteur. 'Hebt u vaak zakengedaan met meneer Wilson?'

Hegarty haalde zijn schouders op. 'Ja, best wel, in de loop der jaren. Ronnie was niet een van de prettigste mensen om zaken mee te doen.'

'Hoe dat zo?'

'Nou, weet u, om het maar ronduit te zeggen, de herkomst van zijn spullen was twijfelachtig. Ik was altijd voorzichtig wat mijn reputatie betreft, als u snapt wat ik bedoel.'

Branson maakte een aantekening. 'Wilt u daarmee zeggen dat u het gevoel had dat hij wel eens oneerlijk handelde?'

'Er waren spullen bij die ik met geen tang wilde aanraken. Hij kwam wel eens met postzegels aanzetten en dan vroeg ik me af waar hij die vandaan had, of hij er wel echt zoveel voor had betaald als hij beweerde.' Hij haalde weer zijn schouders op. 'Maar hij had er wel verstand van verder, en ik heb hem een paar mooie dingen verkocht. Hij betaalde altijd handje contantje. Maar...' Hij maakte de zin niet af en schudde zijn hoofd. 'Eerlijk gezegd was hij niet mijn lievelingsklant. Ik ga altijd zo fatsoenlijk mogelijk om met de mensen met wie ik handel doe. Je kunt duizend keren met iemand handelen, zeg ik altijd maar, maar je kunt hem maar één keer belazeren.'

Glenn glimlachte, maar zei niets.

Bella ging dus maar verder. 'Meneer Hegarty, heeft mevrouw Wilson – mevrouw Lorraine Wilson – contact met u opgenomen nadat Ronnie was overleden?'

Hegarty aarzelde even, en keek met een schuine blik naar hen beiden, alsof de inzet plotseling was verhoogd. 'Ja, inderdaad,' zei hij beslist.

'Kunt u ons vertellen waarom dat was?'

'Nou, ik kan me niet voorstellen dat het nu nog uitmaakt, omdat ze ook al zo lang geleden overleden is. Maar ik moest het geheimhouden van haar, ziet u.'

Met Grace' instructies in het achterhoofd wilde Branson zo tactisch mogelijk blijven. 'Het gaat om een moord, meneer Hegarty. We hebben alle informatie nodig die u ons kunt verstrekken.'

Hegarty schrok. 'Een moord! Dat wist ik niet. O, lieve hemel. Gut. Wie... Wie is er vermoord?'

'Helaas kan ik u dat op dit moment nog niet vertellen.'

'Nee, natuurlijk niet,' zei Hegarty. Hij was helemaal bleek geworden. 'Ik wil dit even goed op een rijtje zetten.' Hij dacht even na. 'Ze kwam inderdaad naar me toe, volgens mij was dat in februari of maart 2002, of misschien wel in april... Nou, dat kan ik wel in mijn administratie opzoeken. Ze zei dat haar man haar toen hij overleed met enorme schulden had achtergelaten en dat ze geen cent meer had en dat haar huis in beslag was genomen. Ik vond dat eigenlijk wel grof, eerlijk gezegd, dat ze een weduwe zo behandelden.'

Hij keek hen aan voor bijval, maar die kreeg hij niet.

Hij ging door. 'Ze zei dat ze er net achter was gekomen dat ze wat geld van een levensverzekering zou krijgen en dat ze bang was dat de schuldeisers dat ook van haar af zouden pakken. Ze was duidelijk ook aansprakelijk voor zijn zakelijke schulden. Dus wilde ze het omzetten in postzegels, omdat ze dacht – en terecht – dat die niet te achterhalen zijn. Volgens mij had haar man haar dat verteld.'

'Om hoeveel geld ging het?' vroeg Bella.

'Nou, de eerste partij was ter grootte van een half miljoen pond, iets in die richting in elk geval. En een paar maanden later kwam ze langs met hetzelfde bedrag, of zelfs een beetje meer, en dat had ze gekregen uit het Compensatiefonds 11 september.'

Branson was blij dat de bedragen waar Hegarty het over had overeenkwamen met wat ze hadden gehoord. Het gaf aan dat hij de waarheid sprak.

'En u moest dat van haar allemaal omzetten in postzegels?' vroeg hij.

'Dat viel bepaald niet mee,' zei hij. 'Als je zoveel geld uitgeeft, trekt dat de aandacht, weet u. Dus ik regelde de aankopen voor haar. Ik spreidde het geld uit over de postzegelwereld en zei dat ik bezig was aankopen te doen voor een anonieme verzamelaar. Dat was niet ongebruikelijk. De Chinezen zijn al een paar jaar bezeten van kwaliteitspostzegels, het is alleen jammer dat sommige handelaren hen maar wat in hun haar smeren.' Hij stak waarschuwend zijn wijsvinger op. 'En daar zitten ook vooraanstaande handelaren tussen.'

'Kunt u ons een lijst geven van de postzegels die u aan mevrouw Wilson hebt verkocht?' vroeg Bella.

'Jawel, maar niet nu meteen. Ik begin eraan zodra ik terug ben van tennis, en dan is het tegen een uur of vier vanmiddag wel klaar. Hebt u daar wat aan?'

'Prima,' zei Branson.

'En wat ook erg handig zou zijn,' voegde Bella eraan toe, 'is als u ook een lijst kunt maken van de mensen die rijk genoeg waren om die zegels, zodra Lorraine het geld nodig zou hebben, van haar te kopen.'

'Ik kan u de naam van een paar handelaren geven,' zei hij. 'En ook een paar verzamelaars, zoals ikzelf. Er zijn er niet meer zoveel als vroeger. De meesten van mijn oude vrienden in dit kringetje zijn helaas overleden.'

'Kent u misschien ook handelaren of verzamelaars in Australië?' vroeg ze.

'In Australië?' Hij fronste zijn wenkbrauwen. 'Australië? O, wacht eens even. Ronnie kende natuurlijk iemand hier uit Brighton die een paar jaar geleden, halverwege de jaren negentig, daarnaartoe is geëmigreerd. Die heette

Skeggs. Chad Skeggs. Hij handelde alleen maar in dure zegels. Hij heeft nu een verzendbedrijf in Melbourne. Hij stuurt me af en toe een catalogus toe.'

'Koopt u wel eens iets van hem?' vroeg Glenn.

Hegarty schudde zijn hoofd. 'Nee, hij is onbetrouwbaar. Hij heeft me een keer belazerd. Ik heb ooit een paar Australische postzegels van hem gekocht, van voor 1913, voor zover ik me kan herinneren. Maar ze waren helemaal niet puntgaaf, zoals hij over de telefoon had gezegd. Toen ik daar wat over zei, zei hij dat ik hem maar aan moest klagen.' Hegarty stak mismoedig zijn handen in de lucht. 'Daar was het bedrag veel te laag voor en dat wist hij donders goed. Het ging over een paar duizend pond, dus het zou me veel meer hebben gekost als ik een rechtszaak had aangespannen. Het verbaast me dat die oplichter nog steeds zakendoet.'

'Is er verder nog iemand in Australië dat u weet?' vroeg Bella.

'Weet u wat? Ik schrijf het allemaal voor u op. Komt u dan rond vier uur weer langs?'

'Graag. Bedankt voor de moeite, meneer,' zei Branson.

Terwijl ze allemaal opstonden, boog Hegarty zich samenzweerderig naar voren alsof hij niet wilde dat iemand anders het kon horen. 'Ik weet niet of u daar iets aan kunt doen,' zei hij. Maar ik ben een paar dagen geleden op Old Shoreham Road door een van uw camera's geflitst. Zou u dat misschien voor me kunnen regelen?'

Branson keek hem verbijsterd aan. 'Nee, meneer, daar gaan we niet over.'

'O, nou ja, maakt niet uit. Het was een poging waard.'

Hij glimlachte spijtig.

87

Oktober 2007

Abby zat achter in de taxi een sms'je te lezen dat net binnengekomen was. Ze glimlachte blij.

Denk eraan: je moet werken alsof je het geld niet nodig hebt. Je moet liefhebben alsof niemand je nooit verdriet heeft gedaan. Dansen alsof geen mens toekijkt.

De chauffeur maakte haar ook blij. Hij was ooit bokser geweest, had hij verteld. Was niet ver gekomen, maar bokste af en toe nog wel een beetje om kinderen enthousiast te krijgen voor de sport. Hij had een platte boksersneus, vond ze, alsof hij er ooit met zo'n honderdtwintig kilometer per uur mee tegen een betonnen muur aan was gebotst. Hij had haar tijdens de reis terug na haar bezoek aan het derde verzorgingshuis verteld dat hij ook een oudere moeder had met gezondheidsproblemen, maar dat hij zich niet kon veroorloven haar in een van dat soort tehuizen te plaatsen.

Abby kon geen toepasselijk citaat verzinnen om terug te sms'en, dus schreef ze alleen maar:

Nog even! Ik mis je heeeeel erg. xxxxx

Even na één uur waren ze weer terug bij haar moeders flat. Abby keek rond of Ricky ergens te bekennen was, maar de kust leek veilig. Ze vroeg de chauffeur of hij even wilde wachten terwijl de meter liep. De eerste twee tehuizen die ze die ochtend had gezien waren vreselijk geweest, maar de derde was prima, en bovendien leek het er veilig genoeg. Het mooiste was dat ze een plekje vrij hadden. Abby wilde haar moeder daar meteen naartoe verhuizen.

Ze hoefde alleen maar een paar dingen in een tas te gooien. Ze wist hoe langzaam haar moeder was, maar dat kon zij wel voor haar doen en haar vervolgens snel de deur uit werken. Haar moeder zou het niet leuk vinden, maar dat was dan jammer. Het was maar voor een paar weken, en ze zou daar veilig zijn. Abby kon er niet van uitgaan dat haar moeders nieuwe verzorgster, de betrouwbare Doris, wier achternaam haar onbekend was, altijd en eeuwig voor haar klaar zou staan.

Als haar moeder veilig was, dan kon ze het plan in werking stellen dat ze de afgelopen twee uur had bedacht. Het eerste gedeelte bestond eruit om zo ver mogelijk daar vandaan te zien komen. Het tweede gedeelte dat ze iemand alles moest vertellen. Maar dan wel iemand die ze voor de volle honderd procent kon vertrouwen.

Hoeveel vreemden waren zo betrouwbaar dat ze er niet met de spullen vandoor zouden gaan, zoals zij had gedaan?

De taxichauffeur leek haar eerlijk genoeg. Ze had het gevoel dat ze hem eventueel wel kon vertrouwen. Maar zou hij Ricky wel van zich af kunnen slaan, of zou hij nog meer mensen nodig hebben? Wat inhield dat ze haar vertrouwen in iemand zou stellen die ze maar net een halfuur kende en in mensen die ze helemaal niet kende. Ze had heel veel door moeten maken om hier te komen, dat wilde ze niet in de waagschaal stellen.

Op dit moment had ze echter niet veel mogelijkheden. De huur van de flat was drie maanden vooruitbetaald, waarvan er een was verstreken, en dat had een groot deel van haar geld opgeslokt. En de maand huur vooruit van haar moeders kamer in het Bexhill Lawns Rest House kwam daar nog eens bij. Als ze ergens een goedkoop hotelletje kon krijgen, had ze genoeg krediet op haar creditcard om het nog een paar maanden uit te zingen. En daarna moest ze haar reserves aanspreken. En om dat te kunnen doen, moest ze uit Ricky's buurt zien te blijven.

Ze dankte God op haar blote knietjes dat ze het nog niet had overgebracht naar de onlangs gehuurde kluis.

Ze had er rekening moeten houden, na wat ze al wist over Ricky, dat hij heel goed was met apparaatjes. Hij had een keer tegen haar opgeschept dat er in de helft van de beste hotels in Melbourne en Sydney mensen voor hem werkten en de plastic toegangskaart van de kamer van gasten die waren vertrokken aan hem gaven. Op die kaartjes stonden de creditcardgegevens en het privéadres van de gasten. Hij kende iemand die ze maar al te graag van hem kocht, had hij haar verteld, en deze oplichtingspraktijk – of gegevensverstrekking, zoals hij het graag noemde – leverde hem veel meer op dan legale baantjes.

Ze ging via de voordeur naar binnen en liep door de gang naar haar moeders flat. Ze had haar moeder twee keer gebeld of alles nog in orde was. De eerste keer was rond halfelf, toen had haar moeder verteld dat de slotenmaker telefonisch had doorgegeven dat hij tegen elf uur zou komen. En de tweede keer was een uur geleden, toen had ze gezegd dat de man er inmiddels was.

Abby kwam tot haar ergernis erachter dat ze de deur nog steeds met haar sleutel kon openmaken. En wat nog verontrustender was, was dat ze niets zag wat erop wees dat iemand met het slot bezig was geweest. Bezorgd riep ze haar moeder, en toen liep ze snel het halletje door naar de zitkamer.

Tot haar verbijstering was het kleed weggehaald. Het rode kleed, dat ze zich nog kon herinneren uit haar jeugd, waar ze de vorige dag de rijstpudding af had geveegd, was weg. Er zaten alleen nog een paar stukjes versleten ondertapijt op de kale ruwe planken.

Heel even deed ze haar best het verband te zien tussen nieuwe sloten op de deur en de noodzaak om het kleed weg te halen. Er klopte iets totaal niet.

'Mam! Mam!!!' riep ze, voor het geval haar moeder in de keuken, of op het toilet, of in de slaapkamer was.

Waar was Doris? Ze had toch beloofd dat ze de hele ochtend bij haar zou blijven?

In paniek rende ze van de ene naar de andere kamer. Toen haastte ze zich de flat uit, vloog met twee treden tegelijk de trap op en belde aan bij Doris' flat. Meteen daarop bonkte ze met haar vuist op de deur.

Na wat een eeuwigheid scheen, hoorde ze het bekende gerammel van de veiligheidsketting, en net als de vorige keer ging de deur een paar centimeter open. Doris, met haar enorme zonnebril, keek voorzichtig naar buiten en glimlachte toen vriendelijk naar haar en trok de deur wijder open.

'Hallo, lieverd!'

Abby was vreselijk opgelucht door de vrolijke begroeting en was er heel even van overtuigd dat Doris haar zou vertellen dat haar moeder bij haar op visite was.

'O, dag, ik vroeg me af of u wist wat er beneden aan de hand is.'

'Met de slotenmaker bedoel je?'

Dus hij was inderdaad gekomen. 'Ja.'

'Nou, hij is hard bezig, lieverd. Hij leek me een erg aardige jonge man. Is er iets dan?'

'Hebt u zijn legitimatiebewijs bekeken, zoals ik u had gevraagd?'

'Ja, lieverd, het was een kaartje van zijn bedrijf. Ik had mijn loep bij me om het goed te kunnen lezen. Lockworks heette het toch?'

Op dat moment ging Abby's telefoon. Ze keek op het schermpje en zag dat het haar moeders nieuwe nummer was. Ze keek Doris aan.

'Het is al in orde, bedankt.'

Doris stak haar vinger op. 'Er brandt iets aan op mijn fornuis, lieverd. Ik hoor het wel als je me weer nodig hebt.'

Abby nam het gesprek aan terwijl Doris de deur dichtdeed.

Het was de stem van haar moeder. Maar hij trilde en klonk helemaal verkeerd en buiten adem, alsof ze de woorden van een papier op las.

'Abby,' zei ze. 'Ricky wil je even spreken. Hier is hij. Doe alsjeblieft precies wat hij zegt.'

Toen werd de verbinding verbroken.

Abby belde helemaal overstuur terug, maar ze kreeg de voicemail. Bijna meteen erna kwam een telefoontje binnen. Op het schermpje stond: *privénummer*.

Het was Ricky.

88

Oktober 2007

'Waar is mijn moeder?' gilde Abby in de telefoon voordat Ricky ook maar iets kon zeggen. 'Waar is ze, klootzak dat je d'r bent! Waar is ze?'

Achter haar ging een deur open en een oudere man gluurde naar buiten en sloeg hem toen weer met een klap dicht.

Overstuur omdat ze zo stom was geweest om haar moeder in handen van een oude vrouw achter te laten, liep Abby snel naar de betrekkelijke privacy van het trappenhuis.

'Ik wil haar spreken. Waar is ze?'

'Het gaat goed met je moeder, Abby,' zei hij. 'Ze ligt lekker veilig in het kleed, voor het geval je je afvraagt waar dat is gebleven.'

Met de gsm tegen haar oor geklemd, liep ze naar beneden en haar moeders flat in, waar ze de deur achter zich dichtdeed. Ze ging naar de zitkamer en keek naar de kale planken die door het ondertapijt te zien waren. De tranen stroomden over haar wangen. Ze trilde en voelde zich terugtrekken, wat een teken was van een opkomende paniekaanval.

'Ik bel de politie, Ricky,' zei ze. 'Het kan me niets meer schelen. Oké? Ik bel nu meteen de politie.'

'Dat lijkt me niet, Abby,' zei hij rustig. 'Daar ben je veel te slim voor. Wat ga je tegen ze zeggen? Ik heb een man bestolen en die heeft mij weten te vinden en nu houdt hij mijn moeder gevangen? Je zult bepaalde dingen moeten uitleggen, Abby. In de westerse wereld van tegenwoordig, met al die wetten voor het witwassen van geld, zul je toch moeten uitleggen hoe je aan zoveel geld en bezittingen komt. Ga je ze soms vertellen dat je dat allemaal voor elkaar hebt gekregen als barmeisje in Melbourne?'

Ze gilde door de telefoon: 'Dat kan me geen reet schelen, Ricky. Oké?'

Het was even stil. Toen zei hij: 'O, toch wel. Wat je hebt gedaan, was niet spontaan in je opgekomen. Daar heb je lang op zitten broeden, toch? Jij en Dave? Zei hij nog tegen je dat je bepaalde standjes niet met me mocht doen? Of was ik de enige die werd genaaid?'

'Dit heeft niets met mijn moeder te maken. Breng haar terug. Breng haar terug en dan kunnen we praten.'

'Nee, jij geeft me alles terug wat je van me hebt gestolen en dan kunnen we praten.'

De paniekaanval werd sterker. Ze haalde diep adem. Haar hoofd stond in brand. Ze had het gevoel alsof ze buiten haar lichaam zweefde, dat haar lichaam het begaf. Ze wankelde, sloeg tegen de bank aan, hield zich wanhopig aan de armleuning vast en liet zich toen op de bank vallen, waar ze duizelig bleef zitten.

'Ik hang nu op,' bracht ze hijgend uit, 'en dan bel ik de politie.'

Maar ze had zelf door dat de woorden er niet erg overtuigend uit kwamen, en dat wist hij ook.

'Ja, en dan?'

'Kan me niet schelen. Kan me verdomme geen reet schelen!' Als een kind dat een driftbui heeft, bleef ze dat steeds harder zeggen. 'Kan me verdomme geen reet schelen!'

'Dat zou toch wel moeten. Want dan ontdekken ze dat een chronisch zieke vrouw zelfmoord heeft gepleegd en dat haar dochter een dievegge is, die een of ander lulverhaal ophangt over de man die ze bestolen heeft, en de man die haar daartoe heeft aangezet, is nu niet bepaald iemand die je graag in de getuigenbank ziet om het verhaal te bevestigen. Denk daar maar eens over na, slimme trut. Ik wacht wel even tot je afgekoeld bent. In de tussentijd ga ik een lekker kopje thee voor je moeder zetten en dan bel ik je wel terug.'

'Nee, wacht!' schreeuwde ze.

Maar hij had de verbinding al verbroken.

Toen dacht ze opeens weer aan de taxi die met lopende meter buiten stond.

89

Oktober 2007

Roy Grace stond te wachten tot de bagageband ging lopen en stuurde in de tussentijd Cleo een kort sms'je om haar te laten weten dat hij was aangekomen. Volgens zijn berekening zou het nu kwart over zes zijn in Engeland. Over een kwartier zou de avondvergadering voor operatie Dingo beginnen.

Hij belde rechercheur Lizzie Mantle op om op de hoogte blijven, maar zowel haar vaste telefoon als haar gsm schakelde meteen door naar voicemail. Vervolgens belde hij Glenn Branson, die al na de tweede keer overgaan opnam.

'Heb je je schoenen weer aan?'

'Ja, daar belde ik over. Dacht dat je dat wel wilde weten.'

'En waar ben je nu? Je bent er toch al? Op JFK?'

'Newark. Ik sta te wachten op mijn tas.'

'Dat doet maar, gaat lekker naar New York toe, terwijl wij hier zitten te zwoegen.'

'Ik had je wel naar Australië willen sturen, maar dat leek me onder de huidige omstandigheden niet zo slim.'

'Op dit moment zou Ari me het liefst aan de andere kant van de wereld willen hebben. Maar dat vertel ik je wel als je weer terug bent.'

Nee, hè, dacht Grace. Hoewel hij alles zou doen om deze man om wie hij zoveel gaf, te helpen, toch vond hij het altijd moeilijk om hem – of eigenlijk iedereen wel – advies te geven over zaken die hun leven ingrijpend konden veranderen. Hoeveel verstand had hij er nou van? Zijn eigen huwelijk was bepaald geen modelhuwelijk geweest. Maar dat zei hij maar niet.

'En, is er nog nieuws?' vroeg hij.

'Nou, we zijn hier hard aan het werk geweest, terwijl jij zeven uur lang onderuitgezakt champagne zat te zuipen en naar films zat te kijken.'

'Ik zat in de toeristenklasse hoor, met kramp in mijn benen, listeria en trombose. En mijn koptelefoon deed het niet. Verder klopt het wel aardig met wat jij zei.'

'Ach, je lijdt wat af als hoge piet, hè, Roy?'

'Ja, ja. Dit geklets kost trouwens een vermogen!'

Dus deed Branson verslag over het bezoekje aan de postzegelhandelaars Hawkes en aan Hugo Hegarty.

Grace luisterde aandachtig. 'Het waren dus inderdaad postzegels! Ze heeft het geld allemaal aan postzegels uitgegeven!'

'Klopt. Makkelijk mee te nemen. Voldoen aan alle voorwaarden voor het witwassen van geld. Er lopen nog steeds honden rond op vliegvelden die zijn opgeleid om geld te ruiken. En drie en een kwart miljoen pond neemt een hoop ruimte in beslag. Maar dat bedrag in postzegels zijn hoogstens een paar A4-enveloppen.'

'Weten we al wat ze ermee heeft gedaan?'

'Nee. Nog niet. Maar goed, toen zijn we naar de zus van Lorraine Wilson toe gegaan.'

'En wat had die te vertellen?'

'Nou, best wel veel, eigenlijk.'

Grace hoorde een piepje en de band ging lopen. Er kwamen twee ongelooflijk dikke mannen bij hem staan en daarna reed een oude vrouw een bagagewagentje tegen zijn benen aan. Hij deed een stap bij de menigte om de bagageband vandaan, naar een plek waar hij tenminste wat ruimte had en de bagage in de gaten kon houden. Hij wist na een akkefietje op Gatwick Airport een paar jaar geleden dat er vaak koffers van de band werden gestolen.

'Wat een herrie bij jou, zeg,' zei Branson.

'Ik kan je nog wel verstaan. Ga door.'

'De zus is met Lorraine Wilson een week na 11 september, toen er eindelijk weer mocht worden gevlogen, naar New York afgereisd. Ze zijn naar het hotel gegaan waar Ronnie een kamer had, het W.'

'Het W?' vroeg Grace. 'Het W wat?'

'Zo heet dat nu eenmaal.'

'Alleen maar een W?'

'Hé, ouwe, ben je soms na de oorlog niet meer buiten geweest? Je zou me aan moeten nemen als je stijlgoeroe. Het W is een keten. Ze hebben übercoole hotels.'

'Ja, nou, mijn salaris staat geen übercoole hotels toe.'

'Niet te geloven dat je er nog nooit van hebt gehoord.'

'Ach, het is gewoon een van de vele mysteries des levens. Maar kun je me er nog meer over vertellen, behalve dan dat ik er nooit van heb gehoord?'

'Ja, heel veel zelfs. Er lagen nog wat spullen van hem in zijn kamer en het hotel was daar niet blij mee, want de creditcard die hij had gegeven, was geblokkeerd.'

'Hielden ze er dan geen rekening mee dat hij was overleden?'

'Ze zullen dat op dat moment nog niet hebben geweten, denk ik. Hij had maar voor twee dagen een kamer genomen en de creditcard aan hen gegeven. Maar goed, het punt is dat zijn paspoort en zijn retourticket naar Engeland nog steeds in het kluisje lagen.'

Tot zijn opluchting zag Grace opeens zijn tas opduiken. 'Wacht even.' Hij liep snel naar voren, pakte hem en zei toen: 'Oké, ga maar verder.'

'Daarna zijn ze naar Pier 92 gegaan, waar de NYPD een centrum voor de nabestaanden had georganiseerd. Mensen konden daar haarborstels en zo afgeven zodat ze het DNA konden gebruiken om de lijken, of de lichaamsdelen, te identificeren. Er lagen ook persoonlijke spulletjes die ze hadden gevonden. Lorraine ging er naartoe met haar zus, maar de politie had op dat moment nog niets gevonden wat van haar man was en waardoor ze hem konden identificeren.'

Grace sleepte zijn tas een eind bij de menigte vandaan naar een stil plekje en moest toen wachten tot de omroepinstallatie klaar was met een aankondiging. Toen vroeg hij: 'En hoe zit het met het geld dat Lorraine heeft gekregen?'

'Dat komt zo... Ik moet trouwens naar die vergadering.'

'Laat Mantle me na afloop bellen.'

'Oké. Maar je moet dit nog even horen. Er is een doorbraak! Maar goed, Lorraine scoort dus vijftienhonderd dollar van een van de politiemensen op Pier 92. Ze deelden geld uit aan iedereen die iemand was verloren en het financieel moeilijk had.'

'Redelijk genoeg, op dat moment. Ze stond er toch bijzonder slecht voor, financieel gezien?'

'Ja. Maar een paar weken nadat ze weer terug waren in Engeland, kreeg Lorraine een telefoontje, vertelde haar zus. Er waren door reddingswerkers een verschroeide portefeuille met het rijbewijs van Ronnie Wilson en ook een gsm die van hem was in het puin gevonden. Ze stuurden foto's van die spullen plus wat er in de portefeuille had gezeten naar haar toe, zodat zij ze formeel kon identificeren.'

'En heeft ze dat gedaan?'

'Ja. Nou, dan het geld dat ze had gekregen: de vette uitkering van de levensverzekering en de compensatie. Haar zus was verbijsterd toen ik haar erover vertelde. Eigenlijk meer dan verbijsterd, meer "godver, dat bestaat toch niet"-verbijsterd.'

'Speelde ze toneel?'

'Volgens Bella en mij niet. Ze schommelde tussen verbijstering en woede in. Ze werd op een gegeven moment bloedlink, weet je, zei dat ze haar eigen spaargeld had gebruikt om Lorraine te helpen, en dat was lang nadat volgens de bankafschriften Lorraine al een hoop pecunia binnen had gekregen.'

'Niet veel zusterliefde, dus?'

'Zo te zien maar van één kant. Maar het beste komt nog. Je gaat uit je dak als je dit hoort.'

De omroepinstallatie riep weer iets om. Grace schreeuwde tegen Branson dat hij even moest wachten tot hij weer wat kon horen.

'Het lab kwam vanmiddag met een DNA-overeenkomst op de proppen van de baby die Lorraine Wilson verwachtte. Volgens mij weten we wie de vader is!'

'Wie dan?' vroeg Grace razend benieuwd.

'Nou, als het klopt, is het niemand anders dan Ronnie Wilson.'

Grace was even stil, de adrenaline spoot door zijn aderen. Hij was blij dat zijn vermoeden werd bewaarheid. 'In hoeverre is die DNA-overeenkomst betrouwbaar?'

'Nou, met deze test weten we de helft van het DNA van de vader. Er kunnen dus nog meer mensen in aanmerking komen. Maar aangezien we weten wie de moeder is, lijkt het me sterk dat er nog iemand anders in aanmerking komt.'

'Hoe zijn we aan Ronnies DNA gekomen?'

'De weduwe had toen ze in New York was de NYPD een haarborstel gegeven. Wat daaruit kwam werd, zoals gebruikelijk, overgedragen aan de Britse politie en ingevoerd in ons nationaal bestand.'

'Dat betekent,' zei Grace, 'dat onze vriend meneer Wilson zijn sperma had ingevroren zodat zijn vrouw, die niet helemaal dood was dus, er zichzelf mee zou kunnen bevruchten. Of...'

'Ik ga persoonlijk voor de tweede mogelijkheid,' zei Branson.

'Dat lijkt mij eerlijk gezegd ook de meest waarschijnlijke,' beaamde Grace.

'En jij kunt het weten, held op sokken!'

90

Oktober 2007

Abby hoorde vlakbij een telefoon gaan. Toen besefte ze tot haar schrik, dat het die van haar was. Ze kwam overeind, was helemaal in de war en wist even niet waar ze was. De telefoon bleef gaan.

Het was een beetje kil, maar zij zweette overmatig. Ze zat in het donker, was omringd door schaduwen in een spookachtig oranje waas. Een veer kraakte onder haar toen ze bewoog. Ze zat op de bank in haar moeders flat, wist ze opeens weer. Jezus, hoe lang had ze wel niet geslapen?

Ze keek om zich heen, bang dat Ricky terug was gekomen en in de flat was. Ze zag het schermpje van de gsm oplichten en pakte het toestel op. De angst sloeg haar om het hart toen ze op het schermpje zag staan dat het een privénummer was. Volgens het schermpje was het halfzeven.

Ze nam op. 'Ja?'

'Heb je er al over nagedacht?' vroeg Ricky.

Paniek schoot door haar heen. Waar was hij, verdomme? Ze moest hier zo snel mogelijk weg zien te komen. Hij kon haar hier zo te pakken nemen. Wist hij waar ze nu was? Stond hij ergens buiten?

Ze wachtte even voordat ze iets zei, wilde eerst alles op een rijtje zetten. Het leek haar het beste om geen licht aan te doen, zodat hij niet kon zien dat ze daar was, voor het geval hij buiten stond te kijken. Er kwam door de vitrage voor het raam genoeg licht van de straatlantaarn naar binnen om iets te zien.

'Hoe gaat het met mijn moeder?' wilde ze weten, en ze hoorde haar stem trillen.

'Prima.'

'Ze heeft geen weerstand. Als ze het te koud krijgt, kan ze zo longontsteking krijgen –'

Ricky onderbrak haar en zei: 'Ik heb je toch gezegd dat het prima met haar ging?'

De toon waarop hij het zei, beviel Abby totaal niet. 'Ik wil haar spreken.'

'Dat begrijp ik. En ik wil hebben wat je van mij hebt gepikt. Dus dat is heel eenvoudig. Jij geeft me dat terug, of je vertelt me waar het is, en dan mag jouw moeder met jou mee naar huis.'

'Hoe weet ik of ik jou kan vertrouwen?'

'O, hoor eens wie het zegt!' viel hij uit. 'Weet je wel wat dat woord betekent?'

'Dat is nu eenmaal gebeurd,' zei ze. 'Je kunt wat ervan over is zo van me krijgen.'

Zijn stem schoot ongelovig de hoogte in. 'Hoe bedoel je: wat ervan over is? Ik wil het allemaal terug. Allemáál. Zo werkt het.'

'Maar dat kan niet. Ik kan je niet meer geven dan ik heb.'

'Dus daarom lag het niet in de kluis, hè? Omdat je het hebt uitgegeven.'

'Niet alles,' waagde ze te zeggen

'Jij harteloze trut. Je zou je eigen moeder laten vermoorden, hè? Je hebt dat liever dan dat je het aan me terug moet geven! Zoveel betekent dat geld voor je.'

'Ja,' zei ze. 'Dat klopt helemaal, Ricky. Dat zou ik inderdaad doen.'

Toen verbrak ze de verbinding.

91

Oktober 2007

Abby rende door de donkere kamer, struikelde over een leren poef en liep op de tast door de badkamer. Ze kwam bij de wastafel en gaf erin over, haar maag was verkrampt door de zenuwen.

Ze waste het braaksel weg, spoelde haar mond en draaide het licht aan terwijl ze diep inademde. *Nu alsjeblieft geen paniekaanval meer.* Ze hield, met tranen in haar ogen, de wasbak beet en was doodsbang dat Ricky elk moment de deur zou slopen en binnen zou komen.

Ze moest hier weg zien te komen, en ze moest zich goed herinneren waarom ze dit deed. De kwaliteit van leven voor haar moeder. Daar draaide het allemaal om. Zonder geld zouden de laatste jaren van haar moeder uiterst treurig zijn. Daar moest ze zich aan vast blijven houden.

En ze had haar plan: ze moest eerst Dave een sms'je sturen dat hij zijn gang kon gaan.

Ze was nog maar één stap verwijderd van een waardige toekomst voor haar moeder. Nog één hindernis die ze moest nemen voordat ze het leven kon leiden dat ze altijd had gewenst.

Ricky was een engerd. Een sadist. Een tiran.

Ze moest voor zichzelf opkomen, laten zien dat ze sterk genoeg was. Dat was de enige taal die tirannen begrepen. En hij was geen domme man. Hij wilde gewoon alles terug. Hij had er niets aan als hij een oudere, zieke vrouw kwaad deed.

Alstublieft, God.

Abby ging terug naar de zitkamer en wachtte op zijn telefoontje. Zat klaar om de verbinding meteen te verbreken als hij belde. Toen, met het hart in haar keel, doodsbang dat ze een grote vergissing beging, sloop ze de flat uit de zelfs nog donkerdere gang in en de trap op naar de eerste verdieping. Een paar minuten later draaide ze op de telefoon in Doris' flat een ander nummer. Er werd opgenomen door een beschaafde mannenstem.

'Mag ik Hugo Hegarty even spreken?' vroeg ze.

‘Daar spreekt u mee.’

‘Sorry dat ik u na vijven bel, meneer Hegarty,’ zei Abby. ‘Maar ik wil graag mijn postzegelverzameling verkopen.’

‘Ja?’ Hij verlengde het woord dusdanig dat het overkwam alsof hij er diep over nadacht. ‘Wat voor soort collectie is het?’

Ze somde elke postzegel op en beschreef die uitvoerig. Ze kende ze zo goed, dat ze als een foto voor haar geestesoog opdoemden. Hij onderbrak haar een paar keer en vroeg nog wat nadere informatie.

Toen ze klaar was, viel Hugo Hegarty vreemd genoeg helemaal stil.

92

Oktober 2007

Ricky had op internet een afgelegen kampeerterrein opgezocht en zat daar nu in zijn busje diep na te denken. De regen tikte op het dak en dat was prima. In dit soort weer voelde niemand de behoefte in het donker door de modder te gaan banjeren om zich met dingen te bemoeien die ze niets aan gingen.

Dit plekje was perfect. Even verderop lagen aan de rand van een pittoresk dorpje genaamd Afriston, de Downs van Eastbourne. Het kampeerterrein lag een kilometer verderop aan een verlaten boerenpad, op een groot terrein met bomen, achter een verregende tennisbaan.

In deze tijd van het jaar en in dit weer gingen mensen niet tennissen en ook niet kamperen, dus waren er geen bemoeials in de buurt. De eigenaar was ook niet nieuwsgierig overgekomen. Hij was met twee kleine jongens die zaten te ruziën in zijn auto aan komen rijden, had vijftien pond vooruit gevraagd voor drie overnachtingen en Ricky getoond waar de toiletten en de douches waren. Hij had hem zijn gsm-nummer gegeven en gezegd dat hij in de loop van de volgende dag even langs zou komen voor het geval er nog meer mensen waren gearriveerd.

Er stond maar één ander voertuig op het terrein, een grote camper met Nederlandse nummerplaten, en Ricky stond daar een heel eind vandaan.

Hij had eten, water, melk – gekocht in een benzinestation – en kon daar wel een tijdje mee vooruit. Hij trok een blikje bier open en sloeg de helft in een grote slok achterover om door de alcohol wat rustiger te worden. Toen stak hij een sigaret op en nam drie lange halen achter elkaar. Hij draaide het raampje een heel klein stukje open om de as eruit te tippen, maar de wind blies die terug in zijn gezicht. Hij deed het raampje dicht, en toen hij dat deed, trok hij zijn neus op. Er rook iets niet lekker daar buiten.

Hij nam nog een trek van zijn sigaret en nog een slok bier. Hij was zeer aangedaan door het telefoontje dat hij zojuist met Abby had gevoerd. Doordat ze zomaar had opgehangen. Omdat hij haar helemaal verkeerd had ingeschat.

Hij was bang dat ze meende wat ze gezegd had. Hij hoorde de woorden steeds weer opnieuw in zijn hoofd.

Je kunt wat ervan over is zo van me krijgen.

Hoeveel had ze al uitgegeven? Verspild? Ze zat vast te bluffen. Ze kon nooit meer dan een paar duizend hebben uitgegeven terwijl ze op de vlucht was. Het was gewoon bluf.

Hij zou er meer aan moeten trekken. Haar overbluffen. Ze dacht misschien dat ze keihard was, maar hij had zo zijn twijfels.

Hij rookte de sigaret op en gooide de peuk naar buiten. Terwijl hij het raampje dichtdeed, trok hij weer zijn neus op. De stank werd sterker, heftiger. Het was niet buiten, het was beslist ín het busje. De onmiskenbaar zure stank van urine.

Getverdemme, nee, hè?

De oude vrouw had in haar broek gepiest.

Hij deed het licht aan, kroop uit zijn stoel en liep naar achteren. De vrouw zag er belachelijk uit, haar hoofd stak als een lelijk ontpoppend insect uit het opgerolde kleed.

Hij trok zo voorzichtig mogelijk de tape van haar mond om haar niet meer pijn te doen dan noodzakelijk; ze was al behoorlijk overstuur en hij was bang dat ze opeens de geest zou geven.

'Heb je het in je broek gedaan?'

Twee kleine bange oogjes keken hem aan. 'Ik ben ziek,' zei ze zwak. 'Ik ben incontinent. Het spijt me.'

Hij schoot meteen in de stress. 'Betekent dat soms dat je dat andere ook niet in kunt houden?'

Ze aarzelde even, en knikte toen spijtig.

'O, fantastisch,' zei hij. 'Daar zit ik nu net op te wachten.'

93

Oktober 2007

Glenn Branson liep na de vergadering van halfzeven van operatie Dingo net terug naar zijn bureau, toen zijn gsm ging. Het schermpje toonde een nummer uit Brighton dat hem niet bekend voorkwam.

'Rechercheur Branson,' zei hij. Hij herkende meteen de keurige stem aan de andere kant.

'O, rechercheur, mijn excuses dat ik u zo laat nog stoor.'

'Dat maakt niet uit, meneer Hegarty. Wat kan ik voor u doen?' Glenn bleef doorlopen.

'Komt het gelegen dat ik u bel?'

'Ja hoor, helemaal.'

'Nou, er is zonet iets eigenaardigs gebeurd,' zei Hugo Hegarty. 'Toen u en uw zeer charmante collega vanmiddag langskwamen heb ik u toch een lijst gegeven? Een lijst en een beschrijving van alle postzegels die ik in 2002 voor Lorraine Wilson heb aangekocht?'

'Ja.'

'Nou... kijk, dit zou natuurlijk toeval kunnen zijn, maar ik draai al even mee, en ik geloof daar eerlijk gezegd niet in.'

Glenn stond inmiddels voor de deur van Coördinatiecentrum 1 en liep naar binnen. 'Hmm.'

'Ik ben net door een vrouw gebeld, zo te horen een jonge vrouw, en die was behoorlijk nerveus. Ze wilde weten of ik een collectie waardevolle postzegels voor haar kon verkopen. Ik wilde er meer over weten en ze beschreef precies, en dan bedoel ik tot in de puntjes, de zegels die ik voor Lorraine Wilson heb aangekocht. Er ontbraken een paar, dat wel, maar die zijn waarschijnlijk in de loop der tijd verkocht.'

Branson liep met de telefoon aan zijn oor naar zijn bureau en ging zitten terwijl hij het tot zich door liet dringen. 'Bent u ervan overtuigd dat het niet gewoon toeval is, meneer?' vroeg hij.

'Nou, het zijn bijna allemaal setjes puntgave zeldzame postzegels, die gewild zijn bij alle verzamelaars, en nog een paar losse zegels. Ik kan me na vijf jaar niet meer herinneren of ze er precies hetzelfde uitzagen. Maar om u een voorbeeld te geven, er zaten vellen rode 1-penny's bij en volgens mij hebben die een tijdje geleden honderdzestigduizend pond opgeleverd. Daar waren er een paar van en ook een vel zwarte 1-penny's, die zijn per stuk tussen de twaalf- en dertienduizend pond waard, en die zijn zeer gewild. Dan was er nog een grote hoeveelheid blauwe 2-penny's, plus een heleboel andere zeldzame postzegels. Het zou toeval zijn als ze er een of twee van had, maar precies dezelfde zegels en in dezelfde hoeveelheden?'

'Dat lijkt me inderdaad een beetje vreemd, meneer.'

'Eerlijk gezegd,' zei Hegarty, 'als ik die lijst vandaag niet voor u had moeten maken, denk ik niet dat ik me had herinnerd dat ze zo precies overeenkwamen.'

'Zo te horen hebben we dus mazzel gehad. Fijn dat u het ons even laat weten. Hebt u haar gevraagd hoe ze eraan gekomen is?'

Hegarty ging zachter praten, alsof hij bang was dat iemand hem afluisterde. 'Ze zei dat zij ze geërfd had van een tante in Australië en dat iemand die ze op een feestje had ontmoet in Melbourne, haar had verteld dat ze er met mij over moest gaan praten.'

'En dus niet met iemand in Australië?'

'Ze zei dat diegene had gezegd dat je er in Engeland of in Amerika veel meer voor kon krijgen. En omdat ze toch vaak hier kwam vanwege haar bejaarde moeder, heeft ze eerst met mij contact opgenomen. Ze komt morgenochtend om tien uur langs om ze te laten zien. Ik wil haar dan een paar discrete vraagjes stellen.'

Branson keek in zijn aantekeningen. 'Zou u ze willen kopen?'

Hij zag Hegarty's glimmende oogjes al bijna voor zich toen hij antwoord gaf.

'Nou, ze had nogal haast om ze kwijt te raken, en dat is over het algemeen een goed moment om ze te kopen. Er zijn maar weinig handelaars die het geld hebben liggen om de hele collectie in één keer te kopen, het is gebruikelijker om ze in lotjes op te delen en ze te veilen. Maar ik moet natuurlijk wel zeker weten dat ik ze kan houden. Ik ben niet van plan om zoveel geld uit te geven en dat jullie dan een paar uur later ze op komen eisen. Daarom heb ik u gebeld.'

Maar natuurlijk. Hugo Hegarty was helemaal geen brave burger, hij wilde gewoon zijn eigen hachje veiligstellen, dacht Glenn Branson. Maar goed, zo waren mensen nu eenmaal, hij kon het hem moeilijk kwalijk nemen.

'Hoeveel schat u dat ze ongeveer waard zijn, meneer?'

'Als koper of verkoper?' Nu was hij zelfs nog listiger.

'Allebei.'

'Nou, de huidige cataloguswaarde voor alles bij elkaar zal zo'n vier-, vierenhalf miljoen zijn. Dus zoveel zou je er als verkoper voor willen krijgen.'

'In ponden?'

'Jazeker, in ponden.'

Branson was stomverbaasd. De drie en een kwart miljoen pond die Lorraine Wilson had ontvangen, was maar liefst dertig procent in waarde gestegen en dat terwijl er waarschijnlijk een groot deel al van was verkocht.

'En als koper?'

Hegarty was opeens terughoudend. 'De prijs die ik ervoor zou willen betalen, hangt van hun herkomst af. Ik zou er meer over moeten weten.'

Branson dacht razendsnel na. 'Ze komt morgen om tien uur bij u langs? Dat staat vast?'

'Ja.'

'En hoe heet ze?'

'Katherine Jennings.'

'Hebt u haar adres en telefoonnummer?'

'Nee, die heeft ze me niet gegeven.'

De rechercheur schreef haar naam op, bedankte hem en hing op. Toen trok hij het toetsenbord naar zich toe, opende het logboek en zocht Katherine Jennings op.

Al na een paar seconden stond haar naam op zijn scherm.

94

Oktober 2007

Roy Grace zat achter in de grijze Ford Crown Victoria. Terwijl ze de Lincoln Tunnel in reden vroeg hij zich af of je, als je veel reisde, aan het verkeerslawaai kon horen in welke stad je was.

In Londen hoorde je voornamelijk het gebrul van benzinemotoren, het geratel van dieselmotoren en het gezoef van het nieuwe model Volvo-bussen. In New York was dat heel anders, hier waren voornamelijk het herhaaldelijke gebonk van wielen die over de geribbelde of gescheurde en hobbelige wegen reden, en het onophoudelijke getoeter hoorbaar.

Een enorme truck achter hem claxoneerde nu.

Adjunct-inspecteur Dennis Baker, die aan het stuur zat, keek in de achteruitkijkspiegel en stak zijn middelvinger op. 'Krijg de tering, klootzak.'

Grace grinnikte. Dennis was totaal niet veranderd.

'Wat moet ik dan doen, klootzak? Over die lul die voor me zit heen rijden of zo? Jezus!'

Adjunct-inspecteur Pat Lynch, die al lang was gewend aan het rijgedrag van zijn partner, en die naast hem zat in de passagiersstoel, draaide zich zonder er iets over te zeggen naar Roy om. 'Fijn je weer te zien, man. Dat is lang geleden. Héél lang geleden!'

Roy vond dat ook. Hij had deze mannen meteen al gemogen toen ze elkaar zes jaar eerder hadden ontmoet. Hij was toen naar New York gestuurd om een homoseksuele Amerikaanse bankier te ondervragen wiens partner gewurgd was aangetroffen in een flat in Kemp Town. De bankier was nooit aangeklaagd, maar was een paar jaar later aan een overdosis drugs overleden. Roy had een tijdje met Dennis en Pat aan die zaak samengewerkt en ze hadden contact gehouden.

Pat had een spijkerbroek, een spijkerjasje en een beige overhemd met daaronder een wit T-shirt aan. Met zijn pokdalige gezicht en sluike, jongensachtige kapsel zag hij eruit als een zware jongen uit een film, maar hij had een verrassend zachtmoedig en zorgzaam karakter. Hij was vroeger stuwadoor geweest in de haven en zijn lange, krachtige lijf was hem toen goed van pas gekomen.

Dennis had een dikke zwarte anorak aan waar het embleem van de NYPD op was genaaid en *Cold Case Homicide Squad* op stond geborduurd, met daaronder een blauw overhemd en ook hij droeg een spijkerbroek. Hij was kleiner dan Pat, pezig en alert; en was een fervent aanhanger van vechtsporten. Jaren geleden had hij de tiende dan, de hoogste die er bestaat, gehaald in shotokan karate en hij was zo'n beetje een legende bij de NYPD vanwege zijn vaardigheden als straatvechter.

Beide mannen bevonden zich op 11 september om 8.46 uur in het politiebureau van Brooklyn aan Williamsburg East toen het eerste vliegtuig de toren in was gevlogen. Omdat ze er maar een paar meter van verwijderd waren, gingen ze er met hun chef meteen via de Brooklyn Bridge op af, en ze kwamen net aan toen het andere vliegtuig de South Tower in vloog. Ze waren de weken daarop met een heleboel anderen bezig geweest het puin rondom Ground Zero, in de 'buik van het beest' zoals ze het noemden, te doorzoeken. Dennis was vervolgens in de plaatsdelicttent gaan werken en Pat in het nabestaandencentrum op Pier 92.

In de jaren daarna hadden allebei de mannen, die altijd ontzettend fit waren geweest, astma gekregen alsmede geestelijke problemen te wijten aan het trauma, waardoor ze van de hectiek van de NYPD overgeplaatst waren naar het rustige wereldje van de afdeling Speciaal Onderzoek bij het Openbaar Ministerie.

Pat bracht Grace op de hoogte van waar ze mee bezig waren, wat over het algemeen het vervoeren en ondervragen van overvallers inhield. Ze kenden inmiddels de penose van Amerika net zo goed als hun broekzak. Pat vertelde dat de maffia niet meer was zoals die geweest was. Criminelen gingen tegenwoordig veel sneller overstag dan vroeger. Wie wilde dan ook geen dealtje sluiten, zei Pat, als ze anders twintig jaar tot levenslang zouden krijgen?

Hopelijk zouden ze de komende vierentwintig uur iemand tegenkomen die Ronnie Wilson had gekend, iemand die hem had geholpen. Grace had er alle vertrouwen in dat zij tweeën de meeste kans hadden de man op te sporen die, daar was hij steeds meer van overtuigd, bewust op 11 september was verdwenen.

'Wat zie jij er jong uit,' zei Pat, die opeens van onderwerp veranderde. 'Ben je soms verliefd?'

'Je vrouw is nog steeds niet opgedoken, hè?' vroeg Dennis.

'Nee,' zei hij kortaf. Hij had het liever niet over Sandy.

'Hij is gewoon jaloers,' zei Pat. 'Het heeft hem een vermogen gekost om van die van hem af te komen!'

Grace lachte en op dat moment gaf zijn mobieltje aan dat er een sms'je binnenkwam. Hij las het bericht.

Fijn dat je veilig bent aangekomen. Mis je. Humphrey ook.
Kan nu op niemand kotsen. XXX

Hij grinnikte en had meteen heimwee naar Cleo. Toen moest hij opeens ergens aan denken. 'Als we even tijd overhebben, zouden we dan naar zo'n grote Toys R Us kunnen gaan? Ik wil een kerstcadeautje kopen voor mijn petekind. Ze is helemaal weg van Bratz, wat dat ook moge zijn.'

'Het grootste filiaal staat op Times Square, daar kunnen we nu wel even naartoe. Dan gaan we daarna naar het W; het leek ons het beste daar te beginnen,' zei Pat.

'Mooi.' Grace keek door het raampje naar buiten. Ze reden een helling op, langs een paar gammel uitziende steigers. Er kringelde stoom op uit een metrorooster.

Het was een frisse herfstmiddag, met een strakblauwe lucht. Een paar mensen hadden een lange jas aan of een dik jack, en hoe dichter ze in de buurt kwamen van het centrum van Manhattan, hoe meer ze er gehaast uitzagen. De helft van de mannen die langs schuifelden had een pak aan met een overhemd zonder stropdas en keek bezorgd. De meesten liepen te bellen en hadden in hun andere hand een beker Starbucks-koffie met een bruine kartonnen kraag eromheen, alsof dat bij hun outfit hoorde.

'Pat en ik, wij hebben een heel mooi programma voor je opgesteld,' zei Dennis.

'Ja,' beaamde Pat. 'Hoewel we nu voor het OM werken, rijden we je graag rond omdat je onze vriend bent en net als wij agent.'

'Dat stel ik zeer op prijs. Ik heb met mijn FBI-mannetje in Londen gesproken,' antwoordde Grace. 'Hij weet dat ik hier ben en waarom. Als mijn voorgevoelens kloppen, dan zullen we dat waarschijnlijk wel moeten terugkoppelen naar de NYPD.'

Dennis drukte op de claxon toen een zwarte Explorer die voor hem reed opeens zijn richtingaanwijzer gebruikte en half naar de kant reed omdat hij ergens naar zocht. 'Verdomme! Schiet op, klootzak!'

'We hebben een kamer voor je geboekt in het Marriott Financial Center, dat ligt in Battery Park City, vlak bij Ground Zero. Dat leek ons een prima plek, omdat je daar zo centraal zit.'

'Krijg je er meteen een beetje een indruk van,' zei Dennis. 'Het was toen zwaarbeschadigd. Is nu helemaal gloednieuw. Je kunt daar zien wat ze aan het doen zijn op Ground Zero.'

'Ze vinden nog steeds lichaamsdelen,' zei Pat. 'Zes jaar na dato, weet je? Laatst nog, op het dak van de Deutsche Bank. Dat beseffen mensen helemaal niet. Ze hebben verdomme geen idee met hoeveel kracht die vliegtuigen in zijn geslagen.'

'Tegenover het kantoor van de lijkschouwer is een terrein afgezet met tenten waarop acht vriesauto's staan,' zei Dennis. 'Die staan daar al zo'n... zes jaar nu. Er liggen daar twintigduizend ongeïdentificeerde lichaamsdelen. Niet te geloven, toch? Twíntigduizend!' Hij schudde zijn hoofd.

'Mijn neef is omgekomen,' ging Pat door. 'Dat wist je toch, hè? Hij werkte voor Cantor Fitzgerald.' Hij hield zijn pols omhoog om een zilveren armband te tonen. 'Zie je? Dat zijn zijn initialen: THJ. We hebben er allemaal eentje, ter herinnering aan hem.'

'Iedereen in New York is die dag wel iemand kwijtgeraakt,' zei Dennis, die uitweek voor een vrouw die plotseling overstak. 'Godver, dame, wil je soms weten hoe hard de bumper van een Crown Victoria is? Ik kan je wel vertellen dat die niet erg meegeeft.'

'Maar goed,' zei Pat, 'we hebben al het een en ander nageplozen voordat je hier aankwam. We zijn naar het hotel gegaan waar die Ronnie Wilson van jou heeft gelogeerd. De manager van toen werkt er nog steeds, dus dat is mooi. We hebben een afspraak voor je met hem geregeld. Hij wil graag met je praten, maar heeft verder niets nieuws te melden. Een paar van Wilsons spullen lagen nog in zijn kamer: zijn paspoort, vliegticket, wat ondergoed. Dat ligt nu allemaal in een van de depots voor de slachtoffers van 11 september.'

Grace' telefoon ging opeens. Hij verontschuldigde zichzelf en nam op. 'Roy Grace.'

'Hé, ouwe, waar ben je nu? Sta je soms boven op het Empire State Building aan een ijsje te likken?'

'Heel grappig. Ik zit in een file, toevallig.'

'O, goed, nou, ik heb nog iets voor je. We zitten ons hier het apenzuur te werken terwijl jij daar leuk rondhuppelt. Komt de naam Katherine Jennings je bekend voor?'

Grace dacht even na, hij was een beetje vermoeid en door de lange vlucht was zijn geest niet zo scherp als anders. Toen wist hij het weer. Zo had de vrouw geheten uit Kemp Town over wie Kevin Spinella, de journalist van de *Argus*, hem had verteld. En die hij vervolgens had doorgegeven aan Steve Curry.

'Wat is er met haar?'

'Zij wil een postzegelverzameling ter waarde van rond de vier miljoen pond verkopen. De handelaar aan wie ze het heeft aangeboden is Hugo Hegarty, en die kent de zegels. Hij heeft ze nog niet gezien, heeft haar alleen via de telefoon gesproken, maar hij is ervan overtuigd, uitgezonderd een paar die ontbreken, dat dit de postzegels zijn die hij in 2002 voor Lorraine Wilson heeft aangekocht.'

'Heeft hij de vrouw gevraagd hoe zij eraan is gekomen?'

Branson vertelde hem wat Hegarty had gezegd en voegde eraan toe: 'Katherine Jennings staat in het logboek.'

'Dat heb ik gedaan,' zei Grace. Hij was even stil en dacht weer aan het gesprek dat hij die maandag met Spinella had gevoerd. De verslaggever had gezegd dat Katherine Jennings bang leek. Zou het feit dat je in het bezit was van een paar postzegels ter waarde van vier miljoen pond je bang kunnen maken? Ze zou juist relaxed moeten zijn, met zoveel geld, mits het natuurlijk veilig opgeborgen was, dacht Grace.

Dus waarom was ze zo bang geweest? Er klopte iets niet.

'Je kunt haar misschien maar beter laten schaduwen, Glenn. We weten in elk geval waar ze woont.'

'Het is mogelijk dat ze op de vlucht is,' zei Branson. 'Maar ze heeft morgen een afspraak bij Hegarty thuis. En dan neemt ze de postzegels mee.'

'Perfect,' zei Grace. 'Geef Lizzie door wat we nu net hebben besproken en dan stel ik voor dat je een team samenstelt dat haar vanaf Hegarty's huis kan volgen.' Hij keek op zijn horloge. 'Er is nog tijd genoeg om dat te regelen.'

Glenn Branson keek ook op zijn horloge. Het was geen kwestie van even Lizzie Mantle bellen en klaar. Hij moest eerst een verslag schrijven met daarin de redenen vermeld waarom hij een surveillanceteam wilde hebben en waarom het nuttig was voor operatie Dingo. En hij moest ook nog de vergadering voorbereiden. Het zou wel een paar uur gaan duren voordat hij naar huis kon. Dus zou hij weer op zijn kop krijgen van Ari.

Zoals gewoonlijk.

Toen Roy Grace de verbinding verbrak, boog hij naar voren. 'Mannen,' zei hij, 'kennen jullie misschien iemand die een lijst van alle postzegelhandelaars hier kan opstellen?'

'Nieuwe hobby van je?' plaagde Dennis hem.

'Ik wil gewoon een postzegel van het postzegel van al jullie criminelen hebben,' kaatste Grace terug.

'Shit, man!' zei Pat, die zich naar hem omdraaide. 'Je grapjes worden er niet echt beter op, hè?'

Grace grijnsde sardonisch. 'Zielig, hè?'

95

Oktober 2007

De stewardess was bezig met de veiligheidsdemonstratie. Norman Potting, achter in de 747, boog zich naar Nick Nicholl die naast hem zat en zei: 'Wat een gelul, dat veiligheidsgedoe.'

De jonge hoofdagent, die vliegen doodeng vond maar dat niet had durven toegeven aan zijn baas, luisterde gretig naar alles wat hem door de luidsprekers werd verteld. Hij wendde zich een beetje af om Pottings slechte adem niet te hoeven ruiken, en tuurde naar boven zodat hij precies wist waar het zuurstofmasker naar beneden zou vallen.

'Dat je voorover moet gaan zitten, weet je wat ze daar maar niet bij zeggen?' ging Potting door, die zich niets aantrok van Nicholls gebrek aan reactie.

Nicholl schudde zijn hoofd terwijl hij toekeek en onthield hoe je het reddingsvest vast moest maken.

'Oké, soms zal het zeker nut hebben. Maar wat ze je er niet bij vertellen,' zei Potting, 'is dat door voorover te zitten je kaak heel blijft. Zo kunnen ze de slachtoffers aan de hand van gebitsgegevens veel sneller identificeren.'

'Je wordt bedankt,' mompelde Nicholl, met zijn blik op de stewardess gericht die aanwees waar het fluitje zat.

'Ach, dat reddingsvest is ook een lachertje,' zei Potting. 'weet je hoeveel vliegtuigpassagiers in de hele geschiedenis van de luchtvaart ooit veilig in het water zijn beland?'

Nick Nicholl dacht aan zijn vrouw Julie en zijn jonge zoontje Liam. Hij zou hen misschien nooit meer zien.

'Hoeveel dan?' wist hij uit te brengen.

Potting maakte met duim en wijsvinger een rondje. 'Nul. Noppes. Nakkes. Geen een.'

Uitzonderingen bevestigen de regel, dacht Nicholl, die zich vastklampte aan die gedachte alsof het een reddingsboot was.

Potting pakte een mannenblad dat hij op het vliegveld had gekocht en ging lezen. Nicholl bestudeerde de geplastificeerde veiligheidskaart en keek waar de dichtstbijzijnde nooduitgangen waren. Tot zijn opluchting bevonden ze zich maar twee rijen voor hem. Hij was ook blij dat hij achter in het vliegtuig zat; hij had ooit een artikel in de krant gelezen over een vliegramp waarbij het achterstuk eraf brak en dat de passagiers die daarin hadden gezeten, het hadden overleefd.

'Hállo!' zei Potting.

Nicholl keek. Zijn collega had het tijdschrift opengeslagen bij de naaktfoto middenin. Een blondje met neptieten lag met haar armen en benen gespreid op een hemelbed, haar polsen en enkels waren met zwarte fluwelen bandjes aan het bed vastgebonden. Haar schaamhaar was netjes op z'n Braziliaans geschoren en haar schaamlippen waren duidelijk te zien, alsof er een ontluikende bloem tussen haar benen zat.

Er liep een stewardess langs die controleerde of iedereen zijn riem om had gedaan. Ze keek even naar Nicholl en Norman Potting en liep toen snel weer door.

Nicks wangen werden rood van schaamte. 'Norman,' fluisterde hij. 'Je kunt dat maar beter wegstoppen.'

'Haar wil ik wel ontmoeten in Melbourne!' zei Potting. 'We kunnen wel een beetje gaan sporten daar, wij samen. Dat Bondi Beach lijkt me wel wat.'

'Bondi Beach ligt in Sydney, niet in Melbourne. En volgens mij heb je de stewardess in verlegenheid gebracht.'

Potting kon het niets schelen en ging met zijn vingers over de foto. 'Ze kan er wel mee door, hè?'

De stewardess kwam er weer aan. Ze wierp hen beiden een nogal ijzige blik toe en liep toen snel door.

'Ik dacht dat je gelukkig getrouwd was, Norman?' zei Nicholl.

'Daarom mag ik nog wel kijken, knul,' zei hij. 'Als ik dat niet meer doe, dan mag je me neerknallen.' Hij grinnikte en tot Nicholls opluchting draaide hij de bladzijde om. Maar die opluchting was van korte duur.

De foto op de volgende bladzijde was nog veel erger.

96

Oktober 2007

Abby zat in de trein naar Brighton, met een brok in haar keel en een steen in haar maag. Ze trilde, deed manmoedig haar best niet te huilen en had moeite om rustig te blijven.

Waar was haar moeder? Waar had die klootzak haar mee naartoe genomen?

Haar horloge gaf aan dat het halfnegen was. Het was bijna twee uur geleden dat ze via de telefoon contact had gehad met Ricky. Ze toetste opnieuw het nummer in van haar moeders telefoon. En weer kreeg ze de voicemail.

Ze wist niet zeker wat voor medicijnen haar moeder gebruikte – ze slikte antidepressiva plus nog wat pillen tegen spierkrampen, constipatie, antireflux – maar ze betwijfelde sterk of Ricky zich daar iets van aan zou trekken. Zonder haar pillen zou haar moeders toestand snel achteruitgaan, en haar gemoedstoestand zou voortdurend fluctueren van dolblij tot diep ongelukkig.

Abby vervloekte zichzelf dat ze haar moeder zomaar had achtergelaten. Ze had haar verdorie gewoon mee moeten nemen.

Bel me, Ricky. Bel me alsjeblieft.

Ze had er spijt van dat ze de verbinding had verbroken en besefte nu dat ze er niet goed over had nagedacht. Ricky wist dat zij als eerste in paniek zou raken en niet hij. Maar hij móést haar wel bellen, hij zou toch contact op moeten nemen. Hij had toch liever zijn spullen dan een tere, zieke oude dame.

Bij het station nam ze een taxi naar een avondwinkel vlak bij haar flat, waar ze een kleine zaklamp kocht. Ze bleef zoveel mogelijk in de schaduw toen ze haar straat in liep. Onder het licht van de straatlantaarn zag ze Ricky's gehuurde Ford Focus staan. Hij had een wielklem. Grote politiestickers zaten op de voorruit en op het raampje van de bestuurder, met de waarschuwing dat de eigenaar er niet mee moest gaan rijden.

Ze liep behoedzaam naar de auto toe. Terwijl ze om zich heen keek om er zeker van te zijn dat niemand haar in de gaten hield, haalde ze de parkeerbon onder de ruitenwisser vandaan, en met behulp van de zaklamp las ze het tijdstip waarop die uitgeschreven was: drie minuten over tien. De auto had er de hele dag gestaan. Wat inhield dat hij er dus niet haar moeder mee had vervoerd.

Maar hij was waarschijnlijk wel van plan terug te komen. Misschien was hij er al. Dat betwijfelde ze echter. Ze was er zeker van dat hij een optrekje in de stad had, al was het maar een garage of zo.

De ramen in haar gebouw waren onverlicht. Ze stak de straat over naar de ingang en drukte op Hassans bel, in de hoop dat hij thuis was. Ze had geluk. Er was wat gekraak te horen en vervolgens zijn stem.

'Hoi, ik ben Katherine Jennings van flat 82. Sorry dat ik u stoor, maar ik ben mijn voordeursleutel vergeten. Kunt u me binnen laten?'

'Ja, hoor!'

Even later hoorde ze een harde zoem en kon ze de deur openduwen. Terwijl ze naar binnen ging, zag ze een hele stapel reclame uit haar brievenbus steken. Ze kon er maar beter van afblijven, vond ze, ze wilde niet dat iemand zag dat ze thuis was geweest.

Op de lift zat met plakband een groot DEFECT-bordje bevestigd. Ze liep de slecht verlichte trap op en bleef op elke etage even staan luisteren of ze iets hoorde. Helaas had ze de pepperspray niet bij zich. Op de derde etage rook ze houtzaagsel, van de werklui in de flat erboven. Ze liep nog een etage hoger, en toen kreeg ze de zenuwen, en kwam in de verleiding om op Hassans deur te bonken en hem te vragen met haar mee te lopen.

Eindelijk was ze boven. Ze luisterde weer even of ze iets hoorde. Er waren nog twee appartementen op deze verdieping, maar ze had zolang ze hier woonde nog nooit iemand gezien. Ze hoorde niets. Het was doodstil. Ze liep naar de brandslang toe die aan de muur hing, en rolde hem een stukje af tot ze de reservesleutels zag liggen die ze daar had verstopt. Ze borg de slang weer op, duwde de deur open en stapte haar hal in.

Ze bleef weer staan, doodsbang inmiddels. Stel dat hij daarbinnen was?

Natuurlijk kon dat niet. Hij had zich in een of ander hol verscholen en hield haar moeder daar gevangen. Maar toch stak ze zo voorzichtig mogelijk een voor een de sleutels in de sloten, en draaide ze langzaam om, waarna ze zachtjes de deur openmaakte zodat niemand haar zou horen binnenkomen.

De schaduwen besprongen haar zodra ze een voet over de drempel zette. Ze liet de deur op een kier staan en liet het licht uit. Toen sloeg ze de voordeur hard dicht, om hem uit zijn tent te lokken als hij er inderdaad was en voor het geval hij in slaap was gevallen. Daarna trok ze de deur meteen weer open. Opnieuw sloeg ze hem dicht en trok ze hem weer open. Nog steeds doodse stilte.

Ze scheen met de zaklamp door de hal. De plastic tas met gereedschap waarmee Ricky had gedreigd haar te folteren – waarschijnlijk gepikt van de werklui beneden – lag nog steeds naast de gastendouche op de grond.

Voor het geval hij buiten was, de boel in de gaten hield, liet ze het licht uit terwijl ze de hele flat, kamer voor kamer, doorzocht. Ze zag haar pepperspray op de salontafel in de zitkamer liggen en stopte hem in haar zak. Toen liep ze snel weer naar de voordeur en deed de veiligheidsketting erop.

Dorstig en hongerig dronk ze een blikje cola leeg en schrokte wat perzikyoghurt uit de koelkast naar binnen. Toen liep ze naar de gastendouche, waar ze deur dichtdeed en het licht aan. Er zat geen raam in de douche, dus niemand kon het zien.

Ze liep langs de wastafel en de grote glazen douchedeur naar de kleine wasruimte, waar de wasmachine en de droger in stonden gepropt. Boven op de plank links stond haar eigen gereedschap. Ze pakte een hamer en een beitel en liep ermee terug naar de douche.

Toen keek ze nog een keer trots naar haar perfecte vakwerk, waarna ze de beitel ongeveer halverwege de muur op de voeg tussen twee tegels in zette, en er een harde klap op gaf. En nog een.

Na een paar minuten had ze genoeg tegels verwijderd om haar hand in de geheime ruimte erachter te steken. Ze slaakte een zucht van verlichting toen ze het bubbeltjesplastic voelde. Dat had ze op de dag dat ze hierin was getrokken om de A4-envelop gedaan om het tegen vocht te beschermen voordat ze het in die ruimte had gestopt.

De eigenaar zou niet zo blij zijn met de schade aan de badkamermuur. Als ze de tijd had gehad, zou ze het dankzij de vaardigheden die ze van haar vader had geleerd zo mooi hebben gerepareerd, dat hij het nooit zou hebben opgemerkt. Maar op dit moment waren een paar beschadigde tegels niet haar grootste prioriteit.

Ze trok schoon ondergoed aan, pakte haar koffer voor de tweede keer deze week in en deed er alles in waarvan ze dacht dat ze het nodig zou hebben. Toen ging ze internet op en zocht naar goedkope hotelletjes in Brighton and Hove.

Toen ze eenmaal wist welke het zou worden, belde ze een taxi.

97

Oktober 2007

De oude vrouw was een grotere last dan Ricky zich had voorgesteld. Hij stond in het kleine keukentje in het houten gebouw dat tevens dienstdeed als toilet- en doucheruimte voor het kampeerterrein.

Ze zat nu al een kwartier op dat stomme toilet.

Hij liep naar buiten, de stromende regen in, dacht dat hij haar misschien maar beter kon vermoorden en tuurde ongerust naar de Nederlandse camper. De lichten waren aan en de gordijnen waren dicht. Hij hoopte maar dat ze niet ook nu net gebruik moesten maken van het toilet zolang zij daar zat. Hoewel hij ervan overtuigd was dat ze door zijn dreigementen niets zou durven zeggen tegen wie dan ook.

Er verstreken nog eens vijf minuten. Hij keek weer op zijn horloge. Het was halftien. Abby had drie uur geleden de verbinding verbroken. Ze had drie uur lang kunnen nadenken over wat er allemaal aan de hand was. Zou ze al verstandig zijn geworden?

Daar zou hij nu achter komen, vond hij.

Hij klapte de telefoon open en stuurde Abby de foto die hij even eerder had genomen van haar moeder die in het kleed lag met haar hoofd erbuiten.

Hij had er de volgende zin bij gezet:

Een oude meid opgerold in het tapijt.

98

Oktober 2007

Roy zat samen met Pat en Dennis aan een houten tafel in het restaurantgedeelte van de grote, open Chelsea Brewing Company, waarvan de neef van Pat de eigenaar was. Rechts van hem was een lange houten bar en achter hem stonden rijen glimmend koperen vaten zo groot als een huis met meters lange roestvrijstalen en aluminium pijpen en buizen. Door de grote houten vloer en het feit dat alles zo schoon was, leek het meer op een museum dan een werkvloer.

Het was bijna een ritueel geworden om elke keer dat Roy in New York was hier even langs te gaan om wat te drinken. Pat was erg trots op zijn neef en vond het leuk om een Engelsman eens te laten zien hoe lekker Amerikaans bier smaakte.

Er zaten zes verschillende soorten in proefglazen die voor ieder van de drie politiemannen stonden. De glazen stonden op een blauw rondje op een speciaal ontworpen placemat waar de namen van de biertjes op stonden. Pats neef, die ook Patrick heette, was in de veertig, klein, met bril, en legde Roy enthousiast uit dat elk bier weer een ander brouwproces had.

Roy luisterde maar met een half oor. Hij was moe, volgens Engelse tijd was het al heel laat. Hij had die dag niets bereikt, geen enkel aanknopingspunt had iets opgeleverd. Behalve dan dat hij wel een ouwelijk uitziende Bratz voor zijn petekind had kunnen bemachtigen. Wat hem betrof zag de pop eruit als een Barbie die werkzaam was in de seksindustrie. Maar, zo bedacht hij zich, had hij verstand van wat een kind van negen leuk vond?

De hotelmanager van het W kon Grace weinig vertellen wat hij niet al wist, behalve dan dat Ronnie die avond om elf uur een pornofilm had bekeken.

En geen een van de zeven postzegelhandelaars die ze die middag hadden bezocht, had Wilsons naam of zijn foto herkend.

Terwijl Pats neef uitweidde over de achtergrond van het biertje dat Roy het lekkerst vond, Checker Cab Blonde Ale, keek Grace door het raam naar buiten. Hij kon in het donker de tuigage van de jachten in de haven zien en verderop, over de zwarte Hudson heen, de lichtjes van New Jersey. Wat was deze stad toch groot. Zoveel mensen. Als je hier woonde, dan zag je elke dag, net als in elke grote stad, wel duizenden verschillende mensen. Hoe groot was de kans dan dat je iemand op kon sporen die nog wist dat hij zes jaar geleden een bepaalde man had ontmoet?

Hij moest een poging wagen. Moest bij mensen aankloppen. De ouderwetse aanpak van de politie. De kans dat Ronnie hier nog was, was niet groot. Hij zat waarschijnlijk in Australië, daar leek het in elk geval wel op. Hij rekende de verschillende tijdzones in zijn hoofd uit, terwijl Patrick verder ging en uitlegde hoe de subtiele karamelsmaak in Sunset Red Ale werd verkregen.

Het was zeven uur 's avonds. Melbourne liep tien uur voor op Engeland, dus hoeveel liep het dan voor op New York, dat weer vijf uur voorliep op... o, nee, achterliep op Engeland? Jezus, hij kon niet meer nadenken.

En de hele tijd knikte hij beleefd naar Patrick.

Zestien uur voor, rekende hij uit. Halverwege de ochtend. Hopelijk had de politie van Melbourne, al voordat Norman en Potting arriveerden, nagekeken of Ronnie Wilson na september 2001 Australië in was gekomen.

Er was nog iets, viel hem opeens in, terwijl hij zo onopvallend mogelijk zijn opschrijfboekje pakte en een paar bladzijden terugbladerde om de lijst met namen van vrienden te bekijken die hij tijdens het gesprek met Terry Biglow had gemaakt. Er stond *Chad Skeggs. Naar Australië geëmigreerd.* Naar aanleiding van wat Branson hem had verteld, en de mogelijkheid dat Ronnie Wilson in Australië zat, zou hij Potting en Nicholl opdracht geven allereerst Chad Skeggs op te sporen.

Patrick was eindelijk klaar en ging zijn eigen kan met Checker Cab voor Roy halen. De drie rechercheurs hieven het glas.

'Bedankt voor de moeite, dat stel ik zeer op prijs,' zei Grace. 'En ik trakteer.'

'Dit is de zaak van mijn neef,' zei Pat. 'Jij betaalt niets.'

'Zolang je hier in New York zit, ben je onze gast,' zei Dennis. 'Maar als we naar Engeland gaan, dan kun je maar beter een tweede hypotheek nemen, dat kan ik je wel vertellen!'

Ze moesten allemaal lachen.

Opeens keek Pat verdrietig. 'Weet je, heb ik je ooit verteld over 11 september, over de troosthonden?'

Grace schudde zijn hoofd.

'Er kwamen mensen langs met honden; in het puin, weet je, de buik van het beest. De honden werden daarnaartoe gebracht zodat de mensen die er aan het werk waren ze konden aaien.'

Dennis knikte beamend. 'Zo noemden ze ze: troosthonden.'

'Als een soort therapie,' zei Pat. 'We zagen zulke afgrijselijke dingen. Zij gingen ervan uit dat als we de honden aaiden, we ons dan beter zouden voelen, door het contact met een levend wezen, een blije hond.'

'Weet je, volgens mij werkte het,' zei Dennis. 'Dat gedoe, op 11 september, weet je, bracht bij de mensen van deze stad een hoop goeds naar boven.'

'En ook een hoop slechts,' vulde Pat aan. 'Op Pier 92 gaven we geld aan mensen, tussen de vijftien- en de vijfentwintighonderd dollar, afhankelijk van hun behoeften, zodat ze eventjes vooruit konden.' Hij haalde zijn schouders op. 'Het tuig hoorde dit natuurlijk al snel. Er kwamen een hoop naar ons toe die vertelden dat ze een familielid waren kwijtgeraakt, terwijl dat helemaal niet zo was.'

'Maar we kregen ze wel te pakken,' zei Dennis met grimmige voldoening. 'Naderhand. Het duurde eventjes, maar we hebben ieder van hen te pakken gekregen.'

'Maar het had ook veel goeds tot gevolg,' zei Pat. 'De stad kreeg weer wat hart en liefde. Volgens mij zijn de mensen nu een beetje vriendelijker.'

'En sommige mensen een stuk rijker,' zei Dennis.

Pat knikte. 'Dat is zeker waar.'

Dennis grinnikte opeens. 'Rachel, mijn vrouw, heeft een oom in het Garment District. Hij heeft een borduurzaak, maakt spullen voor de souvenirwinkels. Een paar weken na 11 september ben ik bij hem langs geweest. Hij is een kleine Joodse man, weet je, heet Hymie. Hij is tweeëntachtig, en werkt nog steeds veertien uur per dag. Hij is de aardigste man die er bestaat. Zijn familie is hier voor de Holocaust naartoe gevlucht. Hij staat altijd voor iedereen klaar. Maar goed, ik loop daar dus naar binnen en ik heb het daar nog nooit zo druk gezien. Overal mensen aan het werk. T-shirts, sweatshirts, honkbalpetjes, hele stapels, mensen die aan het naaien, strijken, inpakken waren.'

Hij nam een slok bier en schudde zijn hoofd.

'Mijn oom had meer mensen aan moeten nemen. Kon het niet meer aan met al die opdrachten. Hij was allemaal Twin Towers herdenkingsspul aan het maken. Ik vroeg hem hoe het ging. Hij zat daar midden in al die chaos en keek me aan met dat glimlachje van hem en zei: "De zaken gaan goed, het heeft nog nooit zo goed gelopen."' Dennis knikte en haalde toen zijn schouders op. 'Weet je? De een z'n dood is de ander z'n brood.'

99

2 november 2001

Lorraine lag klaarwakker in bed. De slaappillen die de dokter had voorgeschreven, hadden net zoveel effect als een dubbele espresso.

De televisie stond aan, dat kleine rottoestelletje dat in de logeerkamer had gestaan, de enige die niet door de deurwaarders in beslag was genomen, omdat die contant was betaald. Er draaide een oude film. Ze had de titel gemist, maar ze liet de tv toch aanstaan, alsof het beeld behang was. Ze vond het licht dat er vanaf straalde prettig, het geluid, het gezelschap.

Steve McQueen en Fay Dunaway zaten schaak te spelen in een luxeappartement met gedimd licht. De sfeer was erotisch geladen, met een hoop schakeringen.

Zij en Ronnie hadden ook vaak spelletjes gespeeld. Ze kon zich nog herinneren toen ze pas getrouwd waren en nog bezeten van elkaar waren en soms de gekste dingen deden. Ze speelden stripschaak, en Ronnie veegde haar altijd van tafel, zodat zij helemaal naakt was en hij nog alles aanhad. En strip-Scrabble.

Nooit meer. Ze snifte.

Ze had moeite om zich ergens op te concentreren. Ze had moeite om dingen te snappen. Ze bleef maar aan Ronnie denken. Ze miste hem. Droomde over hem op de weinige momenten dat ze lang genoeg sliep om te dromen. En in de dromen leefde hij nog, zei hij glimlachend tegen haar dat ze knap stom was als ze geloofde dat hij er niet meer was.

Ze trilde nog steeds als ze dacht aan wat er in de FedEx-envelop had gezeten die ze eind september had ontvangen: foto's van Ronnies portefeuille en zijn gsm. De foto van de verschroeide portefeuille was het ergst. Was hij levend verbrand?

Een grote golf verdriet spoelde opeens over haar heen. Ze barstte in huilen uit. Terwijl ze het kussen vasthield, snikte ze hartverscheurend. 'Ronnie,' mompelde ze. 'Ronnie, mijn liefste Ronnie. Ik hou zoveel van je. Zoveel.'

Na een paar minuten werd ze rustig en ging ze op haar rug naar de film liggen kijken. En toen, tot haar grote schrik, zag ze opeens de slaapkamerdeur opengaan. Er kwam iemand de kamer in. Een lange, zwarte schaduw. Een man, zijn gezicht bijna geheel verborgen achter een capuchon. Hij liep naar haar toe.

Ze krabbelde achteruit, tastte op haar nachtkastje rond naar iets wat ze als wapen kon gebruiken. Het glas met water viel in scherven op de grond. Ze wilde schreeuwen, maar ze kon maar net een flauw geluid uitbrengen voordat er een hand over haar mond geslagen werd.

Toen hoorde ze Ronnies stem. Dringend maar zacht.

'Ik ben het!' zei hij. 'Ik ben het! Lorraine, schatje, ik ben het. Ik leef nog!'

Hij haalde zijn hand weg en trok de capuchon van zijn hoofd.

Ze knipte het lampje op haar nachtkastje aan. Keek vol ongeloof naar hem. Keek naar een geest die inmiddels een baard had en een kaalgeschoren hoofd. Een geest die naar Ronnie rook, naar zijn huid, zijn haar, zijn aftershave. Die haar hoofd vasthield met handen die aanvoelden als die van Ronnie.

Ze keek hem volslagen verbijsterd aan terwijl heel langzaam de blijdschap binnen in haar opborrelde. 'Ronnie? Je bent het echt, hè?'

'Natuurlijk ben ik het echt!'

Ze keek hem aan. Met open mond. Met grote ogen. En keek. Toen schudde ze haar hoofd en was even stil.

'Ze zeiden allemaal... Ze zeiden dat je dood was.'

'Dat is mooi,' zei hij. 'Dat ben ik ook.'

Hij kuste haar. Zijn adem rook naar sigaretten, alcohol en iets waar knoflook in gezeten had. Op dit moment was het de heerlijkste geur in de hele wereld.

'Ze hebben me foto's toegestuurd van je portefeuille en gsm.'

Hij keek als een kind zo blij. 'Shit! Fantastisch! Ze hebben ze gevonden! Dat is echt zo verdomde cool!'

Ze vond zijn reactie maar vreemd. Meende hij dat nou? Alles vond ze op dit moment vreemd. Ze raakte zijn gezicht aan terwijl de tranen haar over de wangen stroomden.

'Ik kan het gewoon niet geloven,' zei ze, terwijl ze zijn wangen streelde, zijn neus, zijn oren aanraakte en over zijn voorhoofd streek. 'Je bent het echt. Je bent hier.'

'Ja, dat klopt, stom mens!'

'Hoe... hoe heb je... hoe heb je het overleefd?'

'Omdat ik aan jou moest denken en ik jou nog niet wilde verlaten.'

'Maar waarom heb je me niet gebeld? Was je gewond?'

'Het is een heel verhaal.'

Ze trok hem naar zich toe en kuste hem. Kuste hem alsof ze zijn mond nog niet eerder had ontdekt, en elk hoekje nieuw voor haar was. Toen trok ze zich even terug en grinnikte ademloos.

'Je bent het echt!'

Zijn handen hadden hun weg in haar nachtjapon gevonden en betastten haar borsten. Toen ze die had laten vergroten, was hij een tijdje er niet vanaf te slaan, maar daarna vond hij ze niet interessant meer, zoals met alles in zijn leven. Maar de verschijning deze avond, deze Ronnie in haar slaapkamer, was een heel andere man. De oude Ronnie kon ze zich nog herinneren van toen ze vroeger gelukkig waren samen. Maar de Ronnie die was overleden en weer terug was gekomen?

Hij deed zijn schoenen uit. Liet zijn broek zakken. Hij had een enorme erectie. Hij trok zijn vest met capuchon uit, zijn zwarte coltrui, zijn sokken. Vervolgens sloeg hij het dekbed open en schoof haar nachthemd hardhandig naar boven.

Toen knielde hij over haar heen en maakte haar nat met zijn vingers, precies op dat plekje waar ze zo gevoelig was, hij raakte dat aan, streelde het, maakte zijn vinger nat met zijn tong en met haar, waardoor het vuur in haar oplaaide. Hij boog naar voren, knoopte haar nachthemd open zodat haar borsten vrijkwamen, en kuste elk van hen heel lang, terwijl hij haar nog steeds lag te vingeren.

Toen duwde hij zijn pik, groter en harder dan ze in jaren had gevoeld, diep bij haar naar binnen.

Ze schreeuwde het uit van genot. 'Ronnie!'

Hij drukte meteen zijn vinger op haar lippen. 'Ssst!' zei hij. 'Ik ben er niet. Ik ben alleen maar een geest.'

Ze sloeg haar armen om zijn hoofd, trok hem naar zich toe en voelde de baardhaartjes op haar huid kriebelen. Dat vond ze heerlijk en ze drukte hem stevig tegen zich aan, steviger, en steviger, en steviger, zodat ze hem steeds verder, dieper en nog dieper in zich voelde.

'Ronnie!' zei ze hijgend in zijn oor, haar ademhaling ging steeds sneller en ze kwam klaar terwijl hij in haar ontplofte.

Ze lagen allebei heel stil naar adem te happen. Op televisie was de film nog steeds te zien. Het elektrische kacheltje blies nog steeds ratelend warme lucht naar buiten.

'Ik heb nooit geweten dat geesten geil konden zijn,' fluisterde ze. 'Mag ik je elke avond oproepen?'

'We moeten praten,' zei hij.

100

Oktober 2007

Agent Duncan Troutt voelde zich deze ochtend, zijn tweede dag als echte agent, al een stukje minder opgelaten. En hij hoopte wel dat hij meer actie mee zou maken als de dag ervoor, toen hij bijna de hele tijd buitenlandse studenten de weg had gewezen en zichzelf aan winkeliers in zijn wijk had voorgesteld, met name aan de eigenaar van een Indiaas restaurant, die onlangs in elkaar was geslagen. De aanval was gefilmd met een mobieltje en op YouTube gezet.

Hij liep even na negen uur Lower Arundel Terrace in en kwam op het idee dat hij wel bij Katherine Jennings langs kon gaan in de hoop dat ze er nu wel zou zijn. In het verslag had hij die ochtend voordat hij aan het werk ging gelezen dat een van de agenten in de avonddienst twee keer bij haar langs was geweest, om zeven uur en om tien uur, maar die had haar ook niet thuis getroffen. Hij had Inlichtingen gebeld, maar er was op die naam geen telefoonnummer bekend voor dat adres, ook geen geheim nummer.

Terwijl hij op de stoep liep en elk huis en ook elke auto bekeek of er tekenen van braak of vandalisme waren, vlogen twee zeemeeuwen al krijsend over hem heen. Hij keek op en zag de donkere dreigende lucht. De straten glommen nog steeds van de regen die de afgelopen nacht was gevallen en zo te zien kon het elk moment weer losbarsten.

Net voordat hij bij de hoofdingang van gebouw 29 aankwam, zag hij aan de overkant van de straat een grijze Ford Focus staan met een wielklem. Die auto had hij de dag ervoor ook al gezien. Hij wist nog dat er een bekeuring op de voorruit had gezeten. Hij stak over, haalde de bekeuring onder de ruitenwisser vandaan, schudde de regendruppels van het plastic en keek naar de datum en de tijd. Hij was de vorige dag om 10.03 uur afgegeven. Dus dat hield in dat de auto er al meer dan vierentwintig uur stond.

Er konden een heleboel logische verklaringen voor zijn. De eigenaar van de auto wist bijvoorbeeld niet dat hier alleen bewoners met een vergunning mochten parkeren. Maar het kon natuurlijk ook een gestolen auto zijn die daar was achtergelaten. Wat hij van belang vond, was dat de auto zo vlak bij de flat stond van de vrouw, bij wie hij was verzocht even langs te gaan, en die naar het scheen verdwenen was, hoewel dat maar tijdelijk kon zijn, natuurlijk.

Hij gaf via de portofoon het kenteken door met het verzoek de eigenaar van de auto na te gaan, stak toen de straat weer over en belde bij Katherine Jennings aan. Ook dit keer werd er niet opengedaan.

Hij zou die middag nog wel een keertje langsgaan en ging verder met zijn wijk, naar de Marine Parade, waar hij naar links ging. Na een paar minuten kwam de portofoon krakend tot leven. De Ford Focus behoorde toe aan Avis, het autoverhuurbedrijf. Hij bedankte de telefonist en woog deze nieuwe informatie zorgvuldig af. Mensen die een auto huurden, lapten verkeersregels vaak aan hun laars. Misschien had degene die deze auto had gehuurd helemaal geen zin gehad in het gedoe van een wielklem. Of hij had er geen tijd voor gehad.

Maar er zou ook nog best een verband kunnen zijn met Katherine Jennings, hoe klein die kans ook was. Het ging net regenen toen hij zijn directe baas belde, brigadier Ian Brown van het bureau Criminaliteit voor het district Oost-Brighton en hem vertelde over het voertuig en vroeg of hij contact moest opnemen met Avis om te achterhalen wie de auto had gehuurd.

'Het is waarschijnlijk niets, meneer,' voegde hij eraan toe, omdat hij liever niet voor schut wilde staan.

'Nee, het is goed dat je erachteraan gaat,' verzekerde de brigadier hem. 'Juist door die kleine dingetjes lossen we zaken op. Niemand gaat je op je kop geven omdat je te goed oplet. Als je echter iets over het hoofd ziet wat er echt toe doet, dan heb je wel een probleem!'

Troutt bedankte hem en ging verder op zijn ronde. Een halfuur later belde de brigadier hem terug. 'De auto is door een Australiër genaamd Chad Skeggs gehuurd. Woont in Melbourne, heeft een Australisch rijbewijs.'

Troutt dook een portiek in zodat zijn opschrijfboekje niet nat zou worden door de regen en schreef keurig de naam op, terwijl hij het hardop letter voor letter spelde, om er zeker van te zijn dat hij het goed had.

'Komt die naam je bekend voor?' vroeg de brigadier hem.

'Nee, meneer.'

'Mij ook niet.'

Brigadier Brown vermeldde het toch maar in het logboek. Voor het geval dat.

101

Oktober 2007

Abby zat zwijgend achter in de taxi terwijl het goot van de regen, en keek naar het schermpje van haar gsm.

De envelop in bubbeltjesplastic had ze tussen haar trui en het T-shirt daaronder gestopt. Ze had haar riem strak om haar middel geknoopt zodat het pakje er niet tussenuit kon vallen, en niemand het kon zien. En ze voelde het bultje van de pepperspray geruststellend in de voorzak van haar spijkerbroek zitten.

De chauffeur draaide bij het standbeeld van koningin Victoria rechts bij de kustweg van Hove vandaan de Drive op, een brede straat met aan beide kanten dure appartementen. Maar ze kon door de ramen van de auto niets zien. Ze kon eigenlijk bijna helemaal niets zien. De hele tijd was er maar een beeld dat ze steeds voor haar rood gehuilde ogen zag, een beeld dat in haar geest was geëtst: de foto op haar gsm van haar moeders hoofd die boven het opgerolde tapijt uit stak. En de woorden eronder:

Een oude meid opgerold in het tapijt.

Ze was op van de zenuwen. Het ene moment was ze woest op Ricky en het andere moment doodsbang vanwege het gevaar dat haar moeder liep.

En het schuldgevoel dat zij daarvoor verantwoordelijk was.

Ze was zo moe dat ze amper kon nadenken. Ze had de hele nacht klaarwakker gelegen. Gespannen. Luisterend naar de eindeloze stroom verkeer aan de kust, vlak bij het raam van haar hotelkamer. Sirenes. Vrachtwagens. Bussen. Een autoalarm dat maar bleef piepen. Zeemeeuwen die 's ochtends vroeg al krijsend rondvlogen. Ze had elk lang uur meegemaakt. Elk halfuur. Elk kwartier.

In afwachting tot Ricky zou bellen.

Of in ieder geval zou sms'en. Maar er kwam maar niets. Ze kende hem. Wist dat dit soort psychologische spelletjes typisch iets voor hem was. Hij was dol op wachtspelletjes. Ze kon zich de tweede keer dat ze naar zijn flat was gegaan nog goed herinneren. Hun tweede geheime afspraakje, althans, dat had hij gedacht, en zij was zo dom geweest – of zo naïef – om hem haar te laten vastbinden. De klootzak had haar naakt vastgebonden in een koude kamer, had haar met een vibrator bijna laten klaarkomen, haar toen een klap gegeven en haar zes uur lang in de kamer gekneveld en wel achterlaten. Toen was hij teruggekomen en had haar verkracht.

Naderhand had hij haar verteld dat zij het graag zo wilde.

En ze had toen totaal niet kunnen krijgen wat zij – of beter gezegd Dave – wilde hebben. Dat had veel langer geduurd.

Ze maakte zich er zorgen over dat ze niet wist hoever hij kon gaan, ze was bang dat hij geen grenzen had. Ze geloofde dat Ricky prima in staat zou zijn om haar moeder te vermoorden om alles zo terug te krijgen. En dat hij haar ook zou kunnen vermoorden.

En het nog leuk zou vinden ook.

Ze stelde zich net voor hoe ellendig haar moeder zich op dat moment zou voelen, toen ze zich opeens met een schok realiseerde dat ze al voor Hegarty's imposante huis stonden.

Ze betaalde de chauffeur, blikte behoedzaam door de achterruit en toen door de voorruit. Er stond een vrachtwagen van British Telecom even verderop, zo te zien bezig met een reparatie, en een kleine blauwe auto stond een eindje verder gedeeltelijk op de stoep geparkeerd. Maar Ricky noch de Ford Focus was ergens te bekennen.

Ze keek nog eens naar het huisnummer, terwijl ze ervan baalde dat ze haar opvouwbare parapluutje niet mee had genomen. Toen, met haar hoofd gebogen tegen de regen, liep ze snel door het open hek, langs een stel auto's, de donkere portiek in. Daar bleef ze even staan, haalde de envelop tussen haar kleding vandaan en trok haar kleren recht, waarna ze aanbelde.

Even later zat ze op een grote rode leren bank in Hegarty's studeerkamer. De handelaar, gekleed in een wijd geruit overhemd, corduroy broek en leren pantoffels, zat aan zijn bureau met een enorme loep de postzegels stuk voor stuk te bekijken.

Ze vond het altijd spannend om die postzegels te zien, omdat er zoveel mysterie omheen hing. Ze waren zo klein, zo oud, zo fragiel, en toch zo kostbaar. De meeste waren zwart of blauw of roestbruin van kleur, met de beeltenis van koningin Victoria erop. Maar er waren er ook een paar bij in een andere kleur en met de kop van een andere vorst erop.

De vrouw van Hegarty, een knappe, goed geklede vrouw van in de zestig, met keurig gekapt haar, zette een kopje thee voor Abby neer en een schaal met koekjes, en ging toen weer weg.

Het gedrag van de man stond haar op een bepaalde manier tegen. Dave had gezegd dat ze naar Hugo Hegarty moest gaan, omdat hij de handelaar was die haar er het meeste geld voor zou geven en ook bijna geen vragen zou stellen, en ze moest ervan uitgaan dat dat inderdaad zo was. Maar er was iets aan hem wat ze niet vertrouwde, alleen zou ze niet weten wat.

Ze wilde de postzegels zo snel mogelijk verkopen. Als het geld eenmaal in haar bezit was, stond ze veel sterker tegenover Ricky. Zolang ze die zegels nog had, had hij de overhand. Als hij het link wilde spelen, kon hij zelfs naar de politie gaan. Dan zouden ze geen van beiden winnen, maar ze achtte hem wel in staat zo haatdragend te zijn om dat te doen.

Zonder de postzegels zou hij geen poot hebben om op te staan. En in de tussentijd zou zij het geld veilig wegstoppen, afgeschermd door een firewall van betrouwbare mensen bij een bank in Panama, een belastingparadijs dat niet met de autoriteiten mee zou werken.

Hoe dan ook, zij had ze nu in handen.

Ze had nooit moeten wachten. Ze had ze meteen nadat ze in Engeland was aangekomen moeten verkopen, of zelfs al in New York. Maar Dave wilde dat ze ermee wachtte totdat ze er zeker van waren dat Ricky haar niet op het spoor was. Nou, dat was dus knap verkeerd gegaan.

Opeens rinkelde Hegarty's telefoon. 'Hallo?' zei hij toen hij opnam. Toen werd zijn stem opeens harkerig en een beetje ontwijkend. Hij keek Abby aan en zei toen: 'Wacht even, ja? Ik ga naar een andere kamer toe.'

Glenn Branson zat aan zijn bureau met de telefoon aan zijn oor te wachten totdat Hugo Hegarty weer aan de lijn zou komen.

'Neem me niet kwalijk, rechercheur,' zei Hegarty na een paar minuten. 'De jongedame zat in mijn kantoor. Ik neem aan dat het over haar gaat?'

'Dat zou best eens kunnen. Ik keek vanochtend even het logboek door, waarin alles staat wat er is voorgevallen, en kwam iets tegen wat wel eens relevant zou kunnen zijn. Maar voor hetzelfde geld betekent het natuurlijk ook niets. U gaf ons gisteren een naam door, meneer, ene Chad Skeggs.'

Hegarty vroeg zich af wat er ging komen en antwoordde aarzelend met: 'Ja.'

'Nou, we hebben net een melding gehad dat een voertuig, gehuurd door iemand met die naam, een Australiër uit Melbourne, tegenover de flat staat waar Katherine Jennings woont.'

'Echt waar? O, dat is interessant. Hoogst interessant, zelfs!'
'Denkt u dat er een verband zou kunnen zijn, meneer?'
'Dat lijkt me wel, rechercheur, dat kan bijna niet anders.'

102

3 november 2001

Heel vroeg in de ochtend, terwijl Lorraine lag te luisteren naar Ronnies gesnurk, sloeg de vreugde en opluchting dat hij nog leefde opeens om in woede.

Nadat hij wakker was geworden en er op stond dat de gordijnen in de slaapkamer gesloten moesten blijven en de jaloezieën in de keuken ook, sprak ze hem er bij de ontbijttafel op aan. Waarom had hij haar zoveel verdriet gedaan? Hij had haar toch wel even kunnen bellen, alles uit kunnen leggen, zodat ze de afgelopen twee maanden niet door een ware hel had hoeven gaan?

Ze barstte in snikken uit.

'Ik kon het risico niet lopen,' zei hij, en hij hield haar gezicht vast. 'Dat moet je begrijpen, schatje. Een telefoontje uit New York op je overzicht zou meteen vragen doen rijzen. En je moest de treurende weduwe spelen.'

'Ja, nou, dat heb ik er goed vanaf gebracht,' zei ze terwijl ze haar tranen wegveegde. Toen pakte ze een sigaret. 'Ik heb verdomme een Oscar verdiend.'

'Tegen de tijd dat we klaar zijn helemaal.'

Ze pakte zijn sterke harige pols, trok die stevig tegen haar wang aan. 'Ik voel me zo veilig bij jou, Ronnie. Ga alsjeblieft niet weg. Je kunt je hier verschuilen.'

'Ja hoor, tuurlijk.'

'Nee, écht!'

Hij schudde zijn hoofd.

'Kunnen we niet iets doen zodat we het huis niet kwijtraken? Zeg nog eens hoeveel geld ik krijg?' Ze stak haar sigaret aan en nam een lange haal.

'Ik heb een levensverzekering afgesloten bij Norwich Union, voor anderhalf miljoen pond. De polis zit in een kluisje in de bank. De sleutel ligt in mijn bureau. Zoals het zich laat aanzien, krijgen de nabestaanden van slachtoffers van 11 september een speciale uitkering. De verzekeringsmaatschappijen betalen gewoon uit, ook al is er geen lijk gevonden, ze wachten niet zeven jaar zoals gewoonlijk.'

'Anderhalf miljoen pond! Ik kan de polis aan de bankdirecteur laten zien, dan kan ik hier blijven wonen!'

'Dat kun je doen, maar ik weet nu al wat die klootzak zal zeggen. Hij zal zeggen dat het helemaal niet zeker is of je dat geld wel krijgt, en wanneer, en dat verzekeringsmaatschappijen er altijd onderuit proberen te komen.'

'Deze ook, denk je?'

'Nee, volgens mij krijg je het gewoon. De situatie ligt veel te gevoelig. En dan krijgen we ook nog het geld van het fonds voor 11 september. Ik heb gehoord dat dat wel eens tweeënhalf miljoen dollar zou kunnen bedragen.'

'Tweeënhalf miljoen dollar?'

Hij knikte opgewonden.

Ze keek hem aan en telde uit het hoofd een en ander vlug bij elkaar op. 'Dat zou dan zo'n één en driekwart miljoen pond zijn? Dan hebben we het over maar liefst drie en een kwart miljoen pond?'

'Zo'n beetje wel ja. En belastingvrij. Voor een jaar ellende.'

Ze bleef even stil zitten. Toen ze weer sprak, klonk er ontzag door in haar stem. 'Je bent ongelooflijk.'

'Ik ben een overlever.'

'Daarom hou ik ook van jou. Daarom heb ik altijd in je geloofd, dat weet je toch, hè?'

Hij kuste haar. 'Ja, dat weet ik.'

'We zijn rijk!'

'Bijna wel. We zullen rijk zijn. Voorzichtig aan, inhalig meisje...'

'Wat zie je er gek uit met een baard.'

'O, ja?'

'Een beetje jonger eigenlijk wel.'

'En niet zo dood als de ouwe Ronnie?'

Ze grinnikte. 'Gisteravond was je nog veel minder dood.'

'Daar had ik heel lang op gewacht.'

'En nu zeg je dat we nog een jaar moeten wachten? Misschien zelfs nog langer?'

'Het fonds zal eerst de mensen betalen die het moeilijk hebben. Jij hebt het moeilijk.'

'Ze zullen de Amerikanen toch wel eerder uitbetalen dan de buitenlanders?'

Hij schudde zijn hoofd. 'Voor zover ik weet niet.'

'Drie en een kwart miljoen pond!' zei ze weer verlekkerd en ze tikte de as van haar sigaret af in het schoteltje.

'Daar kun je een hoop nieuwe jurken van kopen.'

'We moeten het investeren.'

'Ik weet wel wat. Maar eerst moeten we het land uit zien te komen.'

Hij sprong op, liep naar de gang en kwam terug met een kleine rugzak. Daar haalde hij een bruine envelop uit, die hij op tafel legde en naar haar toe schoof.

'Ik ben niet langer Ronnie Wilson. Daar moet je wel aan wennen. Ik ben nu David Nelson. En over een jaar ben jij niet langer Lorraine Wilson.'

In de envelop zaten twee paspoorten. De ene was Australisch. Op de foto stond zijzelf, nauwelijks herkenbaar. Haar haar was donkerbruin geworden, kortgeknipt en ze had een bril op. Hij stond op naam van Margaret Nelson.

'Er zit een visum in voor permanent verblijf in Australië, geldig voor vijf jaar.'

'Margaret?' vroeg ze. 'Hoezo Margaret?'

'Of Maggie!'

Ze schudde haar hoofd. 'Moet ik Margaret – Maggie – heten?'

'Ja.'

'Hoe lang dan?'

'De rest van je leven.'

'Leuk hoor,' zei ze. 'Mag ik niet eens mijn eigen naam uitzoeken?'

'Dat heb je toch ook niet gedaan toen je werd geboren, stom wijf!'

Er nog niet van overtuigd sprak ze de naam hardop uit: 'Margaret Nelson.'

'Nelson is een mooie naam, heeft klasse!'

Ze schudde het andere paspoort uit de envelop. 'Wat is dit?'

'Voor als je Engeland uit gaat.'

Ook hier zat een foto van haar in, maar op deze had ze grijs haar en zag ze er twintig jaar ouder uit. Deze stond op naam van Anita Marsh.

Ze keek hem verbijsterd aan.

'Ik heb erover nagedacht: de beste manier om te verdwijnen. Mensen, en met name mannen, kunnen zich knappe vrouwen herinneren. Oude vrouwen niet, die zijn zowat onzichtbaar. Als het zover is, koop je twee tickets voor de nachtelijke overtocht per veerboot van Newhaven naar Dieppe. Eentje op naam van jezelf en eentje op naam van Anita Marsh. En je neemt een hut op naam van Anita Marsh. Oké?'

'Moet ik dit even opschrijven?'

'Nee, dat moet je uit je hoofd leren. Ik neem contact met je op en dan nemen we het nog vaak genoeg door. Je moet een zelfmoordbriefje schrijven – schrijf maar dat je het leven niet meer aan kunt zonder mij, dat je het vreselijk vindt om weer op Gatwick te werken, dat het leven één doffe ellende is – en de dokter zal onderschrijven dat je antidepressiva slikt en zo.'

'Ja, nou, daar hoeft hij dan in elk geval niet over te liegen.'

'Je stapt op de veerboot als Lorraine Wilson, met je knappe koppie, en zorgt ervoor dat een heleboel mensen je zien. Je zet je tas met schone kleren in de hut die op Anita Marsh' naam staat. Dan ga je naar de bar, waar je de indruk wekt dat je verdrietig bent en met niemand wilt praten, en zet je het op een zuipen. De oversteek duurt vier uur en een kwartier, dus je hebt tijd zat. Als jullie halverwege Het Kanaal zijn, zeg je tegen de barman dat je even naar het dek toe gaat. In plaats daarvan ga je naar je hut en verkleed je jezelf als Anita Marsh, met een pruik en oudevrouwenkleren. Dan pak je je eigen kleren, je paspoort en je gsm, en die gooi je over de reling.'

Lorraine keek hem stomverbaasd aan.

'In Dieppe stap je op de trein naar Parijs. Daar verscheur je het paspoort van Anita Marsh en koop je een vliegticket naar Melbourne op naam van Margaret Nelson. Ik sta je dan in Australië op te wachten.'

'Je hebt werkelijk aan alles gedacht, hè?'

Hij kon niet zeggen of ze nu trots was of boos. 'Ja, nou ja, ik had er de tijd voor...'

'Beloof me één ding: al dit geld, dat ga je toch niet allemaal in een van je plannetjes steken?'

'Mooi niet. Ik heb mijn lesje wel geleerd, schatje. Ik heb daar heel lang over nagedacht. Het punt is, als je eenmaal schulden hebt, dan kom je in een neerwaartse spiraal terecht. Nu we daar vanaf zijn, kunnen we opnieuw beginnen. We krijgen in Australië een nieuw leven in de zon en misschien gaan we daarna wel ergens anders heen. Dat lijkt me wel wat! We kunnen uiteindelijk het geld op de bank zetten en van de rente leven.'

Ze keek hem achterdochtig aan.

Hij wees naar de envelop. 'Er zit nog iets in voor je.'

Ze haalde er een dun plastic mapje uit waar een heleboel losse postzegels in zaten.

'Om je even vooruit te helpen,' zei hij. 'Voor je vaste lasten. En je kunt er ook een paar leuke dingen voor jezelf van kopen. Er zit een postzegel van één pond uit 1911 tussen die zo'n vijftienhonderd pond waard is. En een van één penny uit 1881 waar je vijfhonderd pond voor zou moeten krijgen. In totaal zijn ze vijfduizend pond waard. Ga ermee naar die handelaar de ik ken, want die geeft je er het meeste voor. En als het grote geld komt, dan is hij degene die het om kan wisselen in postzegels. Hij is betrouwbaar. We krijgen van hem de beste prijs.'

'En hij weet van niets?'

'Nee, natuurlijk niet.' Hij scheurde een wit stukje van het achterblad af van het tijdschrift *Hello!* dat op de keukentafel lag en schreef de naam Hugo Hegarty erop, met diens telefoonnummer en adres. 'Hij zal het vast erg vinden als je hem vertelt wat mij is overkomen. Ik was een goede klant van hem.'

'Ik heb al een paar brieven en kaarten de afgelopen weken gekregen waarin ze schrijven hoe erg ze het vinden.'

'Die zou ik wel eens willen zien, kijken wat ze over me zeggen.'

'Alleen goede dingen.' Ze lachte verdrietig. ' Sue had het er laatst nog over dat ik eens aan een begrafenis moest denken. Een erg grote lijkkist zullen we niet nodig hebben, we hebben alleen een portefeuille en een gsm.'

Ze giechelden allebei. Toen veegde ze wat tranen weg die over haar wangen stroomden.

'We kunnen er gelukkig om lachen,' zei ze. 'Dat is mooi, hè?'

Hij liep om de tafel heen en omhelsde haar stevig. 'Ja, dat is zeker mooi.'

'Waarom wil je naar Australië?'

'Dat is lekker ver weg. We zullen daar niet opvallen. Bovendien zit er een oude vriend van me, die daar jaren geleden naartoe is gegaan. Ik kan hem vertrouwen, hij zal de postzegels zonder vragen te stellen van me kopen.'

'Wie is dat dan?'

'Chad Skeggs.'

Ze keek hem verbaasd aan, alsof ze net was neergeschoten. 'Ricky Skeggs?'

'Ja. Je had verkering met hem voordat je mij leerde kennen, toch? Zijn vriendinnetjes moesten hem Ricky noemen. Alsof het een privilege was of zo. Chad voor zaken. Chad voor zijn vrienden, maar Ricky voor zijn vriendinnetjes. Hij was altijd zeer nauwgezet in sommige dingen.'

'Het is dezelfde naam,' zei ze. 'Allebei afgeleid van Richard.'

'O, nou, het zal wel.'

'Nee, dat is echt zo, Ronnie. En ik had geen verkering met hem, ik ben een keertje met hem uit geweest. Hij wilde me verkrachten, weet je nog wel? Dat heb ik je verteld.'

'Ja, hij zag verkrachting als een soort voorspel.'

'Ik meen het, hoor. Ik heb je dat verhaal vast wel verteld. Begin 1990 was het, hij had toen een Porsche. We gingen een keertje uit –'

'Ik kan me die Porsche nog herinneren. Een 911 Targa. Zwart. Ik werkte toen voor Brighton Connoisseur Cars. Die auto was total loss, tegen een boom aan geknald, en wij hebben hem toen helemaal omgebouwd. We hebben de voorkant van een andere auto tegen de achterkant aan geplakt. Chad heeft hem goedkoop van ons kunnen kopen. Het was verdomme bloedlink om erin te rijden!'

'Heb je die auto aan een vriend verkocht?'

'Hij wist dat hij niet helemaal veilig was en dat hij er niet snel in mocht rijden. Hij gebruikte hem toch alleen maar om de bink uit te hangen en grietjes zoals jij in bed te krijgen.'

'Ja, nou, na een paar drankjes in de bar dacht ik dat hij me uit eten zou nemen. In plaats daarvan rijdt hij met me naar de Downs, zei dat alleen de meisjes die hij naaide hem Ricky mochten noemen, toen deed hij zijn rits naar beneden en zei dat ik hem moest pijpen. Niet te geloven, toch?'

'Lompe zak.'

'Toen ik zei dat ik naar huis wilde, sleurde hij me zowat de auto uit, hij zei dat ik een ondankbare trut was en dat hij me wel eens zou laten zien wat een goede neukpartij was. Ik krabde hem over zijn wangen, toen drukte ik op de claxon en opeens kwam een paar koplampen ons tegemoet. Hij raakte in paniek en reed me naar huis.'

'En toen?'

'Hij zei helemaal niets. Ik ben uitgestapt en dat was dat. Ik zag hem nadien wel eens in de stad, elke keer met een andere vrouw. Toen hoorde ik van iemand dat hij naar Australië was geëmigreerd. Van mij had het nog verder weg gemogen.'

Ronnie wist even niets te zeggen. Lorraine drukte haar sigaret uit, die opgerookt was tot aan het filter, en stak er weer een aan. Ronnie zei uiteindelijk: 'Hij is best wel oké, Chad. Hij was die avond misschien een beetje chagrijnig. Heeft altijd al een groot ego gehad. Hij is vast milder geworden op zijn oude dag.'

Lorraine bleef heel lang stil.

'Het komt wel in orde, schatje,' zei Ronnie. 'Daar zorg ik wel voor. Hoeveel mensen krijgen nu de kans op een heel nieuw leven?'

'Mooi nieuw leven, hoor,' zei ze verbitterd. 'Als degene van wie we geheel en al afhankelijk zijn me heeft willen verkrachten.'

'Wat moeten we dan doen?' viel Ronnie opeens uit. 'Weet jij soms iets beters, dan?'

Lorraine keek naar hem. Hij leek anders dan toen hij naar New York was gegaan. En niet alleen aan de buitenkant. Het waren niet alleen de baard en het geschoren hoofd, er was nog iets veranderd. Hij leek assertiever, harder.

Of misschien, omdat hij zo lang weg was geweest, zag ze hem nu eindelijk zoals hij werkelijk was.

Nee, moest ze met tegenzin toegeven, ze wist inderdaad niets beters.

103

Oktober 2007

Abby, die op de leren bank in Hugo Hegarty's kantoortje zat te wachten, blies in haar thee en nam een slokje. Toen pakte ze een koekje. Ze had na het ontbijt niets gegeten en kon wel een dosis suiker gebruiken. Het duurde een tijd voordat Hegarty weer terugkwam.

'Sorry dat het zo lang duurde,' zei hij beleefd en hij ging weer aan zijn bureau zitten. Toen keek hij naar de postzegels. 'Dit zijn werkelijk zeer bijzondere exemplaren,' zei hij. 'Puntgaaf. Dit is een buitengewone verzameling.'

Abby glimlachte. 'Dank u.'

'En u wilt ze in één keer verkopen?'

'Ja.'

'Welke prijs had u in gedachten?'

'De cataloguswaarde is iets meer dan vier miljoen pond,' antwoordde ze.

'Ja, dat zou prima kunnen kloppen. Maar niemand zal u de catalogusprijs ervoor betalen. Als iemand ze koopt, dan willen ze wel korting. Hoe beter de afkomst, hoe kleiner de korting natuurlijk.'

'Zou u ze willen kopen?' vroeg ze. 'Tegen een aantrekkelijke korting?'

'Kunt u me precies uitleggen hoe u ze in uw bezit hebt gekregen? Gisteravond zei u dat u ze had gevonden in uw tantes huis toen u daar na haar overlijden de boel opruimde?'

'Ja.'

'In Sydney?'

Ze knikte.

'En hoe heette uw tante?'

'Anne Jennings.'

'En kunt u aantonen dat ze van haar zijn geweest?'

'Waarmee dan?'

'Met haar testament bijvoorbeeld. Misschien kunt u haar advocaat dat naar me laten faxen? Ik weet niet hoe laat het daar is.' Hij keek op zijn horloge. 'Middernacht, volgens mij. Dat zou hij dus morgen kunnen doen.'

'En hoeveel wilt u voor de verzameling betalen?'

'Als de herkomst helemaal in orde is? Dan zou ik er wel tweeënhalf voor neerleggen. Miljoen.'

'En zonder herkomst? Handje contantje?'

Hij schudde zijn hoofd en glimlachte scheef. 'Zo werk ik helaas niet.'

'Mij werd verteld dat ik speciaal naar u toe moest gaan.'

'Nee, dat doe ik niet meer. Hoor eens, jongedame, ik zal u een goede raad geven. Verkoop de verzameling in gedeelten. Bij zo'n grote collectie wil men er bepaalde dingen over weten. U moet hem opsplitsen. Er zijn hier wel een paar handelaars voor. Ga naar de ene met een serie en naar de andere met een volgende serie. U kunt ook naar wat handelaars in het buitenland gaan. Onderhandel met hen. Als u hun bod niet hoog genoeg vindt, verkoop dan niet. U kunt ze het beste in een tijdsbestek van een paar jaar verkopen, zodat het niemand opvalt.'

Hij pakte de postzegels voorzichtig op, bijna met ontzag, en stopte ze terug in het beschermende plastic.

Abby was er kapot van en vroeg zachtjes: 'Kunt u me een paar handelaars hier in Engeland aanbevelen?'

'Ja, eens even zien.' Hij somde een paar namen op terwijl hij de verzameling weer in de envelop deed. Abby schreef ze op. Toen voegde hij eraan toe, alsof het hem net was ingevallen: 'Er is natuurlijk nog iemand aan wie u iets zou kunnen hebben.'

'Wie dan?'

'Ik heb gehoord dat Chad Skeggs weer terug is,' zei hij, terwijl hij haar doordringend aankeek.

Ze kon er niets aan doen. Haar hoofd werd zo rood als een biet. Toen vroeg ze hem of hij een taxi voor haar wilde bellen.

Hugo Hegarty liep met Abby mee naar de voordeur. Er hing een ijzige stilte en het enige wat ze wist te bedenken om die te verbreken was: 'Het ligt niet zo eenvoudig.'

'Dat is de ellende met Chad Skeggs,' zei hij. 'Het ligt nooit eenvoudig.'

Toen ze weg was liep hij meteen weer naar zijn kantoortje om rechercheur

Branson te bellen. Hij had niet veel te vertellen na hun vorige gesprek, behalve dan de naam van de tante van de jonge vrouw: Anne Jennings.

Als hij iets kon doen, wat dan ook, om Chad Skeggs een hak te zetten, dan zou hij het niet laten.

104

Oktober 2007

Abby trok het achterportier van de taxi open. Ze was erg overstuur door het gesprek met Hugo Hegarty, en in de stromende regen keek ze snel om zich heen.

Het busje van British Telecom stond er nog en ook de kleine, donkerblauwe auto stond nog steeds een eindje verderop geparkeerd. Ze stapte in de taxi en sloot het portier.

'Het Grand Hotel?' vroeg de chauffeuse ter bevestiging.

Abby knikte. Het adres klopte niet, ze had dat expres opgegeven toen ze vanuit Hegarty's kantoortje een taxi had besteld omdat ze niet wilde dat die wist waar ze logeerde. Ze zou onderweg wel ergens uitstappen.

Ze zakte onderuit en dacht na. Nog niets gehoord van Ricky. Dave had het mis gehad. Het zou veel moeilijker worden om die postzegels te verkopen dan hij haar had gezegd. En het zou ook veel langer duren.

Haar gsm ging. Op het schermpje stond het nummer van haar moeder. Ze was ziek van angst toen ze opnam en hield het mobieltje stevig tegen haar oor aan gedrukt, zich ervan bewust dat de chauffeuse mee zou luisteren.

'Mam!' zei ze.

Haar moeder kwam in de war en zeer overstuur over. Ze haalde hijgend adem. 'Alsjeblieft, Abby, alsjeblieft. Ik heb mijn pillen nodig. Ik word...' Ze onderbrak zichzelf en snakte naar adem. 'De krampen. Ik heb... alsjeblieft... je had ze me niet mogen afpakken. Dat was verkeerd...' Ze snakte weer naar adem.

Toen werd het gesprek verbroken.

Abby toetste wanhopig het nummer in, maar ze kreeg zoals gewoonlijk meteen de voicemail.

Ze keek bevend naar het schermpje in de verwachting dat er elk moment een belletje van Ricky binnen zou komen. Maar er gebeurde niets.

Ze sloot haar ogen. Hoeveel kon haar moeder nog hebben? Hoeveel meer kon ze verdragen?

Klootzak. Klootzak, klootzak, klootzak, klootzak dat je d'r bent.

Ricky was slim. Veel te slim. Hij was aan de winnende hand. Hij wist dat ze de postzegels niet zo gemakkelijk zou kunnen verkopen en dat ze ze dus bijna allemaal nog moest hebben. Ze was van plan geweest om hem wat contant geld te geven en te zeggen dat ze het geld bijna allemaal naar Dave had overgemaakt, maar dat kon ze nu wel vergeten.

Ze wist niet meer wat ze moest doen.

Ze keek weer naar haar gsm, in de hoop dat hij zou gaan.

Er was trouwens toch iets wat ze kon doen, en wel zo snel mogelijk. Ze moest ervoor zorgen dat haar moeder niet meer leed, ook al betekende dat dat ze een deal met Ricky moest sluiten. Wat weer betekende dat ze hem alles moest geven wat hij wilde. Of tenminste bijna alles.

Toen viel haar opeens iets in. Ze boog naar voren en zei tegen de chauffeuse: 'Kent u een paar postzegelzaken hier in de buurt?'

Op het naamkaartje van de chauffeuse stond dat ze Sally Bidwell heette.

'Er zit er een op Queen's Road, vlak bij het station. Hawkes heet die. En volgens mij zit er ook een in Shoreham. En ik weet zeker dat er ook een in de Lanes zit, aan Prince Albert Street,' zei Sally Bidwell.

'Dan wil ik graag naar Queen's Road,' zei Abby. 'Die is het dichtste bij.'

'Spaart u postzegels?'

'Ach, zo'n beetje,' zei Abby die haar hand in haar jas stak en haar riem losmaakte.

'Ik vond dat altijd meer iets voor jongens.'

'Ja,' zei Abby beleefd.

Ze trok de envelop tevoorschijn, hield hem laag, zodat hij niet te zien was in de achteruitkijkspiegel, en zocht naar een van de minst waardevolle setjes. Ze haalde er een serie uit van vier postzegels met Maltezer kruizen erop, die ongeveer duizend pond waard waren. Er zaten ook een paar series in van de Sydney Harbour Bridge die per vel ongeveer vierhonderd pond konden opbrengen. Die hield ze apart terwijl ze de rest weer in de envelop deed en die veilig onder haar trui stopte.

Een paar minuten later parkeerde de taxi voor Hawkes. Abby betaalde de chauffeuse en stapte uit, met de postzegels veilig onder haar jas in een plastic map tegen zich aan. Een bus kwam langs rammelen, toen zag ze uit haar ooghoek een kleine blauwe auto met twee mannen voorin voorbijflitsen. Ze dacht dat het een Peugeot of een Renault was. De passagier zat in zijn gsm te praten. De auto leek verdacht veel op de wagen die vlak bij Hegarty's huis had gestaan. Of was ze nu paranoïde?

Er waren geen klanten in de winkel. Een vrouw met lang, blond haar zat aan een tafel het plaatselijke sufferdje te lezen. Abby vond de rommelige sfeer van de winkel wel wat. Het zag er niet bijzonder uit, je kreeg hier niet het gevoel dat ze je een hoop lastige vragen over afkomst en zo zouden vragen.

'Ik heb wat zegels die ik graag wil verkopen,' zei ze.

'Hebt u ze bij u?'

Abby gaf ze aan haar. De vrouw legde de krant weg en wierp even een blik op de postzegels.

'Mooi hoor,' zei ze vriendelijk. 'Deze van Sydney Harbour heb ik al een tijd niet gezien. Ik ga even wat nakijken. Mag ik ze meenemen naar achteren?'

'Ja, hoor.'

De vrouw liep ermee door een openstaande deur en ging aan een bureau zitten waar een grote loep boven hing. Abby keek toe terwijl ze de postzegels op het bureau legde en stuk voor stuk zorgvuldig bekeek.

Ze keek naar de voorpagina van de *Argus*. Die kopte met:

VERBAND TUSSEN TWEEDE VERMOORDE VROUW
EN SLACHTOFFER 11 SEPTEMBER

Toen zag ze de foto's die erbij stonden en ze bevroor ter plekke.

Op de kleinste stond een mooie maar nogal harde blondine van achter in de twintig die zwoel in de cameralens keek alsof ze met degene die de foto nam naar bed wilde. Het fotobijschrift luidde: *Joanna Wilson*. Op de grootste foto stond een andere vrouw, van achter in de dertig. Zij had blond haar met slag en ze was aantrekkelijk, ze had een vriendelijke, hartelijke glimlach, hoewel ze er wel een tikje ordinair uitzag, alsof ze wel geld maar geen smaak had. De naam die onder die foto stond was *Lorraine Wilson*.

Maar Abby staarde vooral naar de foto in het midden. Ze tuurde er ingespannen naar. Ze keek naar zijn gezicht, toen naar zijn naam, Ronald Wilson, en toen weer naar zijn gezicht.

Ze las de eerste paragraaf van het artikel:

> Het lijk van een 42-jarige vrouw dat vijf weken geleden in de kofferbak van een auto in een rivier even buiten Geelong, vlak bij Melbourne in Australië, is ontdekt, is geïdentificeerd. Het is van Lorraine Wilson, we-

> duwe van Ronald Wilson, zakenman uit Brighton. Hij is een van de 67 Britse burgers die op 11 september in het World Trade Center zijn omgekomen.

Ze ging er snel nog een keer doorheen. Het was net alsof iemand opeens het licht in haar had uitgedraaid. Toen las ze verder:

> Het geraamte van Joanna Wilson (29) is afgelopen vrijdag in een riool in het centrum van Brighton ontdekt door werklui die de fundering voor een nieuwe wijk in het New England Quarter aan het graven waren. Zij was Wilsons eerste vrouw. Rechercheur Elizabeth Mantle van de politie van Sussex die het onderzoek leidt, bevestigde dit vanochtend tegenover de *Argus*.
> De politie van Sussex staat voor een raadsel. Lorraine Wilsons lijk heeft volgens forensisch bewijs twee jaar in de rivier de Barwon gelegen. Zoals toentertijd gepubliceerd in deze krant, werd aangenomen dat mevrouw Wilson in november 2002 zelfmoord heeft gepleegd door 's nachts van de veerboot van Newhaven naar Dieppe te springen, hoewel de onderzoeksrechter andere mogelijkheden openhield.
> Rechercheur Mantle gaf aan dat er meteen onderzoek zou worden gedaan inzake haar 'zelfmoord'.

Abby keek naar elke foto. Maar ze werd steeds weer aangetrokken door de man in het midden. Opeens had ze het gevoel dat de grond onder haar wegzakte. Ze zette een paar stappen naar links, om niet om te vallen, en greep de rand van de tafel beet. Het leek wel of de muren bewogen, langs haar heen zoefden.

Vanuit de verte vroeg een stem: 'Gaat het wel met u? Hallo?'

Ze zag de vrouw, de blonde postzegelhandelaar, in de deur staan. Ze zag haar langsdraaien alsof ze in een draaimolen op de kermis zat. Daar was ze weer.

'Wilt u even gaan zitten?' vroeg de stem.

De draaimolen ging inmiddels wat langzamer. Abby rilde en zweette tegelijkertijd.

'Het gaat wel,' zei ze moeizaam terwijl ze weer naar de krant keek.

'Boeiend verhaal,' zei de vrouw, met een knik naar de krant. Toen keek ze weer bezorgd naar Abby. 'Hij zat ook in de postzegels. Ik heb hem gekend.'

'O.'

Abby keek weer naar de foto. Ze hoorde de vrouw van veraf zeggen dat ze drieëntwintighonderdvijftig pond voor de zegels wilde geven. Ze pakte het geld aan, contant, in briefjes van vijftig, en stopte ze in haar zak.

105

Oktober 2007

Abby liep verdwaasd de straat op. Haar gsm ging, maar het duurde even voordat ze dat opmerkte.

'Ja, hallo?' zei Abby.

Het was Ricky. Ze kon hem door het verkeer dat voorbij raasde bijna niet verstaan. 'Wacht even,' zei ze, en ze liep in de stromende regen snel de straat door tot ze een overdekte winkelingang zag. Ze dook erin en zei: 'Sorry, wat zei je nou?'

'Ik maak me zorgen over je moeder.'

Het duurde even voordat ze in staat was daar iets op te zeggen. Om de snik in te slikken. Om weer tot rust te komen.

'Alsjeblieft,' zei ze naar adem snakkend. 'Zeg me waar ze is, Ricky, of breng haar naar me toe.'

'Ze heeft haar pillen nodig, Abby.'

'Die haal ik wel. Zeg maar waar ik ze naartoe moet brengen.'

'Zo eenvoudig ligt het niet.'

Er stopte een bus vlak voor haar neus. De motor maakte zoveel lawaai dat ze er niet bovenuit kon komen en ook niets kon horen. Ze stapte de regen weer in, liep snel terug over de straat en dook een andere overdekte winkelingang in. De manier waarop hij had gezegd dat het niet zo eenvoudig lag, had haar de rillingen bezorgd.

Ze was opeens verschrikkelijk bang dat haar moeder dood was. Was ze aan een aanval gestorven nadat ze elkaar nog niet eens zo lang geleden hadden gesproken?

Ze barstte in snikken uit, ze kon er niets aan doen. Eerst de schok van wat ze had gelezen en nu dit weer. Het werd haar allemaal te veel.

'Gaat het wel goed met haar? Zeg me alsjeblieft dat ze in orde is.'

'Nee, het gaat niet goed met haar.'

'Maar ze leeft nog wel.'

'Nog wel, ja.'

Toen verbrak hij de verbinding.

'Nee!' riep ze wanhopig. 'Nee! Alsjeblieft!'

Ze stond tegen de winkeldeur aan, en het kon haar niets schelen dat de mensen binnen naar haar keken. De regen en de tranen brandden in haar ogen zodat ze bijna niets meer kon zien. Maar de kleine bruine auto die langzaam langs kwam rijden, viel haar wel op.

Er zaten twee mannen in, en degene op de passagiersstoel was aan het bellen. De ene man was kaalgeschoren en de andere had stekeltjes. Militaire figuren. Of politiemannen.

Ze keken net zo naar haar als de twee mannen die ze in de blauwe auto langs had zien rijden, voordat ze bij Hawkes naar binnen was gegaan. Doordat ze op de vlucht was, hield ze alles om haar heen goed in de gaten. Er klopte iets niet aan die twee auto's.

In allebei de auto's was de passagier aan het bellen geweest.

En ze hadden allebei naar haar gekeken toen ze langs reden.

Had Hugo Hegarty contact met de politie opgenomen? Hielden ze haar in de gaten?

Deze twee auto's zaten in het drukke verkeer richting het zuiden. Waren er nog meer mannen? Die richting het noorden reden? Of te voet waren?

Ze keek in paniek om zich heen, en sprintte toen weg, dook links een steeg in en wurmde zich langs een rij stinkende vuilnisvaten. Aan de overkant van de straat bevond zich een steegje tussen twee huizen. Ze keek snel achterom maar zag niemand achter zich, dus dook ze die smalle doorgang in. Het regende inmiddels wat minder hard. Ze dacht razendsnel na. Ze kende deze wijk als haar broekzak, want ze had – een tijd geleden – in een appartement vlak bij de Seven Dials gewoond.

Ze rende door, verzekerde zichzelf er om de haverklap van dat de envelop nog veilig tegen haar middel aan zat en het geld stevig in haar zakken, en keek af en toe achterom. Ze holde een straat in met rijtjeshuizen en bomen aan weerskanten, waar de weinige mensen die in dit slechte weer buiten waren haar niet zagen. Door het rennen en het getik van de regen op haar gezicht werd haar hoofd een beetje helderder.

Ze kon weer een beetje nadenken.

Abby ging de heuvel op, richting de Dials, toen naar rechts, door een straat met woonhuizen en kwam boven het station uit. Ze ging wat naar achteren, zodat ze vanaf de weg niet te zien was, en keek naar de auto's en bedrijfsbusjes die langsreden, stak toen Buckingham Road over en holde een andere straat vlak boven het station in. Ze racete de straat door en, terwijl ze eerst even keek of de kust veilig was, rende ze de brede straat New England Hill over, en weer de heuvel op, door een wirwar van straatjes met rijtjeshuizen en een oerwoud aan bordjes van makelaars.

Ze kreeg een steek in haar zij en bleef even staan. Vervolgens liep ze, naar adem snakkend en zwetend als een otter door. Het regende bijna niet meer en er stond een stevig windje dat lekker koel in haar gezicht aanvoelde.

Ze kon nu beter nadenken dan daarvoor, alsof de schok van wat ze had gelezen in de *Argus* haar harddrive opnieuw had doen opstarten. Ze liep stevig door, bleef bij de grote straten vandaan en keek voortdurend om zich heen naar een blauwe of bruine auto, of wat voor auto dan ook met twee mensen erin, maar ze zag niets verontrustends.

Had Ricky de *Argus* gezien? Zou het artikel ook in andere kranten staan? Hij zou het vast lezen. Waar hij ook zat, hij zou daar kranten, radio, televisie hebben.

Ze liep een boekwinkel in en bladerde door de kranten. Het artikel stond daar nog niet in. Ze kocht een *Argus* en liep ermee de winkel uit, waarna ze buiten een hele tijd naar de man op de foto staarde. Ze was geheel en al van slag.

Toen, terwijl ze op dezelfde plek bleef staan, las ze het hele verhaal. Het vulde Daves hiaten in het verleden aan. De stiltes, de ontwijkende antwoorden, de manier waarop hij elke keer weer van onderwerp veranderde als ze erover begon. En de opmerkingen die Ricky had gemaakt, om haar te testen hoeveel ze over Dave wist.

Hoeveel wist Ricky over hem?

Ze zette een paar stappen, en ging toen met haar hoofd in haar handen op de natte stoep zitten. Ze was nog nooit zo bang geweest. Ze was niet alleen bang dat haar moeder iets zou overkomen, maar ze was ook bang voor de toekomst.

Het leven is een spelletje, had Dave altijd gezegd. Had hij haar maar al te graag aan herinnerd. Een spelletje. Dit alles was ook begonnen als een spelletje.

Nou, leuk spelletje, hoor.

Het draait in het leven niet om de slachtoffers, Abby. Het draait om de winnaars en de losers.

De tranen schoten haar in de ogen. Ze hoorde haar moeders zielige stemmetje weer, in haar oren, in haar hart. Ze toetste het nummer van haar moeder in, en toen dat van Ricky, maar er werd niet opgenomen.

Bel dan terug. Bel alsjeblieft terug. Ik wil wel een deal sluiten.

Na een tijdje stond ze op en liep de heuvel af, een straat door waar de rails van de lijn Londen-Brighton door het hek duidelijk zichtbaar was. Ze liep een betonnen trap af, een kleine tunnel door naar het loket van het Preston Park Station.

Het was maar een klein stationnetje voor forenzen, alleen druk in het spitsuur, en de rest van de dag bijna helemaal verlaten. Als de politie haar schaduwde, als ze haar in de buurt van het Brighton Station hadden opgemerkt, dan zouden ze dáár naar haar zoeken. Het leek haar stug dat ze haar hier zouden zoeken.

Het leven is een spelletje.

Ze keek naar de vertrektijden en stelde een route samen waardoor ze via Eastbourne, zonder bij Brighton Station te stoppen, op Gatwick Ariport zou belanden, wat hoorde bij een nieuw plan dat in haar opkwam.

Haar gsm gaf opeens een piepje. Ze haalde hem tevoorschijn, in de hoop dat het een boodschap van Ricky zou zijn, maar nee. Er stond:

Zwijgen is goud? X

Ze besefte opeens dat ze Daves laatste sms'je niet had beantwoord. Ze dacht even na en tikte toen in:

Probleempje. X

Ze wilde net in de trein stappen, toen haar gsm weer piepte, met een antwoord.

Liefde, net als een rivier, zal een weg weten te vinden
elke keer dat haar pad wordt versperd.

Ze ging zitten, was te ontdaan om een citaat terug te sms'en. En toetste in plaats daarvan alleen een x in.

Daarna staarde ze zonder iets te zien door het raam naar buiten naar de steile kalkwanden aan weerskanten van de trein terwijl ze uit het station weg reden. De angst had haar in zijn ijskoude, donkere greep.

106

Oktober 2007

Het Marriott Financial Center hotel had een moderne, ietwat zenachtige inrichting, vond Roy Grace, terwijl hij bij de balie weg stapte en met zijn tas door de foyer liep. En het kwam zo fris over. De lampen op tafel zagen eruit als omgekeerde ondoorzichtige Martini-glazen. Smalle witte vazen op zwarte tafels, waaruit lange stelen zo elegant, zo perfect staken, dat het leek alsof ze ervoor ontworpen waren.

Hij kon niet geloven dat dit hotel, op de rand van Ground Zero, zwaarbeschadigd was geweest op 11 september. Het stond er zo indrukwekkend, stevig, onverwoestbaar bij, alsof het daar altijd had gestaan en daar ook altijd zou staan.

Hij liep langs een groep zakenmannen in donker pak en stropdas die druk in gesprek waren. Pat Lynch stond op een rood kleed midden op de roomwitte marmeren vloer op hem te wachten. Hij droeg zoals gewoonlijk een groene bodywarmer, een zwart T-shirt, een blauwe spijkerbroek en stevige zwarte schoenen. Roy kon zijn pistool onder zijn kleding zien zitten.

Pat stak zijn handen op. 'Klaar? Dennis staat buiten met de auto. We kunnen gaan.'

Grace liep achter hem aan door de draaideur. De wereld veranderde op slag toen ze de natte oktoberochtend in stapten. Het verkeer denderde over meerdere rijbanen langs. Er stond een cementmolen vlakbij te draaien. Een portier wiens elegante verschijning geweld aan werd gedaan door een plastic douchemuts over zijn uniformpet, hield de deur van een gele taxi voor drie Japanse zakenmannen open.

Terwijl ze het kleine stukje over de stoep naar de Crown Victoria liepen, wees Dennis naar de lucht. Aan de ene kant stonden hier en daar wat wolkenkrabbers en aan de andere kant de grote hoeveelheid hoge gebouwen van het centrum van New York. Uit een laag, groen gebouw, dat eruitzag als een schoorsteen, steeg stoom of rook op. Pal voor hen stond een zo te zien in elkaar geflanste brug over de straat.

'Zie je die plek daar, vriend?' vroeg Pat, wijzend naar de lucht.

Grace knikte.

'Daar stonden onze torens.' Hij keek op zijn horloge. 'Op 11 september had je daar een halfuur eerder het World Trade Center zien staan. Daar zou geen lucht zijn, alleen die prachtige gebouwen.'

Toen liep hij met Roy langs de auto naar de hoek van de straat en wees naar het zwart geblakerde gebouw rechts van hem, waaruit gigantische repen zwart materiaal naar buiten hingen als grote zwarte lamellen.

'Ik had je toch over het gebouw van de Deutsche Bank verteld, hè, waar ze onlangs nog wat ledematen hebben ontdekt? Daar staat hij. Daar zijn van de zomer, in augustus, twee brandweermannen omgekomen. En zal ik jou eens iets vertellen over de twee mannen? Ze waren allebei op 11 september op Ground Zero aanwezig. Ze zijn het World Trade Center in gegaan. Dat hebben ze overleefd. En zes jaar later zijn ze hier omgekomen.'

'Vreselijk,' zei Roy. 'Hoe ironisch.'

'Ja, ironisch. Je vraagt je wel eens af of deze plek behekst is, weet je wel?'

Ze stapten in de Crown Victoria. Een bruine vrachtwagen van UPS was bezig achteruit in te parkeren in het plekje voor hen. Dennis, die aan het stuur zat, stak vrolijk zijn hand op naar Roy.

'Hoi! Hoe gaat het?' Toen keek hij weer naar de UPS-vrachtwagen die voor de tweede keer de stoep raakte, net niet tegen een brievenbus aan knalde, en toen langzaam naar voren reed. 'Schiet verdomme eens op, dame, dat is een vrachtwagen hoor, geen olifant!'

De vrachtwagen reed weer achteruit. En kwam zelfs nog dichter bij de brievenbus in de buurt.

'Godver, dame!' zei Dennis. 'Kijk uit voor die brievenbus! Als je die omverrijdt, is dat verdomme een strafbaar feit, hoor!'

'Gaan we weer naar postzegelhandelaars?' vroeg Pat.

'Er staan er nog zes op mijn lijst.'

'Weet je, als we vandaag geen geluk hebben, dan kunnen we de lijst wel voor je uitbreiden,' zei Pat. 'Daar kunnen Dennis en ik wel voor zorgen.'

'Heel fijn.'

'Ach, dat doen we graag.'

Dennis reed langs Ground Zero. Grace keek naar de stalen hekken, de betonnen obstakels, de verrijdbare opslagruimten en kantoortjes, de kranen met hun lange nek, de lampen op hoge palen. Het was een groot gebied. Bijna ongelooflijk groot. Hij bleef maar denken aan de naam die de twee mannen eraan hadden gegeven: de buik van het beest. Maar het beest was nu vreemd rustig. De normale herrie van een bouwplek ontbrak. Ondanks alle bezigheden was het er bijna ontzagwekkend rustig.

'Weet je, ik heb aan die vrouw in Australië zitten denken, hè? Die in de rivier,' zei Pat, die Roy aankeek.

'Wat heb je bedacht?'

'Nou, het was warm. Dus ze duikt in de rivier, zonder te weten dat er een auto in het water ligt, met de kofferbak open. Ze duikt recht de kofferbak in en breekt haar nek. Door de klap komt de auto een stukje naar boven en vervolgens zakt hij weer. Het deksel van de kofferbak valt dicht door de druk van het water en de stroming. Knal!'

'Dat heb je slim opgelost!' zei Dennis grinnikend.

'Klopt,' zei Pat. 'Heel slim.'

'Als je nog wat zaken hebt waar je niet uit komt, stuur ons maar de dossiers op,' zei Dennis.

Grace lette niet op hun geintjes en dacht na over wat hij had gehoord van Glenn Branson, die hij een paar minuten voordat hij het hotel uit stapte, had gesproken. Glenn had hem verteld dat Hawkes drieëntwintighonderdvijftig pond aan Katherine Jennings had betaald voor een paar postzegels, nadat Hegarty zich had teruggetrokken. Toen ze de postzegelzaak had verlaten, was het team dat haar schaduwde haar kwijtgeraakt.

Had ze het team in de gaten gehad? vroeg Grace zich af. Dat leek hem sterk, want het waren zeer ervaren mensen. Maar het was natuurlijk altijd mogelijk. Toen dacht hij opeens aan iets anders. De huurauto van Chad Skeggs had voor haar flat gestaan. Ze was niet teruggeweest naar haar woning terwijl die auto daar stond. Was ze soms voor Chad Skeggs op de vlucht?

De postzegelhandelaar had Glenn verteld dat Katherine Jennings op hem een bange en zeer nerveuze indruk had gemaakt. De volgende morgen, als het weer dag was in Melbourne, zouden ze te horen krijgen of er een Anne Jennings onlangs was overleden en zo ja, of ze rijk genoeg was geweest om een postzegelverzameling te hebben ter waarde van meer dan drie miljoen pond, en die vervolgens was vergeten.

Het zag ernaar uit dat Kevin Spinella's intuïtie over deze vrouw goed had gezeten.

Dennis stond opeens boven op de rem. Roy keek door het raampje naar buiten en vroeg zich af waar ze waren. Een Aziatische man liep langs in witte kokskleding, met een honkbalpetje omgekeerd op zijn hoofd. Het was een smalle straat met aan weerskanten oude herenhuizen en een aantal schreeuwerige luifels boven de winkels. Voor hem zag hij een elegante zwarte luifel met witte letters erop. Erop stond:

FIRMA ABE MILLER. POSTZEGELS EN MUNTEN.

Dennis zette de auto pal voor een bordje verboden te parkeren neer en legde een groot kartonnen bordje waarop met slordige letters POLITIE stond geschreven, onder de voorruit. Toen gingen ze de winkel in.

De inrichting deed Grace denken aan een ouderwetse herenclub. Er was donkere, glanzende lambrisering, twee zwartleren fauteuils en dik tapijt, en het rook sterk naar boenwas. Alleen door de vitrinekasten, met een zorgvuldige selectie van zo te zien buitengewoon oude postzegels, en een toonbank met een vitrine waarin munten op paars fluweel lag uitgestald, was duidelijk dat het hier om een winkel ging.

Zodra de voordeur achter hen sloot, kwam een lange, veel te zware man van een jaar of vijftig hartelijk glimlachend door een verborgen deur in de lambrisering naar binnen. Hij was in overeenstemming met het interieur gekleed in een op maat gesneden streepjeskostuum en had een gestreepte stropdas om. Hij was bijna geheel kaal, op een enigszins komisch aandoend smal randje halverwege zijn voorhoofd na dat wel wat weg had van een tonsuur. Hij had zoveel onderkinnen dat zijn kin naadloos overging in zijn nek.

'Goedemorgen, heren,' zei hij vriendelijk, met een veel hogere stem dan Grace had verwacht. 'Ik ben Abe Miller. Wat kan ik voor u doen?'

Dennis en Pat toonden hem hun insignes en stelden Roy Grace voor. Abe Miller bleef uiterst vriendelijk en toonde geen teleurstelling over het feit dat ze geen klanten waren.

Grace, die vond dat de man te dik en te onhandig leek om met kleine dingen als postzegels en munten om te gaan, liet hem de drie verschillende foto's van Ronnie Wilson zien die hij bij zich had. Tot zijn vreugde zag hij een glimp van herkenning verschijnen op Abe Millers gezicht. De handelaar keek er nog een keer naar en vervolgens nog een keer.

'Er wordt aangenomen dat hij rond 11 september hier in New York was,' gaf Grace aan.

'Ik ken hem wel.' Hij knikte bedachtzaam. 'Even denken.' Toen stak hij zijn vinger in de lucht. 'Ik weet het weer. En weet u waarom ik me deze man nog kan herinneren?' Hij keek de drie politiemannen een voor een aan.

Grace schudde zijn hoofd. 'Nee.'

'Omdat hij volgens mij de eerste klant was die hier sinds 11 september binnen kwam wandelen.'

'Hij heet Ronald Wilson,' zei Grace. 'Ronald of Ronnie.'

'De naam komt me niet bekend voor. Maar ik kijk het even na. Ben zo terug.'

Hij liep door de verborgen deur weg en kwam even later terug met een ouderwetse indexkaart waarop met pen iets stond geschreven.

'Kijk,' zei hij. Hij legde het kaartje neer en las de tekst. 'Woensdag 12 september 2001.' Hij keek de drie weer aan. 'Ik heb vier postzegels van hem gekocht.' Hij ging verder met lezen. 'Alle vier een edward van één pond, ongestempeld, puntgaaf. Gegomd, geen plakkertje.' Hij grinnikte sluw. 'Ik heb voor elk tweeduizend dollar betaald. Een koopje!' Hij keek weer op de kaart. 'Een paar weken later heb ik ze verkocht. Daar heb ik goed aan verdiend. Het punt is dat hij ze gewoon niet op dat moment had moeten verkopen. We dachten allemaal dat de wereld verging.'

Toen keek Abe Miller weer op het kaartje en fronste zijn wenkbrauwen.

'U zei toch Ronald Wilson?'

'Ja,' antwoordde Grace.

'Nee, meneer, zo heette hij niet. Althans, dat was niet de naam die hij mij opgaf. Ik heb het hier opgeschreven: David Nelson. Ja, zo heette hij: David Nelson.'

'Hebt u zijn adres of telefoonnummer?' vroeg Grace.

'Nee, meneer, die heeft hij me niet gegeven.'

Zodra ze weer buiten op de stoep stonden, belde Grace Glenn Branson. Hij gaf door dat Norman Potting en Nick Nicholl allereerst moesten uitzoeken of de immigratiegegevens teruggingen tot 2001 en zo ja, of er ene David Nelson in voorkwam.

De vergadering was goed verlopen. Maar wat wel een probleem was, voor zover Glenn dat begreep, en waar hij zelf ook al aan had gedacht, was of Ronnie Wilson nog steeds die naam gebruikte en of hij inderdaad naar Australië was gegaan. Het was heel goed mogelijk dat hij inmiddels een heel andere identiteit had aangenomen.

Een uur later, toen ze net op het punt stonden de blauw-grijze kamer van de patholoog binnen te gaan, belde Glenn Branson opgetogen op. 'We hebben een doorbraak!'

'Wat dan?'

'Ik had toch verteld dat we Katherine Jennings kwijt waren geraakt? Dat ze aan het achtervolgteam was ontsnapt? Nou, moet je dit horen. Een uur geleden is ze het politiebureau aan John Street binnen gelopen.'

Het leek wel of hij een schok kreeg. 'Hè? Waarom?'

'Ze zei dat haar moeder was gekidnapt. Een zieke, kleine, oude vrouw. Een of andere vent wil haar vermoorden.'

'Heb je met haar gesproken?'

'Een van de inspecteurs daar heeft met haar gesproken, en die kwam erachter dat die man die zij van de kidnap beschuldigt niemand minder is dan Chad Skeggs.'

'Shit!'

'Ik dacht wel dat je dat leuk zou vinden.'

'En wat doen ze nu?'

'Ik heb Bella er, samen met gezinscontactpersoon Linda Buckley, naartoe gestuurd om haar op te halen. Als ze hier is, zal ik haar samen met Bella ondervragen.'

'Bel me zodra je haar hebt gesproken.'

'Hoe laat gaat je vliegtuig?'

'Ik ga om zes uur weg, dat is vanavond elf uur bij jou.'

Branson zei opeens zachtjes: 'Hé, ouwe, ik zal waarschijnlijk vanavond bij jou thuis slapen. Ari is weer bezig. Ik kwam gisteravond pas tegen middernacht thuis.'

'Je bent verdomme politieman, geen babysitter! Zeg haar dat maar.'

'Zeg jij haar dat maar. Zal ik haar even bellen en dan naar jou doorschakelen?'

'De reservesleutel ligt op het oude plekje,' zei Grace snel.

107

Oktober 2007

Abby's gsm ging maar niet. Heel leek wel of haar reddingslijn naar de wereld was losgeraakt. Het was bijna drie uur geleden dat ze van Ricky had gehoord.

Ze keek wezenloos door het raam van de lege wagon naar buiten, met de plastic tas waar ze alle pillen die ze maar in haar moeders bad- en slaapkamer had kunnen vinden in had gegooid. Ze had Doris verteld dat haar moeder naar een verzorgingshuis ging omdat ze vond dat ze niet goed voor zichzelf kon zorgen en dat ze haar zo snel mogelijk haar moeders nieuwe adres en telefoonnummer door zou geven. Doris had gezegd dat ze het jammer vond zo'n aardige buurvrouw kwijt te raken, maar dat haar moeder maar bofte met zo'n lieve, zorgzame dochter.

Je moest eens weten, dacht Abby.

De lucht werd steeds blauwer. Grote wolken schoven voorbij alsof ze dringend ergens naartoe moesten. Het zou een mooie, warme herfstmiddag worden. Het soort middag waarop ze, in een vorig leven, toen ze nog kon gaan en staan waar ze wilde, een kustwandeling zou gaan maken, het liefst in Black Rock, onder het klif door, langs de boulevard, richting Rottingdean.

Haar moeder had daar ook graag gewandeld. Soms hadden ze het als gezin samen gedaan op zondagmiddag: haar moeder, haar vader en zijzelf. Ze vond het heerlijk als het vloed was, met de rollende golven die kapotsloegen op de golfbrekers en soms zelfs op de kade, zodat ze nat gesproeid werden.

Ooit, heel lang geleden, was ze als kind gelukkig geweest. Was dat voordat ze met haar vader mee was gegaan naar de grote huizen waarin hij werkte? Voordat ze zag dat er mensen waren die anders waren dan zij, en een ander leven leidden?

Was het toen allemaal voor haar veranderd?

Links van haar zag ze in de verte de glooiende heuvels van de Downs terwijl de trein verder richting Brighton reed. Waar zoveel herinneringen lagen. Waar nog steeds vrienden woonden. Vrienden die niet wisten dat ze weer terug was. Die ze dolgraag zou willen zien. Ze kon het gezelschap van haar vrienden nu wel goed gebruiken. Ze zou graag bij iemand die er niet bij betrokken was haar hart willen uitstorten. Iemand die een helder hoofd had en haar kon vertellen of ze krankzinnig was of niet. Maar daar was het helaas te laat voor.

Vrienden waren geen spelletje, zoals de rest van het leven was. Maar soms moest je ze laten vallen, hoe moeilijk dat ook was.

De tranen schoten haar in de ogen. Ze was misselijk. Ze had de hele dag nog niet gegeten, op dat ene koekje bij Hugo Hegarty na, en ze had een cola gedronken op het perron van Gatwick Station, een tijdje geleden. Ze was te nerveus om nog wat naar binnen te krijgen.

Bel nou.

Ze reden door Hassocks. Even later gingen ze Clayton Tunnel in. Ze luisterde naar het geraas van de trein dat weerkaatste tegen de wanden. Ze zag haar eigen bleke, bange spiegelbeeld in het raam naar haar terugkijken.

Toen ze weer het licht in kwamen – het groen van Mill Hill rechts en London Road links – zag ze tot haar schrik dat ze een telefoontje gemist had.

Shit.

Geen nummer.

Toen ging hij weer. Het was Ricky.

'Ik maak me steeds meer zorgen over je moeder, Abby. Ik weet niet hoeveel ze nog kan hebben.'

'Laat me alsjeblieft even met haar praten, Ricky!'

Het was even stil. Toen zei hij: 'Zo te zien is ze niet in staat om met je te praten.'

Een nieuwe, zwarte angst sloeg op haar neer. 'Waar ben je?' vroeg ze. 'Ik kom naar je toe. Zeg maar waar. Je krijgt alles wat je wilt.'

'Ja, Abby, dat snap ik. We zullen voor morgen iets afspreken.'

'Morgen pas?' schreeuwde ze. 'Mooi niet. Het moet nu. Ze moet naar het ziekenhuis.'

'We doen het wanneer het mij uitkomt. Je hebt me al genoeg last bezorgd. Nu maak je zelf eens mee hoe dat is.'

'Ricky, toe, in godsnaam. Dit is een zieke, oude vrouw. Zij heeft toch niets verkeerd gedaan? Zij heeft jou geen kwaad gedaan. Je moet mij daarvoor straffen, niet haar.'

De trein was bij Preston Park, waar zij uit moest stappen, en ging langzamer rijden.

'Helaas, Abby, zij is hier bij me, jij niet.'

'Dan neem ik haar plaats wel in.'

'Leuk geprobeerd.'

'Toe nou, Ricky. We kunnen toch ergens afspreken?'

'Dat doen we ook, morgen.'

'Nee! Nu! Vandaag, alsjeblieft. Mijn moeder overleeft het anders misschien niet.' Ze werd hysterisch.

'Dat zou jammer zijn, hè? Dan moet ze sterven in de wetenschap dat haar dochter een dievegge is.'

'Godallemachtig, wat ben jij toch een gemene klootzak.'

Ricky deed net of hij dat niet had gehoord en zei: 'Je hebt een auto nodig. Ik heb de sleutel van de Ford die ik heb gehuurd naar je flat toe gestuurd. Die ligt morgen in de bus.'

'Er zit een wielklem om,' zei ze.

'Dan zul je een auto moeten huren.'

'Waar spreken we af?'

'Ik bel je morgenochtend wel. Huur jij vanavond nu maar een auto. En neem de postzegels mee, ja?'

'Kunnen we alsjeblieft vanmiddag ergens afspreken?'

Hij verbrak de verbinding. De trein kwam schuddend tot stilstand.

Abby stond op en liep wankelend naar de uitgang, met de handtas en de plastic boodschappentas stevig tegen zich aan gedrukt en zich met haar andere hand vasthoudend aan het handvat terwijl ze uitstapte. Het was kwart voor vier.

Ik moet rustig blijven, dacht ze. Dat moet. Hoe dan ook. Hoe dan ook.

O, jezus, maar hoe dan?

Ze moest bijna overgeven toen ze het station verliet en naar de taxistandplaats liep. Tot haar ontsteltenis stonden er geen taxi's klaar. Ze keek bezorgd op haar horloge en belde toen een plaatselijk taxibedrijf. Toen belde ze nog een nummer, een dat ze al eerder had gebeld. Dezelfde mannenstem nam op. 'South-East Philatelic.'

Het was de enige postzegelhandel in de stad wiens naam ze niet van Hugo Hegarty had doorgekregen.

'Met Sarah Smith,' zei ze. 'Ik kom eraan, ik sta op de taxi te wachten. Hoe laat gaat u dicht?'

'Pas om halfzes,' zei de man.

Na een kwartier dat een eeuwigheid leek te duren, kwam de taxi eindelijk opdagen.

108

Oktober 2007

De getuigensuite in Sussex House besloeg twee kamers. De ene was zo groot als de zitkamer in een piepklein huis. De andere, waarin net twee mensen naast elkaar konden zitten, was uitsluitend bedoeld als observatieruimte.

In de grote kamer, waarin Glenn Branson en Bella Moy zaten, samen met de zeer ontdane 'Katherine Jennings' stonden drie kuipstoeltjes, bekleed met rode stof, en een saaie salontafel. Branson en Abby hadden ieder een kop koffie voor zich staan en Bella nam een slok uit een glas water.

In tegenstelling tot de donkere verhoorkamers in het oude politiebureau van Brighton Central aan John Street, was deze licht en had zelfs een uitzicht.

'Mag dit worden opgenomen?' vroeg Branson terwijl hij naar de muur knikte waar twee camera's hingen die in hun richting wezen. 'Dat is standaard.' Wat hij er niet bij zei, was dat de band soms aan een psycholoog werd gegeven ter analyse. Je kon een hoop te weten komen van de lichaamstaal van sommige getuigen.

'Ja, hoor,' zei ze, zo zacht dat het amper hoorbaar was.

Hij keek haar een paar ogenblikken bedachtzaam aan. Hoewel haar gezicht bleek en vertrokken was van ellende, was toch te zien dat ze een buitengewoon knappe jonge vrouw was. Hij schatte haar achter in de twintig. Het zwarte haar was een beetje te kort geknipt en waarschijnlijk geverfd, want haar wenkbrauwen waren een stuk lichter. Haar gezicht had klassieke trekken: uitstekende jukbeenderen, een hoog voorhoofd en een fraaie neus, klein, prachtig gevormd richting wipneus. Het was het soort neus waarvoor door de natuur minder bedeelde vrouwen duizenden ponden betaalden aan een plastisch chirurg. Dat wist hij omdat Ari hem een keer een artikel had laten zien over neusoperaties, en hij er sindsdien steeds op had gelet of iemand iets aan zijn neus had gedaan.

Maar het mooiste aan de jonge vrouw waren haar ogen. Die waren smaragdgroen, betoverend, kattenogen. Ondanks het feit dat ze zich zo ellendig voelde, straalden ze nog steeds.

En ze wist ook hoe ze zich moest kleden. Pure klasse, met een designer jeans, enkellaarsjes – oké, die waren dan wel stoffig en afgetrapt – een tricot coltrui met riem en een lange, dure met fleece gevoerde jas. Als ze een paar centimeter langer was geweest, dan had ze zo van een catwalk kunnen komen.

Branson wilde net met het verhoor beginnen, toen de jonge vrouw haar hand opstak. 'Ik heb u niet mijn echte naam verteld. Dat moet ik nog wel rechtzetten. Ik heet Abby Dawson.'

'Waarom gebruikte je een andere naam?' vroeg Bella vriendelijk.

'Moet u horen, mijn moeder is stervende. Ze loopt gevaar. Kunnen we gewoon... gewoon...' Ze sloeg haar handen voor haar gezicht. 'Moet dit allemaal? Kunnen we dat niet een... een andere keer doen?'

'We moeten nu eenmaal alle feiten hebben, Abby,' zei Bella. 'Waarom gebruikte je die naam?'

'Omdat...' Ze haalde haar schouders op. 'Ik ben naar Engeland teruggegaan om mijn vriend te ontvluchten. Ik dacht dat als ik een andere naam gebruikte, hij me niet zo gemakkelijk kon opsporen.' Ze haalde opnieuw haar schouders op en glimlachte verdrietig. 'Dus toch.'

'Oké, Abby,' zei Glenn, 'kun je ons vertellen wat er allemaal is gebeurd? We willen graag alles weten over jezelf, je moeder en de man die haar volgens jou gekidnapt heeft.'

Abby haalde een papieren zakdoekje uit haar bruine suède handtas en hield dat tegen haar ogen. Glenn vroeg zich af wat er in de boodschappentas zat die naast haar op de grond stond.

'Ik heb een postzegelverzameling geërfd. Ik heb er helemaal geen verstand van, maar het toeval wil dat ik op dat moment uitging met een vent genaamd Ricky Skeggs uit Melbourne, die in de zeldzame postzegel- en muntenhandel zat.'

'Is hij familie van Chad Skeggs?' vroeg Branson.

'Dat is hij zelf.'

'Chad en Ricky komen allebei van Richard,' legde Bella uit aan Glenn.

'Dat wist ik niet.'

'Ik wilde dat Ricky ernaar keek om te zien of ze wat waard waren,' ging Abby door. 'Hij nam ze mee, en gaf ze me een paar dagen later terug. Hij zei dat er een paar postzegels tussen zaten die inderdaad wat waard waren, maar dat de meeste replica's waren van dure zegels. Die worden ook verzameld, maar zouden niet veel opbrengen. Hij zei dat hij voor de hele collectie zo'n tweeduizend Australische dollars zou krijgen.'

'Oké,' zei Glenn. Hij kreeg de zenuwen van haar ogen, die voortdurend heen en weer schoten. Hij had de indruk dat ze van tevoren had bedacht wat ze zou zeggen, dat ze geen spontaan verhaal vertelde. 'Geloofde je hem?'

'Er was geen reden om hem te wantrouwen,' zei Abby. 'Alleen ben ik nooit zo goed van vertrouwen geweest.' Ze haalde wederom haar schouders op. 'Zo ben ik nu eenmaal. Voordat ik hem de postzegels mee had gegeven, had ik er kopietjes van gemaakt. Toen ik ze vergeleek met de zegels die hij me terug had gegeven, bleek dat ze er op het eerste gezicht wel hetzelfde uitzagen, maar dat er toch kleine verschillen waren. Ik sprak hem daarop aan en hij zei dat ik paranoïde was.'

'Slim van je, dat je kopietjes had gemaakt,' merkte Bella op.

Abby keek bezorgd op haar horloge en nam nog een slok koffie. 'Maar goed, een paar dagen later zit ik in Ricky's flat een van die postzegeltijdschriften door te bladeren, en ik zie een artikel over een veiling in Londen van een zeldzame postzegel. Het ging om een rode zegel van één penny, die was verkocht voor de topprijs van honderzestigduizend pond. Hij leek verdacht veel op de serie van één penny die ik in mijn bezit had, dus ik vergelijk de foto in het tijdschrift met mijn eigen postzegels en tot mijn opluchting leken ze wel erg op elkaar, maar ze waren toch verschillend. Het was dus niet mijn exemplaar dat hij had verkocht. Maar ik was toch bang dat Ricky ze zou gaan verkopen.'

'Waarom dacht je dat?' vroeg Bella.

'Hij deed zo raar over die postzegels, ik werd er helemaal eng van. Ik wist gewoon dat hij tegen me loog.' Ze trok een gezicht. 'Maar goed, een paar dagen later was hij helemaal van de wereld door cocaïne – hij snoof voortdurend – en hij viel tegen de ochtend als een blok in slaap. Ik ging naar zijn computer – die hij aan had laten staan – en ontdekte dat hij e-mails had gekregen van postzegelhandelaars uit de hele wereld. Hij had duidelijk mijn zegels aangeboden. Hij had het heel slim aangepakt. Hij had de verzameling opgesplitst in enkele exemplaren en series, zodat ze niet meer herkenbaar waren als de oorspronkelijke collectie.'

'Heb je hem ermee geconfronteerd?' vroeg Glenn.

Ze schudde haar hoofd. 'Nee. Toen we elkaar net hadden leren kennen, had hij opgeschept dat postzegels zo gemakkelijk te verbergen waren en dat ze zo handig waren voor het witwassen van geld en dat je ze overal ter wereld mee naartoe kon nemen. Dat zelfs als je werd aangehouden bij de douane, de meeste douaniers geen idee hadden dat ze waardevol waren. Hij zei dat je postzegels het best in een boek kon verstoppen, eentje met een harde kaft, waardoor ze veilig zaten. Dus ik ging in zijn boeken zoeken. En daar waren ze.'

Bella glimlachte.

Branson keek naar Abby's gezicht, naar haar ogen, hij vertrouwde het niet helemaal. Er klopte iets niet. Ze hield iets achter, maar hij had geen idee wat. Ze was duidelijk zeer slim.

'En toen?' vroeg hij.

'Toen ging ik op de vlucht. Ik pakte de postzegels, ging naar huis, pakte een koffer in en nam het eerste het beste vliegtuig naar Sydney. Ik was bang omdat ik dacht dat hij me achterna zou komen, hij is een enorme sadist. Ik ben via Los Angeles en New York naar Engeland gevlogen.'

'Waarom ben je niet met het hele verhaal naar de politie van Melbourne gestapt?' vroeg Glenn.

'Omdat ik bang was voor hem,' zei ze. 'En hij is erg slim. Hij kan liegen als de beste. Hij zou vast de politie een of ander verhaal ophangen en de zegels terug weten te krijgen. Of hij zou achter me aan komen en me kwaad doen. Hij heeft me al eerder pijn gedaan.'

Glenn en Bella keken elkaar veelbetekenend aan, ze dachten beiden aan Chad Skeggs verleden in Brighton.

'En ik had het geld dringend nodig,' zei Abby. 'Mijn moeder is heel erg ziek, ze heeft multiple sclerose. Het geld was nodig voor een verzorgingshuis voor haar.'

Het viel Glenn op dat ze de laatste zin op een heel andere toon had gezegd. Hij kon niet precies zeggen hoe of wat, maar het leek wel alsof dat reden genoeg was voor wat ze ook had gedaan. En opeens viel het hem in dat ze het woord 'nodig' had gebruikt. Als iemand iets terugpakte wat van hem was, dan maakte het niet uit of je het nodig had of niet. Je had er gewoon recht op.

'Je wilt toch niet zeggen dat het miljoenen kost om je moeder in een verzorgingshuis te krijgen?' vroeg Bella.

'Ze is pas achtenzestig, hoewel ze er een stuk ouder uitziet,' antwoordde Bella. 'Het kan wel voor twintig jaar zijn, of nog langer. Ik heb geen idee wat dat gaat kosten.' Ze nam nog een slokje koffie. 'Wat doet het er ook toe? Ik bedoel, als we nu niet snel iets doen, dan overleeft ze het niet. Echt niet.' Ze verborg haar gezicht weer in haar handen en snikte het uit.

De twee rechercheurs keken elkaar weer aan. Toen vroeg Glenn Branson: 'Ken je iemand met de naam David Nelson?'

'David Nelson?' Ze fronste haar wenkbrauwen, veegde haar ogen af, en schudde haar hoofd. 'Ik geloof niet dat ik die naam eerder heb gehoord.' Ze aarzelde even, en ging toen door: 'David Nelson? Het kan zijn dat Ricky het wel eens over hem heeft gehad.'

Branson knikte. Ze loog.

'En de postzegels? Zijn die nu hier in Engeland?' vroeg hij.

'Ja.'

'Waar dan?'

'In een kluis, veilig achter slot en grendel.'

Hij knikte weer. Nu vertelde ze wel de waarheid.

109

Oktober 2007

Nick Nicholl wilde op dit moment alleen maar een keer goed slapen. Het vervelende was dat het halfnegen 's ochtends was, de zon stralend aan de hemel stond en dat hij achter in een blauwe Holden politiewagen zat, onderweg van het vliegveld naar het centrum van Melbourne. Ze reden op een brede vierbaansweg, die wat hem betrof net zo goed in Amerika als in Australië had kunnen zijn, als de bestuurder, rechercheur Troy Burg, niet aan de rechterkant had gezeten.

Een paar verkeersborden zagen er hetzelfde uit als in Engeland, maar sommige hadden een andere kleur, over het algemeen blauw en oranje, was hem opgevallen, en de snelheidslimiet stond in kilometers in plaats van mijlen aangegeven. Hij keek naar een smalle zwarte doos op het dashboard, waarop een touchscreencomputer was bevestigd met allerlei grote glimmende knoppen eromheen. Het leek wel een volwassen uitvoering van een speelgoedcomputer. Hoewel Liam nog niet oud genoeg was, keek Nick er al helemaal naar uit educatief speelgoed voor hem te kopen.

Hij miste hem. En Julie ook. Het vooruitzicht om het weekend zonder hen maar met de vreselijke Norman Potting in Australië te moeten doorbrengen, vervulde hem met afschuw.

De vaderlijke inspecteur George Fletcher, die op de passagiersstoel zat, leek goed op de hoogte en kwam na een kort vriendelijk praatje al snel ter zake. Zijn chagrijnige collega die zo'n tien jaar jonger was dan hij, bestuurde zwijgend de auto. De Australische politiemannen droegen allebei een gestreken wit overhemd, een stropdas met een werkje en een donkere broek.

Potting was gekleed in pak. Hij had zodra ze het vliegveld af waren een pijp opgestoken en wasemde nu de stank van muffe kleding, tabak en verschaalde alcohol uit in de auto. Maar hij kwam verbazend vrolijk over na de lange reis, en de jonge hoofdagent, eveneens gekleed in pak en stropdas, was jaloers op het uithoudingsvermogen van de oudere man.

'Goed,' zei Fletcher, 'we hadden niet zo veel tijd om het voor te bereiden, maar we zijn alvast begonnen met het onderzoek. We hebben de gegevens van de Immigratiedienst doorgespit of er een David Nelson na 11 september 2001 Australië binnen is gekomen. En we hebben iemand gevonden voor wie jullie wel belangstelling zullen hebben. Op 6 november 2001 kwam ene David Nelson na een vlucht vanuit Kaapstad in Sydney aan. Zijn geboortedatum komt overeen met die jullie op hebben gegeven.'

'Staat er een adres bij?' vroeg Norman Potting.

'Hij had een Australisch paspoort met een verblijfsvergunning voor vijf jaar, dus dat soort informatie was niet nodig. We gaan nu na of er een rijbewijs en auto op zijn naam geregistreerd staan. En ook of hij nog andere namen heeft gebruikt, plus zijn laatst bekende adres.'

'Hij zou overal kunnen zitten, nietwaar?'

'Ja, Norman,' zei Nick Nicholl tegen hem, 'maar het is bekend dat zijn oude vriend Chad Skeggs in Melbourne woont, dus de kans is groot dat hij hier naartoe is gekomen en hier ook is gebleven. Als jij met de noorderzon vertrokken bent en ergens anders opnieuw wilt beginnen, dan is het handig als je daar iemand hebt op wie je kunt rekenen en aan wie je alles kunt toevertrouwen.'

Potting zat dat te verwerken. 'Daar heb je gelijk in,' gaf hij schoorvoetend toe, duidelijk niet blij dat hij door een groentje de les werd gelezen waar twee ervaren politiemensen bij waren.

Troy Burg zei: 'We hebben ook de Belastingdienst ingeschakeld om te achterhalen of David Nelson een sofinummer heeft.'

'Hoezo?' vroeg Potting.

'Alleen met een sofinummer kun je werk krijgen.'

'Zolang het geen zwart werk is, bedoel je?'

Burg glimlachte wrang.

'We hebben nog wat ontdekt waar je iets aan kunt hebben,' zei George Fletcher. 'Lorraine Wilson heeft op dinsdagavond 19 november 2002 zelfmoord gepleegd, toch?'

'Dat wordt beweerd,' zei Potting.

Vier dagen later, op 23 november, komt ene mevrouw Margaret Nelson aan in Sydney. Het is misschien een dood spoor,' zei hij. 'Maar de leeftijd komt volgens het paspoort wel overeen.'

'Zo vaak komt die naam nu ook weer niet voor,' zei Nicholl.

'Klopt,' zei inspecteur Fletcher. 'Hij is niet erg zeldzaam, maar ook niet erg gewoon, volgens mij.'

'We zouden de boel eens moeten bespreken, kijken of jullie er iets aan hebben,' zei Troy Burg.

'Zolang we dat kunnen doen met een biertje en wat eten erbij, is het wat mij betreft oké,' zei Potting grinnikend. 'Jullie noemen een biertje toch een *tinnie*?'

'Klopt als een bus,' zei Fletcher met een vriendelijke grijns.

In de verte kon Nick Nicholl een verzameling wolkenkrabbers onderscheiden.

'Jullie worden morgen verwend. George gaat voor jullie koken. Hij is geniaal. Hij zou chef-kok moeten zijn, geen politieman,' zei Burg, eindelijk eens enthousiast.

'Ik kan nog geen ei koken,' zei Potting. 'Nooit gedaan ook.'

'Volgens mij heb je wel een dag of vier, vijf nodig om alles na te gaan,' zei George Fletcher.

Nick Nicholl kreunde inwendig bij de gedachte alleen al.

'We hebben een lijst gekregen waar jullie zoal naartoe moeten,' zei Fletcher. 'Zeg maar als jullie iets willen overslaan. We gaan eerst naar de rivier de Barwon, waar het lijk van mevrouw Wilson is aangetroffen. Als jullie de auto willen zien, moeten we bij het depot langs.'

'Is er een eigendomsbewijs van de auto waar ze in lag?' vroeg Nick Nicholl.

'De auto was voorzien van een vals kenteken en de serienummers waren eruit gevijld. Daar zullen we niet veel aan hebben.' Hij ging door met zijn lijst en zei: 'Ik neem aan dat jullie het stoffelijk overschot van mevrouw Wilson willen zien, dus hebben we een afspraak met de patholoog gemaakt.'

'Mooi,' zei Potting. 'Maar ik wil liever met Chad Skeggs beginnen.'

'Daar gaan we nu naartoe,' zei Burg.

'Hé, houden jullie van rode wijn?' vroeg George Fletcher. 'Australische shiraz? Het is vrijdag en Troy en ik wilden jullie naar ons favoriete lunchcafé meenemen.'

Nick Nicholl had op dat moment meer behoefte aan een kop zwarte koffie dan iets met alcohol.

'Zeker weten,' zei Potting.

'George weet alles van Australische shiraz,' zei Troy Burg.

'Ben je van het weekend ook van de partij, Troy?' vroeg Potting.

'Alleen op zondag,' zei George. 'Troy kan morgen niet.'

'Zondag ga ik met jullie naar de rivier,' zei Troy. 'Dan kun je zien waar de auto lag.'

'Kan dat morgen niet?' vroeg Nicholl, die liever geen kostbare tijd wilde verspillen.

'Hij heeft het bijna altijd druk op zaterdag,' zei George Fletcher. 'Vertel hun eens wat je dan doet, Troy.'

Hij bloosde een beetje, maar na een korte stilte, zei de Australische rechercheur: 'Ik speel banjo bij bruiloften.'

'Meen je dat nou?' vroeg Norman Potting.

'Hij is hartstikke populair,' zei George Fletcher.

'Zo kan ik afstand nemen van mijn werk.'

'Wat speel je?' vroeg Norman Potting. '"Duelling Banjos"? Ken je die film *Deliverance*?'

'Ja, die heb ik wel eens gezien.'

'Met die boertjes die die vent aan een boom vastbinden en hem in zijn kont naaien? Met de banjo op de achtergrond?'

Burg knikte.

'Dat zouden ze op bruiloften moeten spelen in plaats van de "Bruidsmars", zei Potting. 'Als een man trouwt, dan is dat het lot van die arme ziel. Zijn vrouw bindt hem aan een boom vast en naait hem in zijn kont.'

George Fletcher lachte gemoedelijk.

'Weet je wat een orkaan en een vrouw gemeen hebben?' vroeg Potting, die helemaal op dreef was.

Fletcher schudde zijn hoofd.

'Volgens mij heb ik hem wel eens gehoord,' mompelde Burg.

'Als ze komen, zijn ze nat en wild. Als ze weggaan, nemen ze je huis en je auto mee.'

Nick Nicholl staarde mistroostig door het raampje. Hij had die mop in het vliegtuig al moeten aanhoren. Twee keer zelfs. Hij zag een rij lage flats voor hem opdoemen. Ze kwamen door een straat met winkels. Voor hen langs reed een witte tram. Even later reden ze over de rivier de Yarra en kwamen ze langs een groot plein met een geometrisch gebouw dat zo te zien een kunstcentrum was. Nu waren ze midden in de drukke stad beland.

Troy Burg sloeg rechts af een smalle, beschaduwde straat in en zette de auto voor een winkel neer waar slijterij boven stond. Terwijl Nick Nicholl uit de auto stapte, zag hij dat de winkel een erker had die als etalage werd gebruikt, en een pui die zo leek overgenomen van een van de antiekwinkels in Brightons Lanes. De etalage lag vol met zeldzame postzegels en munten. In gouden oude belettering stond op de ruit vermeld: CHAD SKEGGS, INTERNATIONALE MUNTEN- EN POSTZEGELHANDEL.

Ze liepen naar binnen en hoorden een belletje klingelen. Achter de toonbank waarin nog meer postzegels en munten tentoon lagen gespreid, stond een magere, door de zon gebruinde jongeman van begin twintig met gebleekte blonde stekeltjes en een grote gouden oorring. Hij had een T-shirt aan waar een surfbord op stond en een verschoten spijkerbroek, en hij begroette hen alsof ze oude vrienden waren.

George Fletcher liet hem zijn identiteitsbewijs zien. 'Is meneer Skeggs aanwezig?'

'Nee, vriend, die is weg voor zaken.'

Norman Potting liet hem een foto zien van Ronnie Wilson en hield de mans ogen in de gaten. Hij had de techniek die Roy Grace gebruikte om te ontdekken of iemand loog nooit écht onder de knie gekregen, maar hij vond dat hij dat toch wel kon zien.

'Ken je deze man?' vroeg hij.

'Nee, vriend.' De Australiër raakte zijn neus aan, wat aangaf dat hij loog.

'Kijk nog maar een keer.' Potting liet hem nog twee andere foto's zien.

De man voelde zich duidelijk slecht op zijn gemak. 'Nee,' zei hij terwijl hij weer aan zijn neus zat.

'Volgens mij wel,' drong Potting aan.

George Fletcher kwam tussenbeide en vroeg aan de verkoper: 'Hoe heet je?'

'Skelter,' antwoordde hij. 'Barry Skelter.' Op de toon waarop hij het zei, leek het wel een vraag.

'Oké, Barry,' zei George Fletcher. Hij wees naar Potting en Nicholl. 'Deze twee heren zijn rechercheurs uit Engeland; ze komen de politie van Victoria een handje helpen bij een moordonderzoek. Snap je dat?'

'Moordonderzoek? Ja, oké.'

'Als je informatie achterhoudt bij een moordonderzoek, bega je een misdrijf, Barry. Als je wilt weten hoe dat officieel heet, dan kan ik je dat ook vertellen: obstructie van de rechtsgang. Bij een moordonderzoek kan dat je mogelijk een gevangenisstraf van vijf jaar opleveren. Maar als de rechter een slechte dag heeft, zou het wel eens tien tot veertien jaar kunnen zijn. Ik wil graag dat je dat goed begrijpt. Is het je duidelijk?'

Skelter werd lijkbleek. 'Zou ik de foto's nog eens kunnen zien?' vroeg hij.

Potting liet ze hem weer zien.

'Weet je, ik kan er geen eed op doen, maar hij heeft wel wat weg van een van meneer Skeggs vaste klanten, als je het mij vraagt.'

'Heb je er wat aan als ik je vertel dat de man David Nelson heet?' vroeg Potting.

'David Nelson? O, ja. David Nelson! Maar natuurlijk. Ik bedoel, hij is knap veranderd sinds die foto is gemaakt. Daarom herkende ik hem niet meteen. Snap je?'

‘We snappen het helemaal,’ zei Potting. ‘Zullen we nu eens in je klantenlijst kijken?’

Toen ze even later weer buiten stonden, zei Norman Potting tegen George Fletcher: ‘Dat was geniaal, George,’ zei hij. ‘Tien tot veertien jaar. Is dat echt zo?’

‘Shit,’ zei hij, ‘weet ik veel. Ik zei maar wat. Maar het werkte wel, toch?’

Voor het eerst sinds hij in Australië was aangekomen, moest Nick Nicholl lachen.

110

Oktober 2007

De omgeving veranderde snel. Voor hen zag Nicholl de oceaan glinsteren. De brede straat waarop ze reden deed aan als een vakantieoord, met witte, lage gebouwen aan weerskanten. Het deed hem denken aan de straten aan de Costa del Sol in Spanje, wat wel zo’n beetje het verste was waar hij ooit eerder was geweest.

‘Port Melbourne,’ zei George Fletcher. ‘Hier mondt de Yarra uit in de Hobson’s Bay. Dure pandjes hier. Jonge, rijke buurt. Er wonen hier bankiers, advocaten, journalisten, dat soort lui. Ze kopen voordat ze trouwen een leuk flatje met uitzicht over de baai en gaan vervolgens richting een grotere woning een stuk verderop.

‘Net als jij,’ plaagde Troy zijn collega.

‘Net als ik. Alleen heb ik me een flatje hier nooit kunnen veroorloven.’

Ze zetten de auto voor de zoveelste slijterij en liepen naar de chique entree van een kleinschalig flatgebouw waar George bij de conciërge aanbelde.

De deur klikte open en ze stapten een lange, mooi beklede gang in waar het door de airconditioner ijskoud was. Even later kwam een man van halverwege de dertig met een kaalgeschoren hoofd en een paars T-shirt, wijde korte broek en Crocs aan, naar hen toe lopen. ‘Wat ik voor u doen?’

George liet de man zijn identiteitsbewijs zien. ‘We willen graag met een van de bewoners spreken: meneer Nelson van nummer 59.’

‘Nummer 59?’ zei hij vrolijk. ‘Jullie zijn me voor.’ Hij hield een grote bos sleutels omhoog. 'Ik ging er net naartoe. Heb wat klachten van de buren gehad dat het er stinkt. Althans, ze denken dat het daar vandaan komt. Ik heb meneer Nelson al een tijdje niet gezien, en hij heeft zijn post ook al een paar dagen niet uit de bus gehaald.'

Potting fronste zijn wenkbrauwen. Het betekende zelden iets goeds als de buren over stankoverlast klaagden.

Ze stapten de lift in en gingen ermee naar de vijfde verdieping, vervolgens de hal in, waar het naar nieuwe vloerbedekking rook. Maar toen ze daaroverheen liepen, naar de flat achterin, roken ze opeens iets heel anders.

Norman Potting kende de geur tot zijn spijt heel goed. Nick Nicholl had er minder ervaring mee. De zware, drukkende stank van rottend vlees en organen.

De conciërge trok zijn wenkbrauwen op, met een blik van: nu maar hopen dat er niets aan de hand is, en opende de voordeur. De stank werd onmiddellijk erger. Nick Nicholl, die een zakdoek voor zijn neus hield, liep achteraan.

Het was bloedheet binnen, de airconditioner stond duidelijk niet aan. Nicholl keek, voorbereid op het ergste, om zich heen. Het was zonder meer een mooie flat. Er lagen witte kleden op het parket en het meubilair was modern. Aan de muur hingen erotische schilderijen, zonder lijst. Sommige toonden het onderlijf van een vrouw, andere waren abstract.

De lucht van rottend vlees hing zwaar in de gang en werd met elke stap die de vijf mannen zetten erger. Nick, die zich steeds meer zorgen maakte over wat ze zouden aantreffen, liep achter zijn collega's aan een lege slaapkamer in. Het grote bed was niet opgemaakt. Er stond een leeg glas op het nachtkastje, naast een digitale wekkerradio die zo te zien uit stond.

Ze liepen door naar de volgende kamer. Daar stond een bureau, met daarop een harddrive back-up, een toetsenbord en een muis, maar geen computer. Er zaten sigarettenpeuken in een asbak en zo te zien lagen die er al een tijdje. Het raam keek uit op de grijze muur van het gebouw ertegenover. Er lag een stapeltje rekeningen aan de rand van het bureau.

George Fletcher pakte er eentje op. Er stond iets in grote rode letters op.

'Elektriciteit,' zei hij. 'Laatste waarschuwing. Een paar weken geleden. Daarom is het hier zo warm. Ze hebben hem waarschijnlijk afgesloten.'

'De beheerder zat me ook al achter m'n broek aan vanwege meneer Nelson,' zei de conciërge meteen. 'Hij is achter met de huur.'

'Al lang?' vroeg Burg.

'Al een paar maanden.'

Nick Nicholl keek of hij foto's zag staan, maar die waren er niet. Hij bekeek de boeken die op planken aan de muur stonden en zag dat er naast diverse postzegelcatalogussen ook bundels met liefdesgedichten en een naslagwerk met citaten waren.

Ze kwamen in een grote, open zitkamer, met een groot balkon waar een barbecue en een paar strandstoelen op stonden, met uitzicht op de tennisbaan op het dak van de buren, en de haven. Nick kon nog net het wazige silhouet van een paar grote gebouwen aan de overkant van de haven zien.

Hij liep met de drie rechercheurs mee de smalle maar mooie keuken in, en tegen die tijd hield hij zijn neus dicht tegen de stank die steeds erger werd. Hij hoorde vliegen zoemen. Er stond een beker met thee of koffie op het aanrecht waar de schimmel op dreef, en in een mandje lag wat grijs en groen beschimmeld fruit. Bij de luxe roestvrijstalen koel-vriescombinatie lag een grote donkere vlek op de grond.

George Fletcher trok de onderste deur ervan open en de stank werd zelfs nog erger. Hij keek naar de groene, rottende hompen vlees die in de vriezer lagen en zei: 'Het vlees is een tikje bedorven, mensen.'

'Volgens mij wist meneer Nelson dat we zouden komen,' zei Troy Burg.

Fletcher sloot de vriesdeur. 'Hij is er mooi vandoor.'

'Denk je dat hij op de vlucht is?' vroeg Norman Potting.

'Ik heb niet het idee dat hij snel terug komt, jij wel?' antwoordde de inspecteur.

III

Oktober 2007

Het vliegtuig landde om kwart voor zes 's morgens op Gatwick, vijfentwintig minuten te vroeg dankzij een staartwind, zoals de gezagsvoerder trots vermeldde. Roy Grace voelde zich beroerd. Hij dronk altijd te veel tijdens die lange vluchten, in de hoop dat hij daardoor een beetje kon slapen. Dat lukte ook wel, maar duurde niet erg lang, en daarna had hij, net als dit keer, hoofdpijn en een gigantische dorst. Bovendien voelde hij zich opgeblazen door het walgelijke ontbijt dat hij naar binnen had gewerkt.

Als zijn tas nu maar snel tevoorschijn kwam, dacht hij, kon hij voor de ochtendvergadering nog naar huis, even douchen, en zich omkleden. Hij had pech. Het vliegtuig was dan wel te vroeg geweest, maar het oponthoud bij de bagageband deed dat volledig teniet, en het was al tien over halfzeven toen hij zijn tas door de groene paspoortensluis sleepte en naar de bussen voor de langparkeerplekken liep. Terwijl hij op die droge maar kille ochtend bij de halte stond, belde hij Glenn Branson.

Zijn vriend klonk vreemd. 'Roy,' zei hij, 'ga je nog naar huis?'

'Nee, ik ga meteen naar het werk. Is er nog nieuws?'

De rechercheur bracht hem snel op de hoogte, allereerst over wat Norman Potting in Sydney had ontdekt. Het paspoort van zowel David Nelson als Margaret Nelson was vals geweest. En Nelson was uit zijn flat verdwenen. Potting en Nicholl ondervroegen nu alle buren van David Nelson, in de hoop meer over zijn leven en vrienden te weten te komen.

Vervolgens ging Branson over op Katherine Jennings. Ze wachtte op een telefoontje van Skeggs om een tijd en plaats af te spreken voor de uitwisseling van de postzegels tegen haar moeder. Branson vertelde hem dat er twee teams stand-by stonden en er eventueel nog twintig mensen beschikbaar waren als dat nodig mocht zijn.

'En het wapenteam?' vroeg Grace.

'We weten niet of Skeggs gewapend is,' antwoordde hij. 'Zodra we vermoeden van wel, schakelen we hen ook in.'

'Gaat het wel een beetje?' vroeg Grace toen Branson uitverteld was. 'Je lijkt me een tikje nerveus. Komt dat door Ari?'

Branson aarzelde even. 'Ik maak me eigenlijk meer zorgen om jou.'

'Om mij?'

'Nou ja, om je huis dan.'

Grace werd meteen achterdochtig. 'Hoe bedoel je? Heb je daar vannacht geslapen?'

'Ja, inderdaad. Nog bedankt, stel ik zeer op prijs.'

Grace vroeg zich af of zijn vriend iets had stuk gemaakt. Misschien zijn kostbare antieke jukebox waar Glenn altijd en eeuwig met zijn vingers aan zat.

'Het is misschien niets, Roy, maar toen ik vanochtend wegging, zag ik – dat dacht ik tenminste – Joan Major je straat in rijden. Het was nog niet helemaal licht, dus ik kan me vergist hebben.'

'Joan Major?'

'Ja, ze heeft zo'n opvallende kleine Fiat MPV, die zie je niet zo vaak.'

Glenn Branson was zeer opmerkzaam. Als hij zei dat hij haar had gezien, dan geloofde Grace dat meteen. Grace stapte in de bus, met de telefoon tegen zijn oor aangedrukt. Vreemd dat Glenn de forensisch archeologe door zijn straat had zien rijden, maar verder stelde het natuurlijk niets voor.

'Misschien zitten haar kinderen in de buurt op school?'

'Dat lijkt me sterk. Ze woont in Burgess Hill. Kan het zijn dat ze iets bij je af kwam geven?'

'Dat slaat nergens op.'

'Of misschien was haar iets ingevallen en wilde ze je daar over spreken.'

'Hoe laat ging je weg?'

'Om kwart voor zeven ongeveer.'

'Je gaat zo vroeg in de ochtend niet even gezellig bij iemand langs. Als het dringend is, bel je wel.'

'Ja. Ja, daar heb je gelijk in.'

Grace zei dat hij op tijd terug hoopte te zijn voor de vergadering, maar tegen de tijd dat hij bij zijn auto was, wilde hij toch eerst even snel naar huis, als de spits dat tenminste toeliet. Er zat hem iets dwars, maar hij wist niet precies wat.

112

Oktober 2007

Abby was al twee uur op, had zich gewassen en aangekleed, toen haar telefoon om acht uur eindelijk ging. Ze had de hele nacht geen oog dichtgedaan, had alleen maar op het harde bed met het kleine kussen liggen luisteren naar het verkeer aan de kust, af en toe een loeiende sirene, het geschreeuw van dronkenlappen en het dichtslaan van autoportieren.

Ze maakte zich vreselijk zorgen over haar moeder. Zou ze het nog een nacht kunnen overleven zonder haar pillen? Zouden de spanning en de krampen een hartinfarct of een beroerte teweeg kunnen brengen? Ze voelde zich zo verdomde nutteloos en ze wist dat Ricky daarop inspeelde. Erop rekende.

Maar ze was zich er tevens goed van bewust dat hij wist hoe slim ze kon zijn. Ze hadden per slot van rekening een relatie gehad en er was natuurlijk de afgelopen dagen een en ander gebeurd. Het zou niet meevallen. Hij vertrouwde haar voor geen meter.

Waar zou hij willen afspreken? In een parkeergarage? Een stadspark? De haven van Shoreham? Ze dacht na over waar gekidnapte mensen in de film werden overgedragen. Soms werden ze uit rijdende auto's gegooid, of ergens in een auto achtergelaten.

Alles wat ze bedacht had zijn nadelen. Ze wist het gewoon niet, had er geen idee van. Maar een ding wist ze wel: ze zou bewijs moeten hebben, met haar eigen ogen moeten zien, dat haar moeder nog leefde voordat ze ook maar iets afgaf. Daar viel niet over te praten verder.

Kon ze de politie vertrouwen? Stel dat hij hen zag en in paniek raakte?

Daartegenover stond dat ze er niet veel vertrouwen in had dat hij haar moeder wel over zou dragen. Zelfs als die nog leefde. Hij had al laten zien wat een volslagen gevoelloze klootzak hij was door een oude vrouw zoveel te laten lijden.

Op het schermpje stond dat ze door een privénummer werd gebeld.

Ze drukte op het knopje om de verbinding tot stand te brengen.

113

Oktober 2007

Grace was verbijsterd toen hij even na acht uur zijn straat in reed. Het was inderdaad Joan Majors opvallende zilverkleurige Fiat die voor zijn huis stond. Maar de auto die op zijn oprit stond verbaasde hem nog meer. Dat was een wit busje van de Technische Recherche.

Achter Joan Majors auto stond een bruine Ford Mondeo. Aan de nummerplaat kon hij zien dat het een van de auto's was die door de recherche werd gebruikt. Wat was er verdomme aan de hand?

Hij zette de auto neer, sprong eruit en rende naar zijn huis. Binnen was het stil.

Hij riep: 'Hallo? Is daar iemand?'

Geen reactie.

Hij liep naar de keuken om te kijken of de automatische voedermachine die aan de kom van zijn goudvis Marlon zat het nog deed. Toen keek hij door het raam naar de tuin.

En kon zijn ogen niet geloven.

Joan Major en twee medewerkers van de TR liepen over zijn grasveld. De forensisch archeologe, die in het midden liep, had een elektrisch apparaat van anderhalve meter lang in de vorm van een peddel vast dat aan een schouderharnas was bevestigd. Midden op het apparaat zat een schermpje en de TR-medewerker rechts van haar tuurde daar aandachtig op, terwijl degene links iets opschreef op een groot schrijfblok.

Grace haalde stomverbaasd de achterdeur van het slot en rende naar buiten. 'Hé! Hallo! Joan, waar ben je in vredesnaam mee bezig?'

Joan Majors kreeg een rood hoofd van schaamte. 'O, goedemorgen, Roy. Eh. Ik dacht dat je wel wist dat we hier zouden zijn.'

'Nee, dat wist ik niet. Wil je me er misschien wat meer over vertellen? En wat is dat?' Hij maakte een hoofdbeweging naar het apparaat. 'Wat is er in hemelsnaam aan de hand?'

'Dat is een grondradar.'

'Een grondradar? En wat ben je daarmee aan het doen?'

Ze werd nog roder. Toen, alsof het nog niet erg genoeg was, ontdekte hij vanuit zijn ooghoek een van de weinige politiemensen die hij echt niet mocht. Over het algemeen konden de meeste politiemensen wel met elkaar opschieten, had Grace in de loop der jaren gemerkt. Het kwam maar heel zelden voor dat hij iemand tegenkwam die hem tegen zijn haren instreek, maar aan Alfonso Zafferone, de jonge hoofdagent die op dat moment zijn tuinhek binnen kwam lopen, had hij een gruwelijke hekel.

Zafferone was een norse, arrogante man van achter in de twintig, met knappe latino trekken en een glanzende haardos. Hij was vlot gekleed in een mooie beige regenjas en een bruin pak. Hoewel hij een goede politieman was, liet zijn houding ernstig te wensen over en Grace had na hun vorige samenwerking een verpletterend rapport over hem geschreven.

Nu kwam Zafferone over zijn grasveld aanbenen, met een stuk kauwgom in zijn mond en een vel papier in zijn hand dat Grace maar al te bekend voorkwam.

'Goedemorgen, inspecteur. Fijn u weer te zien,' zei Zafferone slijmerig.

'Vertel me maar gewoon wat er aan de hand is.'

De jonge hoofdagent hield het getekende document omhoog. 'Een machtiging tot huiszoeking,' zei Zafferone.

'Voor mijn tuin?'

'En het huis.' Hij aarzelde even en voegde er toen met tegenzin aan toe: 'Meneer.'

Grace was laaiend. Dit was toch niet te geloven. Echt niet. Het was te gek voor woorden.

'Is dit soms een grap? Wie is hier verdomme verantwoordelijk voor?'

Zafferone glimlachte, alsof hij er ook bij betrokken was geweest en genoot van zijn machtspositie en zei: 'Inspecteur Pewe.'

114

Oktober 2007

Cassian Pewe zat zonder jasje in zijn kantoor een beleidsrapport door te nemen, toen de deur open werd gegooid en Roy Grace binnen kwam lopen met een van woede vertrokken gezicht. Hij smeet de deur achter zich dicht, plantte allebei zijn handen op Pewes bureau en keek hem kwaad aan.

Pewe deinsde achteruit en hief zijn handen beschermend op. 'Roy,' zei hij. 'Goedemorgen!'

'Hoe haal je het in je hoofd?' brulde Grace. 'Waar haal je goddomme het lef vandaan? Je wacht tot ik weg ben en dan voer je zo'n stunt uit? Je vernedert me verdomme voor mijn buren en het hele politiekorps!'

'Roy, rustig nou. Als ik het even mag uitleggen –'

'Rustig? Ik word verdomme helemaal niet rustig. Ik trek je stomme kop eraf en dan gebruik ik jou als kapstok!'

'Is dat een bedreiging?'

'Ja, enge lul dat je d'r bent, dat is een bedreiging. Ren nu maar gauw naar Alison Vosper toe en vraag haar of ze je neus wil snuiten terwijl jij op haar schoot zit te janken, of wat jullie ook samen met elkaar uitvoeren.'

'Ik dacht dat als jij weg was, het niet zo vernederend voor je zou zijn.'

'Ik krijg jou nog wel, Pewe. Jij gaat hier spijt van krijgen.'

'Ik heb liever niet dat je zo'n toon tegen me aanslaat, Roy.'

'En ik heb liever niet dat er mensen van de TR in mijn huis rond lopen met een machtiging tot huiszoeking. Je haalt ze er verdomme nu meteen weg.'

'Sorry,' zei Pewe, die weer wat moed had verzameld toen duidelijk werd dat Grace hem niet neer zou slaan. 'Maar na een gesprek met de ouders van je overleden vrouw heb ik het vermoeden dat de verdwijning van je echtgenote niet zo grondig is onderzocht als wel zou moeten.'

Hij glimlachte ter afsluiting, en Grace kon zich niet herinneren dat hij ooit iemand zo hartgrondig had gehaat als Cassian Pewe.

'O, is dat zo? En wat hadden haar ouders dan wel te zeggen?'

'Nou, haar vader bracht wel iets te berde.'

'Zoals dat zíjn vader bij de RAF heeft gezeten in de oorlog?'

'Ja, inderdaad,' zei Pewe.

'Heeft hij je ook verteld over de bomvluchten waar zijn vader bij aanwezig was?'

'Uitgebreid zelfs. Fascinerend. Hij lijkt me een boeiend mens. Hij was aanwezig bij enkele Dambuster-missies. Buitengewone man.'

'Sandy's vader is een buitengewone man,' beaamde Grace. 'Hij is namelijk een fantast. Zijn vader heeft nooit bij het 617 Squadron – het Dambuster squadron – gezeten. En hij was vliegtuigmonteur, geen staartschutter. Hij is nog nooit op een vlucht mee geweest.'

Pewe was even stil en zag er een tikje onbehaaglijk uit. Grace stormde de deur uit, de gang over en liep rechtstreeks het kantoor van de hoofdinspecteur in. Hij bleef net zolang voor Skerritts bureau staan totdat zijn baas klaar was met bellen, en zei toen: 'Jack, ik moet je even spreken.'

Skerritt wees hem een stoel. 'Hoe was het in New York?'

'Prima,' zei hij. 'Ik heb een paar interessante dingen ontdekt, je leest het wel in mijn rapport. Ik ben nog maar net terug.'

'Die operatie Dingo van jou gaat ook lekker, krijg ik de indruk. Ik heb gezien dat er iets staat te gebeuren vandaag.'

'Ja, dat klopt.'

'Heeft rechercheur Mantle de leiding, of neem jij het weer over?'

'Ik denk dat we vandaag iedereen nodig hebben,' zei Grace. 'Het hangt een beetje af van de plaats van overdracht of we nog meer mensen nodig hebben.'

Skerritt knikte. 'Goed, en waar wilde je het over hebben?'

'Over inspecteur Pewe,' zei hij.

'Ik heb hem er niet bij gehaald,' zei Skerritt, terwijl hij Grace veelbetekenend aankeek.

'Dat weet ik.' Hij was zich ervan bewust dat Skerrit net zo'n hekel aan de man had als hij.

'Wat is er?'

Grace vertelde het hem.

Toen hij klaar was, schudde Jack Skerritt ongelovig zijn hoofd. 'Het is toch bij de wilde beesten af dat hij dit achter je rug om heeft gedaan. Prima dat er weer een onderzoek is, dat kan soms zeker geen kwaad. Maar op deze manier natuurlijk niet. Dat kan echt niet. Hoe lang wordt Sandy inmiddels al vermist?'

'Bijna negenenhalf jaar.'

Skerritt dacht even na en keek toen op zijn horloge. 'Ga je nog naar de vergadering?'

'Ja.'

'Weet je wat? Ik ga nu direct met hem praten. Kom na de vergadering naar me toe.'

Grace bedankte hem en liep het kantoor uit terwijl Skerritt de telefoon pakte.

115

Oktober 2007

Abby reed om kwart over negen 's ochtends de zwarte Honda-terreinwagen heuvel op richting Sussex House, nadat Ricky haar daar uitgebreid instructies voor had gegeven. Haar maag voelde aan alsof die vol met hete naalden zat en ze beefde aan één stuk door.

Ze haalde diep en rustig adem, deed haar uiterste best om niet in paniek te raken. Ze wist dat ze op het punt stond een aanval te krijgen, want ze voelde zich lichtelijk buiten zichzelf staan, en dat was altijd een slecht teken.

Ironisch toch, dacht ze, dat Southern Deposit Security pal naast het gebouw stond waar ze naar op weg was. Ze belde Glenn Branson en vertelde hem met trillende stem dat ze bijna bij het hek was. Hij zei dat hij er aankwam.

Ze zette de auto, zoals haar was verteld, voor het enorme groene ijzeren hek en trok de handrem aan. Op de passagiersstoel lag de plastic boodschappentas waarin ze de dag ervoor de pillen voor haar moeder had gedaan. Er zat ook een grote envelop in. Haar koffer stond nog in haar hotelkamer.

Glenn Branson kwam aanlopen en wuifde vrolijk naar haar. Het hek ging langzaam open en zodra de opening groot genoeg was, reed ze erdoorheen. De rechercheur gaf aan dat ze voor een stel vuilnisbakken kon parkeren en hield toen het portier voor haar open.

'Gaat het?' vroeg hij.

Ze knikte wezenloos.

Hij legde beschermend zijn arm om haar schouders. 'Het lukt je wel,' zei hij. 'Volgens mij ben je een erg sterke vrouw. We zorgen ervoor dat je moeder weer veilig terugkomt. En dat je de postzegels krijgt. Hij gelooft dat hij een slim plekje heeft uitgezocht, maar dat is niet zo. Helemaal niet zelfs.'

'Hoezo niet?'

Hij duwde haar door een deur naar een kale trap toe en zei: 'Hij heeft die plek alleen maar uitgekozen om jou bang te maken. Daar gaat het hem in eerste instantie om, maar dat is natuurlijk niet slim. Je bent al bang genoeg, dus hij hoeft dat niet nog eens te verergeren. Hij heeft er niet goed over nagedacht. Ik had het heel anders gedaan.'

'En als hij jullie ziet?' vroeg ze, terwijl ze hem probeerde bij te houden in de gang.

'Dat gebeurt niet. Totdat we tevoorschijn komen. En dat doen we alleen als we denken dat je gevaar loopt.'

'Hij zal haar vermoorden,' zei ze. 'Zo wraakzuchtig is hij wel. Als er iets misgaat, doet hij het alleen al voor de lol.'

'Dat weten we. Heb je de postzegels bij je?'

Ze hield de boodschappentas voor hem omhoog.

'Je wilde zeker niet het risico lopen dat ze bij het politiebureau onbeheerd in je auto liggen?' zei hij grinnikend. 'Groot gelijk!'

116

Oktober 2007

Cassian Pewe zat al aan de vergadertafel in Jack Skerritts kantoor toen Grace na de korte vergadering terug kwam. De twee mannen keken elkaar bewust niet aan.

De hoofdinspecteur gebaarde dat Grace moest gaan zitten en zei toen: 'Roy, Cassian heeft me gezegd dat hij een beoordelingsfout heeft gemaakt door die zoektocht in jouw huis te instigeren. Het team daar heeft de opdracht gekregen te vertrekken.'

Grace keek even naar Pewe. De man keek strak voor zich uit naar de tafel, als een kind dat een standje heeft gehad. Zo te zien had hij er geen spijt van.

'Hij vertelde me dat hij het deed om je te helpen,' ging Skerritt door.

'Om me te helpen?'

'Hij zei dat hij het gevoel had dat er veel over je wordt geroddeld na Sandy's verdwijning. Dat klopt toch, is het niet, Cassian?'

Pewe knikte met tegenzin. 'Ja, eh... meneer.'

'Hij zegt dat als hij kon aantonen dat je niets met haar verdwijning te maken had, daar eens en voor altijd een einde aan gemaakt zou worden.'

'Ik heb nog nooit een roddel over mij gehoord,' zei Grace.

'Neem me niet kwalijk, Roy,' zei Pewe, 'maar een hoop mensen vonden dat het onderzoek was afgeraffeld en dat het door jou te vroeg werd beëindigd. Ze vragen zich af waarom.'

'Wie zijn dat dan?'

'Dat kan ik natuurlijk niet zeggen. Ik wil alleen maar alles nog een keer nagaan, met behulp van de modernste technieken waarover we momenteel beschikken, zodat ik jou kan vrijwaarden.'

Grace hield zich in; de arrogantie van die man was ongelooflijk. Maar dit was niet het juiste tijdstip voor een scheldpartij. Hij moest over een paar minuten weg om naar Abby Dawsons rendez-vous van halfelf te gaan.

'Jack, kunnen we het hier een andere keer over hebben? Ik ben er helemaal niet blij mee, maar ik moet nu weg.'

'Het leek me eigenlijk wel een goed idee om Cassian met je mee te sturen. Hij zou van grote waarde kunnen zijn voor je team.' Hij zei tegen Pewe: 'Het klopt toch dat je ervaring hebt als onderhandelaar bij gijzelingen?'

'Ja, inderdaad.'

Grace kon zijn oren niet geloven. De gijzelaar die Pewe als onderhandelaar had, had wel ontzettende pech, dacht hij. 'Op die manier,' zei hij.

'Het lijkt me goed voor hem als hij ziet hoe wij de dingen hier in Sussex aanpakken. We doen een en ander uiteraard anders dan in Londen. Daar kun je wellicht nog wat van opsteken, Cassian, als je onze meest ervaren rechercheurs aan het werk ziet.' Hij keek Grace veelbetekenend aan.

Maar Roy keek strak voor zich uit.

117

Oktober 2007

Het was lang geleden dat ze daar was geweest, dacht Abby, die de auto behoedzaam over de slingerweg reed die gestaag tussen grasland en stoppelveld omhoogging. Het kon door de zenuwen komen, maar de kleuren van het landschap zagen er onnatuurlijk helder uit. De lucht was diepblauw, met een paar kleine wolkjes hier en daar die langzaam overdreven. Het leek wel alsof ze een zonnebril ophad.

Ze greep het stuur stevig vast, voelde de harde wind aan de auto rukken om hem uit de koers te halen. Er zat een brok in haar keel en de naalden in haar maag brandden nog feller.

En ze had een bobbel op haar borst: een microfoontje dat vastgeplakt zat op haar huid en bij elke beweging trok. Ze vroeg zich af of rechercheur Branson, of iemand anders van de politie die zat te luisteren, kon horen hoe zwaar ze ademhaalde.

De rechercheur had gewild dat ze een oortje in zou doen zodat ze zijn instructies op kon volgen. Maar toen ze hem had verteld dat Ricky een paar gesprekken die ze had gevoerd had opgevangen, had hij het toch te riskant gevonden. Ze konden haar echter wel horen, elk woord dat ze zei. Ze hoefde maar om hulp te vragen en ze kwamen eraan, had hij haar verzekerd.

Ze wist niet meer wanneer ze voor het laatst had gebeden, maar nu deed ze opeens in stilte een schietgebedje. *Lieve God, laat mijn moeder alsjeblieft in orde zijn. Help me hier doorheen. Alsjeblieft, lieve God.*

Er reed een auto voor haar, heel langzaam, een donkerrode oudere Alfa Romeo met twee mannen erin, en de passagier praatte zo te zien in zijn gsm. Ze volgde hem door een scherpe bocht naar links, langs een hotel aan de rechterkant en vervolgens de riviermond van de Seven Sisters. De remlichten van de Alfa gingen aan toen hij afremde om een bestelauto over de smalle brug langs te laten, en hij gaf toen weer gas. De weg ging weer omhoog.

Een paar minuten later zag ze verderop een verkeersbordje staan. De remlichten van de Alfa gingen weer aan en toen knipperde de richtingaanwijzer voor rechtsaf.

Op het bordje stond STADSCENTRUM A259, met een pijl naar boven en KUST BEACHY HEAD met een pijl naar rechts.

Ze ging net als de Alfa Romeo naar rechts. De auto bleef tergend langzaam rijden, en ze keek op de klok in de auto en op haar horloge. De klok liep een minuut achter, maar ze wist dat haar horloge op tijd liep, omdat ze het gelijk had gezet. Het was vijf voor halfelf. Nog maar vijf minuten. Ze stond op het punt de auto in te halen, omdat ze bang was dat ze anders te laat zou zijn.

Toen ging haar telefoon: privénummer.

Ze nam aan en wist dat de politie het gesprek zou horen, omdat ze de gsm had verbonden met de handsfree speaker.

'Ja?' zei ze.

'Waar blijf je, verdomme? Je bent te laat.'

'Ik ben er bijna, Ricky. Het is nog geen halfelf.' Toen voegde ze er nerveus aan toe: 'Toch?'

'Ik heb je gezegd: om halfelf gooi ik haar over de rand.'

'Ricky, toe nou, ik kom eraan. Ik zal er zijn.'

'Dat is je geraden ook.'

Tot haar opluchting ging de richtingaanwijzer voor linksaf bij de Alfa opeens knipperen en reed hij naar de kant. Ze trapte op het gaspedaal, tot ze sneller ging dan ze eigenlijk durfde.

In de Alfa keek Roy Grace toe hoe de zwarte Honda de kronkelweg op scheurde. Cassian Pewe, die op de passagiersstoel zat, zei in de beveiligde telefoon: 'Doelwit Een is net voorbij gekomen. Nog drie meter tot de volgende zone.'

De stem van de politieman die de operatie leidde zei: 'Doelwit Twee heeft net contact met haar opgenomen. Ga naar positie vier.'

'Onderweg naar positie vier,' bevestigde Pewe. Hij keek op de plattegrond die op zijn knieën lag. 'Oké,' zei hij tegen Grace. 'Zodra ze uit het zicht is, kun je weer gaan rijden.'

Grace schakelde alvast. De Honda reed een heuvel over en was niet meer te zien, en Roy trok meteen op.

Pewe keek even of de portofoon nog aanstond en zei toen tegen zijn collega: 'Roy, het was echt waar hoor, wat de hoofdinspecteur zei. Ik deed het alleen om je te helpen.'

'Waarmee?' vroeg Grace ijzig.

'Roddel doet een hoop kwaad. Er is niets ergers dan wantrouwen binnen de politie.'

'Gelul.'

'Als je het zo ziet, dan spijt me dat. Ik wil niet dat we hierover ruzie krijgen.'

'O, nee? Ik heb werkelijk geen idee wat je van plan bent. Maar jij denkt dat ik mijn vrouw vermoord heb, hè? Geloof je nu echt dat ik haar dan in mijn eigen tuin zou begraven? Daarom waren jullie daar toch? Om haar stoffelijk overschot op te sporen?'

'Ik liet dat alleen maar doen om aan te tonen dat ze daar niet lag. Om al die roddel de kop in te drukken.'

'Tuurlijk, Cassian.'

118

Oktober 2007

Abby reed de landtong op. Rechts van haar was open grasland met hier daar wat struiken en kleine bomen, dat uitliep in kalksteen kliffen die boven Het Kanaal uittorenden. Een van de steilste, hoogste afgronden in heel Groot-Brittannië waar je verzekerd kon zijn van een slechte afloop. Links van haar kon je kilometers ver over akkerland kijken. Ze kon de kronkelende weg in de verte zien. Het asfalt was inktzwart, met frisse witte strepen in het midden. Het leek wel alsof ze er die dag speciaal voor haar op geschilderd waren.

Rechercheur Branson had haar verteld dat Ricky geen slimme locatie had uitgezocht, maar ze zag nog niet in waarom die niet slim was. Het leek haar juist een heel slimme. Van waar hij zat kon Ricky alles aan zien komen.

Misschien had de rechercheur het alleen maar gezegd om haar gerust te stellen. En dat kon ze goed gebruiken.

Een kleine kilometer verderop stond links van haar een gebouw, op zowat het hoogste punt van de landtong. Ernaast stond op een paal een bordje van een kroeg of een hotel. Toen ze dichterbij kwam, zag ze het rode pannendak en de leistenen muren. Ze kon ook het bordje lezen: BEACHY HEAD HOTEL.

Ga naar het parkeerterrein van het Beachy Head Hotel. Ik neem daar contact met je op, had hij gezegd. Om precies halfelf.

Het zag er verlaten uit. Er stond een glazen bushokje met een blauw-wit bordje ervoor, waarop in grote letters stond: DE SAMARITANS, DAG EN NACHT BEREIKBAAR, met daaronder twee telefoonnummers. Iets verderop stond een oranje-gele ijscowagen, die geopend was, en daarachter een vrachtwagen van British Telecom bij een radiomast, waar twee mannen met een helm en een fluorescerend jasje bezig waren.

Ze sloeg links af, zette de auto achter op het parkeerterrein neer en draaide de motor uit. Even later ging haar telefoon.

'Mooi,' zei Ricky. 'Goed gedaan! Toeristische route, hè?'

De auto schudde heen en weer door de wind.

'Waar ben je?' vroeg ze, om zich heen kijkend. 'Waar is mijn moeder?'

'Waar zijn mijn postzegels?'

'Ik heb ze bij me.'
'Ik heb je moeder bij me. Ze geniet van het uitzicht.'
'Ik wil haar zien.'
'Ik wil de postzegels zien.'
'Pas als ik weet dat mijn moeder in orde is.'
'Ik geef haar wel even.'
Het was stil. Ze hoorde de wind waaien. Toen haar moeders stem, zo zwak en beverig als van een geest.
'Abby?'
'Mam!'
'Ben jij dat, Abby?'
Haar moeder ging huilen. 'Alsjeblieft, alsjeblieft, Abby. Alsjeblieft.'
'Ik kom je halen, mam. Ik hou van je.'
'Geef me mijn pillen. Ik heb mijn pillen nodig. Alsjeblieft, Abby, waarom geef je ze nou niet?'
Het deed Abby pijn om haar zo te horen. Toen kwam Ricky weer aan de lijn.
'Start de motor. Ik blijf hangen.'
Ze startte de motor.
'Geef gas, ik wil de motor horen draaien.'
Ze deed wat hij haar opdroeg. De dieselmotor ratelde luidruchtig.
'Nu rij je van het parkeerterrein af en sla je rechts af. Na zo'n vijftig meter zie je links een weggetje dat naar de punt van de landtong leidt. Dat draai je op.'
Ze nam de scherpe bocht naar links, waarbij de auto over de oneffen grond bonkte. De wielen kwamen even van de grond toen ze geen houvast meer hadden op het losse grind en de modder, en kwamen toen weer op het gras terecht. Ze wist nu waarom Ricky erop had gehamerd dat ze een terreinwagen moest nemen. Hoewel ze nog niet begreep waarom het er per se een moest zijn die op diesel reed. Hij maakte zich toch op dit moment geen zorgen over zuinige brandstof, nam ze aan. Rechts van haar zag ze een bordje staan met de tekst EINDE KLIF.
'Zie je de bomen en de struiken recht voor je?'
Er stond een dichtbegroeid stuk kreupelhout een kleine honderd meter voor haar, pal bij de rand van het klif. Door de wind waren de bomen en de struiken krom gebogen.
'Ja.'
'Blijf daar staan.'

Ze stopte.

'Trek de handrem aan. Laat de motor draaien. Kijk goed. We zitten hier. De achterwielen van onze auto staan op de rand van het klif. Als je iets uithaalt wat me niet bevalt, gooi ik haar linea recta achter in het busje en haal de handrem eraf. Is dat duidelijk?'

Abby's keel was zo dichtgeschroefd dat ze maar met moeite iets uit kon brengen. 'Ja.'

'Ik hoorde je niet.'

'Ik zei: ja.'

Ze hoorde een gebrul, alsof de wind door de telefoon blies. Een doffe klap. Toen bewoog er iets in het bosje. Ricky kwam als eerste tevoorschijn, met baard, en een honkbalpetje op en een dik gevoerd jack aan. Toen zag Abby haar kleine, fragiele moeder, angstig om zich heen kijkend, nog steeds gekleed in de roze nachtjapon die ze aan had gehad toen Abby haar het laatst had gezien.

De wind trok aan de nachtjapon, blies haar dunne grijze haar omhoog zodat het achter haar aan zweefde als sigarettenrook. Ze liep te zwaaien op haar benen, en Ricky hield haar overeind, hield haar arm stevig beet.

Abby keek door de voorruit, haar ogen vol tranen. Ze zou er alles, maar dan ook alles voor over hebben om haar moeder weer in haar armen te kunnen sluiten.

En om Ricky te vermoorden.

Ze wilde het gaspedaal intrappen en over hem heen rijden zodat er alleen nog maar een bloederige massa over was.

Ze trokken zich weer terug tussen de bomen. Hij sleurde haar moeder ruw mee, zodat ze half liep en half struikelde. Het gebladerte slokte hen op.

Abby greep de deurhendel, ze kon zich bijna niet inhouden, ze wilde uitstappen en naar hen toe rennen. Maar ze hield vol, bang voor zijn dreigement en er nu helemaal van overtuigd dat hij haar moeder zonder meer zou doden en het nog leuk zou vinden ook.

Met zijn zieke geest zou hij dat misschien zelfs nog leuker vinden dan dat hij de postzegels terug zou krijgen.

Waar waren rechercheur Branson en zijn mensen? Ze moesten in de buurt zijn. Hij had haar verzekerd dat ze er zouden zijn. Ze hadden zich goed verstopt, dacht ze. Zij kon niemand ontdekken.

Wat hopelijk inhield dat Ricky dat ook niet kon.

Maar ze zouden luisteren. Ze zouden hem horen. Zijn dreigement. Ze zouden niet naar het kreupelhout toe rennen en hem pakken, toch? Ze zouden niet het risico willen lopen dat hij het busje over het klif liet vallen.

Niet voor een paar stomme postzegels, toch?

Hij kwam weer aan de telefoon. 'Tevreden?'

'Mag ik haar nu meenemen, Ricky? Ik heb de postzegels hier.'

'We gaan het volgende doen, Abby. Luister goed, ik zeg dit maar één keer. Oké?'

'Ja.'

'Jij laat de motor draaien en de telefoon gewoon aanstaan, zoals nu, zodat ik de motor kan horen. Je stapt uit de auto en laat het portier wijd open. Je neemt de postzegels mee en dan loop je twintig stappen mijn richting uit en daar blijf je staan. Ik kom naar je toe. Ik pak de postzegels van je aan en dan stap ik in jouw auto. Jij stapt in het busje. Je moeder zit al in het busje en het gaat goed met haar. En dan moet je goed opletten. Volg je het nog allemaal?'

'Ja.'

'Tegen de tijd dat jij in het busje stapt, heb ik de kans gehad om de postzegels te bekijken. Als er iets is wat me niet bevalt, rij ik rechtstreeks naar het busje en duw ik hem over de afgrond. Duidelijk?'

'Ja. Maar het zal je wel bevallen.'

'Mooi,' zei hij. 'Dan is er verder niets aan het handje.'

Abby keek onopvallend om zich heen, voor het geval hij een verrekijker bij zich had. Ze zag niets anders dan kaal, door de wind platgeslagen grasland, een halfrond stenen muurtje, waarschijnlijk een uitkijkpunt, met een paar verlaten banken, en hier en daar een struik, die niet groot genoeg waren om achter te verstoppen. Waar waren rechercheur Branson en zijn mensen?

Na een paar minuten kwam Ricky weer aan de telefoon. 'Stap nu uit de auto en doe wat ik je heb opgedragen.'

Ze duwde het portier open, maar dat viel niet mee met de harde wind. 'De deur zal niet open blijven staan!' riep ze in paniek in de richting van de speaker.

'Zet hem dan ergens mee vast.'

'Waarmee dan?'

'Jezus, stom wijf dat je d'r bent, er moet toch wel iets in die auto liggen? Een handboek. De papieren van het verhuurbedrijf. Die deur moet gewoon open blijven. Ik hou je in de gaten.'

Ze haalde de map met de huurovereenkomst uit het bergvak in de deur, duwde het portier open en zwaaide met de map, zodat hij die kon zien. Toen stapte ze uit. Het waaide zo hard dat ze bijna omver werd geblazen. Het portier werd uit haar handen gerukt en sloeg dicht. Ze trok hem weer open, vouwde de map dubbel, voor meer volume, pakte de envelop met postzegels, en duwde toen het portier tegen de map.

De wind trok aan haar haar, deed haar oren pijn en greep haar kleren. Ze liep wankelend twintig passen naar het bosje toe, terwijl ze alles om zich heen in de gaten hield. Haar mond was droog, ze was doodsbang, maar ook ziedend van woede. Ze zag nog steeds niemand. Behalve Ricky dan die naar haar toe kwam lopen.

Hij glimlachte voldaan en stak zijn hand uit om de envelop in ontvangst te nemen. 'Dat werd verdomme tijd,' zei hij, terwijl hij hem uit haar hand griste.

Terwijl hij dat deed, schopte ze hem keihard en met alle opgekropte haat die ze voor hem voelde in zijn kruis. Ze schopte zo hard dat ze zichzelf pijn deed.

119

Oktober 2007

Ricky snakte naar adem. Zijn ogen puilden uit van pijn en schrik terwijl hij dubbelsloeg. Abby sloeg hem vervolgens zo hard in het gezicht dat hij omviel. Ze wilde hem weer een trap geven in zijn kruis, maar hij kreeg haar voet te pakken en draaide die met een felle, pijnlijke, beweging om, zodat ze op het natte gras belandde.

'Jij godvergeten...'

Hij onderbrak zichzelf toen hij een motor hoorde ronken.

Ze hoorden het allebei.

Vol ongeloof staarde Ricky naar de ijscowagen die over het weggetje naar hen toe kwam rijden. En pal daarachter renden zes politiemannen in kevlar bodywarmers vanuit de zijingang van het hotel naar hen toe.

Ricky krabbelde overeind. 'Klerewijf! We hadden een afspraak!' krijste hij.

'Die had je toch ook met Dave gemaakt?' schreeuwde ze terug.

Hij strompelde naar de Honda met de postzegels tegen zich aan. Abby lette niet op de pijn in haar voet, en rende zo snel mogelijk naar het kreupelhout. Achter zich hoorde ze het motorgeronk. Ze keek even achterom. Het was de ijscowagen en ze kon nu zien dat er twee mannen in zaten. Vóór haar, door de bomen en de takken en de bladeren, was een wit busje zichtbaar.

Verblind door pijn en woede sprong Ricky in de Honda. Hij schakelde driftig en haalde de handrem eraf zelfs nog voordat hij het portier had dichtgetrokken. *Ik zal dat kutwijf eens even een lesje leren.*

Hij trapte op het gaspedaal, maakte vaart en reed rechtstreeks naar het kreupelbos toe. Het kon hem op dat moment geen bal schelen of hij over het klif zou vallen, zolang de moeder van dat teringwijf maar meeging. Zolang Abby hier maar haar leven lang spijt van zou hebben.

Toen zag hij opeens een kleurig waas voor zich.

Ricky ging vloekend boven op de rem staan waardoor de wielen blokkeerden. Hij draaide snel het stuur naar rechts, in een wanhopige poging de ijscowagen te vermijden, die naast het kreupelbos was gaan staan, zodat Ricky het busje niet kon rammen. De Honda maakte een ruime bocht, zijn achterkant kwam tegen de achterbumper van de ijscowagen aan en trok die eraf.

Tot zijn afschuw zag hij twee kleine auto's, waarvan hij had aangenomen dat ze van het hotelpersoneel waren, naar hem toe racen. Een blauw zwaailicht achter de voorruit, loeiende sirenes.

Hij gaf gas, was even in de war, en draaide een paar rondjes. Een van de auto's dook voor hem op. Hij reed eromheen, viel van een steile berm af, dook een greppel in en kwam er aan de kant, op de asfaltweg, weer uit.

Toen zag hij dat er van rechts blauwe zwaailichten op hem af kwamen.

'Godver. Shit. Godver. Shit.'

Helemaal in paniek trok hij het stuur naar links en trapte op het gaspedaal.

De enige deur in het roestige busje die niet was geblokkeerd door takken en struiken was het portier aan de chauffeurs kant. Abby trok die bezorgd maar behoedzaam open, omdat het busje zo vlak bij de rand van het klif stond.

Ze trok haar neus op toen ze de stank van uitwerpselen en tabak en lijflucht rook, en riep: 'Mam? Mam?'

Geen reactie. Met een steek van angst zette ze haar voet op de treeplank en trok ze zichzelf op de voorstoel. Heel even, toen ze omkeek en het duister zag, was ze bang dat haar moeder er niet was. Ze zag alleen wat apparaten, beddengoed en een reserveband. Het busje schudde heen en weer door de wind en ratelde vanbinnen.

Toen, over de herrie heen, hoorde ze opeens iemand zacht zeggen: 'Abby? Ben jij dat?'

Dat waren, zonder enige twijfel, de mooiste woorden die ze ooit had gehoord. 'Mam!' riep ze uit. 'Waar ben je?'

Ze hoorde zachtjes: 'Hier.' Haar moeder zei het op verbaasde toon, alsof ze wilde zeggen: waar zou ik anders zijn?

Abby keek over de stoel heen en zag haar moeder daar op de grond liggen, opgerold in het tapijt, zodat alleen haar hoofd eruit stak.

Ze klom over de stoel, en toen haar voeten op de kale metalen vloer terechtkwamen, trilde het busje. Ze knielde en gaf haar moeder een kus op haar vochtige wang.

'Gaat het een beetje? Gaat het goed met je, mam? Ik heb je pillen bij me. Ik ga meteen met je naar het ziekenhuis.'

Ze voelde aan haar moeders voorhoofd. Dat was warm en bezweet.

'Je bent nu veilig. Hij is weg. Je hebt het gered. De politie is er ook. Je gaat rechtstreeks naar het ziekenhuis.'

Haar moeder fluisterde: 'Volgens mij was je vader hier net. Hij ging even naar buiten.'

Abby besefte dat ze ijlde. Door de koorts of doordat ze haar pillen niet had genomen, of door beide. En ze glimlachte door haar tranen heen.

'Ik hou zielsveel van je, mam,' zei ze. 'Zielsveel.'

'Het gaat goed met me,' zei haar moeder. 'Ik lig lekker opgerold in het tapijt.'

Cassian Pewe liet zijn gsm even zakken en zei tegen Grace: 'Doelwit Twee zit in zijn eentje in de auto van Doelwit Een. Komt deze kant op. We moeten hem indien mogelijk tegenhouden, maar anders komt er nog versterking aan.'

Grace startte de motor. Geen van de twee mannen had hun gordel om, wat normaal was omdat ze dan snel de auto uit konden stappen mocht dat nodig zijn. Nadat hij had gehoord wat er was gebeurd, vond Grace het beter om ze wel om te doen. Maar net toen hij de zijne wilde pakken, zei Pewe: 'Daar is hij.'

Grace zag de zwarte Honda nu ook, hij reed zo'n veertig meter verderop het kronkelige pad af. Hij kon de banden horen piepen.

'We hebben Doelwit Twee in zicht,' gaf Pewe via de portofoon door.

De leider van de operatie zei: 'De veiligheid van de mensen gaat voor alles. Indien nodig, Roy, mag je het voertuig gebruiken om hem tegen te houden.'

Tot Pewes schrik zette Grace opeens de Alfa dwars op de smalle weg, zodat die van beide kanten niet meer toegankelijk was. En hij zat aan de kant vanwaar de zwarte terreinwagen aan kwam, besefte hij. De kant waar de Honda tegenop zou knallen als hij niet stopte.

Ricky hield het stuur stevig omklemd, hij ging met piepende banden een lange, neerwaartse linkerbocht in, en kon geen kant op als hij van de weg af raakte, er waren alleen maar steile bermen. Toen schoot hij een rechterbocht in.

Nadat hij die had genomen, zag hij een bordeauxrode Alfa dwars over de weg staan. Een blonde man keek hem door het raampje met grote schrikogen aan.

Hij stond boven op zijn rem zodat de auto slingerend enkele meters voor het portier tot stilstand kwam, en schakelde snel in zijn achteruit. Terwijl hij dat deed, hoorde hij sirenes loeien. In de verte zag hij twee Range Rovers met groot licht de heuvel af racen.

Hij draaide en gaf gas, weer de richting uit waar hij vandaan was gekomen. In de achteruitkijkspiegel zag hij de Alfa Romeo achter hem aan komen, en daar weer achter de twee Range Rovers. Maar wat er voor hem gebeurde vond hij veel interessanter. Om precies te zijn, wat er voor het kreupelbos gebeurde. Want hoewel de ijscowagen er nog steeds voor stond, zou een flinke zet tegen de zijkant ervan genoeg moeten zijn.

Daarna zou hij de verlaten koetsiersweg nemen, inmiddels niet meer dan een overgroeid pad dwars door het grasland, maar nog steeds begaanbaar, die hij had ontdekt en gecontroleerd. Hij was ervan overtuigd dat de politie daar niet aan gedacht had.

Het kwam wel goed. Die trut had hem nooit, maar dan ook nooit, dwars mogen zitten.

Roy Grace haalde de logge Honda al snel in, en bleef toen achter hem hangen. Pewe gaf via de portofoon door dat ze in de buurt kwamen van het Beachy Head Hotel.

De Honda ging opeens scherp naar rechts, de weg af, het grasland op tussen de weg en de rand van het klif. Grace volgde hem, en trok een gezicht toen de schokdempers van zijn geliefde Alfa het begaven. Hij hoorde en voelde de uitlaat over de grond schrapen en dat er iets vanaf viel, maar hij was zo op de Honda gericht, dat hij zich er amper bewust van was.

Er stonden heel wat auto's en mensen voor hen. Hij zag dat de vrachtwagen van British Telecom dwars over de weg stond, met een zwerm politiemensen eromheen. Twee motoren. Pewe zette de portofoon harder.

Iemand zei: 'Doelwit Twee gaat waarschijnlijk terug naar het busje. Dat staat in het kreupelbos achter de ijscowagen. Hou hem tegen. Doelwit Een zit met haar moeder in het busje.'

Pewe wees door het raam. 'Kijk, Roy, daar is het. Daar gaat hij naartoe.'

Grace kon het grote, lange kreupelbos zien waar de felgekleurde ijscowagen pal voor stond.

Doelwit Twee gaf gas.

Grace schakelde naar een lagere versnelling en trapte op het gaspedaal. De Alfa schoot naar voren, waardoor de schokdempers weer naar beneden kwamen en de twee mannen gelanceerd werden en met hun hoofd tegen het dak stootten.

'Sorry,' zei Grace grimmig terwijl hij naast de Honda ging rijden.

Een paar centimeter van zijn portier af stond een armetierig hekje op de rand van het klif. Hij ving even een glimp op van Doelwit Twee, een man met een honkbalpetje op en een baard. Rechts van hem was er opeens geen hekje meer, zodat er alleen nog wat struikgewas voor de afgrond stond.

Grace ploegde door wat struikgewas en hoopte maar dat de struiken geen verzakking in het klif verborgen waardoor zij opeens recht naar beneden zouden vallen.

Hij ging wat langzamer rijden, maar bleef naast de Honda en vroeg zich af hoe hij de auto bij de rand weg kon krijgen. Het kreupelbos en de ijscowagen kwamen rap dichterbij.

Alsof hij zijn gedachten kon lezen, trok Doelwit Twee het stuur van de Honda naar rechts, waardoor hij tegen de passagierskant van de Alfa op knalde. Pewe slaakte een gil en de Alfa schoot gevaarlijk dicht naar de rand toe.

Het kreupelbos kwam steeds dichterbij.

De Honda tikte weer tegen hem aan. Hij was het zwaarst en duwde de andere auto steeds verder weg. Ze bonkten over een paar keien en oneffen grond. Toen gaf hij hem weer een tik zodat hij nog dichter bij de rand kwam.

'Roy!' piepte Pewe, die zijn losse gordel stevig vasthield en zo te horen doodsbang was.

Ze konden geen kant uit. Grace ging op het gaspedaal staan en de Alfa schoot naar voren. Het kreupelhout was nog maar een paar honderd meter van hen verwijderd. Hij sneed de Honda, en omdat hij niet wilde verraden dat hij remde, trok hij de handrem aan in plaats van op de rem te trappen.

Het resultaat was schokkend en niet geheel wat hij had verwacht. De achterkant van de Alfa slipte weg en de auto gleed naar opzij. Meteen daarna knalde de Honda tegen de zijkant aan, zodat de Alfa op zijn kant kwam te liggen.

Door de klap schoot de Honda stuurloos naar links, achter op de ijscowagen.

Grace werd gewichtloos door de lucht geworpen. Overal om hem heen waren dreunende, galmende metaalachtige geluiden.

Hij kwam met een klap op de grond terecht, waarbij de lucht uit zijn longen werd geperst, waarna hij een paar keer een koprol maakte. Hij had geen macht over zijn bewegingen, alsof hij in een kermisattractie zat. Eindelijk bleef hij voorover in het natte gras liggen, met zijn mond vol modder.

Hij wist even niet of hij nog leefde of dood was. Zijn oren tuitten. Het was een tijdje doodstil. De wind loeide. Toen hoorde hij een ijselijke kreet, maar hij had geen idee waar die vandaan kwam.

Hij krabbelde overeind en viel meteen weer om. Het leek wel alsof iemand de hele landtong op had gepakt en die schuin hield. Hij kwam weer overeind, stond duizelig op zijn benen te zwaaien, en keek om zich heen. Het dak van de Honda, die er vreemd bij stond, had zich achter in de ijscowagen begraven. De chauffeur van de Honda was verdwaasd tegen zijn portier aan het duwen terwijl twee politiemannen met kevlar bodywarmers eraan trokken.

Er kwam rook onder de vrachtwagen vandaan. Politiemensen renden ernaartoe.

Toen hoorde hij opnieuw een kreet.

Waar was zijn auto, verdomme?

En de angst had hem opeens in zijn kille greep.

Nee! O, jezus, nee!

Opnieuw een kreet.

En weer.

Het kwam vanuit de afgrond.

Hij wankelde naar de rand, en stapte snel weer terug. Hij had zijn hele leven al last van hoogtevrees gehad, en hij kon dit niet aan.

'Heeeeeeeeeeeeeelp!'

Hij liet zich op handen en knieën vallen en kroop, terwijl zijn lijf overal zeer deed, naar voren. Hij lette niet op de pijn en kwam bij de rand, waar hij opeens zijn auto ondersteboven zag hangen, verstrengeld in een paar kleine bomen. De neus zat tegen het klif aan, de achterkant stak naar buiten alsof het een duikplank was. Twee van de wielen draaiden nog.

De auto was beland in een schuin stuk met wat bomen. Dat liep zo'n zes meter daaronder uit in een grasrand, waarna het een meter of zestig steil naar beneden liep, naar rotsen en water. Grace kon er niet tegen en trok zich terug tot waar hij zich weer veilig voelde. Toen hoorde hij weer schreeuwen.

'Help me! O, god, help me! Help me dan toch!'

Hij besefte dat het Cassian Pewe was, maar hij kon hem niet zien.

Terwijl hij zijn angst onderdrukte, kroop hij weer naar de rand, keek naar beneden en riep: 'Cassian? Waar ben je?'

'O, help me. Help me, alsjeblieft. Roy, help me alsjeblieft.'

Grace keek wanhopig achterom, maar iedereen was druk bezig met de ijscowagen en de Honda, die zo te zien elk moment in brand kon vliegen.

Hij tuurde weer naar beneden.

'Ik val! O, lieve god, ik val.'

De doodsangst in Pewes stem dwong hem tot actie over te gaan. Hij ademde diep in, leunde naar voren, pakte een tak beet en trok eraan, in de hoop dat die hem zou houden. Toen kroop hij over de rand. Zijn leren schoenen gleden op het natte gras meteen uit en zijn arm, die de tak beet had, draaide pijnlijk in zijn kom. En hij besefte dat alleen die tak, die hij met zijn rechterhand vast had, hem behoedde van een val helemaal naar de uitstekende rand, en vervolgens de diepte in.

De tak bewoog. Hij voelde dat hij los aan het komen was.

Hij was doodsbenauwd.

'Help me dan toch! Ik val!' schreeuwde Pewe weer.

Roy was zelf in paniek, pakte snel een andere tak beet, en terwijl hij zich eraan vastklampte en de wind hem bestookte en hem van het klif af leek te willen smijten, liet hij zich een stukje vallen.

Niet naar beneden kijken, hield hij zichzelf voor.

Hij schopte met de neus van zijn schoen in de heuvel en kreeg zo een glibberig steuntje. Toen kreeg hij een andere tak te pakken. Hij hing nu parallel aan de smerige, gedeukte onderkant van zijn auto. De wielen draaiden niet meer en de auto ging heen en weer als een wip.

'Cassian, waar zit je?' riep hij, expres niet verder dan de auto kijkend.

De wind verwaaide onmiddellijk zijn woorden.

Pewes stem was bijna onverstaanbaar door de angst. 'Eronder. Ik kan je zien. Schiet alsjeblieft op!'

Opeens begon de tak die Roy vasthield het te begeven. Hij schrok zich wezenloos en dacht even dat hij achterover de afgrond in zou vallen. Hij graaide wild om zich heen naar een andere tak, pakte die beet, maar hij brak af. Hij viel nu, gleed langs de auto. Naar de grasrand en de steile afgrond. Hij pakte weer een tak beet, vol met scherpe stekels die langs de palm van zijn hand gleden en brandden, maar het was een jonge, buigzame en sterke tak. Hij hield Roy, hoewel het hem bijna zijn arm kostte. Toen kreeg hij met zijn linkerarm een andere tak te pakken en hij hield ze allebei in doodsangst vast. Die was, tot zijn grote opluchting, een stuk steviger.

Pewe schreeuwde weer.

Hij zag een enorme schaduw boven zich hangen. Het was de auto. Die hing als een platform zo'n zes meter boven hem. Schommelde gevaarlijk heen en weer. En Pewe hing ondersteboven uit de passagierskant, zijn voeten verward in de autogordel, het enige wat hem behoedde van vallen.

Grace wierp een blik naar beneden en wist meteen dat hij dat beter niet had kunnen doen. Hij bevond zich op de rand van de steile afgrond. Hij keek even naar de golven die tegen de rotsen aansloegen. Voelde de zwaartekracht aan zijn armen trekken en de woeste, niet-aflatende wind aan hem plukken. Eén misgreep. Maar één misgreep.

Hijgend en doodsbang schopte hij met zijn rechtervoet een steuntje in de wand. De tak in zijn rechterhand gaf opeens een beetje mee. Hij schopte nog harder in de natte, kalkachtige grond en even later was het gat groot genoeg om zijn voet erin te steken en zijn gewicht erop te laten rusten.

Pewe schreeuwde weer.

Hij zou hem elk moment gaan helpen. Maar eerst moest hij zijn eigen hachje zien te redden. Niemand had niets aan als hij nu stierf.

'Royyyyyyyyyy!'

Hij schopte met zijn linkervoet nog een gat, zodat hij daar ook een steuntje voor had. Toen zijn voeten eenmaal stevig stonden, voelde hij zich een stukje beter, maar nog niet echt veilig.

'Ik val! Royyyyy! O, god, help me toch. Laat me alsjeblieft niet vallen. Ik wil zo niet sterven.'

Roy keek naar boven, deed bij elke beweging voorzichtig aan, tot hij Pewes hoofd een paar meter boven hem zag.

'Rustig blijven!' riep hij. 'Je moet je niet bewegen.'

Hij hoorde een luid gekraak toen een tak het begaf. Zijn blik schoot naar boven en hij zag de auto zakken. Die viel een paar centimeter, en bleef hangen, nog erger schommelend. Shit. Dat klereding kwam straks boven op hem terecht.

Centimeter voor centimeter haalde hij voorzichtig zijn portofoon tevoorschijn, doodsbang dat hij hem zou laten vallen, en belde om hulp. Hem werd verzekerd dat er al hulp onderweg was, dat de bemanning net in de reddingshelikopter stapte.

Godver. Dat zou nog eeuwen gaan duren.

'Laat me niet zo sterven!' bracht Pewe snikkend uit.

Grace keek weer naar boven en keek naar de gordel. Die zat zo te zien helemaal om de benen van zijn collega gewikkeld. Door de wind bleef het portier open. Toen keek hij naar de schommelende auto. Dat ging te hard. De takken kraakten, braken. Het was verschrikkelijk om te horen. Hoeveel langer zou hij nog blijven hangen? Als de takken het begaven, zou de auto op zijn dak over de heuvel, die zo steil was als een skihelling, naar beneden glijden en recht over de rand gaan.

Pewe maakte het er niet beter op: hij probeerde steeds naar boven te reiken, maar dat redde hij nooit.

'Cassian, niet zo draaien!' riep hij hees. 'Blijf rustig hangen. Ik kan je niet in mijn eentje bevrijden, dat durf ik niet. Ik ben bang dat de auto anders losschiet.'

'Laat me alsjeblieft niet zo sterven, Roy!' zei Pewe huilend en spartelend als een vis aan een hengel.

Weer een windvlaag. Grace hield zich vast aan de takken terwijl zijn jas zich met lucht vulde en als een zeil aan hem trok, wat het er niet beter op maakte. Totdat de wind bedaarde durfde hij geen vinger te bewegen.

'Je laat me toch niet vallen, Roy?' smeekte Pewe.

'Weet je, Cassian?' schreeuwde Roy terug. 'Ik maak me eigenlijk meer zorgen om mijn auto.'

120

Oktober 2007

Grace nam een slok koffie. Het was halfnegen, maandagochtend, en hij had net de vijftiende vergadering van operatie Dingo geopend. Er zat een pleister over een snee in zijn voorhoofd waar vijf hechtingen in zaten, verband om de blaren op allebei zijn handen, en verder deed zijn hele lijf pijn.

'Ik heb gehoord dat je nu de Mount Everest gaat beklimmen, Roy,' grapte een van de rechercheurs.

'Ja, en inspecteur Pewe heeft bij het circus gesolliciteerd als trapezeartiest,' antwoordde Roy, die een grijns niet kon onderdrukken.

Maar eigenlijk was hij nog steeds behoorlijk aangeslagen. En eerlijk gezegd was er niet veel te lachen. Zeker, Chad Skeggs zat opgesloten in het cellenblok. Abby Dawson en haar moeder waren veilig, en wonder boven wonder was er vrijdag niemand ernstig gewond geraakt. Maar dat waren allemaal bijzaken. Ze waren twee moorden aan het onderzoeken en hun hoofdverdachte kon overal zijn. Ook al zat hij nog steeds in Australië, dan nog had hij een andere identiteit aan kunnen nemen, zoals hij al een keer eerder had gedaan. Een andere identiteit was voor Ronnie Wilson totaal geen probleem.

Maar er was toch een kleine meevaller.

'We hebben nog iets ontdekt in Melbourne,' ging hij door. 'Ik had vanochtend Norman aan de lijn. Ze hebben een vrouw gesproken die beweert bevriend te zijn geweest met Maggie Nelson, de vrouw van wie wij aannemen dat ze Lorraine Wilson is.'

'Hoe zeker weten we dat Ronnie en Lorraine Wilson David en Margaret Nelson zijn, Roy?' vroeg Bella.

'De politie van Melbourne heeft via Registratie rijbewijzen, de Belastingdienst en de Immigratiedienst een heleboel boven water gekregen. Het lijkt allemaal te kloppen. Ze faxen binnenkort, waarschijnlijk vanavond al, een rapport naar me toe.'

Bella schreef iets op, en pakte toen een chocolaatje uit de doos die voor haar stond.

Terwijl hij zijn aantekeningen raadpleegde, ging Grace door: 'De vrouw heet Maxine Porter. Haar ex-man is een crimineel, hij stond onlangs voor de rechter wegens belastingontduiking en het witwassen van geld, en zit tegen een lange straf aan te hikken. Hij heeft haar een jaar geleden in de steek gelaten voor een jongere vrouw, en drie maanden later werd hij opgepakt. Maxine was maar al te blij dat ze zich kon wreken en praatte graag met ons. Volgens haar dook David Nelson rond Kerstmis 2001 op. Chad Skeggs introduceerde hem bij een uiterst gezellig clubje vrienden, dat zo'n beetje alle topmisdadigers van Melbourne behelsde. En Nelson veroverde al snel zijn eigen plekje door postzegels met hen te verhandelen.'

'Prachtig, toch?' zei Glenn Branson. 'Hier in Engeland steken of knallen onze misdadigers elkaar neer, terwijl ze in Australië postzegels zitten te ruilen.'

Iedereen moest grinniken.

'Dat klopt niet helemaal,' zei Grace. 'In de afgelopen tien jaar zijn er zevenendertig schietpartijen in Melbourne geweest. Zoals bijna overal hebben ze daar ook hun ongure buurten.'

Net als in Brighton and Hove, dacht hij.

'Maar goed,' ging hij door. 'Lorraine – sorry, Maggie Nelson, bedoel ik – vertelde haar beste vriendin dat haar man een relatie had met iemand en dat ze niet wist wat ze moest doen. Ze was niet gelukkig in Australië, maar ze zei dat zij en haar man hun schepen achter zich hadden verbrand en niet meer terug naar Engeland konden gaan. Het lijkt mij belangrijk dat ze zei dat zij én haar man niet terug konden, en niet slechts een van hen.'

'Wanneer heeft ze dit gezegd, Roy?' vroeg Emma-Jane Boutwood.

'Tussen juni 2003 en april 2005. De twee vrouwen praatten nogal vaak samen, blijkt. Ze werden allebei belazerd door hun echtgenoot, dus ze hadden veel gemeen.'

Hij nam nog een slok koffie en keek weer naar zijn aantekeningen. 'In juni 2005 verdwijnt Maggie Nelson. Ze had een lunchafspraak met Maxine Porter en kwam niet opdagen, en toen Maxine haar belde, nam David Nelson op met het verhaal dat zijn vrouw hem had verlaten. Dat ze haar boeltje had ingepakt en terug naar Engeland was gegaan.'

'Dat komt me wel heel erg bekend voor,' zei Lizzie Mantle. 'In Engeland zegt hij tegen zijn vrienden dat zijn eerste vrouw Joanna naar Amerika is vertrokken. Dan vertelt hij zijn vrienden in Australië dat zijn tweede vrouw terug naar Engeland is gegaan. En al zijn vrienden geloven hem!'

'Deze naar het schijnt niet,' zei Grace.

'Waarom is ze dan niet naar de politie gestapt?' vroeg Bella. 'Ze moet toch hebben vermoed dat er iets niet klopte?'

'Omdat in haar wereld geen mens naar de politie gaat,' zei Lizzie Mantle.

'Precies,' beaamde Grace en hij glimlachte wrang naar de rechercheur. 'En de criminele broederschap daar is zelfs nog meer een mannenwereld dan hier. Morgen gaan ze haar weer ondervragen, dan heeft ze een lijst voor ons met namen van alle vrienden en kennissen van Nelson daar.'

'Mooi,' zei Bella, die nog een chocolaatje nam. 'Maar als hij naar het buitenland is vertrokken...'

'Dat is zo,' zei Grace. 'Maar misschien kunnen we erachter komen wat zijn favoriete plekjes in het buitenland zijn, of welk zonnig plekje hij altijd al wilde bezoeken.'

'Daar heb ik over na zitten denken,' zei Glenn Branson. 'Nou ja, Bella en ik dan.'

'Oké. Vertel maar op.'

'We hebben afgelopen vrijdag en zaterdag Skeggs uitentreuren verhoord en we hebben een verklaring van Abby Dawson gekregen die ze gistermorgen heeft afgegeven in haar moeders flat in Eastbourne. We hebben haar ook de postzegels teruggegeven die we uit Skeggs auto hebben gehaald. Ik heb ze eerst gekopieerd, dus weten we wat wat is. Ze heeft ook de documenten ondertekend waarmee ze toestemming geeft om de postzegels als bewijsstuk te gebruiken en waarin ze toezegt dat ze ze niet verkoopt.'

'Goed gedaan,' zei rechercheur Mantle.

'Dank je. Enfin, het gaat hier om: Bella en ik hebben het gevoel dat Abby Dawson ons niet alles vertelt. Ze vertelt ons alleen wat ze kwijt wil. Ik geloof haar verhaal niet over hoe ze aan die postzegels is gekomen. Ze houdt vol dat ze die heeft geërfd van een tante in Sydney, en die heet...' – hij bladerde door zijn aantekeningen, en kwam bij de juiste bladzijde – 'Anne Jennings. Dat wordt nog gecontroleerd. Maar het komt niet overeen met wat Skeggs zegt.'

'En hij is per slot van rekening een man van eer die altijd de waarheid spreekt,' zei Grace.

'Ik zou hem mijn laatste briefje van vijf toevertrouwen,' zei Glenn, net zo sarcastisch. 'Meer zou er trouwens niet van je geld overblijven als je zaken met hem zou doen. Hij is echt een akelig stuk verdriet. Maar hij kent Ronnie, en volgens mij gaat het daar om.' Hij keek om zich heen.

Grace knikte ten teken dat hij door moest gaan.

'Hugo Hegarty is ervan overtuigd dat dit de zegels zijn die hij voor Lorraine Wilson heeft gekocht.'

'Maar er toch niet zozeer van overtuigd dat hij dat voor de rechter wil zweren, hè?' kwam Lizzie Mantle tussenbeide.

'Nee, en dat zou een probleem kunnen zijn,' antwoordde Branson. 'Een paar van die losse zegels hebben stempels en hij kan er niet op zweren dat dat dezelfde stempels zijn die op de postzegels stonden die hij in 2002 voor Lorraine Wilson heeft aangekocht, omdat hij dat niet heeft bijgehouden. Of misschien wil hij er wel helemaal niet bij betrokken worden.'

'Hoezo niet?' vroeg Grace.

'Alle transacties worden contant betaald. Ik denk dat hij niet zo'n zin heeft dat naast de politie ook nog eens de Belastingdienst op zijn nek zit.'

Grace knikte, dat leek hem zeer aannemelijk. 'Wat voor bewijs heeft Skeggs dat ze van hem zijn?'

'Skeggs ging tekeer over het feit dat Abby Dawson zijn postzegels had gejat en zei dat hij daarom haar moeder had gekidnapt, dat hij niets anders kon verzinnen om ze terug te krijgen,' antwoordde Branson.

'Heeft hij er ooit vriendelijk om gevraagd?'

Branson glimlachte. 'Ik vroeg hem of hij haar wilde aanklagen wegens diefstal. Toen werd hij, vreemd genoeg, heel stil. Mompelde iets over problemen, maar toen we daarop wilden doorgaan, ontweek hij het onderwerp. Hij zei dat hij niet echt kon bewijzen dat ze van hem waren. Op een gegeven moment zei hij dat Dave Nelson erachter stak, maar meer konden we niet uit hem krijgen. Daarom moeten we voorlopig, hoewel we zo onze twijfels hebben, de postzegels aan Abby teruggeven. Totdat er bewijzen zijn dat ze hier of in Australië gestolen zijn.'

'Interessant, die opmerking over Nelson,' merkte Grace op.

'Weet je wat ik denk?' zei Branson. 'Dat er een driehoeksverhouding speelt. Dat het daar allemaal om draait.'

'Kun je dat onderbouwen?' vroeg Grace.

'Nee, nog niet. Maar volgens mij gaat het daarom.'

Terwijl hij hardop nadacht, zei Grace: 'Als David Nelson – Ronnie Wilson – haar daartoe aan heeft gezet, zou dat wel eens van groot belang kunnen zijn.'

'We voeren de druk op bij Skeggs, maar van zijn advocaat mag hij maar weinig zeggen,' zei Glenn.

'Zullen we haar anders laten schaduwen?' stelde hoofdagent Boutwood voor.

Grace schudde zijn hoofd. 'Te duur. Als David Nelson een beetje hersens heeft, is hij allang weg uit Australië. Hij zal niet zo stom zijn om naar Engeland te gaan, dus ik heb het vermoeden dat Abby Dawson ergens met hem heeft afgesproken. We zullen in de gaten laten houden of ze uit Engeland weg wil. Als zij een vliegticket koopt of ergens door een paspoortcontrole moet, dan komen we dat te weten en kunnen we haar alsnog volgen.'

'Goed plan,' zei Glenn Branson.

Rechercheur Mantle knikte. 'Mee eens.'

121

November 2007

Het was zo'n prachtige zeldzame herfstdag waarop Engeland er op zijn mooist uitzag. Abby keek door het raam naar de helderblauwe lucht en het ochtendzonnetje dat laag stond maar toch nog haar gezicht verwarmde.

In de netjes bijgehouden tuin, twee verdiepingen onder haar, was een tuinman bezig met een soort stofzuiger de gevallen bladeren op te zuigen. Een oudere man in een nieuwe regenjas liep langzaam en hortend en stotend om de siervijver, gevuld met koikarpers, heen en zette zijn looprek steeds heel behoedzaam neer alsof hij bang was dat er landmijnen in de grond verstopt zaten. Een kleine grijsharige dame zat op een bank op het bovenste terras, dik ingepakt in een gevoerde jas, aandachtig de *Daily Telegraph* te lezen.

Het Bexhill Lawns Rest Home was duurder dan waar ze oorspronkelijk rekening mee had gehouden, maar ze hadden haar moeder meteen op kúnnen nemen, dus wat deed het er dan toe dat het iets meer kostte?

Het was bovendien heerlijk om te zien hoe goed haar moeder het hier naar haar zin had. Het was niet te geloven dat Abby haar twee weken geleden verwilderd in het opgerolde tapijt had aangetroffen. Ze leek wel een ander mens, met een nieuw leven. Alsof ze er op de een of andere manier sterker uit was gekomen.

Abby keerde zich om en keek naar haar moeder. Ze had weer een brok in haar keel, zoals altijd als ze van haar afscheid moest nemen. Ze was altijd bang dat ze haar nooit meer terug zou zien.

Mary Dawson zat op de tweezitsbank in de grote, praktisch ingerichte kamer, en vulde haar naam in in een van haar puzzelbladen. Abby liep naar haar toe, legde liefdevol haar hand op haar moeders schouder en keek naar haar.

'Wat wil je nu weer winnen?' vroeg ze. Haar stem brak omdat ze nog maar weinig tijd hadden. De taxi zou weldra voor de deur staan.

'Een vakantie van veertien dagen voor twee personen in een luxehotel in Mauritius!'

'Maar, mam, je hebt niet eens een paspoort!' plaagde Abby haar goedmoedig.

'Dat weet ik, meisje, maar als ik er een nodig heb, dan kun jij dat toch voor me regelen?' Ze schonk haar dochter een eigenaardige blik.

'Hoe bedoel je dat?'

Ze keek haar dochter ondeugend aan en zei: 'Je weet best wat ik bedoel, lieverd.'

Abby bloosde. Haar moeder was altijd al slim geweest. Ze had nooit iets voor haar verborgen kunnen houden.

'Maak je geen zorgen,' zei haar moeder. 'Ik ga nergens naartoe, hoor. Ik kan ook het geld nemen.'

'Ik regel graag een paspoort voor je,' zei Abby, die op de bank ging zitten, haar arm om de tengere schouders van haar moeder legde en haar op haar wang kuste. 'Dan kun je met me mee.'

'Waar naartoe?'

Abby haalde haar schouders op. 'Als ik me ergens ga settelen.'

'En dan kom ik bij je wonen zodat je jezelf niet meer kunt zijn?'

Abby glimlachte weemoedig. 'Ik kan bij jou altijd mezelf zijn.'

'Je vader en ik, wij hebben nooit erg van reizen gehouden. Toen wijlen je tante Anne lang geleden naar Sydney emigreerde, schreef ze ons steeds hoe mooi het daar wel was en dat we ook moesten komen. Maar je vader voelde zich hier thuis. En ik ook trouwens. Maar ik ben trots op je, Abby. Mijn moeder zei altijd dat een moeder zeven kinderen kan onderhouden, maar dat zeven kinderen nog niet één moeder kunnen onderhouden. Jij hebt bewezen dat jij dat wel kunt.'

Abby slikte met moeite haar tranen in.

'Ik ben hartstikke trots op je. Een moeder kan niet beter wensen van een dochter. Alleen één ding misschien.' Ze keek haar onderzoekend aan.

'Wat dan?' Abby glimlachte naar haar, wist precies wat ze zou zeggen.

'Kleinkinderen?'

'Ooit, misschien. Je weet maar nooit. Dan moet je zéker een paspoort regelen en bij me komen wonen.'

Haar moeder keek even naar het tijdschrift. 'Nee,' zei ze en ze schudde vastberaden haar hoofd. Toen legde ze de pen neer en pakte ze haar dochters handen in haar eigen magere, oude vingers en kneep hard.

Het verraste Abby hoe sterk ze was.

'Vergeet één ding niet, Abby, lieverd. Als je ooit kinderen krijgt: geef ze een warm nest. Daardoor geef je ze de kans hun vleugels uit te slaan.'

122

November 2007

Anderhalf uur nadat ze bij haar moeder was weggegaan, liep Abby met haar koffer waarin zowat alles zat wat ze uit Brighton mee wilde nemen, over het perron van Gatwick Station en ging de roltrap op naar de aankomsthal. Toen zette ze de koffer in een kluisje.

Met de envelop die rechercheur Branson haar zaterdag had teruggeven, en die ze in een boodschappentas had gestopt en daarna in haar handtas, liep ze naar de balie van easyJet en ging in de korte rij staan. Het was middag.

Roy Grace zat in zijn kantoor een hele stapel faxen door te lezen die door Norman Potting en Nick Nicholl in de loop van de dag vanuit Australië naar hem toe waren gestuurd. Hij voelde zich wel een beetje schuldig dat hij Nicholl daar zo lang liet zitten, maar de lijst met vrienden van Lorraine Wilsons vriendin was zo handig geweest dat ze daar wel iets mee moesten doen.

Maar ondanks alles hadden ze nog steeds geen idee waar Ronnie Wilson was.

Hij keek op zijn horloge: tien voor halftwee. Zijn lunch, die Eleanor voor hem bij ASDA had gekocht, lag nog op zijn bureau in het plastic tasje. Een broodje gezond met krab en rucola en een appel. Hij gaf elke dag meer toe aan de druk die Cleo op hem uitoefende om beter te gaan eten. Niet dat hij zich er anders door voelde. Hij wilde net de tas pakken toen de telefoon overging.

Het was Bill Warner, die nu het hoofd van politie op Gatwick Airport was.

Ze waren oude vrienden en hoefden dus niet eerst een beleefd praatje te maken, en Bill kwam meteen ter zake.

'Roy, de vrouw wier naam je had doorgegeven, die Abby Dawson, alias Katherine Jennings?'

'Ja.'

'We denken dat ze net bij easyJet een vlucht met vertrektijd kwart voor vier heeft geboekt naar Nice. We hebben de beelden van de beveiligingscamera met de foto's die jij hebt doorgestuurd vergeleken en ze komen overeen.'

Die foto's waren afkomstig van de camera in de verhoorsuite. Strikt gesproken had Grace die helemaal niet mogen gebruiken zonder dat zij daar toestemming voor had gegeven. Maar daar zat hij niet mee.

'Mooi!' zei hij. 'Hartstikke mooi!'

'Wat moeten we doen?'

'Hou haar in de gaten, Bill. Ze mag beslist niet weten dat ze wordt gevolgd. Ze moet aan boord gaan, maar dan moeten er wel een paar politiemensen met haar mee gaan, en er moet iemand klaarstaan in Nice. Kun jij uitvogelen of de vlucht volgeboekt is of dat we nog twee mensen mee kunnen krijgen? Als ze vol zitten, misschien kun jij ze dan overhalen een paar passagiers niet mee te nemen?'

'Laat dat maar aan mij over. Ik weet al dat het vliegtuig maar half vol is. Ik bel de Franse politie wel. Ik neem aan dat we graag willen weten met wie ze heeft afgesproken?'

'Klopt als een bus. Bedankt, Bill. Hou me op de hoogte.'

Grace stak zijn vuist enthousiast in de lucht en riep toen Glenn Branson.

123

November 2007

'Wanneer zie ik je weer? Zeg nou. Wanneer?'

'Binnenkort!'

'Wanneer binnenkort?'

Ze lag boven op hem, hun naakte huid nat van het zweet na hun inspanningen in de warme ochtend. Zijn slappe penis lag tussen haar schaamhaar. Haar kleine, ronde borsten drukten tegen zijn borst aan en ze keek hem met haar warme bruine ogen vrolijk en ondeugend aan. Maar toch ook hard. Zonder meer.

Ze was slim, gehaaid. Ze was me er eentje.

Een zeer bijzonder eentje.

En ze was dol op de hitte. De plakkerige hitte waardoor hij voortdurend zweette. Ze wilde per se de liefde bedrijven met de tuindeuren van haar huis wijd open terwijl het zeker veertig graden was in de kamer. En nu sloeg ze met haar vuistjes op zijn borst.

'Wanneer binnenkort? Wanneer binnenkort?'

Hij streek haar inktzwarte haar uit haar gezicht en kuste haar mooie lippen. Ze was zo knap en ze had een fantastisch lijf. Hij was slanke Thaise meisjes gaan waarderen tijdens de maand dat hij in Pattaya Beach op Abby wachtte tot ze zou sms'en dat ze onderweg was.

En wauw! Had hij gemazzeld met dit meisje. Volkomen onverwacht! Want zij was alles waarvan hij had gedroomd, en dan nog wat meer. Ongeveer vijfentwintig miljoen Amerikaanse dollars meer! Iets minder als je rekening hield met de omwisseling naar de Thaise baht.

Hij had haar in een postzegelhandel in Bangkok leren kennen en ze waren aan de praat geraakt. Haar man had een hele serie nachtclubs gehad, die zij had geërfd toen hij bij een duikongeval omkwam: een toerist op een jetski had zijn hoofd eraf gevaren. Zij wilde zijn hele postzegelverzameling verkopen en Ronnie had haar advies gegeven zodat ze niet belazerd zou worden, en ze kreeg uiteindelijk drie keer meer dan dat haar was verteld dat ze waard waren.

En vervolgens waren ze elke dag één en soms wel twee keer met elkaar naar bed gegaan.

Waardoor hij een probleem had. Nou ja, het was niet echt een groot probleem. Hij was Abby eigenlijk toch al zat. Hij wist niet precies wanneer dat was begonnen. Misschien door hoe ze zich had gedragen – of eruit had gezien – als ze bij Ricky was geweest. Alsof ze het na die eerste twee ontmoetingen heel erg naar haar zin had gehad met hem.

Waardoor hij besefte waartoe ze in staat was.

Een vrouw zonder grenzen. Ze zou alles doen om rijk te worden en gebruikte hem, zoveel was zeker, als opstapje.

Gelukkig was hij haar een stap voor. Hij had al twee keer eerder de boel verknald. Water was hem niet gunstig gezind. Dat riool in Brighton was knap fout gegaan. En wie had nu verdomme kunnen denken dat de droogte in Melbourne zo lang aan zou houden?

Gelukkig kon hij genoeg boten in Koh Samui huren. En goedkoop. En de Zuid-Chinese Zee was diep.

Vijftien kilometer buitengaats was er geen kans meer op dat een lijk weer aan zou spoelen. Hij had de boot al klaarliggen. Abby zou het prachtig vinden. De boot was ook een juweeltje. En kostte geen drol. Relatief gesproken dan. En hé, wie niet waagt, wie niet wint.

Hij kuste Phara.

'Heel erg binnenkort,' zei hij. 'Echt waar.'

124

November 2007

Abby verliet de incheckbalie van easyJet en volgde niet de bordjes naar de vertrekhal, maar ging terug naar de grote hal en liep naar de toiletten.

Ze sloot zich op in een wc-hokje, haalde de envelop uit de boodschappentas, scheurde hem open en schudde de inhoud – een plastic mapje met een verzameling postzegels, losse en complete vellen – eruit.

De meeste vellen waren niet die Ricky zo graag wilde hebben, maar enkele andere vellen en aparte zegels waren wel echt, en zagen er oud genoeg uit om iemand die niets van postzegels af wist enthousiast te maken.

Ze haalde ook het bonnetje van de postzegelhandel South-East Philatelic tevoorschijn, waar ze twee weken eerder langs was geweest. Er stond een bedrag op van honderdtweeënveertig pond. Waarschijnlijk meer dan ze eigenlijk had moeten uitgeven, maar voor de leek zag de verzameling er indrukwekkend genoeg uit, en ze had heel goed ingeschat dat rechercheur Branson tot die categorie behoorde.

Ze scheurde de zegels en het bonnetje in kleine stukjes en spoelde ze door het toilet. Toen trok ze haar spijkerbroek, laarzen en jack uit. Die zou ze niet nodig hebben waar ze naartoe ging. Uit de boodschappentas haalde ze een lange, blonde pruik, geknipt zoals ze haar haar vroeger droeg, en zette hem zo goed als het ging met behulp van haar make-upspiegeltje op. Toen trok ze de zomerjapon aan die ze een paar dagen geleden had gekocht en het roomwitte linnen jasje dat er zo mooi bij stond, samen met een heel leuk paar witte schoenen met open tenen. Ze maakte haar nieuwe look af met een licht getinte zonnebril van Marc Jacobs.

Ze propte haar oude kleren in de boodschappentas, liep het hokje uit, keek in de spiegel en zette haar pruik goed, gooide de envelop in de prullenbak en keek op haar horloge. Het was vijf over halftwee. Ze lag prima op schema.

Opeens gaf haar gsm aan dat ze een sms'je binnenkreeg:

Morgen zie ik je weer! Nog maar een paar uurtjes. XX

Ze glimlachte. Nog maar een paar uurtjes! Ja, ja, ja!

Ze liep met een goed gevoel terug naar de bagagekluisjes en haalde de koffer eruit die ze daar twee weken eerder in had gezet. Ze reed ermee naar een hoek, maakte het slot open, ritste hem open, en haalde de met bubbeltjesplastic gevoerde envelop eruit. Toen stopte ze de boodschappentas erin met haar oude kleren, deed hem dicht en zette hem weer in het kluisje.

Ze liep terug naar de incheckruimte, ontdekte de balie van British Airways en liep naar het gedeelte dat gereserveerd was voor businessclass. Een hele uitgave, maar ze wilde haar nieuwe leven in de stijl beginnen waarmee ze het zou voortzetten.

Ze gaf haar paspoort en ticket aan de vrouw aan de balie en zei: 'Sarah Smith. Ik heb geboekt voor vluchtnummer 309, naar Rio de Janeiro.'

Ze stelde Abby de gebruikelijke veiligheidsvragen en plakte een label op de koffer. Toen de koffer met een schok naar voren ging, viel hij om op de band en verdween uit het zicht.

'Vertrekken we op tijd?' vroeg Abby.

De vrouw keek op haar monitor. 'Zoals het ernaar uitziet wel. Het vliegtuig vertrekt om kwart over drie. Vanaf tien over halfdrie kan men aan boord gaan, gate 54. Als u door de beveiliging in het taxfreegedeelte bent gegaan, ziet u de bordjes naar de lounge staan.'

Abby bedankte haar, en keek weer op haar horloge. Ze stond stijf van de zenuwen. Ze moest nog twee dingen doen, maar daar moest ze nog even mee wachten.

Ze liep naar de lounge van British Airways, schonk zichzelf een glas witte wijn in om rustig te worden, en snakte naar een sigaret. Maar dat kon nu even niet. Ze at een paar stukjes sandwich en ging toen voor de televisie zitten, waar het nieuws op stond, terwijl ze in gedachten haar lijst afvinkte. Ze was gelukkig niets vergeten. Maar voor alle zekerheid keek ze nog even of haar nummer op haar gsm afgeschermd was, zodat dat niet was te zien als ze belde.

Even na tien over halfdrie zag ze op het scherm dat er kon worden ingestapt, maar de vlucht was nog niet omgeroepen in de lounge. Ze liep naar de ingang van de toiletten waar het rustiger gedeelte was en niemand haar kon horen, en belde toen het nummer van de afdeling Zware Criminaliteit dat rechercheur Branson haar had gegeven voor het geval ze hem niet op zijn mobieltje kon bereiken.

Terwijl de telefoon overging, luisterde ze scherp of ze de dingdong die voorafging aan een bericht via de omroepinstallatie niet hoorde, omdat ze niet wilde dat iemand wist waar ze was.

'Zware Criminaliteit, hoofdagent Boutwood,' zei een jonge, vrouwelijke stem.

Abby verdraaide haar stem zo goed mogelijk en deed een Australisch accent na. 'Ik heb informatie over Ronnie Wilson,' zei ze. 'Hij staat op Koh Samui Airport iemand op te wachten die met vlucht 271 van Bangkok Airways arriveert. Aankomsttijd elf uur 's ochtends plaatselijke tijd. Hebt u dat genoteerd?'

'Bangkok Airways, vlucht 271, Koh Samui, morgenochtend om elf uur plaatselijke tijd. Met wie spreek ik?'

Abby verbrak de verbinding. Het zweet was haar uitgebroken en ze trilde helemaal. Ze trilde zo heftig dat ze er moeite mee had om het sms'je te beantwoorden dat ze had gekregen en moest een paar keer op de backspace-toets drukken om een fout te corrigeren voordat ze klaar was. Ze las het nog een keertje na voordat ze het verzond.

Ware liefde heeft geen gelukkig einde, omdat ware liefde nooit eindigt. Iemand laten gaan is ook een manier om te zeggen dat je van iemand houdt. xx

En ze hield echt van hem. Zielsveel zelfs. Maar niet zoveel als vier miljoen pond.

En niet met zijn slechte gewoonte om de vrouwen die hem geld hadden gegeven te vermoorden.

Even nadat ze op waren gestegen, zakte ze onderuit in haar stoel, ze had een bloody mary en nog een miniatuurflesje wodka op, en maakte de gevoerde envelop open. De stoel naast haar was vrij, dus ze hoefde niet bang te zijn voor nieuwsgierige blikken. Ze keek achterom of er niet net een stewardess aan kwam lopen, en haalde toen heel voorzichtig een van de plastic mapjes eruit.

Er zat een serie zwarte postzegels van één penny in. Ze keek naar het strenge profiel van koningin Victoria. Het woord POSTAGE stond er in ongelijke letters op gedrukt. De kleur was vervaagd. De zegels waren bijzonder, maar zeker niet volmaakt. Dave had haar een keer uitgelegd dat ze soms juist door die onvolkomenheden zo bijzonder waren.

Dat ging op voor een hoop dingen in het leven, dacht ze, door het aangename waas heen van drank. En trouwens, wie wilde er nu volmaakt zijn?

Ze keek weer naar de zegels, en besefte dat dit pas de eerste keer was dat ze ze goed had bekeken. Ze waren echt zeer bijzonder. Betoverend. Ze glimlachte naar ze en fluisterde: 'Dag, mijn kleine schatjes. Tot ziens.'

En voorzichtig stopte ze weer weg.

125

November 2007

'Leuke vakantie gehad?' vroeg Roy Grace.

'O, grappig hoor. Ik heb het strand alleen door het vliegtuigraampje kunnen zien,' antwoordde Glenn Branson.

'Moet heel mooi zijn, heb ik gehoord, Koh Samui.'

'Het was er hartstikke benauwd en het regende verdomme de hele tijd. En iets heeft me in mijn been gestoken, een gemuteerde mug of een spin. Het is helemaal opgezwollen. Wil je het zien?'

'Nee, hartelijk bedankt.'

De rechercheur, die op de stoel voor Grace' bureau zat, in zijn pak en overhemd die eruitzagen en roken alsof hij erin had geslapen, schudde grinnikend zijn hoofd. 'Wat ben je toch een lul, Grace, weet je dat?'

'En ik kan gewoon niet geloven dat je verdomme opnieuw mijn muziekcollectie naar zijn grootje hebt geholpen. Je mocht een avond overnachten. Ik heb je toch niet gevraagd elke cd uit zijn doosje te halen en op de grond te leggen?'

Branson, die wel zo netjes was beschaamd te kijken, zei: 'Ik wilde ze alleen voor jou op volgorde zetten. Ik had... shit, sorry hoor.' Hij nam een slok koffie en onderdrukte een gaap.

'Hoe gaat het met de gevangene? Hoe laat zijn jullie aangekomen?'

Branson keek op zijn horloge. 'Tegen kwart voor zeven.' Hij gaapte. 'Volgens mij hebben we in de afgelopen twee weken het hele reisbudget voor dit jaar erdoorheen gejast.'

Grace glimlachte. 'Heeft Wilson nog iets gezegd?'

Branson dronk nog wat koffie. 'Weet je, het gekke is dat het eigenlijk best een geschikte kerel is.'

'O, vast. Hij is de aardigste vent die je ooit hebt ontmoet, toch? Hij heeft alleen een heel klein probleempje: hij vermoordt liever zijn vrouw dan dat hij een baan zoekt.' Grace deed net of hij geschokt door hem was. 'Glenn, jij bent een geschikte kerel. En als ik niet zoveel aan mijn hoofd had, dan zou ik ook een geschikte kerel zijn. Maar Ronnie Wilson is gewoon geen geschikte kerel. Hij is er alleen heel goed in mensen ervan te overtuigen dat hij dat wel is.'

Branson knikte. 'Ja. Ik bedoelde het ook niet zoals het eruit kwam.'

'Ga jij nou maar huis. Ga slapen, neem een douche en kom straks weer terug.'

'Doe ik. Maar hij heeft eigenlijk best veel verteld. Hij had een filosofische bui en wilde graag praten. Ik heb het gevoel dat hij genoeg heeft van al dat vluchten. Hij heeft zes jaar ondergedoken gezeten. Daarom wilde hij wel met ons mee gaan. Hoewel hij maar bleef doorgaan over een of ander Thais grietje. Hij wilde haar een sms'je sturen.'

'Heb je hem op zijn rechten gewezen voordat hij zijn hart luchtte?'

'Ja.'

'Goed zo.'

Dat hield in dat alles wat Ronnie Wilson tijdens de vlucht had gezegd, kon worden gebruikt tijdens de rechtszaak.

'Ik kan je dit wel vertellen: hij heeft een bloedhekel aan die Skeggs. Hij wilde er zeker van zijn dat als hij gepakt werd, Skeggs met hem mee ging.'

'O, ja?'

'Voor zover ik het heb begrepen, heeft Skeggs hem geholpen toen hij in Australië aankwam.'

'Dat dachten we al,' zei Grace.

'Ja. Op een gegeven moment, heeft Ronnie Wilson zijn handen op dit pakket postzegels kunnen leggen.'

'Via zijn vrouw?'

'Daar bleef hij vaag over.'

'Dat verbaast me niets.'

'Maar goed, hij gaf ze aan Skeggs om ze te verkopen en Skeggs wilde hem een oor aannaaien. Hij wilde negentig procent ontvangen van wat ze waard waren en anders zou hij Ronnie aangeven. Maar Skeggs had één zwakte: hij was gek op Ronnies meisje. Het meisje met wie Ronnie, zoals hij dat zo prachtig verwoordde, ging hokken toen zijn vrouw eenmaal opgerot was.'

'In de kofferbak van een auto.'

'Precies.'

'En dat grietje was Abby Dawson?'

'Wat ben jij bijdehand vandaag, inspecteur.'

'Ik heb wél de hele nacht geslapen. Ronnie Wilson heeft haar dus als lokaas gebruikt? Ze moest met Skeggs naar bed en de postzegels terugjatten. Klopt dat?'

'Als een bus.'

'Denk je dat hij Abby zou hebben vermoord zodra hij ze weer terug had?'

'Als je kijkt naar hoe het vroeger is gegaan, dan ongetwijfeld, ja. Hij is een gier.'

'En daarnet zei je nog dat hij een geschikte kerel was.'

Branson moest dat schoorvoetend toegeven. Toen veranderde hij van onderwerp. 'Heb je al een nieuwe auto gekocht?'

'Nee, die rotverzekeringsmaatschappijen. Ze willen niet uitkeren omdat ik in een achtervolging zat. Klootzakken. Ik ben ermee bezig. Omdat ik in functie was, staat het hoofdkwartier achter me.' Hij ging weer terug naar het oorspronkelijke onderwerp en vroeg: 'Denk je dat Abby die postzegels nog steeds heeft?'

'Zeker weten.'

'Hegarty is er honderd procent zeker van dat het spul dat jij hebt gekopieerd rotzooi is.'

'Ongetwijfeld.'

'Ik heb er goed over nagedacht,' zei Grace. 'En volgens mij heeft ze daarom Skeggs in zijn kruis getrapt.'

Branson fronste zijn wenkbrauwen. 'Dat snap ik even niet.'

'Toen ze de postzegels overhandigde, gaf ze hem een knietje om tijd te winnen. Ze wist dat ze het rotzooi was en dat hij dat binnen de kortste keren door zou hebben. Ze viel hem aan zodat wij op zouden komen draven. Ze heeft hem in de val gelokt.'

Branson keek hem aan, en langzaam drong het tot hem door. 'Ze is buitengewoon slim.'

'En of. En niemand heeft die zegels als gestolen opgegeven, hè?'

'Nee,' zei Branson in gedachten verzonken. 'Maar hoe zit het met de verzekeringsmaatschappijen? Die van het Compensatiefonds en de levensverzekering? Kunnen zij die postzegels niet opeisen aangezien ze met hun geld zijn gekocht?'

'Daar geldt hetzelfde voor: herkomst. Als Hegarty niet wil getuigen, hoe kunnen ze het dan bewijzen?'

De twee rechercheurs zaten in stilte na te denken. Glenn dronk nog wat koffie, en zei toen: 'Ik heb van Steve Mackie gehoord dat Pewe overplaatsing heeft aangevraagd.'

Grace glimlachte. 'Dat klopt. Terug naar Londen. Van mij mag hij!'

Weer een stilte. Toen zei Glenn: 'Dus waar denk je dat die vrouw nu is?'

'Weet je? Volgens mij zit ze ergens op een tropisch strand met een margarita in haar hand zich gek te lachen.'

Hij had helemaal gelijk.

126

November 2007

De margarita was een van de lekkerste die ze ooit had gedronken. Hij was scherp en sterk, de barman had er precies genoeg Cointreau in gedaan en de rand van het glas perfect van zout voorzien. Na een week in dit hotel wist hij eindelijk hoe zij het hebben wilde.

Ze zat op een strandstoel met een dik, zacht matrasje op het witte zandstrand van het uitzicht op de baai te genieten. En deze tijd van de dag was het mooist: laat in de middag als het wat minder warm was en ze geen schaduw van een parasol meer nodig had. Ze legde haar boek even neer, nam nog een slok en keek naar de gele paraglidingboot die de baai in voer met de oranjerode parachute er in de heldere lucht achteraan.

Misschien dat ze zo nog even ging zwemmen. Ze wist nog niet of ze dat in de zee of in het enorm grote zwembad van het hotel zou doen, waar het wat koeler en meer verfrissend was. Al die beslissingen!

Ze dacht veel aan haar moeder, en aan Ronnie en Ricky. Hoewel ze nog steeds kwaad was op Ricky en geschokt door Ronnie, had ze toch ook een beetje medelijden met hen.

Maar niet heel erg veel.

'Mooi boek?' vroeg de vrouw op de strandstoel naast haar opeens.

Abby had haar al gezien, ze had liggen slapen met het boek *Restless*, dat zij onlangs ook had gelezen, boven op *The Hitchhiker's Guide to the Galaxy* op het witte tafeltje naast haar.

'Het is best wel mooi,' zei ze. 'Maar ik ben toch meer een fan van Douglas Adams. Volgens mij heb ik alles wel van hem gelezen.'

'Ik ook!'

Hij had een van Abby's meest geliefde citaten geschreven, die ze onlangs nog ergens tegen was gekomen:

IK BELAND ZELDEN ERGENS WAAR IK WIL ZIJN, MAAR BELAND ALTIJD ERGENS WAAR IK HOOR TE ZIJN.

En zo voelde zij zich ook op dit moment.

Ze nam nog een slok. 'Ze maken hier de lekkerste margarita's ter wereld,' zei ze.

'Misschien neem ik er ook wel een. Ik ben vandaag pas aangekomen, dus ik moet het allemaal nog ontdekken.'

'Het is hier heerlijk. Echt een paradijs!'

'Daar lijkt het wel op.'

Abby glimlachte. 'Ik heet Sarah,' zei ze.

'Aangenaam kennis te maken. Ik heet Sandy.'

Dankwoord

Een gedeelte van dit boek speelt zich af rond de afschuwelijke gebeurtenissen op 11 september. Ik heb veel respect voor de slachtoffers en voor hun nabestaanden.

Hoewel de boeken over Roy Grace fictie zijn, is de wereld waarin hij zich begeeft wel echt. Ik heb veel hulp gehad bij het schrijven van dit boek van de politie van Sussex en ook van de NYPD, alsmede het Openbaar Ministerie in New York en de politie in New South Wales.

Mijn speciale dank gaat uit naar chief constable Martin Richards in Sussex, vanwege zijn vriendelijke goedkeuring, en detectives chief superintendent Kevin Moore en Graham Bartlett, die zo aardig waren vele deuren voor me te openen. Ook voormalig detective chief superintendent Dave Gaylor veel dank omdat hij me zo gigantisch heeft geholpen.

Hier nog een paar mensen die me met name bij de politie van Sussex hebben geholpen bij dit boek (vergeef me als ik iemand vergeten ben): chief superintendent Peter Coll; Brian Cook, scientific support branch manager; senior support officer Tony Case van het hoofdkwartier Criminal Investigation Department; DCI Ian Pollard; DI William Warner, DS Patrick Sweeney; inspector Stephen Curry; DI Jason Tingley, Ops/Intel; inspector Andrew Kundert; sgt. Phil Taylor, hoofd High Tech Crime Unit; computer crime analyst Ray Packham van de High Tech Crime Unit; PC Paul Grzegorek van het LST; PC James Bowes; PC Dave Curtis; inspector Phil Clarke; sgt. Mel Doyle; PC Tony Omotoso; PC Ian Upperton; PC Andrew King; sgt. Malcolm (Choppy) Wauchope; PC Darren Balcombe; sgt. Sean McDonald, PC Danny Swietlik; PC Steve Cheesman; Ron King, forces controller; en Sue Heard, media- en pr-medewerkster.

Ook bedankt: forensisch archeologe Lucy Sibun. En Abigail Bradley van Cellmark Forensics; dr. Peter Dean, lijkschouwer in Essex; dr. Nigel Kirkham, dr. Andrew Davey; mr. Andrew Yelland; dr. Johathan Pash; Steve Cowling; en Christopher Gebbie. En in het bijzonder wil ik het fantastische team in het mortuarium van Brigthon and Hove bedanken: Elsie Sweetman, Victor Sindon en Sean Didcott.

In New York ben ik dank verschuldigd aan detective investigator Dennis Bootle van het Rackets Bureau, Openbaar Ministerie; en detective investigator Patrick Lanigan, Special Investigations Unit, Openbaar Ministerie. In Australië hartelijk dank aan detective inspector Lucio Rovis, Victoria Police Homicide Unit; detective senior sergeant George Vickers en detective sergeant Troy Burg, Carlton Crime Investigation Unit; detective senior constable Damian Jackson; sergeant Ed Pollard, Victoria Police State Coronor's Assistant Unit; Andrea Petrie van de krant *The Age*; en mijn expert van de Australische taal: Janet Vickers!

Dank aan Gordon Camping voor zijn onschatbare lessen over postzegels; aan Rob Kempson; aan Colin Witham van het HSBC; aan Peter Bailey voor zijn encyclopedische kennis van Brighton vroeger en tegenwoordig; aan Peter Wingate-Saul, Oli Rigg en Phil White van de brandweer van Oost-Sussex; en Dave Storey van de brandweer van Nottingham; aan Robert Frankis, die me betrapte toen ik weer naar auto's keek, en aan Chris Webb die mijn computer aan de gang hield, hoe ik ook tekeerging tegen dat ding!

Veel dank aan Anna-Lisa Lindeblad, die mijn onvermoeibare en fantastische 'onofficiële' redacteur en criticus was bij de hele Roy Grace-serie, en aan Sue Ansell, die me met haar scherpe oog voor details al menig keer voor een afgang heeft behoed.

Professioneel gesproken heb ik een team uit duizenden: de fantastische Carole Blake die me vertegenwoordigt, samen met Oli Munson, mijn waanzinnige uitgever, en Amelia Rowland van Midas PR; en ik zou ruimte tekortkomen als ik iedereen bij Macmillan zou bedanken. Laat ik het erop houden dat ik het heerlijk vind om door hen te worden uitgegeven, en dat ik mijn handjes in elkaar mag knijpen met Stef Bierwerth als redacteur. Heel veel dank aan al mijn buitenlandse uitgevers. Danke! Merci! Grazie! болБшое спасиб! Gracias! Dank u! Tack! Obrigado!

Helen was, zoals altijd, een rots in de branding, ze voedde me met haar eindeloze geduld en grote wijsheid.

En dan heb ik helaas afscheid moeten nemen van mijn trouwe viervoeters Sooty en Bertie, die allebei naar het grote knekelveld in de hemel zijn gegaan, en heet ik Oscar welkom, die nu Phoebe gezelschap houdt onder mijn bureau, en ligt te wachten tot hij de vellen van het manuscript die toevallig naar beneden komen dwarrelen geheel en al kan verscheuren.

Peter James
Sussex, Engeland
scary@pavilion.co.uk
www.peterjames.com

Lees ook van Peter James:

Doodsimpel

Een macabere grap loopt gruwelijk uit de hand...

Michael Harrison gaat bijna trouwen. Zijn vrienden besluiten hem eens flink te grazen te nemen en verzinnen een sinistere grap. Op zijn vrijgezellenavond voeren ze hem dronken, waarna ze hem achterlaten in een doodskist met een fles whisky en een walkietalkie. Maar wanneer de vrienden wegrijden om hem een paar uur flink te laten zweten, krijgen ze een fataal ongeluk... Niemand weet waar Michael is, ook Michael zelf niet, die langzaam ontwaakt uit zijn roes...

Met nog maar drie dagen te gaan voor de bruiloft, wordt inspecteur Roy Grace ingeschakeld door de bloedmooie en zeer bezorgde verloofde, Ashley Harper. Met maar bar weinig aanknopingspunten moet Grace aan de slag. Zelfs Mark Warren, Michaels beste vriend en zakenpartner, en bij uitstek degene die zou moeten weten waar Michael uithangt, kan hem niet verder helpen. Gaandeweg komt Grace erachter dat meerdere mensen baat zouden kunnen hebben bij de verdwijning van Michael – meer dan iedereen zich realiseert. Want de een zijn dood is de ander zijn brood... doodsimpel...

ISBN 978 90 261 2375 7
384 blz.

De dood voor ogen

Wat zou jij doen als je een cd in de trein zou vinden?

Tom Bryce vindt een cd in de trein en neemt hem mee naar huis. Hij wil de eigenaar ervan opsporen en de cd terugbezorgen. 's Avonds steekt hij het schijfje in de computer en ziet tot zijn ontzetting een nietsvermoedende jonge vrouw, die live voor de camera wordt vermoord.
Op hetzelfde moment onderzoekt de politie in Brighton, onder leiding van inspecteur Roy Grace, de identiteit van een vrouw wier lichaam zonder hoofd in de duinen gevonden is.
Niet lang nadat Tom de inhoud van de cd heeft bekeken, wordt hij bedreigd. Zijn familieleden en hij zijn hun leven niet zeker als hij naar de politie gaat. Maar Tom ziet geen andere uitweg en legt, gesteund door zijn vrouw Katie, dapper een verklaring af tegenover Roy Grace en zijn rechercheteam. Vanaf dat moment is de moord op de familie Bryce slechts een kwestie van tijd – en een gruwelijke attractie. De moord op Kellie en Tom wordt al aangekondigd op het internet. Ze hebben de dood voor ogen...

ISBN 978 90 261 2384 9
464 blz.